C0-AWF-422

vydavateľstvo
Slovenskej akadémie vied

HISTORICKÝ ÚSTAV
SLOVENSKEJ AKADÉMIE VIED

Slovensko a Európa medzi demokraciou a totalitou
Kapitoly z dejín 20. storočia k jubileu Bohumily Ferenčuhovej

Kolektívnu monografiu zostavili: Mgr. Matej Hanula, PhD.
Mgr. Michal Kšiňan, PhD.

Recenzenti: PhDr. Slavomír Michálek, DrSc.
PhDr. Zuzana Poláčková, CSc.

Jazyková redaktorka: Mgr. Katarína Prekopová

Návrh obálky a grafická úprava: Jozef Hupka

Vydal Historický ústav SAV vo Vede, vydavateľstve SAV.

Táto práca bola podporená agentúrou Vega v rámci projektu č. 2/0119/14 Formovanie zahraničnopolitického myslenia slovenských politických elít a spoločnosti v rokoch 1918 – 1939. Zodpovedný riešiteľ: Mgr. Matej Hanula, PhD. Jednotlivé štúdie vznikli v rámci ďalších projektov, uvedených pri kapitolách.

Bratislava, Veda, vydavateľstvo SAV, 2017

ISBN: 978-80-224-1564-4
Poradové číslo 4247

SLOVENSKO A EURÓPA MEDZI DEMOKRACIOU A TOTALITOU

Kapitoly z dejín 20. storočia k jubileu ***Bohumily Ferenčuhovej***

Matej Hanula
Michal Kšiňan (eds.)

Bratislava, Veda, vydavateľstvo SAV, 2017
ISBN 978-80-224-1564-4

OBSAH

CONTENTS

PREDHOVOR

Na Slovensku nie je veľa historičiek a historikov novších dejín, ktorých práce sa nevenujú spravidla len témam úzko regionálne obmedzeným na slovenský prípadne československý kontext, ale výsledky svojho výskumu v prevažnej miere zasadzujú do širších európskych súvislostí. Dlhoročná vedecká pracovníčka Historického ústavu SAV v Bratislave Bohumila Ferenčuhová je práve jednou z týchto výnimiek. Jej vedecké publikácie prekračujú teritoriálnu ohraničenosť hranicami štátnych útvarov, ktorých súčasťou bolo Slovensko po roku 1918. Okrem medzinárodných vzťahov v období medzi dvoma svetovými vojnami sa vo svojich výskumoch dominantne zaoberá väzbami medzi Francúzskom a strednou Európu. Venuje sa kultúrnym transferom, teda prúdeniu myšlienok, kultúrnych iniciatív a politických modelov z Francúzska do strednej Európy – hlavne na Slovensko a do českých krajín – ale aj opačným smerom, a to od začiatku 19. storočia s dôrazom predovšetkým na 20. a 30. roky storočia dvadsiateho. Na takto profilovanú vedeckú dráhu predurčila Bohumilu Ferenčuhovú najmä skutočnosť, že popri histórii vyštudovala na Filozofickej fakulte Univerzity Komenského v Bratislave zároveň odbor francúzsky jazyk a literatúra. Počas štúdií vyhrala konkurz Ministerstva školstva ČSSR v Prahe, vďaka čomu sa jej podarilo získať výmenný študijný pobyt v Paríži, ktorý sa napokon natiahol na 18 mesiacov. V hlavnom meste Francúzska navštevovala nielen prestížnu *École normale supérieure,* ale aj Univerzitu Paríž 1 Panthéon-Sorbonne. Zatiaľ čo jej rovesníci a spolužiaci zažívali v Československu trpké obdobie nastupujúcej normalizácie, mala Bohumila Ferenčuhová možnosť dýchať atmosféru slobodného a už vtedy multikultúrneho sveta v jednej z najvýznamnejších svetových metropol. Jej pevné puto s Francúzskom, jeho dejinami a kultúrou nemohol pretrhnúť ani návrat do už znormalizovaného neslobodného Československa v roku 1971, keď bola nútená venovať sa prioritne iným témam, a to predovšetkým dejinám medzinárodných vzťahov v medzivojnovom období, ktoré sa stali ďalšou významnou prioritnou oblasťou jej vedeckého záujmu. Na rozvíjanie svojej dovtedy dominantnej témy, ktorou bola francúzska slavistika 19. storočia, mohla fakticky až do roku 1989 zabudnúť.

Okrem kultúrnych a politických transferov medzi Francúzskom a strednou Európu a medzinárodným vzťahom v 20. a 30. rokoch dvadsiateho storočia sa veľmi intenzívne Bohumila Ferenčuhová venuje aj problematike medzinárodnej ochrany práv menšín v medzivojnovom období, ako aj mechanizmom ochrany menšín v súčasnej zjednotenej Európe. V tejto oblasti sa stala jednou z najuznávanejších slovenských odborníčok, o čom svedčí aj skutočnosť, že v rokoch 2006 až 2010 bola členkou Poradného výboru k rámcovému dohovoru na ochranu národnostných menším pri Rade Európy v Štrasburgu. Slovenským historikom a vedeckým inštitúciám zameraným na výskum dejín sa predovšetkým v ostatných rokoch neustále vytýka, že ich výskumom často chýba širší európsky záber a za nedostatočné býva označované aj ich zapojenie do medzinárodných projektov s kolegami z iných krajín Európy. Bohumila Ferenčuhová patrí aj v tomto smere najmä vďaka svojmu už spomenutému „francúzskemu" rozmeru svojho bádania medzi nimi k výnimkám. Bola totiž riešiteľkou viacerých spoločných francúzsko-slovenských či francúzsko-česko-slovenských výskumných projektov, na ktorých spolupracovala s takými osobnosťami francúzskej historiografie, akými boli a sú profesori Bernard Michel či Antoine Marès. Vzájomnú spoluprácu roky rozvíjala aj ako dlhoročná členka a predsedníčka slovenskej sekcie Francúzsko-česko-slovenskej komisie historikov. Pri nadväzovaní medzinárodnej vedeckej spolupráce sa však ani zďaleka neobmedzuje iba na kontakty s Francúzskom. Od 90. rokov je členkou dvoch medzinárodných komisií, ktoré patria medzi členov Medzinárodného komitétu historických vied (CISH), čiže strešnej organizácie rozvíjajúcej kontakty medzi historikmi z celého sveta. Ide o Spoločnosť pre súčasné dejiny Európy so sídlom v Štrasburgu a Medzinárodnú komisiu pre dejiny medzinárodných vzťahov sídliacu v Paríži a Miláne. Od svetového kongresu CISH v roku 2000 v Oslo je členkou jej byra. Takmer desaťročie prednášala tiež na Université Robert Schuman v Štrasburgu. Bohumila Ferenčuhová bola okrem toho dlhoročnou reprezentantkou slovenskej historickej obce ako členka a predsedníčka Slovenského národného komitétu historikov, ktorý je oficiálnym zástupcom slovenských historikov v CISH.

Od roku 2012 je Bohumila Ferenčuhová riadnou členkou Učenej spoločnosti SAV. O jej významnej úlohe v rámci slovenskej historiografie, ako aj o medzinárodnom rozmere výsledkov jej výskumov svedčia taktiež ocenenia, ktoré za svoju vedeckú činnosť získala. V roku 2006 ju francúzske ministerstvo školstva vymenovalo *Chevalier dans l'Ordre des Palmes académiques* za služby poskytnuté francúzskej kultúre. Následne ju v roku 2014 povýšilo na *Officier dans l'Ordre des Palmes académiques* za jej angažovanosť v prospech slovensko-francúzskej vedeckej spolupráce v spoločenských vedách. Z viacerých slovenských ocenení možno spomenúť napríklad Medailu M. R. Štefánika, ktorú jej v roku 1999 udelil Ústredný výbor Slovenského zväzu protifašistických bojovníkov.

Ako historici – dlhoroční spolupracovníci, ale aj kolegovia doktorky Ferenčuhovej zo strednej a najmladšej generácie, viacerí z nás jej bývalí doktorandi, sme sa rozhodli venovať jej k významnému životnému jubileu túto kolektívnu monografiu. Ide o kapitoly z dejín Slovenska a Európy v 20. storočí, ktoré sú najbližšie vedeckému záujmu jubilantky. Zároveň išlo o veľmi dynamické obdobie, počas ktorého nielen na Slovensku, ale aj v Európe zvádzali medzi sebou nielen ideologické, ale často, bohužiaľ, aj ostré krvavé vojnové súboje totalitné (autoritatívne) a demokratické režimy. Dobrým príkladom tejto skutočnosti je i Slovensko, kde sa počas 20. storočia vystriedalo minimálne šesť rôznych režimov. Prešlo si obdobiami vlády demokracie, no i dvomi totalitami – v období Slovenskej republiky z rokov 1939 – 1945 a po roku 1948 komunistickou diktatúrou v rámci Československa.

Kapitoly monografie reflektujú politický, kultúrny, sociálny vývoj, ale i modernizačné posuny, ku ktorým na Slovensku prichádzalo prakticky počas všetkých týchto režimov. Tematicky sú rozdelené na štyri časti. Príspevky v prvej z nich sa venujú zahraničnopolitickým súvislostiam vzniku prvej ČSR, ako aj jej etablovaniu v systéme medzinárodných vzťahov v 20. rokoch dvadsiateho storočia. Záverečná kapitola tejto časti analyzuje pomerne málo úspešný zápas novej vládnucej garnitúry slovenskej autonómnej krajiny o jej územnú integritu v rokoch 1938 – 1939. Nasleduje druhá časť, ktorá sa zameriava na problémy vnútropolitického vývoja Slovenska v medzivojnovom období a na viaceré aspekty hospodárskeho a sociálneho vývoja krajiny, či výrazný modernizačný prvok tohto obdobia, ktorým bolo intenzívne budovanie cestnej a železničnej siete. Tretia časť je chronologicky vymedzená obdobím druhej svetovej vojny. Kapitoly, ktoré sú jej súčasťou, mapujú postoje časti kultúrnych elít k vývoju vojnovej Slovenskej republiky, aktivity čs. zahraničného odboja na území protektorátu a osudy významnej skupiny francúzskych slavistov po porážke krajiny nacistickým Nemeckom v roku 1940. Príspevky záverečnej štvrtej časti publikácie sa venujú rôznym aspektom politického, sociálneho a kultúrneho vývoja na Slovensku a v Československu v období komunistickej diktatúry po roku 1948. Osobitým prínosom publikácie sú nepochybne aj preklady textov dvoch francúzskych kolegov jubilantky a zároveň spoluriešiteľov jej viacerých bilaterálnych projektov, ktoré dávajú práci „francúzsky rozmer“ a aspoň čiastočne odzrkadľujú obľúbené francúzske témy Dr. Ferenčuhovej.

Veríme, že jubilantka predložené štúdie zužitkuje vo svojej ďalšej vedeckej práci, pri ktorej jej želáme mnoho nových úspechov a veľa síl. Zároveň dúfame, že publikácia si nájde cestu nielen k odborným záujemcov o slovenské dejiny z radov spoločenských a humanitných vedcov, ale upúta aj širšiu slovenskú verejnosť, ktorú zaujímajú dejiny Slovenska a Európy v búrlivom dvadsiatom storočí.

Matej Hanula
Michal Kšiňan

SLOVENSKO A MEDZINÁRODNÉ VZŤAHY V 1. POLOVICI 20. STOROČIA

„V jednote je sila!" Štefánik a boj o jednotu československého odboja v Rusku v rokoch 1916/1917*

Michal Kšiňan

V septembri roku 1918 sa český básnik a politik Jan Grmela obrátil na Svätú stolicu ako predstaviteľ Francúzsko-českej federácie Českých spojených štátov. Vo Vatikáne nevedeli, aký postoj k tejto organizácii zaujať, a tak museli kontaktovať parížske arcibiskupstvo so žiadosťou o informácie. Z Paríža im poslali pomerne dlhú a podrobnú správu, ktorá okrem iného uvádzala, že spomenutá organizácia bola v spore s Československou národnou radou (ČSNR) ako vedúcim predstaviteľom československého (čs.) odboja.[1] Rovnaká organizácia sa dvakrát obrátila na britské ministerstvo zahraničných vecí. V prvej správe ďakovala, že Čechov uznali za spojencov Dohody, ale v druhej sa sťažovali na činnosť Masaryka a Beneša s tým, že nimi používaný výraz „Čecho-Slováci" narúšal národnú jednotu, keďže Slováci boli údajne iba jednou z vetiev českého národa. Ministerstvo po krátkom preskúmaní otázky a po konzultácii s Benešom uviedlo, že táto federácia je zložená z „nežiaducich osôb" a rozhodlo sa na zaslané správy nereagovať.[2] V roku 1918 bola teda medzinárodná pozícia ČSNR dostatočne silná a zabezpečená, čo sa síce často vníma ako samozrejmosť, ale takéto postavenie neprišlo samo od seba a jej predstavitelia museli o oň tvrdo bojovať. Asi najdôležitejšia epizóda tohto zápasu sa odohrala v rokoch 1916/1917 v Rusku.

Príbeh vzniku Československa nemožno vnímať lineárne – začiatkom vojny vznikol československý odboj, ktorého program oslovil nielen krajanov v zahraničí, ale aj dohodových politikov, z čoho následne pramenil vznik Československa. Napríklad ruský historik Jevgenij Fiodorovič Firsov upozorňuje na nesprávnosť hypotézy, že sa Česi a Slováci pridali k Masarykovmu programu spontánne, ale že skôr išlo o dôsledok činnosti *Správy svazu československých spolků na Rusi*.[3]

Štefánikovej misii v Rusku sa už venovalo veľké množstvo historikov,[4] vďaka čomu poznáme pomerne podrobne jeho činnosť, ktorú zhrniem v prvej časti môjho textu. V druhej

* Štúdia vznikla v rámci projektov VEGA 2/0135/15 *Víťazstvo a pád Tretej republiky. Malá dohoda medzi Francúzskom a Talianskom 1914 – 1940* a APVV-15-0349 Indivíduum a spoločnosť – ich vzájomná reflexia v historickom procese. Zodpovedný riešiteľ: PhDr. Slavomír Michálek, DrSc

1 Sacra congregazione degli Affari ecclesiastici straordinari, Vatikán, fondo: AA. EE. SS., seria, Austria-Ungheria III, Posizione 1260, fascicolo: 509.

2 The National Archives Londýn, FO/371/3136, List z Paríža z 11. 9. 1918.

3 FIRSOV, Jevgenij Fiodorovič. Boj za orientáciu českého a slovenského národnooslobodzovacieho hnutia v Rusku v rokoch 1915 – 1917. In *Historický časopis*, 1995, roč. 43, č. 1, s. 47 – 68.

4 Pozri napríklad: FIRSOV, Jevgenij Fiodorovič. *T. G. Masaryk v Rosii i borba za nezavisimosť Čechov i Slovakov*. Moskva : Indrik, 2012, 336 s.; VOLKOV, Vladimír Konstantinovič (ed.). *Milan Rastislav Štefanik. Novyj vzgľad.* Martin : Neografia pre Rossijskaja akademija nauk - Institut slavjanovedenija - Posoľstvo Slovackoj Respubliki v Rossijskoj Federacii, 2001, 157 s; FERENČUHOVÁ, Bohumila. M. R. Štefánik a československé vojsko v Rusku (s dôrazom na roky 1916 – 1917). In FERENČUHOVÁ, Bohumila (ed.) *Milan Rastislav Štefánik*

časti sa inšpirujem teóriou mobilizácie sociálneho kapitálu od Pierra Bourdieua v snahe vykresliť spor v Rusku v rokoch 1916/1917 ako boj dvoch skupín. Na záver poukážem na propagandistické praktiky, ktoré používali oba tábory, aby zdiskreditovali svojich protivníkov.

Na lepšie porozumenie dôležitosti jednoty čs. odboja vypustíme malú komparatívnu sondu a porovnáme ho s juhoslovanskými a poľskými snaženiami počas prvej svetovej vojny. V prvom rade treba spomenúť, že Poliaci a Juhoslovania mohli nadviazať na tradíciu štátnosti, ktorá bola omnoho živšia než česká. Poliaci stratili svoj vlastný štát koncom 18. storočia, avšak ako povedal poľský hrdina a generál Tadeusz Kościuszko, Poľska už síce nebolo, ale Poliaci tu boli stále. V západnej Európe sa poľská otázka tešila pomerne veľkej popularite už od čias pôsobenia Adama Mickiewicza, Louisa Légéra či od vytvorenia Varšavského veľkovojvodstva Napoleonom. Srbsko bola zase pred vypuknutím 1. svetovej vojny významným spojencom pravoslávneho Ruska na Balkáne. Hoci nemožno dať znamienko „rovná sa" medzi srbský a juhoslovanský, predsa len jeden a pol ročné vzdorovanie srbských vojsk rakúsko-uhorským a nemeckým vyvolalo záujem svetovej verejnosti. Na druhej strane zase pozíciu juhoslovanského odboja komplikovali územné požiadavky v Dalmácii, ktoré sa krížili s talianskymi záujmami. Ako si spomína Louisa Weissová, významná francúzska novinárka, sufražetka a prívrženkyňa čs. odboja, česká, resp. čs. otázka mala v prvej polovici prvej svetovej vojny v západnej Európe jedno špeciálne privilégium – vôbec sa nekládla, nikto ju nepoznal, ľahostajnosť voči nej bola všeobecným javom.[5] Aj z tohto dôvodu potreboval byť čs. odboj akcieschopný a jednotný, bez vnútorných žabomyších vojen.

Československý odboj medzi východom a západom?

Vypuknutie prvej svetovej vojny malo za následok aktivizáciu českých a slovenských odporcov vtedajších pomerov v Rakúsko-Uhorsku, či už v rámci monarchie, ale predovšetkým za jej hranicami. Krajania v zahraničí vytvorili viaceré spolky, ktoré sa však medzi sebou často sporili. V nejasnej situácii, keď chýbali presne určené štruktúry zahraničného odboja, bolo treba zabezpečiť jeho vedenie. Tomáš Garrigue Masaryk dúfal, že odboj sa podarí zjednotiť zásluhou jeho osobného vplyvu. Podľa neho to boli dvaja českí poslanci Reichstagu, on a Josef Dürich, ktorí reprezentovali vôľu národa. Krajanské spolky mohli hrať iba pomocnú úlohu.

Milan Rastislav Štefánik, naopak, požadoval, aby predstavitelia odboja vytvorili centrálnu organizáciu úplne nezávislú na krajanskym spolkoch.[6] Po rozhovoroch s vedúcimi francúzskymi politikmi tiež nástojil na tom, aby hnutie malo svojho zástupcu v Paríži a aby

a česko-slovenské zahraničné vojsko (légie). Bratislava : Spoločnosť Pro Historia, 2014, s. 13 – 26; HOLEC, Roman. M. R. Štefánik a problémy česko-slovenského odboja v Rusku. In HRONSKÝ, Marián – ČAPLOVIČ, Miloslav (eds.). *Generál dr. Milan Rastislav Štefánik – vojak a diplomat. Zborník príspevkov z vedeckej konferencie v Bratislave 4. – 5. mája 1999*. Bratislava : Vojenský historický ústav, 1999, s. 57 – 68; SERAPIONOVA, Jelena Pavlovna. Dokumenty ruských archívov o Milanovi Rastislavovi Štefánikovi. In ČAPLOVIČ, Miloslav – FERENČUHOVÁ, Bohumila – STANOVÁ, Mária (eds.). *Milan Rastislav Štefánik v zrkadle prameňov a najnovších poznatkov historiografie*. Bratislava : Vojenský historický ústav; Ministerstvo obrany SR, 2010, s. 167 – 174.

5 WEISS, Louise. *La République tchéco-slovaque*. Paris : Payot et Cie, 1919, s. 157.

6 PICHLÍK, Karel. *Bez legend*. Praha : Panorama, 1991, s. 162. Pozri tiež: NEVILLE. Peter. *Eduard Beneš and Tomáš Masaryk. Czechoslovakia*. London : Haus Histories, 2010, s. 28.

vznikol jasný čs. program, ktorý bude v súlade so zahraničnými záujmami Dohody.[7] Na pozíciu predstaviteľa čs. hnutia navrhol Edvarda Beneša v Paríži, ktorý by mohol zastupovať Masaryka v jeho neprítomnosti.[8] V roku 1916 vznikol centrálny orgán čs. odboja – Národná rada českých krajín (chvíľu trvalo, kým sa jej názov ustálil), neskôr premenovaná na Československú národnú radu, na čele s Masarykom, jeho zástupcom Dürichom, generálnym sekretárom Benešom a Štefánikom ako predstaviteľom Slovákov. No názory členov tejto organizácie na jej funkciu, kompetencie, či dokonca samotnú existenciu sa rozchádzali, čo bolo jednou z ústredných otázok sporu medzi Štefánikom a Dürichom v Rusku v rokoch 1916/17.

Už krátko po príchode Düricha do Paríža sa Benešovi ani Štefánikovi jeho činnosť veľmi nepozdávala. Konkrétne Beneš sa sťažoval Masarykovi na jeho úplnú nekompetentnosť v politike.[9] Dürich sa chystal vycestovať do Ruska, kde sa nachádzalo veľké množstvo českých a slovenských zajatcov a krajanov, z ktorých chcel organizovať dobrovoľné vojenské jednotky. Štefánik získal poverenie od francúzskej vlády, aby vykonal misiu v Rusku, ktorá mala voči Dürichovej komplementárny charakter. Francúzske orgány zdôrazňovali, že ako Štefánik, tak aj Dürich musia rešpektovať čisto vojenský charakter svojich misií, čo poukazuje na neochotu Francúzov politicky sa angažovať v čs. otázke.

Pod vplyvom ruských úspechov na bojovom poli v prvých rokoch vojny, keď ich vojská prenikli až na Slovensko, mnohí českí a slovenskí politici celkom logicky predpokladali, že Rusko bude hrať rozhodujúcu úlohu pri vzniku Československa. Avšak Masaryk, podobne ako Štefánik počítali tiež s podporou západoeurópskych krajín. V tejto súvislosti treba objasniť pojmy „prozápadný“ a „proruský“, ktoré sa často používajú na vysvetlenie sporu medzi Štefánikom a Dürichom. Štefánik poukazoval na spojenectvo Ruska so západnými mocnosťami, ktoré sa malo odraziť aj v spoločnej podpore čs. snažení a v rozhovoroch s ruskými predstaviteľmi podčiarkoval svoju „proruskú orientáciu“.[10] ČSNR v Paríži sa chcela opierať tiež o Rusko, ale nie výlučne. Do pozície nepriateľov ruských záujmov ich postavili niektorí pracovníci ruského ministerstva zahraničných vecí (MZV), čo sa neskôr často využívalo v snahe o ich diskreditáciu.[11] Pojmy „proruský“ a „prozápadný“ použité v tejto štúdii nemožno vnímať antagonisticky v tom zmysle, že by prozápadný znamenal protiruský. Svedčí o tom aj podpora Štefánika vo vojenských kruhoch, ktoré by len ťažko napomáhali „protiruským“ osobám.

Bývalý ruský konzul v Budapešti, Michail Grigorievič Priklonskij, bol v čase príchodu Düricha do Ruska poverený záležitosťami rakúskych Slovanov na ruskom MZV. Už pred

7 Archiv Ústavu T. G. Masaryka (ďalej AUTGM) Praha, f. TGM, V, šk. 292, Paríž, 21. 7. 1915, List L. Strimpla T. G. Masarykovi.

8 Vojenský ústřední archiv – Vojenský historický archiv (ďalej VÚA-VHA) Praha, f. ČSNR – Paríž, ČSNR III, šk. 22, Došlá korešpondencia T. G. Masaryka, Paríž, 14. 1. 1916, List Beneša Masarykovi.

9 VÚA-VHA, f. ČSNR – Paríž, ČSNR III, šk. 22, Došlá korešpondencia T. G. Masaryka, Paríž, 18. 5. 1916, List Beneša Masarykovi.

10 SERAPIONOVA, Jelena Pavlovna (ed.). *Češsko-Slovackij (Čechoslovackij) korpus. 1914 – 1920. Dokumenty i materialy. Tom 1. Češsko-slovackie vojinskije formirovania v Rossii. 1914 – 1917.* Moskva : Novalis, 2013, s. 428. Táto edícia dokumentov zásadným spôsobom prispieva k osvetleniu formovania československého vojska v Rusku počas prvej svetovej vojny.

11 SERAPIONOVA, *Češsko-Slovackij*, c. d., s. 462 – 471.

príchodom Masaryka a Štefánika bolo rozhodnuté, že Masarykov vplyv musí byť obmedzený v prospech Düricha a ostatných prorusky zmýšľajúcich osôb.[12] Rozdielne boli tiež názory Masaryka (neskôr v roku 1917) a Düricha v otázke, z ktorej dynastie majú pochádzať budúci českí králi. Zatiaľ čo prvý preferoval britskú kráľovskú rodinu, druhý uprednostňoval Romanovcov.[13] Masaryk však takúto ponuku popieral. Treba tiež pripomenúť, že mohlo ísť o súčasť taktiky, keď pochopiteľne jednotliví predstavitelia ČSNR v snahe získať si podporu toho-ktorého štátu uprednostňovali v neformálnych rozhovoroch dynastiu kráľovstva, v ktorom práve pôsobili.

Štefánik prišiel do Stavky 25. augusta 1916 a pomerne rýchlo si získal podporu náčelníka ruského vojenského štábu generála Michaila Vasilieviča Alexejeva. Avšak ruské MZV a hlavne Priklonskij kládli projektu čs. armády rôzne prekážky. Ako píše generál Maurice Janin, náčelník francúzskej vojenskej misie v Rusku, Dürichov postoj k týmto aktivitám bol veľmi záhadný.[14] Bolo však zrejmé, že bez podpory ruského MZV a teda spolupráce s Dürichom sa ciele čs. hnutia v Rusku dosiahnuť nepodarí. Regrutovanie čs. zajatcov a vytváranie čs. vojska viazlo pre rozpory vnútri českých a slovenských krajanských organizácií, pomalú ruskú byrokraciu, neochotu ruských orgánov, ako aj odpor na vysokých miestach. Napríklad minister zahraničných vecí Boris Vladimirovič Štürmer, ktorého mnohý obviňovali z germanofilstva, bol po februárovej revolúcii zatknutý a zomrel vo väzenskej nemocnici.[15]

O pár dní neskôr odcestoval Štefánik do Kyjeva, kde mal urovnať viaceré spory medzi českými a slovenskými krajanskými spolkami v Rusku, ktoré znepokojovali ruské úrady. Generál Alexejev chcel dokonca úplne odobrať čs. spolkom kompetenciu náboru dobrovoľníkov, ak sa medzi sebou nedohodnú. Štefánikovi sa podarilo dosiahnuť zmierenie dňa 28. 8. 1916 podpísaním tzv. *Kyjevského zápisu*, ktorý uznal vedúcu úlohu Národnej rady v Paríži. Jej reprezentantom v Rusku bol Dürich, ktorý sa týmto spôsobom dostal do úlohy predstaviteľa Čechov a Slovákov v Rusku.[16] *„Vďaka činnosti poručíka Štefánika bola obnovená zhoda medzi rôznymi organizáciami, ktorých osobné a politické spory dráždili ruské úrady.“*[17] Išlo o mimoriadne dôležitú dohodu, keďže uznávala vedúce postavenie Národnej rady v Paríži v zahraničnom odboji. Podpisom Gustáva Košíka, predstaviteľa Slovenskej ligy v Amerike, sa jej medzinárodné postavenie ešte posilnilo. Neskôr sa však Dürich od Kyjevského zápisu dištancoval.[18]

---

12 PICHLÍK, Karel – KLÍPA, Bohumír – ZABLOUDILOVÁ, Jitka. *Českoslovenští legionáři (1914 – 1920)*. Praha : Mladá fronta, 1996, s. 79.

13 FIC, Victor Miroslav. *Československé legie v Rusku a boj za vznik Československa I.* Praha : Academia, 2006, s. 53.

14 VÚA-VHA, f. ČSNR, ČSNR II, MRŠ, šk. 6, G.Q.G. russe, 27/10. 10. 1916, Generál Janin pre generála Pellého.

15 SERAPIONOVA, *Češsko-Slovackij*, c. d., s. 818; pozri tiež: JANIN, Maurice. *Moje účast v československém boji za svobodu*. Praha : J. Otto, b. d., s. 26.

16 VÚA-VHA, f. ČSNR, ČSNR II, MRŠ, šk. 6, Kyjev, 16/29. 8. 1916, Správa o zajatcoch československej akcie, N° 9148.

17 Archives du ministère des Affaires étrangères, Paris (ďalej AMAE), CPC 1896-1918, Guerre 1914 – 1918, Autriche-Hongrie, vol. 156, G.Q.G. russe, 3. 9. 1916, Informácie generála Janina adresované Jogal Paris, N° 516 – 523.

18 PICHLÍK, *Bez*, c. d., s. 199.

Štefánik potom odcestoval do Rumunska, kde v tamojších zajateckých táborov regrutoval dobrovoľníkov na vytvorenie plánovaného čs. vojska vo Francúzsku. Po svojom návrate do Ruska však zistil, že Dürich založil Národnú radu v Rusku, ktorá bola nezávislá od Národnej rady v Paríži, financovala ju tamojšia vláda a dokonca schvaľovala jej členov. Dürichova Národná rada sa tešila podpore centrálnej krajanskej organizácie *Správy svazu československých spolků na Rusi*, zatiaľ čo Štefánika podporovali skôr krajania z Petrohradu.

Štefánik podnikol sériu rozhovorov s vedúcimi členmi čs. spolkov v Rusku, ktorých sa snažil presvedčiť, aby sa dištancovali od Düricha.[19] Domnieval sa, že Dürichova pozícia je taká silná na ruskom MZV iba vďaka podpore *Správy svazu československých spolků na Rusi*. Trecích plôch však bolo viacero. Niektorí ruskí predstavitelia považovali čs. otázku za vnútorný problém Ruska, zatiaľ čo Štefánik za medzinárodný.[20] Podobne nebolo vyjasnené, či budú čs. dobrovoľníci bojovať v rámci ruskej armády alebo ako samostatné jednotky. Navyše, generál Alexejev vyžadoval najskôr vytvorenie čs. vojska v Rusku a až potom prípadne vyslať jeho časť do Francúzska, čo bolo jedným z cieľov Štefánikovej misie. Urobiť nábor do vojska iba pre Francúzsko označil údajne za „škandál".[21]

Spory medzi Štefánikom a Dürichom sa stupňovali a nakoniec ho Dürich obvinil, že je rakúsky špión. Aby Štefánik očistil svoju česť, vyzval Düricha na súboj, čomu však Janin zabránil. Štefánik nato napísal Benešovi: *„Národný záujem a česť ma donútili náhle a úplne ukončiť vzťahy s Dürichom, ktorý práve podal ďalšie dôkazy o svojej neschopnosti a perfídnosti. Naša organizácia a mienka ma neoblomne podporujú a ja sa predsa len snažím usmerňovať ich entuziazmus. Bolo by dobré, ak by mi Národná rada potvrdila svoju solidaritu."*[22] Štefánik teda Düricha z Národnej rady vylúčil.[23] V rovnakom čase písal Dürich Masarykovi, aby mu vysvetlil svoj pohľad na vec a presvedčil ho o svojej pravde, ale neuspel.[24]

Dürich ako poslanec agrárnej strany, najväčšieho českého politického zoskupenia, argumentoval, že nemôže byť podriadený zástupcovi realistickej strany s jediným poslancom v Reichstagu – Masarykom. Štefánika a Beneša označoval za samozvancov. Odvolával sa dokonca na podporu ďalších českých politických strán a odmietal, že by súhlasil so zriadením ČSNR. Štefánik zase argumentoval, že Dürich nedostal žiadnu *carte blanche* od českých politických predstaviteľov a za reprezentanta vôle národa za hranicami pova-

19 VÚA-VHA, f. OČSNR – Rusko, Slovenský odbor, šk. 77, Petrohrad, 5/18. 2. 1917, Rozhovor v hoteli Dagmar.

20 HÁJKOVÁ, Dagmar – ŠŤOVÍČEK, Ivan – NOVÁČKOVÁ, Helena. Edvard Beneš a Milan R. Štefánik – svědectví jejich dopisů. In *Sborník archivních prací*, 2004, roč. 54, č. 2, s. 594.

21 SERAPIONOVA, *Česško-Slovackij*, c. d., s. 448.

22 „L'intérêt national et l'honneur m'ont obligé à rompre brusquement et à bout de ressources avec Dürich qui vient de donner des preuves nouvelles de son incapacité et de sa perfidie. Nos organisations et l´opinion me soutiennent fermement : je veille toutefois à canaliser leur enthousiasme. Il serait bon que le Conseil national me confirmât sa solidarité." Service historique de la Défense – Département de l´armée de terre, Vincennes, (ďalej SHD-DAT), šk. 16 N 3017, Štefánikov telegram Benešovi.

23 AMAE, CPC 1896 – 1918, Guerre 1914 – 1918, Autriche-Hongrie, vol. 156, Paríž, 14. 2. 1917, Správa o situácii Čechov v Rusku, folio 80.

24 DÜRICH, Josef. *V českých službách*. Klášter nad Jizerou : v. n., 1921, s. 48.

žoval ČSNR.[25] Otázka legitimity bola pochopiteľne kľúčovou hlavne na získanie si dôvery ruskej vlády a podpory českých a slovenských krajanov, ale pri spore medzi Dürichom a Štefánikom išlo už o mocenský boj, pri ktorom táto otázka nemusela hrať prvoradú úlohu. Štefánik pri objasňovaní dôvodov vylúčenia Düricha prízvukoval potrebu jednoty čs. odboja. Tvrdil, že Dürich „*...těžko se prohřešil proti vnitřní disciplině, která za dnešních okolností má býti železnou nechceme-li porušením jednotnosti oslabiti váhu a význam našeho mezinárodního postavení.*"[26]

Ruská februárová revolúcia výrazne skomplikovala Dürichove postavenie, keď stratil podporu na ruskom MZV. Nový rezortný minister, Pavel Nikolajevič Miljukov, liberál, prívrženec Masarykovej koncepcii odboja a vodca kadetov, ktorý sa ako prvý z európskych poslancov oficiálne v Dume vyslovil za rozbitie rakúsko-uhorskej monarchie v marci roku 1916, bol teda pochopiteľne k Štefánikovi oveľa viac naklonený.[27] Beneš počas svojej návštevy v Londýne s Masarykom dlho rozoberali Dürichovu činnosť, a nakoniec vyjadrili Štefánikovi úplnú solidaritu.[28] Dürichova Národná rada bol rozpustená ruskou vládou 26. 3. 1917.[29] Štefánik určil Bohumila Černáka za predstaviteľa ČSNR v Rusku so sekretármi Jiřím Klecom a Ivanom Markovičom, a tak to ostalo až do Masarykovho príchodu do Ruska.[30] Definitívnu bodku za činnosťou Düricha a jeho spolupracovníkov dal III. zjazd *Svazu československých spolků* začiatkom mája roku 1917 v Kyjeve, kde úplne stratili podporu krajanov v Rusku.

Mobilizovanie Štefánikovho sociálneho kapitálu v prospech jednoty odboja

Štefánik mal veľké množstvo známostí a priateľov, čo dokázal efektívne využívať pri presadzovaní svojich cieľov. Na analýzu tejto jeho činnosti poslúži definícia sociálneho kapitálu od francúzskeho sociológa Pierre Bourdieua, ktorý ho charakterizoval ako „*... súhrn aktuálnych alebo potenciálnych zdrojov, ktoré sú naviazané na ovládanie stálej siete vzťahov viac či menej inštitucionalizovaných a navzájom sa poznajúcich a uznávajúcich....*"[31] Bourdieu tiež pripomína, že existencia siete väzieb nie je prirodzenou ani spoločenskou danosťou vytvorenou raz a navždy akýmsi sociálnym aktom, ale produktom práce. Tá pozostáva z vytvárania a udržiavania stálych a užitočných väzieb, z ktorých možno získať materiálny alebo symbolický osoh. Inak povedané, sieť väzieb je produktom stratégií sociálnych investícií, ktoré sú vedome alebo nevedome orientované na vytváranie a reprodukovanie spoločenských vzťahov.

---

25 SERAPIONOVA, *Češsko-Slovackij*, c. d., s. 688 – 692, 613 – 624.

26 VÚA-VHA, f. ČSNR, ČSNR II, MRŠ, šk. 5, Petrohrad, 8. 3. 1918, o ČSNR, napísal M. R. Štefánik.

27 NENAŠEVA, Zoja Sergejevna. Milan Rastislav Štefánik, slovackij vopros i rossijskoje obšetvenoje mnenie (vesna 1916 – načalo 1917 g.). In VOLKOV, *Milan Rastislav*, c. d., s. 88 – 89.

28 VÚA-VHA, f. ČSNR, ČSNR II, MRŠ, šk. 4, Paríž, telegram E. Beneša Štefánikovi.

29 DEJMEK, Jindřich. *Edvard Beneš: politická biografie českého demokrata I.* Praha : Karolinum, 2006, s. 169.

30 VÚA-VHA, f. ČSNR, ČSNR II, MRŠ, šk. 4, 6/19. 3. 1917, Mandát pre B. Čermáka.

31 „*...l'ensemble des ressources actuelles ou potentielles qui sont liées à la possession d'un réseau durable de relations plus ou moins institutionnalisées d'interconnaissance et d'inter-reconnaissance...*" BOURDIEU, Pierre. Le capital social. In *Actes de la recherche en sciences sociales.* č. 31, 1/1980, s. 2. Dostupné na internete: www.persee.fr

Podchytiť celú šírku vytvárania, udržiavania a mobilizovania Štefánikovho sociálneho kapitálu výrazne presahuje možnosti jednej štúdie. Z celého konceptu sociálneho kapitálu sa Štefánik v Rusku sústredil hlavne na jeho mobilizáciu. *„Rozsah sociálneho kapitálu, ktorý ovláda jeden samostatný aktér, závisí od rozsahu siete väzieb, ktoré dokáže efektívne mobilizovať a od množstva kapitálu (ekonomického, kultúrneho alebo symbolického) ovládaného každým jedným účastníkom tejto siete. [...] Výhody získané príslušnosťou k jednej skupine sú základom solidarity, čo umožňuje ich existenciu. To avšak neznamená, že sú vedome sledované ako také...“*[32]

Štefánik zasahoval proti krajanom už pred svojím odchodom do Ruska. Napríklad v polovici júna 1916, teda ešte pred sporom medzi Dürichom a Štefánikom, keď parížsky denník *Le Matin* uverejnil správu, že Jan Grmela kontaktoval španielskeho kráľa ako český básnik vo veci Kamářovho odsúdenia, Štefánik vyhlásil, že ho dá vyviezť do koncentračného tábora, aby nemohol kompromitovať čs. vec v cudzine. Dürich sa v tejto záležitosti obrátil na španielske veľvyslanectvo a požadoval, aby iba ním akreditované osoby boli považované za reprezentantov českého národa.[33]

V spore s Dürichom sa Štefánik mohol oprieť o viacero podporovateľov. Jednou z kľúčových postáv tu bol Maurice Janin, ktorý však najprv Štefánikov príchod nevnímal pozitívne, a to aj vinou Štaflovho ohovárania.[34] No po krátkom čase si Štefánik získal jeho úplnú podporu.[35] Nešlo však iba o spor Štefánik – Dürich. Štefánik a jeho prívrženci boli totiž presvedčení, že Dürich sa nachádzal pod zlým vplyvom svojho okolia, z ktorého ho chceli za každú cenu vytrhnúť. Išlo tu aj o stret dvoch skupín. Štefánik sa snažil zdiskreditovať aj Dürichových spolupracovníkov, s ktorými prišiel do Ruska, konkrétne Štafla, Sterna a Crkala, ale aj ďalších.

Ešte pred odchodom Düricha z Francúzska do Ruska Beneš žiadal, aby so sebou nebral Štafla, Dürichovho vojenského atašé, a Crkala. Neposlúchol, a tak Štefánik zapojil do hry svoje známosti s cieľom zdiskreditovať ich. Pôvodne žiadal Štefánik Beneša, aby zakročil proti Štaflovi, čo sa mu však nepodarilo.[36] Janin informoval svojich nadriadených vo Francúzsku o Štaflovom osobnom živote, ktorý údajne v Rusku vzbudzuje rozhorčenie a že generál Alexejev si želá jeho odchod. Keďže bol Štafl poručíkom francúzskej cudzineckej légie, generál Joffre ho z Ruska odvolal.[37] Beneš nato písal Masarykovi, že Štefánik docielil

32 *„Le volume du capital social que possède un agent particulier dépend donc de l'étendue du réseau des liaisons qu'il peut effectivement mobiliser et du volume du capital (économique, culturel ou symbolique) possédé en propre par chacun de ceux auxquels il est lié. [...] Les profits que procure l'appartenance à un groupe sont au fondement de la solidarité qui les rend possible. Ce qui ne signifie pas qu'ils soient consciemment poursuivis comme tels...“* BOURDIEU, Le capital, c. d., s. 2.

33 VÚA-VHA, f. ČSNR, ČSNR II, MRŠ, šk. 5, Poznámky Düricha, s. 5.

34 AMAE, CPC 1896 – 1918, Guerre 1914 – 1918, Autriche-Hongrie, vol. 156, G.Q.G. russe, 18. 8. 1916, Telegram gen. Janina, N° 449-452; JANIN, Moje účast, c. d., s. 12.

35 VÚA-VHA, f. ČSNR, ČSNR II, MRŠ, šk. 6, G.Q.G. russe, 27/10. 10. 1916, generál Janin pre generála Pellého.

36 VÚA-VHA, f. ČSNR – Paríž, ČSNR III, šk. 22, korešpondencia E. Beneša s T.G. Masarykom, 14. 11. 1916. List Beneša Masarykovi. Pozri tiež: SERAPIONOVA, Češsko-Slovackij, c. d., s. 505 – 507.

37 JANIN, *Moje účast*, c. d., s. 25.

odchod Štafla z Ruska.[38] Ten však po návrate do Ruska z Cudzineckej légie vystúpil, na čo mal ako poručík nárok. Jeho známi ho potom odporučili srbskému atašé, ktorý ho prijal do armády a poslal do Ruska. Francúzi mu síce odňali oficiálne poslanie, ale odmietli ho potrestať, ako to požadoval Masaryk, keďže sa nechceli miešať do vnútorných čs. záležitostí.[39] Štefánikov sociálny kapitál mal teda zjavne svoje limity.

Hoci sa Štefánik mohol tešiť značnej podpore francúzskych úradov, napríklad ministerstvo vojny z Paríža informovalo Janina, že v spore s Dürichom musí jednoznačne podporovať Štefánika,[40] túto podporu nemožno vnímať ako samozrejmosť. Francúzsky veľvyslanec v Rusku Maurice Paléologue napriek naliehaniam Janina Štefánika nepodporoval.[41] Štefánik dokonca požadoval jeho odvolanie.[42] Na druhej strane sa Štefánik mohol oprieť o veľvyslancov Talianska a Veľkej Británie.[43]

Problémy existovali aj v rámci čs. triumvirátu. Keď Beneš so Štefánikom požadovali od Masaryka, aby zakročil v prospech Štefánikovej misie do Ruska u Michaila Giersa, ruského veľvyslanca v Ríme a u francúzskeho ministerského predsedu Aristida Brianda, Masaryk to odmietol.[44] Nakoniec však Masaryk u spomínaných politikov v Štefánikov prospech písomne intervenoval.[45]

Po odstránení Štafla Janin písal ministrovi vojny do Francúzska, že na rad prichádza Ľudovít Stern, ktorý poskytol Dürichovi pôžičku na zabezpečenie jeho misie. Janin tvrdil, že na zabezpečenie vojenskej mise úplne postačuje Štefánik[46] a viackrát informoval francúzskych vojenských predstaviteľov o Sternových nežiaducich aktivitách a zároveň prízvukoval jeho zlý obraz u cára.[47] Generál Alexejev dal Sterna pod dohľad ruskej kontrarozviedky. Avšak na druhej strane Janina z Paríža oficiálne inštruovali, aby bol pri Sternovi opatrný, keďže ten mal v meste na Seine veľmi vplyvné známosti.[48]

Ďalším v rade bol Viluš Crkal, spolupracovník Svatopluka Koníčka-Horského, ktorý sa vo Francúzsku neúspešne pokúsil založiť prorusky orientovanú odbojovú organizáciu.[49] Podľa Masaryka ho bolo treba za každú cenu izolovať od Düricha, ktorý sa o ňom údajne

38 AUTGM, f. Edvard Beneš (EB) IV/1, ČSNR, R 367/ B3, šk. 134, inv. č. 324, Paríž, 6. 10. 1916, List Beneša Masarykovi.

39 HÁJKOVÁ – ŠŤOVÍČEK – NOVÁČKOVÁ, *Edvard Beneš*, c. d., s. 603.

40 SHD-DAT, šk. 16 N 3017, Paríž, 16. 2. 1917, Telegram ministra vojny pre náčelníka francúzskej vojenskej misie, N° 328.

41 JANIN, *Moje účast*, c. d., s. 43.

42 HÁJKOVÁ – ŠŤOVÍČEK – NOVÁČKOVÁ, *Edvard Beneš*, c. d., s. 609.

43 JANIN, *Moje účast*, c. d., s. 44, 49.

44 Archiv ministerstva zahraničných věcí České republiky, Praha, SA-EB, šk. 1, inv. č. 2, Rukopisy – chronologický prehľad udalostí.

45 HÁJKOVÁ – ŠŤOVÍČEK – NOVÁČKOVÁ, *Edvard Beneš*, c. d., s. 587.

46 VÚA-VHA, f. ČSNR II, M. R. Štefánik, šk. 6, G.Q.G. russe, 10. 9. 1916, Telegram generála Janina ministrovi vojny, N° 386.

47 AMAE, CPC 1896 – 1918, Guerre 1914 – 1918, Autriche-Hongrie, vol. 156, G.Q.G. russe, 3. 9. 1916, Informácie generála Janina adresované Jogal Paris, N° 516-523. Pozri tiež: AMAE, CPC 1896 – 1918, Guerre 1914 – 1918, Autriche-Hongrie, vol. 156, G.Q.G russe, 18. 8. 1916, Telegram generála Janina, N° 449 – 452

48 JANIN, *Moje účast*, c. d., s. 45.

49 DEJMEK, *Edvard Beneš*, c. d., s. 134.

veľmi nelichotivo vyjadril.[50] Keď sa Štefánikovi nedarilo neutralizovať ho, pokúsil sa ho aspoň zdiskreditovať. Benešovi napísal: *„Nemohol by sa Osuský postarať, aby Crkal dostal po nose v Amer. listoch? Potom príde rad na Düricha."*[51]

František Král, neskorší člen Dürichovej Národnej rady, cestoval cez Bukurešť v septembri roku 1916 a už v tej dobe sa snažil nadviazať spoluprácu s Dürichom.[52] Štefánik hneď zareagoval a informoval francúzske ministerstvo zahraničných vecí: *„Pán Štefánik, člen Českej národnej rady, ma oboznámil s faktom, že p. Král ... nemá žiadny mandát od tejto rady a že by mal byť sledovaný počas svojho pobytu v Paríži. Štefánik ho považuje za náchylného k rakúskym popudom, ktorých nástrojom by bol Ľudovít Stern."*[53] Podobné obvinenia nemožno brať na ľahkú váhu. Napr. Král bol neskôr na základe obvinenia zo špiónstva adresovaného ruskému generálovi Alexejovi Alexejevičovi Brusilovi zatknutý, pomerne rýchlo ho však prepustili.[54] Avšak Krála zase považovala bulharská administratíva za ruského špióna, o čom informovali aj rakúsko-uhorských úradníkov[55].

Ani druhá strana v podobných aktivitách nezaostávala. Štefánik bol pod dozorom ruskej tajnej služby, ktorá podrobne sledovala jeho činnosť, a dá sa predpokladať, že to bol Dürich alebo skôr jeho podporovatelia, kto v tom mal prsty. Štefánik sa dokonca sťažoval, že sa v noci niekto dostal do miestnosti, kde prebýval, uspal ho neznámou látkou a prehľadával jeho veci. Archívy však o takejto udalosti mlčia.[56]

Kľúčovým spojencom Štefánika v spore s Dürichom bol nepochybne generál Janin, ktorý o sebe neskromne tvrdil: *„Mohu si právem přiznati, že jsem jej účinně podporoval; nebýt mne (to je názor Alexejeva a důstojníků ze Stavky), nebyl by z toho vyšel vzhledem k nepřátelství s nímž se setkal, ale já byl jediný, který jej podepíral. Teď je už věc v proudu a díky důvěře, které požívám u Alexejeva, a dík blahovůli Mikuláše II., který mne nazývá 'svým přítelem', snad se s pomocí boží podaří."*[57] Netreba však zabúdať ani na podporu viacerých krajanov v Rusku či Edvarda Beneša, ktorú mu zaručovalo v prvom rade presadzovanie spoločných záujmov, teda udržanie vedúceho postavenia parížskej ČSNR v čs. odboji.

Štefánik však nepoužíval iba takéto tvrdé spôsoby, aby zaistil toľko potrebnú jednotu a disciplínu v čs. zahraničnom hnutí. Za svojich spolupracovníkov si vyberal ľudí, ktorí reprezentovali istú časť zahraničných krajanov. Napríklad Gustáv Košík mu slúžil ako prostredník na udržanie priazne amerických Slovákov a osobitne katolíkov. *„Budím pro něho [Košíka] důvěru, neboť jím získáváme celou katolíckou stranu slovenskou, jež nemá lepšího pracovníka. I on vykonal řadou přednášek kus dobré práce mezi Slováky. Nestavím na něm*

50 HÁJKOVÁ – ŠŤOVÍČEK – NOVÁČKOVÁ, *Edvard Beneš*, c. d., s. 598.
51 AUTGM, f. EB IV/2, inv. č. 2979, bez dátumu a miesta, List Štefánika Benešovi.
52 AMAE, CPC 1896 – 1918, Guerre 1914 – 1918, Autriche-Hongrie, vol. 156, Bukurešť, 3. 9. 1916, Telegram Saint-Aulaira ministerstvu zahraničných vecí, N° 349.
53 AMAE, CPC 1896 – 1918, Guerre 1914 – 1918, Autriche-Hongrie, vol. 153, Bukurešť, 19. 10. 1916, Telegram Saint-Aulaira ministerstvu zahraničných vecí, N° 517.
54 SERAPIONOVA, *Češsko-Slovackij*, c. d., s. 689.
55 Arhivele Naţionale ale României, Bukurešť, mikrofilmy, Cehoslovacia, inventár č. 1903, mikrofilm 5, Sofia, 9. 5. 1916, List rakúsko-uhorského konzulátu.
56 Gosudarstvennyj archiv Rossijskoj Federacii, Moskva, N° fond 111, N° opisi 5, N° ed. Hr. 671.
57 JANIN, *Moje účast*, c. d., s. 48.

ovšem bezpodmíněčne. V podstatě je on dobrý, ale krelikálným ovzduším otrávený. Bude ještě zlobit, to však nic. Kdyby se stal nebezpečným – lehce se zlomí.“[58]

Diskreditovanie protivníkov

Diskreditovanie politických odporcov patrilo k súčasti politiky aj v čase prvej svetovej vojny. Zvyklo sa útočiť na osobný život, ale predstavitelia čs. odboja najčastejšie spájali činnosti svojich oponentov s ich najväčším politickým nepriateľom – Rakúsko-Uhorskom. Takéto praktiky možno pozorovať aj počas sporu v Rusku.

Štefánik tvrdil o Dürichovi: *„Zůstal dlouho ve Švýcarsku, kde si počínal naprosto nepřípustně a skandálně, stýkaje se se ženštinami, jichž jména byla v policejních seznamech, a z nichž některé byly známy jako rakouské špehounky, a jimž Dürich sveřoval všechno, co věděl o našem hnutí.“*[59] Komunitu krajanov v Rusku nemožno vnímať izolovane. Hoci sa tento spor odohral hlavne v Rusku, svoje dozvuky mal aj v Spojených štátoch amerických – obe krajanské komunity boli totiž prepojené. V reakcii na toto Štefánikovo obvinenie Dürichova dcéra Blažena povedala, že jediný dôvod, prečo nezabila Štefánika, je fakt, že sa jej v New Yorku nepodarilo zohnať revolver.[60] Štefánikovi napísala list: *„Jestliže, pane, jste tak dalece klesl, že v uniformě francouzského důstojníka jste se odvážil třísnit nejnestoudnějšími lžemi čest mého vysoce zasloužilého a celým českým národem jednomyslně za hranice vyslaného otce, a jestliže jste tak podlý a při tom tak zbabělý, že v uniformě francouzského důstojníka jste nepřítomného 70 letého muže a mého drahého otce vinil před veřejným shromážděním z kluskostí a ze styků s lehkými ženštinami, vyslovuji Vám, pane, jako muži své hluboké opovržení...“*[61]

Karel Horký, Dürichov zať, vydal v Spojených štátoch brožúru *Dürychův národ a Benešovo obecenstvo*, v ktorej prezentoval Dürichov pohľad na vec. Horkého spory s Benešom sa datujú minimálne od roku 1916.[62] Publikácia vyvolala také silné emócie, že počas jedného stretnutia *Českého národního sdružení* sa prívrženci týchto dvoch skupín medzi sebou pobili. Štefánikov spolupracovník Ferdinand Písecký urobil sériu prednášok o danom probléme s cieľom minimalizovať dôsledky Horkého brožúry a znížiť Dürichovu podporu.[63] Aj v úvode spomínaná Francúzsko-česká federácia Českých spojených štátov mala prostredníctvom viacerých osôb väzby na Düricha.

Rovnako v Spojených štátoch Štefánik objasňoval dôvody Dürichovho vylúčenia. Jeho spolupracovník Stern bol údajne financovaný francúzskymi prorakúskymi židmi. Údajne aj Štefánikovi ponúkli 250 000 frankov a Benešovi 20 000, čo však oni na rozdiel od Düricha odmietli. Podľa Štefánika Dürich s nimi tajne rokoval a tiež tajne prijal ich penia-

58 AUTGM, f. EB, zložka IV/2, inv. č. 2979, New-York, 22. 7. 1917, List Štefánika pre Masaryka a Beneša.

59 Slovenský národný archív, Bratislava (ďalej SNA), OF: M. R. Štefánik, šk. 45, inv. č. 1185, Príhovor M. R. Štefánika z 1. 7. 1917, s. 3 – 4.

60 SNA, OF: M. R. Štefánik, šk. 44, inv. č. 1183, War department, Office of the chief in Staff, Memorandum for Major Requin.

61 VÚA-VHA, f. ČSNR, ČSNR II, MRŠ, šk. 4, New York, 4. 7. 1917, List Bláži Dyrichovej Štefánikovi.

62 DEJMEK, *Edvard Beneš*, c. d., s. 142

63 AUTGM, f. EB, zložka IV/2, inv. č. 2979, New-York, 22. 7. 1917, List Štefánika pre Masaryka a Beneša.

ze.[64] Štefánik chcel týmito informáciami pochopiteľne oslabiť Dürichovu pozíciu. Okrem škandalizovania ide predovšetkým o prízvukovanie jeho vzťahov s prorakúskymi silami. Za pozornosť stojí aj rozdiel medzi ponúkanými sumami Štefánikovi a Benešovi, čím chcel Štefánik nepochybne poukázať na svoju dôležitosť. Financovanie Dürichovej činnosti bolo napokon jedným z dôležitých argumentov pri jeho vylúčení z ČSNR. Jej predstavitelia totiž presadzovali myšlienku, že činnosť odboja musia peňažne zabezpečiť výlučne Česi a Slováci a nie spojenecké vlády.

Na druhej strane postupovali protivníci ČSNR v Paríži rovnako. Rôznym politickým nálepkovaním sa to len tak hemžilo. Niektoré ruské úrady rozširovali propagandu, že Masaryk bol rakúskym špiónom.[65] Štefánik sa v liste ruskému ministrovi zahraničných vecí Pokrokovskému snažil vyvrátiť obvinenie z údajných Masarykových protiruských tendencií a poukazoval na fakt, že Masaryk bude vždy hrdým Slovanom.[66] Alebo bolo treba bojovať proti Masarykovmu označeniu za ukrajinofila. Rozširovali sa tiež fámy, že ruský veľvyslanec v Paríži údajne označil Beneša za fanatického socialistu a antirusa, čo však pravda nebola, ale v ideologickom boji to poslúžilo. Beneš sa zase snažil pôsobiť na ruského veľvyslanca v Paríži Alexandra Petroviča Izvolského a ruského novinára Vsevoloda Petroviča Svatkovského, aby informovali Petrohrad v intenciách priaznivých pre ČSNR.[67] A podobne Štefánik bol obvinený z rusofóbstva a frankofilstva, alebo Dürich väčšinu členov odbočky ČSNR v Rusku označil za prorakúskych.[68] Rovnako sa správali aj Dürichovi spolupracovníci Král a Koníček pri pokuse získať spolupracovníkov z petrohradskej skupiny tvrdiac, že kto nepôjde s nimi, je *„rakušák a vyzvědač"*.[69]

Jednotu odboja zabezpečovali najmä Beneš a Štefánik. Je pravdou, že Dürichovu pozíciu oslabila hlavne februárová revolúcia, keď stratil podporu ruskej vlády. Na druhej strane však bolo mimoriadne dôležité získať si širokú podporu krajanov v Rusku a tiež v Spojených štátoch, čo si vyžadovalo efektívne mobilizovať Štefánikov sociálny kapitál, ale aj škandalizovať oponentov. Hoci išlo niekedy o pomerne tvrdé spôsoby, ktoré sa mnohým českým a slovenským krajanom nepáčili, Masaryk, Štefánik a Beneš sa snažili predovšetkým čs. hnutie spájať, samozrejme pod svojím vedením a v súlade so svojím presvedčením, pričom väčšinou uprednostňovali rokovania, presviedčania, prípadne zákulisné ťahy. Zjednotiť čs. hnutie v Rusku bolo jedným z dôležitých cieľov Štefánikovej misie. Aj so zverejnením informácie o vylúčení Düricha z ČSNR dlho váhali, lebo verejný rozruch a rozpory pochopiteľne oslabovali postavenie tejto organizácie. To len dokazuje silnú pozíciu Düricha medzi Čechmi a Slovákmi v Rusku. Ak sa však už situácia vyhrotila, Štefánik a Beneš dokázali postupovať mimoriadne nekompromisne.[70] Hoci Masaryk spočiatku nebol naklonený myšlienke vzniku ČSNR, udalosti v Rusku poukázali na jej význam a v podstate kryštalizovali jej vedúce postavenie v zahraničnom odboji na čele s Masarykom, Štefánikom a Benešom.

64 SNA, OF: M. R. Štefánik, šk. 45, inv. č. 1185, Príhovor M. R. Štefánika z 1. 7. 1917, s. 4.
65 MLYNÁRIK, Ján. *Cesta ke hvězdám a svobodě*. b. m.: Lidové noviny, 1991, s. 186.
66 SERAPIONOVA, *Češsko-Slovackij*, c. d., s. 622.
67 HÁJKOVÁ – ŠŤOVÍČEK – NOVÁČKOVÁ, *Edvard Beneš*, c. d., s. 594, 601, 604.
68 SERAPIONOVA, *Češsko-Slovackij*, c. d., s. 638, 691 – 692.
69 FIRSOV, *Boj za*, c. d., s. 60.
70 KLIMEK, Antonín. Beneš a Štefánik. In *Sborník k dějinám 19. a 20. století*, 12, 1991, s. 42 – 43.

« Markovič zdeluje... » Úryvky z korešpondencie Ivana Markoviča medzi Parížom, Prahou a Bratislavou na jar 1919

Étienne Boisserie

Koncom zimy roku 1919 už prešlo niekoľko mesiacov odvtedy, čo slovenské úrady začali pôsobiť v Bratislave, stále však nemali pod úplnou kontrolou vojenskú ani civilnú sféru v krajine. Politická a materiálna situácia ostávala nestabilnou, o čom pravidelne informovali rovnako československú (čs.) moc v Prahe, ako aj čs. delegáciu na Mierovej konferencii v Paríži na čele s Edvardom Benešom, ktorá vyjednávala o vytýčení hraníc. Korešpondencia medzi spomenutými troma miestami, ako aj osobné návštevy počas týchto týždňov neustávali. Veľká časť tohto písomného styku je známa.[1] V tomto príspevku poslúži ako širší rámec skúmania problému, akým spôsobom Bratislavu informoval o situácii najmä Ivan Markovič, ktorý slúžil v Prahe ako spojka s Parížom, a zároveň aj s Bratislavou, kam viackrát vycestoval. V tomto informačnom trojuholníku bol totiž jedným z ľudí, ktorý sa tešil úplnej dôvere jeho dvoch základných účastníkov, Beneša a ministra s plnou mocou pre správu Slovenska (MPS) Vavra Šrobára. Beneš dostával v Paríži informácie a príkazy z Prahy od Tomáša Garrigua Masaryka, generála Maurica Pellého a Markoviča. Šrobár v Bratislave dostával priamo alebo prostredníctvom svojho úradu informácie od Markoviča, ktorý sa pohyboval medzi Prahou a Slovenskom, a stal sa kľúčovým prostredníkom v júni, teda v čase, keď vrcholil konflikt s Maďarskom. Bude nás zaujímať predovšetkým informačný rozmer tejto korešpondencie týkajúci sa politickej a vojenskej situácie súvisiacej s konfliktom, hoci obsahuje tiež zaujímavé úvahy o vnútropolitickom vývoji a o výbere ľudí na strategické miesta či už v Prahe alebo na Slovensku.[2]

Zatiaľ čo začiatkom marca Markovič, zrejme navyknutý na skromné vyhliadky, usudzoval, že *„stroj viac-menej fungoval"*,[3] čs. moc ostávala nestabilnou. Spoľahlivosť niektorých jej zložiek, najmä dlhodobo spochybňovanej polície,[4] sa postupne zlepšovala, protičeská agitácia síce pretrvávala, ale v menej radikálnych podobách, a znova sa objavila až počas konfliktu s Maďarskom. Kontrola železníc a pošty sa síce od ústupu štrajkov z polovice

1 Pozri najmä: ŠOLLE, Zdeněk (ed.). *Masaryk a Beneš ve svých dopisech z doby pařížských mírových jednání v roce 1919. Část II.* Praha : AV ČR, 1993; ÁDÁM, Magda – LITVÁN, György – ORMOS, Mária (eds.). *Documents diplomatiques français sur l'histoire du Bassin des Carpates 1918 – 1932 (vol : 1 , octobre 1918 – août 1919).* Budapest : Akadémiai kiadó, 1993; HÁJKOVÁ, Dagmar – QUAGLIATOVÁ, Vlasta – VAŠEK, Richard (eds.). *Korespondence T. G. Masaryk – Edvard Beneš, 1918-1937.* Praha : Masarykův ústav – AV ČR, 2013; BÍLEK, Jan et al. (ed.). *Korespondence T. G. Masaryk – Karel Kramář.* Praha : Masarykův ústav AV ČR, 2005.

2 Slovenský národný archív (ďalej SNA) Bratislava, osobný fond (ďalej o. f.) Ivan Markovič, kartón (ďalej k.) 1. Markovičove správy sme na autorovu žiadosť ponechali v pôvodnej podobe bez redakčných úprav (pozn. editorov).

3 SNA, o. f. Ivan Markovič, k. 1, inventárne číslo (inv. č). 12, Správa Markoviča Benešovi, 6. marca 1919.

4 SNA, o. f. Ivan Markovič, k. 1, inv. č. 10, Správa Markoviča Benešovi, 23. februára 1919.

marca zlepšila,[5] neistota spôsobená zjavným nedostatkom kádrov, predovšetkým v oblasti súdnictva, ktoré by boli schopné nahradiť bývalé správne úrady, však bola stále veľká.[6] Predsa len sa všeobecne zlepšilo zásobovanie potravinami, ktoré ako zdôrazňoval Markovič v apríli a v prvej polovici mája, prispelo k posilneniu autority čs. civilnej moci.[7] V týchto pretrvávajúcich nestabilných podmienkach vydal minister obrany Václav Klofáč 7. apríla príkaz zhromaždiť vojenské sily s cieľom obsadiť novú demarkačnú líniu.

Diplomatické a vojenské súvislosti v predvečer stanovenia Fochovej línie sú známe. Od decembra bol generál Luigi Piccione vrchným veliteľom čs. armády, ktorá operovala na Slovensku a zaujímala pozície pozdĺž demarkačnej línie.[8] Maďari stále túto prvú demarkačnú líniu nerešpektovali, z čoho vyplývali početné incidenty. Veľmi skoro sa objavili konflikty medzi talianskymi vojenskými predstaviteľmi a Šrobárom, ktoré narastali po presťahovaní sa vlády do Bratislavy začiatkom februára.[9] Vo všeobecnosti boli Taliani povestní svojou náklonnosťou k Maďarom.[10] Profrancúzska orientácia Československa v Paríži komplikovala situáciu. V januári bol medzi Parížom a Prahou podpísaný rad dohôd, ktoré vyústili 13. februára 1919 do príchodu francúzskej misie do Prahy. Na jej čele stál generál Maurice Pellé, ktorý mal však stále zviazané ruky.[11] Čs. armáda prešla 18. februára pod hlavné velenie spojeneckých síl. Slovensko bolo rozdelené na dva vojenské okruhy – západný a východný, ktorému mal veliť francúzsky generál Edmond Hennocque. Taliani protestovali a situácia sa vyhrotila.[12] Masaryk sa teda obrátil na Milana R. Štefánika a poveril ho, aby konflikt urovnal.[13] V tom istom čase sa talianske pozície na mierovej konferencii

5 Pre obdobie krízy pozri hlavne: SNA, o. f. Ivan Markovič, k. 1, inv. č. 14, Markovič Benešovi, 13. marec 1919 a pre pochvalné uznanie ohľadom situácie na železniciach: SNA, o. f. Ivan Markovič, k. 1, inv. č. 20, Správa Markoviča Benešovi, 15. apríla 1919.

6 SNA, o. f. Ivan Markovič, k. 1, inv. č. 20, Správa Markoviča Benešovi, 15. apríla 1919.

7 SNA, o. f. Ivan Markovič, k. 1, inv. č. 22, Správa Markoviča Benešovi, Praha, 10. mája 1919.

8 HRONSKÝ, Marián. Priebeh vojenského obsadzovania Slovenska československým vojskom od novembra 1918 do januára 1919. In *Historický časopis*, 1984, roč. 32, č. 5.

9 ŠROBÁR, Vavro. *Oslobodené Slovensko: Pamäti z rokov 1918 – 1920* (ed. Jan Rychlík). Bratislava : AEP, 2004, s. 29 – 31.

10 O vzťahoch s Talianmi a hlavne Štefánikovej úlohe pozri: FERENČUHOVÁ, Bohumila. Visions et diplomatie : Štefánik entre la guerre et la paix. In FERENČUHOVÁ, Bohumila (ed.). *Milan Rastislav Štefánik astronome, soldat, grande figure franco-slovaque et européenne.* Paris : Collège interarmées de Défense, 1999, s. 65 – 76.

11 MARÈS, Antoine. Mission militaire et relations internationales : l'exemple franco-tchécoslovaque, 1918 – 1925. In *Revue d'Histoire Moderne et Contemporaine,* 1983, roč. 30, č. 4, s. 563 – 567. O Pellého osude pred rokom 1919 pozri: FIDLER, Jiří. První náčelník Hlavního štábu československé branné moci. In *Historie a vojenství,* 1999, roč. 48, č. 1, s. 178 – 184.

12 O stanovení kompetencií medzi Pellém a Piccionem pozri: MUDROVÁ, Hana – MUDRA, Miroslav. Generál M. C. J. Pellé a Československo. In *Historie a vojenství,* 1993, roč. 42, č. 4, s. 151 – 152.

13 Analýza na základe najnovšie sprístupnených archívov pozri: FEFRENČUHOVÁ, *Milan Rastislav Štefánik*, c. d.; FERENČUHOVÁ, Bohumila. Francúzsko-talianska rivalita v Československu začiatkom roku 1919 a M. R. Štefánik. In *Historie a vojenství*, 2000, roč. 49 č. 4, s. 853 – 873. Pozri tiež: MARÈS, Antoine. *Edvard Beneš*. Paris : Perrin, 2015, s. 151 – 152.

čoraz menej kryli s čs. požiadavkami.[14] Maďarom oznámili aj druhú demarkačnú čiaru – „Fochovu líniu". Dňa 25. marca bol na Slovensku vyhlásený výnimočný stav.

Neistoty apríla: ako sa postaviť k Fochovej línii?

Dňa 7. apríla 1919 vydal Klofáč rozkaz, podľa ktorého sa mala dostať východná armádna skupina pod velenie Hennocqua a západná skupina pod velenie Piccioneho. Maršal Ferdinand Foch oznámil 8. apríla Louisovi Franchet d'Espéraymu a Pellému, že čs. vojenská stratégia musí byť prísne obranná, dôvody tohto rýchleho rozkazu však úplne nevysvetlil.[15] Markovičove správy potvrdzovali Benešovi pozitívne dôsledky Hennocquevho príchodu do novej vojenskej oblasti napriek problémom, ktoré vyplývali z potreby jasného rozdelenia právomocí medzi talianskymi a francúzskymi dôstojníkmi.[16] Markovič referoval Benešovi vo svojom liste zo 7. apríla o rozhovore medzi Šrobárom a Piccionem a o vzťahoch medzi Piccionem a generálom Pellém nasledovne: *„Gen. Piccione pred pár dnami vyhladal min. Šrobára a povedal mu priamo, že oni, italskí dostojníci vedia, že ich pošleme preč, a žiadaju len, aby sme im povedali, kedy sa to stane a neoznámili im to až v posledný okamih. Minister Šrobár jednal tu o takom riešení, aby gen. Piccione zostal velitelom dosial obsadeného uzemia na Slovensku a gen. Hennoque aby sa stal velitelom okupačných vojsk uzemia, ktoré nám pripadne na základe definitívneho rozhodnutia o hraniciach na východe, krátko povedané – rusínskeho uzemia. Za to by Šrobár žiadal od gen. Piccioneho odstránenie resp. preloženie niekolkých najnepohodlnejších ital. vyšších dostojníkov."*[17] To by však nevyriešilo problém vrchného velenia dvoch armád na Slovensku, uzatváral Markovič. Zhoršovanie vzťahov s Talianskom narúšalo súdržnosť medzi predstaviteľmi zahraničného odboja a v Markovičovej korešpondencii sa objavoval „problém Štefánik",[18] hlavne vo forme napätia medzi Benešom a Štefánikom, a ich neskorší rozchod, o ktorom Beneš informoval Masaryka 5. apríla a Markovičovi oznámil 9. apríla.[19] Dohoda uzavretá 19. apríla medzi predstaviteľmi čs. a talianskej vlády, Štefánikom a náčelníkom štábu talianskej armády Armandom Diazom, vyriešila spory iba čiastočne; okamžite nastolila problém konfliktu vojenských právomocí na Slovensku a oslabila pozíciu Hennocquea na Podkarpatskej Rusi.[20] Pellé požadoval prijať rýchle rozhodnutie, ktoré by umožnilo odchod

14 O spôsobe, akým boli vytvorené hranice, pozri: FERENČUHOVÁ, Bohumila. Veľmocenský diktát alebo vedecký problém? Rokovania o hraniciach Československa v prvej fáze mierovej konferencie v Paríži roku 1919. In ŠVORC, Peter – HARBUĽOVÁ, Ľubica (eds.). *Stredoeurópske národy na križovatkách dejín.* Prešov-Bratislava-Wien : b. v., 1999, s. 236 – 251.

15 FERENČUHOVÁ, Bohumila. Talianska a francúzska vojenská misia na Slovensku a československo-maďarský konflikt v rokoch 1918 – 1919. In DEÁK, Ladislav (ed.). *Slovensko a Maďarsko v rokoch 1918 – 1920.* Martin : Matica slovenská, 1995, s. 141.

16 SNA, o. f. Ivan Markovič, k. 1, inv. č. 16, Správa Markoviča Benešovi, Praha, 7. apríla 1919.

17 SNA, o. f. Ivan Markovič, k. 1, inv. č. 18, Správa Markoviča Benešovi, Praha, 7. apríla 1919. V tej istej chvíli Masaryk jasne oznámil Benešovi svoje rozhodnutie dočasne si ponechať Piccioneho. ŠOLLE, *Masaryk*, c. d., dok. 39, s. 219.

18 O Štefánikovej úlohe v diskusiách s Talianskom v apríli 1919 pozri: FERENČUHOVÁ, Francúzsko-talianska rivalita, c. d.

19 HÁJKOVÁ – QUAGLIATOVÁ – VAŠEK, *Korespondence*, c. d., dok. 37, s. 207, 211; SNA, Bratislava, o. f. Ivan Markovič, k. 1, inv. č. 19, Beneš Markovičovi, Paríž, 9. apríla 1919.

20 GUELTON, Frédéric – BRAUD, Emanuelle – KŠIŇAN, Michal (eds.). *La Mémoire conservée du général Milan Rastislav Štefánik.* Paris : SHD, 2008, dok. 141 – 144, s. 212 – 215.

Talianov vo *„veľmi krátkom"* čase: skúsenosti podľa neho dokazovali, že situácia ostane politicky a vojensky veľmi zložitá, pokiaľ bude pretrvávať dualita vojenského velenia. Ako Pellé ďalej priznával, sporov sa obával o to viac, že generál Piccione ich vyhľadával.[21] Koncom apríla a začiatkom mája sa v blízkosti demarkačnej línie množili incidenty. Slovenské mocenské kruhy sa borili s nedostatkom personálu, ale trpeli tiež nízkou kvalitou spojenia a vážne starosti im robil chýbajúci materiál.[22] Napätie vo vzťahu k Talianom stúpalo. Niektoré správy hlásili vysoké riziko štrajku v Bratislave a opakované problémy v Komárne, kde sa voči čs. moci správali otvorene snobsky, a kde *„predsa len necháva* [taliansky] *veliteľ zbrane u obyvateľstva."*[23] Pretrvával však ten istý problém: *„Ináč proti italským dôstojníkom bez dokumentárnych dôkazov zrady nemôžeme nič podniknúť. To je názor Prahy. Žiadam zámenu neprestajne, ale odpoveď je vždy rovnaká."*[24]

Zatiaľ čo v Paríži pokračovali rokovania, rumunská armáda prekročila 24. apríla Tisu. Po uverejnení Klofáčovho rozkazu z 27. apríla začala Hennocqueova armáda operáciu smerom k Podkarpastkej Rusi, ktorú bez väčších problémov obsadila 30. apríla.[25] Operácie sa následne obrátili smerom na Miškovec: vojaci mesto obsadili bez boja 2. mája. Pellé informoval Focha 4. mája, že dve armády, čs. a rumunská, boli v kontakte a naliehal na vytýčenie novej demarkačnej čiary *„nevyhnutnej, aby sa predišlo konfliktom"* a *„toto rozhodnutie mohlo prísť iba zo strany Dohody"*.[26] Svoju správu zakončil výstrahou: *„Považujem za svoju úlohu úctivo vás požiadať, aby ste odpovedali. Úplná absencia pokynov z vašej strany ma stavia do veľmi chúlostivej pozície voči česko-slovanskej vláde, ktorá dala svoju armádu pod vaše velenie. Môže to vyústiť do konfliktov a oslabiť pozíciu Dohody."*[27] Čechoslováci pokračovali v postupe bez toho, aby sa dostali na úroveň Salgótarjánu. Objavovali sa isté prejavy demoralizácie. Generálovi Pellému, ktorý ostal niekoľko dní bez odpovede na svoje otázky, aký postoj treba zaujať, spôsobovali starosti opakujúce sa nedostatky v taktike, ktorú zvolili krajiny Dohody. Rozhodol sa preto zobrať iniciatívu do vlastných rúk a obsadil územie, z ktorého sa stiahli Maďari, aby zaistil spojenie s Rumunmi. Nová demarkačná čiara nazvaná „Fochova" bola vytýčená 9. mája.[28] Nasledujúci deň boli všetky jej dôležité body pod čs. kontrolou.

---

21 ÁDÁM – LITVÁN – ORMOS, *Documents diplomatiques*, c. d., dok. 359, s. 619, Pellé Clemenceauovi (dôverné), Praha, 23. apríla 1919.
22 Pozri hlavne: ŠROBÁR, *Oslobodené*, c. d., s. 111 – 112, 118 – 119.
23 ŠROBÁR, *Oslobodené*, c. d., s. 119.
24 ŠROBÁR, *Oslobodené*, c. d., s. 119.
25 DEJMEK, Jindřich. *Edvard Beneš (část první)*. Praha : Karolinum, 2006, s. 246.
26 ÁDÁM – LITVÁN – ORMOS, *Documents diplomatiques*, c. d., dok. 381, s. 643, Pellé Fochovi a Clemenceauovi, Praha, 4. mája 1919.
27 ÁDÁM – LITVÁN – ORMOS, *Documents diplomatiques*, c. d., dok. 381, s. 643, Pellé Fochovi a Clemenceauovi, Praha, 4. mája 1919. Pozri: FERENČUHOVÁ, Talianska a francúzska, c. d., s. 141.
28 O diskusiách pozri: FERENČUHOVÁ, Talianska a francúzska, c. d., s. 141 – 142.

Májové znepokojenia: krehká vnútorná stabilizácia

Minister pre správu Slovenska, ktorý strávil v polovici mája niekoľko dní v Prahe,[29] považoval politickú situáciu za dobrú a administratívu, súdy, poštu a železnice za *„bezvadne"* fungujúce. Ekonomická a sociálna situácia však dobrá nebola a vojenské posily nepostačovali na efektívnu obranu hraníc.[30] Nedostatok uhlia bol povážlivý, neprichádzali všetky sľúbené transporty a medzi poľnohospodárskymi robotníkmi bola vysoká nezamestnanosť.

Napriek pozitívnemu hodnoteniu politických pomerov nebola situácia v mnohých mestách pod kontrolou vlády, ale bola pestrá a nestabilná: existovali prípady, keď sa v priaznivom prostredí darilo niektoré oblasti dobre kontrolovať až po územia bez akejkoľvek kontroly. Vo vojsku pokračovalo zhoršovanie problémov s talianskym velením. Na východnom Slovensku pokračovali návyky získané pod talianskym velením aj pod Francúzmi.[31] V polovici mája sa Hennocque sťažoval na postoj čs. plukovníka Františka Schöbla voči svojim podriadeným alebo voči svojej osobe a požadoval, aby sa s tým rýchlo skoncovalo.[32] Otázka disciplíny ostávala kľúčovou aj v nasledujúcich týždňoch. Zo sporov týkajúcich sa právomocí a zo zjavného nedostatku dôvery v talianskom prostredí sa už stal veľký problém. Vyjadriť sa to dá slovami Ferdinanda Peroutku: *„dvojité vedení, jehož existenci by snad bolo ještě možno po nějakou dobu prodlužovat za mírových podmínek, rychle se ukázalo ve válce nemožným a škodlivým."*[33]

Maďari zaútočili v noci z 19. na 20. mája v smere Miškovec – Košice. Dňa 21. mája sa znovu zmocnili Miškovca a ďalej útočili v smere Košice – Prešov – Bardejov. Po ich rýchlych úspechoch v poslednom májovom týždni: *„začala sa na Slovensku šíriť panika temer vo všetkých kruhoch obyvateľstva."*[34] V jeho východnej časti *„často bez potreby* [vojsko] *opúšťalo pozície a hnalo sa do odhľahlých údolí Hornádu, Hrona, Váhu a Turca. Za ním šlo exponované úradnictvo a slovenskí národovci, ktorých okupanti nemilosrdne trestali."*[35] Piccione hlásil 22. mája Šrobárovi problémy s miestnym maďarským obyvateľstvom, nedostatočné materiálne zásobovanie vojska, ale najmä zložitosť svojej situácie. Navrhoval stiahnuť sa na východiskové pozície, čo sa uskutočnilo 22. a 23. mája. V čase najtvrdších bojov v sektore Miškovec – Salgótarján 24. mája Klofáč jednostranne ukončil činnosť talianskej vojenskej misie v Československu. Jej koniec bol naplánovaný na 1. júna. V čase prebiehajúcich zmien vo velení boli čs. jednotky pod tlakom.[36] Čelili mu až do 27.

---

29 SNA, o. f. Vavro Šrobár, k. 11, inv. č. 653. „Cestovný denník o platoch konaní mimo sídlo úradné..."

30 ŠROBÁR, *Oslobodené*, c. d., s. 120.

31 Vojenský historický ústav (ďalej VHÚ) Bratislava, Zemské vojenské velitelství (ďalej ZVV) Košice, Pres. 1919, k. 5, pres. 1801. Pos. Vel. Nitra. Č. j. dův 49. 19.5/1919.

32 VHÚ, ZVV Košice, Pres. 1795. Hennocque Schöblovi. Košice, 18. mája 1919. Pozri tiež: MOYŠ, A. Ladislav. Jeho účinkovanie počas vojny, počas prevratu a po prevrate: SNA, o. f. Šrobár, k. 26, inv. č. 1096, s. 55.

33 PEROUTKA, Ferdinand. *Budování statu (část druhá)*. Praha : 1934, s. 1073.

34 ŠROBÁR, *Oslobodené*, c. d., s. 121.

35 ŠROBÁR, *Oslobodené*, c. d., s. 121.

36 O zmenách vo velení pozri: VHÚ, ZVV Košice, Pres. 1919, k. 5, prez. 1811, telegramy z 23., 24. a 25. mája 1919. Pellé sa obával, že úplne stratí dôveru vojska. Pozri: ÁDÁM – LITVÁN – ORMOS, *Documents diplomatiques*, c. d., dok. 406, s. 672, Pellé Clemenceauovi, Praha, 25. mája 1919.

mája a stiahli sa do východiskových pozícií. Dôsledky presunu tam a späť nenechali na seba dlho čakať.

V čase zmien vo velení v prvých júnových dňoch bola západná časť Slovenska veľmi ohrozená. Dňa 31. mája zvolal Šrobár vládnu poradu.[37] Praha oznámila vyslanie posíl, bolo treba vydržať iba niekoľko dní a zabrániť, aby sa panika rozšírila do celej krajiny. Úradníci mali ostať na svojich miestach. Sokoli mali byť k dispozícii úradom. Obežný telegram požadoval od županov, aby ostali na svojich miestach a mesto opustili iba na rozkaz vojenského velenia.

Pellé v liste adresovanom francúzskemu premiérovi Georgesovi Clemenceauovi a Fochovi požadoval zásah, ktorý mal prinútiť Maďarov stiahnuť ich jednotky. Okrem toho žiadal okamžite poslať dôstojníkov, *„ktorí sú nevyhnutne potrební pre nahradenie talianskeho velenia."*[38] Správy podčiarkujúce úlohu talianskych dôstojníkov, ktorú zohrali v úpadku morálky čs. armády, sa množili. Správa vojenskej posádky Košice z 20. mája bola dostatočne reprezentatívnou, rozoberali sa v nej typické sťažnosti. Spomínala napätú atmosféru vo vojsku a zároveň vo vzťahu mužstvo – dôstojníci.[39] Zrejme o takýto typ správ sa Pellé opieral, keď sa obrátil na Focha s oznámením, že talianske velenie *„dokazuje svoju zásadnú neschopnosť, ak nie tichú dohodu s nepriateľom, ako ho obviňujú vojaci a české obyvateľstvo"* a *„nahradenie talianskeho velenia francúzskym predstavuje kvôli náladám vo vláde a u obyvateľstva absolútnu nevyhnutnosť napriek vojenskej nevýhodnosti takejto zmeny v priebehu operácií."*[40]

Ak sa spoľahneme na správy, ktoré prichádzali na Zemské vojenské veliteľstvo (ZVV) Košice, situácia ohľadom morálky bola protirečivá. Z vojenských posádok však prichádzali hlásenia o strate dôvery vojska a v niektorých prípadoch dokonca o rýchlych zhoršeniach v priebehu niekoľkých dní, hoci existovali čestné výnimky a vyskytovali sa aj mestá, kde vojenská moc, ako sa zdalo, pracovala v priaznivej atmosfére.[41] No v mnohých mestách to tak nebolo, napríklad v Leviciach, odkiaľ medzi 22. a 27. májom hlásili rýchle zhoršenie atmosféry.[42] Podobne v Košiciach sa z civilného aj vojenského hľadiska situácia v tej istej chvíli veľmi zhoršila. Vojenské posádky mesta mali veľké problémy s disciplínou, čo možno zhrnúť do jednej objasňujúcej vety: *„Discipliny mezi vojskem není vůbec. Deserce je na denním pořádku."*[43] Obavy spôsoboval okrem postoja talianskych dôstojníkov aj prístup obyvateľstva, ktoré sa mohlo v niektorých regiónoch ešte prejavovať nepriateľsky, nedôverčivo alebo pasívne a bolo ochotné prispôsobiť sa každej vojenskej a politickej moci. Vyzerá

37 ŠROBÁR, *Oslobodené*, c. d., s. 122.
38 ÁDÁM – LITVÁN – ORMOS, *Documents diplomatiques*, c. d., dok. 411, s. 676, Pellé Clemenceauovi a Fochovi, Praha, 29. mája 1919.
39 VHÚ, ZVV Košice, Pres. 1919, k. 4, prez. 1658. Výňatek ze zpravod. hlášení pos. vel. v Košicích ze dne 20. 5. 1919.
40 ÁDÁM – LITVÁN – ORMOS, *Documents diplomatiques*, c. d., dok. 405, s. 671, Pellé Fochovi, Praha, bez dátumu, prišlo 24. mája 1919.
41 Pre Zvolen, Banskú Bystricu alebo Levoču, pozri napríklad: VHÚ, ZVV Košice, Pres. 1919, k. 5, prez. 1901, 1997, 2022, 2120.
42 VHÚ, ZVV Košice, Pres. 1919, k. 5, 1903. Smýšlení mužstva u nahr. pr. ppl. č. 26. 27. května 1919; prez. 2183, Pos. Vel. Bratislava, 28. května. Zprávy za týden od 19. do 25. května 1919. Záležitosti vojenské.
43 VHÚ, ZVV Košice, Pres. 1919, k. 5, prez. 2056. ZVV v Košicích. Hlášení, dne 28. května 1919.

to tak, že pri oslabení dôvery v čs. moc hral svoju úlohu neúspech v Miškovci.[44] Čs. úrady mali napriek zlepšeniu pretrvávajúce ťažkosti kontrolovať niektoré regióny, kde v administratíve zostalo ešte mnoho ľudí bývalého režimu. Z vojenského hľadiska bola materiálna situácia nepriaznivá, čo okrem iných rozoberala z mnohých hľadísk správa o situácii ZVV Košice.[45] Týkalo sa to rovnako zásob (mužov a materiálu), ako aj posíl, ktoré prichádzali málo početné a zle vyzbrojené.

V čase maďarského protiútoku 30. mája bol stav čs. armády zlý nielen z materiálneho hľadiska, ale aj z hľadiska morálky a disciplíny. Prvé maďarské útoky sa nepodarilo odraziť a zmena velenia reakciu ešte sťažila.[46] Šrobár by radšej uprednostnil obrannú stratégiu.[47] Situácia čs. vojenských síl bola kritická. Beneš sa obrátil na najvyššiu radu so žiadosťou o intervenciu a zastavenie maďarskej ofenzívy, ale aj o definitívne vyriešenie otázky hraníc.

Prvá júnová dekáda

Prvého júna prerušilo ministerstvo obrany činnosť talianskej vojenskej misie v Československu a na Slovensku sa ujal velenia generál Eugène Mittelhauser.[48]

Maršal Foch, ktorý zjavne nepoznal vojenskú situáciu na Slovensku, navrhol stiahnuť jednotky zo Slovenska, aby ich mohli využiť v iných sektoroch.[49] Pellé to hneď na druhý deň rezolútne odmietol: *„Vojenská situácia a stav vojska znemožňuje v tejto chvíli akúkoľvek možnosť stiahnutia jednotiek z maďarského frontu, kam sa premiestnili všetky organizované ozbrojené sily krajiny. Iba rumunská a spojenecká intervencia na tomto fronte, ktorú považujem za nevyhnutnú na zlepšenie situácie, by umožnila spomenutú možnosť preskupenia síl."*[50]

V Prahe a zároveň aj v Bratislave rástli obavy. Prezident Masaryk si definitívne uvedomil chyby vlády a hlavne Klofáčovho ministerstva: *„Ovšem je také vidno z nepřipravenosti našeho vojska, že Klofáč je slabý. Ergo rekonstrukce!"*[51] Situácia v Bratislave nebola o nič priaznivejšia, o čom informoval Markovič Beneša. V tejto rukopisnej správe, ktorá bola priložená k inštrukciám pre slovenský klub o projekte volebného zákona do Národného zhromaždenia, bola opísaná z hľadiska čs. moci administratívna a politická situácia bez prikrášľovania: *„Slovensko je neustále od prevratu bojišťom. Nebolo možno ani fizicky*

44 Pozri napríklad: VHÚ, ZVV Košice, Pres. 1919, k. 5, prez. 1910, Čs. Posádkové velitelství Nová Ves - Igló Zemskému vojenskému velitelství, Nová Ves, 24. května 1919.

45 VHÚ, ZVV Košice, Pres. 1919, k. 5, prez. 2040. Čs. ZVV pro Slovensko v Košicích. Materialní situace za měsíc květen. Dne 1. června 1919.

46 HRONSKÝ, Marián. Priebeh maďarských vojenských operácií a ich strategický cieľ. In DEÁK, *Slovensko a Maďarsko*, c. d., s. 69 – 70. O problémoch československej armády tesne pred nahradení Talianmi pozri: HOUDEK, Fedor. *Vznik hraníc Slovenska*. Bratislava : Prúdy, 1931, s. 268 – 269.

47 SNA, o. f. Šrobár, k. 4, inv. č. 22.

48 O Mittelhauserovi pozri: FIDLER, Jiří. Francouzští generálové na Slovensku a Podkarpatské Rusi (1919 – 1925). In *Vojenská história*, 2000, roč. 49, č. 3 – 4, s. 84 – 85.

49 ÁDÁM – LITVÁN – ORMOS, *Documents diplomatiques*, c. d., dok. 412, s. 676, Foch Pellému, Paríž, 1. júna 1919.

50 ÁDÁM – LITVÁN – ORMOS, *Documents diplomatiques*, c. d., dok. 413, s. 677, Pellé Clemenceauovi a Fochovi, Praha, 2. júna 1919.

51 ŠOLLE, *Masaryk*, c. d., dok. 61, s. 261, TGM Benešovi, 2. júna 1919.

sriadit administráciu, súdnictvo, organizácie politické a sociálne. V území južnim nebolo na mnohých miestach ešte našej administrácie – a i teraz je veľa obcí v neutrálnej zóne."[52]

Prvého júna začali čs. vojská hromadne ustupovať. Kritická situácia vrcholila 7. júna, keď maďarská ofenzíva ohrozovala dokonca až stred Slovenska. Panika, ktorú vyvolal maďarský postup, zachvátila obyvateľstvo aj úrady. Vyslanie bratislavskej mestskej posádky na front zneistilo situáciu aj v tomto meste.[53] Dňa 5. júna bola vyhlásená vojenská diktatúra. Rýchly vývoj situácie si vyžadoval od Šrobára zabezpečiť každodenný kontakt s Prahou. Už nasledujúci deň požiadal Markoviča, aby sprostredkúval spojenie a denne prísun informácií medzi Prahou a Bratislavou. V Bratislave túto misiu zverili inžinierovi Jánovi Bottovi. MPS zároveň vyžadovalo od Pellého, aby štáb posielal vojenské informácie a informácie o vyzbrojení Sokolov.[54]

Foch, ktorého Pellé neustále upozorňoval na vážnosť situácie, dosiahol u Clemenceaua, že sa ňou mali zaoberať štáty Dohody a Beneš s opatrným optimizmom oznamoval možnosť spoločnej akcie proti Maďarsku.[55] Generál Pellé informoval Clemenceaua o hrozbe pádu Košíc (čo sa medzitým aj stalo) deň pred 7. júnom, keď zasa požadoval od maďarskej vlády zastavenie ofenzívy a opustenie čs. územia.[56] Bez výsledku. Hoci Francúzi prijali radikálne disciplinárne opatrenia, čo prinášalo prvé výsledky, vojenská situácia sa na Slovensku neustále zhoršovala. Beneš vo svojej správe Masarykovi z 8. júna informoval, že po maďarskom útoku okamžite požadoval, aby bola zverejnená hranica, aby Československo dostalo pomoc vo forme munície a aby verejne zakročili proti Maďarom. Americký prezident Woodrow Wilson prisľúbil, že nasledujúci deň bude Rada štyroch požadovať od Maďarov, aby sa stiahli za demarkačnú líniu. Ak by sa tak nestalo do 48 hodín, Rada štyroch sa chystala zasiahnuť čo „*nejostřejši*".[57] Odpor niektorých diplomatov bol napriek tomu veľký.[58] Masaryk zase dával Benešovi najavo svoj relatívny optimizmus: „*Jmenoval jsem proto Pellé, aby Francouzové byli angažováni ; zde myslili, že je to superfluum. Je, ale bylo dobré i pro domáci poměry. Dalo lidem pevný bod a vojsko vzpřímilo.*"[59] Nariadenia, ktoré Markovič posielal do Bratislavy, prikazovali neprerušovať činnosť úradov a zariadiť, aby ostali na svojich miestach a „*aby prispivaly k udrzovani klidu v ohrozenych*

52 SNA, o. f. Ivan Markovič, k. 1, inv. č. 24 (začiatok júna).
53 ŠROBÁR, *Oslobodené*, c. d., s. 48 – 49.
54 ŠROBÁR, *Oslobodené*, c. d., s. 126 – 127.
55 ŠOLLE, *Masaryk*, c. d., dok. 63, s. 267 – 268, Beneš Masarykovi, 6. júna 1919.
56 Pozri: ÁDÁM – LITVÁN – ORMOS, *Documents diplomatiques*, c. d., dok. 419, s. 681, telegram generála Pellého Clemenceauovi, Praha 6. júna 1919. ÁDÁM – LITVÁN - ORMOS, *Documents diplomatiques*, c. d., dok. 423, s. 685 – 686, telegram Clemenceaua pre maďarskú vládu, Paríž, 7. júna 1919. V ten istý deň večer informoval šéf francúzskej politickej misie vo Viedni ministerstvo zahraničných vecí, že „*situácia sa stáva každým dňom alarmujúcejšia, ak spojenci okamžite nevykonajú nejaký úskok... pre záchranu česko-slovenskej armády.*" ÁDÁM – LITVÁN – ORMOS, *Documents diplomatiques*, c. d., dok. 424, s. 686.
57 HÁJKOVÁ – QUAGLIATOVÁ – VAŠEK, *Korespondence*, c. d., dok. 89, s. 156, Beneš Masarykovi, Paríž, 8. júna 1919.
58 ŠOLLE, *Masaryk*, c. d., dok. 65, s. 273 – 274, Beneš Masarykovi, 10. júna 1919.
59 ŠOLLE, *Masaryk*, c. d., dok. 64a, s. 269, TGM Benešovi, 8. júna 1919.

uzemi a nepodporovaly samy vzrust paniky."[60] Na bojisku sa nič nemenilo a boje pokračovali napriek žiadostiam odoslaným z Paríža.

„Niet z nich radosti." Medzi pesimizmom a obavami

Mierová konferencia a Rada štyroch už teraz čelili otvorenej kritike a Beneš neskrýval svoje obavy. Vo svojej správe Masarykovi o diskusiách Rady štyroch z 11. a 12. júna podčiarkol politickú nemohúcnosť, v ktorej si hoveli Francúzi a Briti.[61] Markovič informoval Šrobára o situácii v Prahe, ktorá práve v takejto nestabilnej situácii vyznievala rozpačito. Markovič sa pokúšal vysvetliť, čo sa dialo v Prahe, a objasňoval problémy pri získavaní informácií, ktorým musel čeliť. „*Dosial nebadám zvláštny učinok Tvojej žiadosti ohladom toho, aby na ministerstva informovaly o veciach, týkajucich sa Slovenska. Ani u ministra* [vnútra Antonína Švehlu] *Svehlu. Za to však sám chodím stále po roznych uradoch a snažím sa informovat i ich i seba. Riadne navštevujem štáb gen. Pellé,* [generála Otakara] *Husáka, kanc. Sámala* [prezidentovho kancelára Přemysla Šámala], *ministerstvo Nár. Obrany a – pokial ho možno chyti – Svehlu. – O jednaniach ministerskej rady nebolo mi dosial sdelené nič.*"[62]

Markovič spomenul problémy na ministerstve obrany, o ktorých sa hovorilo už niekoľko týždňov, totiž o žiadostiach a návrhoch podaných slovenským klubom. V tom čase sa ponúkalo viacero možností, ktoré by mali v každom prípade za následok príchod Josefa Svatopluka Machara – či už na miesto Klofáča alebo k nemu.[63] Markovič však najmä neskrýval svoje rastúce obavy z toho, čo považoval za ľahkomyseľnosť vedúcich českých činiteľov vo vzťahu ku Slovensku, ktorú zhrnul takto: „*Z toho, ako to tu ide, niet mnoho radosti. Minister Svehla ma síce uistoval, že sa robí všetko, čo je v záujme Slovenska potrebné, no čo je to, to všetko, dosial ešte nevidím.*"[64]

Pomery, ktoré vzišli z rozhodnutí Dohody, vyvíjali na Čechoslovákov určitý nátlak. Beneš poslal „*čo najkategorickejší*" rozkaz, aby v žiadnom prípade neprekračovali definitívnu demarkačnú čiaru, ktorý nasledujúci deň ráno preposlal Markovič do Bratislavy.[65] Avšak týchto dvoch korešpondujúcich znepokojovala hlavne vojenská nemohúcnosť: ráno 12. mája Markovič informoval vo svojej komunikácii s Bratislavou o intenzívnej činnosti Pellého, ktorý „*urguje zakroceni z Pariza stale*" a nakoniec informoval, že Beneš získal od Diaza sľub urýchliť oslobodzovanie čs. zajatcov v Taliansku. Prezidentská vojenská

60 SNA, o. f. Ivan Markovič, k. 1, inv. č. 66. Hugues, 10. júna 1919, 12.50 popol. Pozri tiež: ŠROBÁR, *Oslobodené*, c. d., s. 127 – 128 a výzva « Do zbrane » In *Slovenský dennik*, 13. 6. 1919, s. 1.

61 ŠOLLE, *Masaryk*, c. d., dok. 66, s. 275 – 276, Beneš Masarykovi, Paríž, 11. júna 1919.

62 SNA, o. f. Ivan Markovič, k. 1, inv. č. 25, Bratislava, 12. júna 1919, 18.30 hod. Markovič Šrobárovi; SNA, o. f. Vavro Šrobár, k. 11, inv. č. 656.

63 HÁJKOVÁ – QUAGLIATOVÁ – VAŠEK, *Korespondence*, c. d., dok. 78, s. 143, Paríž, 20. mája 1919 a dok. 84, s. 149, Masaryk Benešovi, Praha, 2. júna 1919.

64 SNA, o. f. Ivan Markovič, k. 1, inv. č. 25, List Markoviča Šrobárovi, Bratislava, 12. júna 1919, 18.30 hod; SNA, o. f. Šrobár, k. 11, inv. č. 656.

65 HÁJKOVÁ – QUAGLIATOVÁ – VAŠEK, *Korespondence*, c. d., dok. 94, s. 162, Beneš Masarykovi, Paríž, 12. júna 1919; SNA, o. f. Ivan Markovič, k. 1, inv. č. 70, 13. júna 1919. (Pozri tiež: ŠROBÁR, *Oslobodené*, c. d., s. 128) „*prosim co nejkategoricteji prikazte, aby za zadnou cenu tato definitivni linie se neprekracovala.*"

kancelária bola informovaná o dezerciách a o demoralizácii v Hennocqueovej armáde a *„se taze, je-li tam potrebno sokolstvo na uklidovani v zazemi a na pomoc pri administrativne a policejni sluzbe jakoz i pri opatrenich proti deserci.“*[66] Spomedzi vydaných inštrukcií bola jedna obzvlášť dôležitá. Zrejme reagovala na obavy týkajúce sa postoja obyvateľstva voči čs. úradom. Vojenské velenie, prinútené evakuovať niektoré mestá, *„vydalo prikaz o tom, aby pri evakuacii jednotlivych miest bolo civilne obecenstvo uvedomene nie* [necitatelne] *ani nie priskoro a aby pri evakuovani neboli privilegizovani ceski uradnici voci slovakom ako sa stalo podla staznosti vo zvolene, v rim. sobote a inde.“*[67]

Nasledujúci deň Parma odpovedal, že *„Sokolstvo ozbrojene je potrebne vsude. General Mittelhauser zada dene o intervenci aby jen byli poslani sokolove.”*[68] Pokiaľ išlo o zdravotnú situáciu vojska *„dle zpravy majora varsika jest nedostatecna jelikoz jest malo sanitniho muzstva a lekaru.“*[69]

Vo chvíli, keď bola maďarská agitácia silnejšia ako kedykoľvek predtým, Markovič informoval Beneša o svojom probléme – ustavičná neistota vo veci hraníc a šikovné využívanie protičeských nálad zo dňa na deň zhoršovali situáciu.[70] Šrobár bol v daných zložitých podmienkach najlepšie informovaný o každodenných krokoch Pellého hlavne o jeho snahe dotlačiť mierovú konferenciu k rozhodnutiu o hraniciach, ale Markovič – ktorý zabezpečoval naďalej kontakt s Pellém – mu mohol odovzdať iba kusé a neoverené informácie.[71] Keď už mohla byť informácia oficiálne oznámená, neboli k dispozícii direktívy, ako sa zachovať: *„Uz nemozem hovorit dnes s gen. Pelle a tak Ti mozem oznamit, ake budu vojen. dispozicie nasledkom spojeneckych not. No pravdepodobne budu nase operacie, aspon na cas, zase zastavene.”*[72]

Situácia po stanovení hraníc

Jednotlivé vlády konečne dostali oznámenie o vytýčení hraníc. O Československu sa Clemenceau vyjadril, že má *„najväčšiu dôveru, že česko-slovenská vláda bude bdieť, aby toto stiahnutie* [maďarských vojsk] *nebolo narušované a tiež, že keď už bude vykonané, česko-slovenské jednotky ostanú v rámci svojich vlastných hraníc.“*[73] Trasu demarkačnej línie oznámili čs. premiérovi Karlovi Kramářovi 14. júna[74] a o deň neskôr vodcovi Maďarskej

66 SNA, o. f. Ivan Markovič, k. 1, inv. č. 68, Hugues, 12. júna 1919.
67 SNA, o. f. Ivan Markovič, k. 1, inv. č. 68, Hugues, 12. júna 1919.
68 SNA, o. f. Ivan Markovič, k. 1, inv. č. 70. Hugues, 13. júna 1919, 13.40 hod. Pozri tiež: ŠROBÁR, *Oslobodené, c. d.,* s. 128.
69 SNA, o. f. Ivan Markovič, k. 1, inv. č. 70. Hugues, 13. júna 1919, 13.40 hod. Pozri tiež: ŠROBÁR, *Oslobodené,* c. d., s. 128.
70 SNA, o. f. Ivan Markovič, k. 1, inv. č. 28, Správa Markoviča Benešovi, 14. júna 1919.
71 SNA, o. f. Ivan Markovič, k. 1, inv. č. 29, Správa Markoviča Šrobárovi, Praha, 15. júna 1919. (prisne doverne. Len pre pana ministra) a SNA, o. f. Ivan Markovič, k. 1, inv. č. 72, Hugues 15. júna 1919.
72 SNA, o. f. Ivan Markovič, k. 1, inv. č. 30, List Markoviča Šrobárovi, Praha, 15. júna 1919, 18.00 hod.
73 ÁDÁM – LITVÁN – ORMOS, *Documents diplomatiques*, c. d., dok. 432, s. 695, Clemenceau, Paríž, 13. júna 1919.
74 HOUDEK, *Vznik*, c. d., s. 308 – 311.

republiky rád Bélovi Kunovi. Maďari sa mali stiahnuť za túto líniu pred 18. júnom. Kun sa snažil získať čas.

Ak aj toto rozhodnutie nevyvolalo nedôverčivosť – málokto v Prahe vyzeral, že by od tej chvíle rátal v konflikte s Maďarskom s rozhodnutím plne v prospech Československa – vyvolalo minimálne hnev, ktorý sa prejavoval rozličnými spôsobmi. Pellé neskrýval svoj hnev v prísne dôvernom liste Benešovi voči rozhodnutiu prijatému „Štyrmi" [Radou Štyroch], ktorá *„sa čoraz viac a viac ponárala do svojich návykov vytvárať prieťahy."*[75] Pellé sa otvorene obával vedľajších účinkov tejto nemohúcnosti, podobne ako prezident Masaryk, ktorý v tom videl ďalší krok k nesystematickej stredoeurópskej politike Dohody.[76] Zúfalý Beneš okrem týchto reakcií musel zároveň vnímať Markovičove obavy opisujúce mu neustále zhoršujúcu sa situáciu na Slovensku vyvolávajúcu otázky z krátkodobého aj dlhodobého hľadiska. *„Teraz oznamujem len v krátkosti, že položenie na Slovensku je stále tažké. Vojenská situácia sa síce trochu zlepšila, ale pri tom su vojská ustaté, vysilené a niet nových posíl, ktoré by ích mohly zamenit. Ešte viac ako vojenská situácia, robí nám starosti položenie politické. I povedomejšia čiastka ľudu ztratila doveru v Čechov, politicky zralejší začinaju tratiť doveru v Dohodu. Z toho ťažia všetci tí, ktorí boli síce zatíchli, ale ktorí zostali nepriatelmi čs republiky. Dvíhaju hlavy a natravujú široké vrstvy. Mnohých z nich síce už internovali a internuju, ale zostáva ich medzi ludom ešte vždy dosť. – Tento vývin vecí má vlastne bude mať za následok, že i po vyhnaní Madarov z celého Slovenska bude nepomerne tažšie získat pre republiku doveru slovenského obecenstva, ako bolo v listopadu, prosinci m. roku a v ledni t. r."*[77]

Podstata druhej nóty z 15. júna pre maďarskú vládu, ktorá požadovala stiahnutie Maďarov do pozícií spred 18. júna, vyvolávala u Markoviča, ktorý o nej informoval Šrobára, rovnaké negatívne a znepokojené komentáre o globálnej diplomatickej a politickej situácii a o perspektíve posilňovania čs. moci na Slovensku. K prvej téme sa vyjadril večer 15. júna, keď Šrobára informoval o obsahu telegramov od Clemenceau o arbitráži hraníc, ktoré komentoval: *„Niet z nich radosti."* Veľkú nespokojnosť s podmienkami stiahnutia sa Maďarov ironicky zhrnul takto: *„Madari sa vyzyvaju, aby odisli na svoje hranice a nam sa uklada; aby sme ich pri tom niakovsky nerusili a ich hranic za ziadnu cenu neprestupili. Tedy Madari mozu pri svojom odchode rabovat a my sa musime na to pokojne divat. Ak Madari budu ustupovat pomaly, nesmieme ich pohnat, ale musime prave tak pomaly za nimi.... Slovom ako by Madari boli spojenci a my nepriatelia Dohody. Naucenie pre budu-cnost."*[78]

Markovič podčiarkol v správe z toho istého dňa určenej výlučne do rúk Šrobárovi úskalia týkajúce sa druhého bodu – čs. moci. Maďarská okupácia zanechá nielen vojenské a materiálne stopy, ale aj (dokonca výraznejšie) stopy politické: *„V okupovaných krajoch Madari pečlive dbaju národnostných slobod. Tvoria sa všade slovenské sovjety. Videt zo všetkého, že toto je jedným z najdoležitejších tromfov madar. bolševikov a bude iste okol-*

75 ÁDÁM – LITVÁN – ORMOS, *Documents diplomatiques*, c. d., dok. 433, s. 696, Pellé Benešovi, Praha, 14. júna 1919.

76 ŠOLLE, *Masaryk*, c. d., dok. 68, s. 279, Masaryk Benešovi, 14. júna 1919.

77 SNA, o. f. Ivan Markovič, k. 1, inv. č. 28, Správa Markoviča Benešovi, Praha, 14. júna 1919.

78 SNA, o. f. Ivan Markovič, k. 1, inv. č. 30, List Markoviča Šrobárovi, Praha, 15. júna 1919, 18.00 hod. [v origináli bez diakritiky]

nosť, ktorá nám sposobí nie tak pri vojenskej, ako pri politickej reokupácii teraz ztratených krajov najviac tažkosti. Preto bude dobre pamätat a pripravovat sa na tento boj už teraz. Upozornil som dr. Beneša na tento moment ako snád najdoležitejší, k voli ktorému reokupacia sa musí stat čo najskorej."[79]

Generál Pellé, plne si vedomý ťažkostí, s ktorými sa stretol na slovenskom území a otvorene vnímajúci nedôverčivú atmosféru, ktorá odvtedy vládla v Prahe, opakoval svoje otvorené kritiky – a veľmi podobné tým, ktoré vyjadroval z vlastnej iniciatívy Benešovi – ohľadom politických rozhodnutí Rady štyroch a podčiarkoval ich strategickú bezvýznamnosť. Spomenul morálne rozpoloženie vojska, oznamoval, že vďaka veľkej snahe sa francúzskym dôstojníkom podarilo dosiahnuť významné ofenzívne úsilie *„veľmi slabých a demoralizovaných jednotiek"* a obával sa novej možnej maďarskej ofenzívy, ktorá *„by vzhľadom na našu slabosť mohla mať šance uspieť."*[80] Opakoval, že vzhľadom na stav použiteľných síl – a predovšetkým nedostatok delostreleckej munície a záloh – jednotky neboli schopné potrebnej aktivity, aby vytlačili Maďarov, čo nakoniec uzavrel definitívnou formulkou: *„Hranice, ktorých stanovenie sme dostali tejto noci, sú neobrániteľné."*[81]

Už niekoľko týždňov bol Beneš presvedčený o hlbokých rozporoch medzi politickými a vojenskými predstaviteľmi Dohody. V čase, keď Maďari pokračovali v ofenzíve proti niektorým mestám, rástli zároveň obavy z poľskej intervencie.[82] Zdalo sa, že ústredné orgány Slovenska, uprostred tejto nestabilnej, alebo dokonca až nepriaznivej vojenskej a diplomatickej situácie, boli v Prahe spochybňované. Markovič informoval Šrobára o podstate tejto veci. Dňa 15. júna oznamoval, že vojenská kancelária prezidenta vyžadovala zjednodušenie výmeny informácií *„aby slovenske obecenstvo jakoz i rozne urady a urednici byli energicky vyzvani by neobtezovali vyssi vojenske a jine urady zadostmi a navrhami tykajicimi se vedeni valky. Kto chce pomahati, nech kona svoji povinnost ve svem pusobisti aneb na fronte."*[83]

Predovšetkým sa však zdá, že počas diskusie u prezidenta 17. júna sa preberali rozličné témy. Prezident v nej údajne kategoricky zhodnotil neočakávané udalosti na Slovensku počas konfliktu s Maďarskom: *„Pan prezident mieni, ze v tazkej dobe Slovaci stratili hlavu a tym dali nezvratne dokazy svojej neschopnosti, naprostej."* Pripomenul najmä zločiny na neozbrojených maďarských civiloch, no predovšetkým na židoch, ktorých Masaryk požadoval prepustiť. Markovič pridáva: *„Mozete byt tedy pripraveni, ze sa rada ludi, menovite zidov, na Slovensko skoro vrati."*[84] Konkrétne bol prezident veľmi nespokojný s antisemitizmom, ktorý škodil čs. veci a na ktorom sa podieľali aj úrady: *„Vytyka sa nam, ze urady sami siria antisemitizmus... jedna rec ministra Šrobára bola silne antisemiticka a i o nej dostaly sa zpravy do zahr. /Myslim, ide tu o rec v Ruzomberku./ To vsetko nam velmi*

---

79 SNA, o. f. Ivan Markovič, k. 1, inv. č. 29. List Markoviča Šrobárovi, Praha, 15. júna 1919.

80 ÁDÁM – LITVÁN – ORMOS, *Documents diplomatiques*, c. d., dok. 434, s. 698, Pellé Fochovi, Praha, 15. júna 1919.

81 ÁDÁM – LITVÁN – ORMOS, *Documents diplomatiques*, c. d., dok. 434, s. 699, Pellé Fochovi, Praha, 15. júna 1919. Osobne vyjadril rovnaké obavy a nedostatky v liste adresovanom Benešovi o deň skôr. (ÁDÁM – LITVÁN – ORMOS, *Documents diplomatiques*, c. d., dok. 433, s. 696).

82 SNA, o. f. Ivan Markovič, k. 1, inv. č. 32, Správa Markoviča Šrobárovi, 16. júna 1919, 14.00 hod.

83 SNA, o. f. Ivan Markovič, k. 1, inv. č. 72, Hugues 15. júna 1919.

84 SNA, o. f. Ivan Markovič, k. 1, inv. č. 34, Správa Markoviča Šrobárovi, Praha, 17. júna 1919, 18.30 hod.

skodi.“[85] Masaryk mal pripisovať na vrub neschopnosti slovenských úradov, že mali málo informácií o tom, čo sa pripravovalo v Maďarsku a v Budapešti. Vlastne sa opakovane ukázalo, že zdrojom informácií MPS bola čs. ambasáda vo Viedni a že úradom v Bratislave to nestačilo na predvídanie situácie, ktorej museli čeliť. Preňho boli slovenské úrady vrátane Šrobára slabé: *„Zupani sa dokazali velmi slabymi“* a v budúcnosti bude potrebné im pomôcť Čechmi, ktorí do žúp vnesú poriadok.

Vo chvíli, keď veľmi podrobná správa informovala Šrobára o Masarykovej nemilosrdnej analýze, Pellé oznamoval, že Maďari neprestávali útočiť. V nasledujúcich hodinách rozpútali smerom na Bratislavu silnú ofenzívu. Maďarská vláda mohla pokračovať v dvojitej hre bez toho, aby musela čeliť okamžitým následkom. Dňa 19. júna, keď sa rozvíjala maďarská ofenzíva, akceptovala podmienky nóty, ale požadovala, aby sa Rumuni stiahli za Tisu. V tom čase vrcholil druhý kritický moment mesiaca jún. Situácia bola obzvlášť zložitá v oblasti Nových Zámkov a ohrozenej Bratislavy.

Od ohrozenej Bratislavy po prímerie

Bratislavská vojenská posádka po druhýkrát opustila mesto, aby zaujala postavenie pri Žitnom ostrove. Mesto ostalo bez ochrany. Obavy, či sa podarí udržať poriadok v prípade, ak by vypuklo povstanie proti štátnym orgánom, boli o to väčšie, že časť polície bola považovaná za nespoľahlivú.[86] Korešpondencia medzi Prahou a Bratislavou z rána 20. júna toto znepokojenie dokazovala a vyvolala výnimočný Markovičov hnev. Ten mal problémy spojiť sa so svojím bratislavským korešpondentom, aby si mohli vymeniť ranné informácie. Po mnohých minútach zbytočného úsilia sa mu podarilo získať odpoveď od Parmu, od ktorého očakával informácie o situácii v meste, ktoré však nedostal. Komunikácia v pomerne nevšednej forme si zaslúži byť spomenutá: *„zde min koncipista parma – dr hala jel pryc a nerekl mi bych ho vystoupil, proto na telef avisovani jsem ho zastoupil odpovidam* [...] *na bod 6.-) pokud vim zatim bratislava este neni evakuovana ale hlavni vec potrebujeme : munici, munici, munici* [...] (Markovič) *« vim ze bratislava neni evakuovana a prosim o zpravu v jake mire se evakuace provadi / cekam /* (odpoveď) *nejsem informovan.*“[87]

Markovičov hnev sa nezmenšil ani počas popoludnia, keď poslal Šrobárovi správu o situácii. Výrazy boli nezvyčajne tvrdé: *„Opakujem i na tomto mieste, čo som dnes hughesoval ako bod prvý: je absolutne nemožný sposob, že vzdor mojej opätnej žiadosti nebýva u Hugues apáratu rano o 8-mej ani a 1/4 na 9 nikto. Takýmto sposobom je tažko pracovat. Ja marím zbytočne čas, dvaja páni pri aparáte tiež a linka je zbytočne okupovaná. Prosím tedy ešte raz, aby Ste boli pri stroji hugues v shovorený čas, ináče možeme rozhovory zastavit. Aspon ja nemám chuti vyčkávat tu každý den bohvie ako dlho.“*[88]

Dôležitosť tejto správy pre Šrobára však spočívala v objasnení stratégie, ktorú zvolila čs. vláda po druhej nóte maďarskej vlády vo veci stiahnutia sa za demarkačnú líniu: *„Po obdržaní druhej noty Kunovej bola včera večer porada pod predsedníctvom p. preziden-*

85 SNA, o. f. Ivan Markovič, k. 1, inv. č. 34, Správa Markoviča Šrobárovi, Praha, 17. júna 1919, 18.30 hod.

86 ŠROBÁR, *Oslobodené*, c. d., s. 49.

87 SNA, o. f. Ivan Markovič, k. 1, inv. č. 77, 20. júna 1919.

88 SNA, o. f. Ivan Markovič, k. 1, inv. č. 38, Správa Markoviča Šrobárovi, Praha, 20. júna 1919, 15.00 hod. Pozri tiež: ŠROBÁR, *Oslobodené*, c. d., s. 49.

tovým, na ktorej se pojednávalo, či sa má poslat odpoved alebo nie. Minister svehla bol tohto názoru, aby sa odpoved poslala, ostatní /Pellé, Husák, Klofáč, dr. Stépánek/ s ním nesuhlasili. Rozhodla sa vec tak, že bolo useneseno počkat s odpovedou Kunovi, až prijde z Paríža zpráva, čo podnikla Dohoda po vypršaní 4-dnovej lehoty, ktoru dala Kunovi na vyplnenie podmienok, a pre každý prípad vyžiadat si direktivy z Paríža. – Položenie bolo včera zmenené práve preto, že 4-dnová lehota vypršala najpozdejšie včera, ked i prijmeme, že Kun dostal notu Dohody až 15-ho. Naše vyjednávanie po vypršaní tejto lehoty by mohlo kritizovat kroky Dohody proti Madarom, alebo by mohlo dat Dohode podnet k tomu, že by povedala. Ked si vyjednávate sami, nuž si vyjednávajte a my sa dalej nebudeme o vec starat. – Preto bol poslaný Benešovi telegram, v ktorom sa mu sdelil obsah druhej Kunovej noty a žiadaly sa instrukci. [...] *Konečne bolo zdoraznené, že po uplynutí už spomínaných 4 dní je slovo na Dohode a preto my nechceme tomuto slovu alebo skutku predbehnut vlastnými notami alebo podnikami, bez predbežných direktívy z Paríža. Dokial neprjdu* [sic] *tedy z Paríža direktívy, nebude sa dalej diplomatizovat, ale riadne bojovat.“*[89]

V tomto hutnom liste Markovič detailne informoval Šrobára o politickej a vojenskej situácii. Domnieval sa, že čs. armáda bola vo fáze naberania síl, hlásil odchody vlakov z českých krajín, ale bez toho, aby mohol spresniť, čo sa v nich nachádzalo, a oznamoval podstatu správ, ktoré poslal Beneš z Paríža: Hlavne *„odkazuje, že v prvom rade musíme sa spoliehat na seba sami“* a pokračoval *„a preto venovat všetky sily, aby sme sriadili čo najlepšiu armádu a aby sme mali poriadok v administrácii atd. Ovšem, oznamuje pri tom, že Dohoda zakročí proti Madarom rázne, ak neposluchnu.“*[90]

Skutočne poslal Beneš takú optimistickú informáciu? Ak vezmeme do úvahy, čo napísal Masarykovi o deň skôr, vyzeralo to, naopak, že jeho dôvera v Mierovú konferenciu klesla na dno: *„Konference úplně ztratila autoritu, jejích úvahy jsou zcela teoretické a nemožné, ale k jednání už se sotva vzchopí – ještě tak zde na Rýně by vystoupili, ale do Cent.[rální] Evropy nepůjdou. Bohužel, nemám důvěry v nápravu v tomto smyslu. Není to už otázka informací, je to už celá mentalita, neschopnost a slabost.“*[91] Najdôveryhodnejšia informácia z Markovičovej správy bola teda, že Čechoslováci sa môžu spoľahnúť len sami na seba.

Čakajúci Beneš zopakoval konferencii svoju žiadosť, aby už viac nerokovala s Maďarmi.[92] Najvyššia rada skutočne znova žiadala Maďarov, aby sa stiahli. Stále podľa rovnakého princípu: Čechoslováci sa mohli pohnúť, iba keď sa definitívne stiahnu Maďari.[93] Ján Halla z Bratislavy informoval Markoviča, že *„situace na zapadni fronte vcera se ponekud zlepsila ponevadz i madari su unaveni“* ale tiež, že stav čs. jednotiek na fronte je *„zalostny – jsou uplne vysileni, zavsiveni a roztrhani, nekde i bosi.“*[94] Clemenceau poslal Pellému 22. júna rozhodnutie Najvyššej vojenskej rady, ktorá ho oprávňovala odo-

89 SNA, o. f. Ivan Markovič, k. 1, inv. č. 38, Správa Markoviča Šrobárovi, Praha, 20. júna 1919, 15.00 hod.

90 SNA, o. f. Ivan Markovič, k. 1, inv. č. 38, Správa Markoviča Šrobárovi, Praha, 20. júna 1919, 15.00 hod.

91 ŠOLLE, *Masaryk*, c. d., dok. 71. s. 291, Beneš Masarykovi, Paríž, 19. júna 1919.

92 HÁJKOVÁ – QUAGLIATOVÁ – VAŠEK, Korespondence, c. d., dok. 103, s. 173, Beneš Masarykovi, Paríž, 20. júna 1919.

93 ÁDÁM – LITVÁN – ORMOS, *Documents diplomatiques*, c. d., dok. 443, s. 710

94 SNA, o. f. Ivan Markovič, k. 1, inv. č. 78, Hugues, 21. júna 1919, 8.00 – 8.25 hod. Pozri tiež Pellé Clemenceauovi a Fochovi, v ktorých šéf vojenskej misie v Prahe podčiarkol dovtedy dosiahnuté

vzdať maďarskej armáde inštrukcie o termíne a spôsobe ústupu.[95] Nasledujúci deň odišiel Šrobár do Prahy, kde zostal až do začiatku júla.[96] Medzitým bolo 24. júna na Slovensku dohodnuté prímerie, ktoré však Maďari stále nerešpektovali. Vo svojej správe adresovanej Clemenceauovi a Fochovi Pellé hlásil, že skoro celá maďarská armáda zostala na čs. fronte a jednotky zostali v blízkom kontakte. Znova žiadal *„vykonať krajné opatrenia oznámené ultimátom zo 14. júna"*, jediné riešenie, ktoré zastaví rozširovanie boľševizmu a zachráni kredit mocností Dohody.[97] Vyjednávania sa začali na druhý deň v Bratislave. Šéf francúzskej vojenskej misie bol napriek tomu naďalej znepokojený, čo otvorene napísal generálovi Henrimu Berthelotovi 27. júna: *„V skutočnosti je situácia, ktorá vzišla z aktuálneho prerušenia vojenských akcií, neudržateľná a môže sa predĺžiť iba o niekoľko dní"*. Maďari neustupovali napriek opakovaným žiadostiam, front bol extrémne roztiahnutý, línia prerušovaná, bojisko hornaté. Pellé súhlasil s odkladom iba kvôli vyčerpanému vojsku, lebo ho počas neho bolo možné aspoň čiastočne znovu zásobiť muníciou.[98]

Napokon Kun oznámil 29. júna ústup svojich vojsk. Trvalo ešte niekoľko dní, kým posledné maďarské jednotky opustili čs. územie. Stalo sa tak 5. júla.[99] Hlavní aktéri v Paríži, v Prahe, ako aj v Bratislave, počnúc Markovičom, presne odhadli limity pomoci, ktorú mohlo Československo očakávať od svojho hlavného spojenca: bola hlavne materiálna a diplomatická. Žiadna francúzska intervencia nikdy neprichádzala do úvahy, ako napísal Pellé Berthelotovi 27. júna, *„nevyzerá, že by si v Paríži uvedomili, že politika vedená v Maďarsku má už jeden mesiac za následok prudký pokles prestíže Dohody.* [...] *Ľudia v Prahe, ktorí rozmýšľajú, si uvedomujú nedostatky takej vzdialenej a takej pomaly reagujúcej podpory. Vyvádzajú z toho správny záver – treba byť silnými. No niektorí z toho vyvodzujú iné menej priaznivé."*[100]

Zatiaľ čo sa maďarská hrozba vzďaľovala, čs. inštitúcie na Slovensku sa vracali k administrovaniu stále rozdrobeného územia, ktorého obyvateľstvo naďalej trpelo dôsledkami Veľkej vojny a mesiacmi bojov a neistôt. Toto úradovanie by sme preto mohli len ťažko nazvať „normálnym".

(z francúzštiny preložil Michal Kšiňan)

limity čs. armády. ÁDÁM – LITVÁN – ORMOS, *Documents diplomatiques*, c. d., dok. 450, s. 718, Praha, 25. júna 1919.

95 HRONSKÝ, Priebeh vojenského obsadzovania, c. d., s. 77.

96 SNA, o. f. Šrobár, šk. 11, inv. č. 653. „Cestovný denník o platoch konaný mimo sídlo úradné..."

97 ÁDÁM – LITVÁN – ORMOS, *Documents diplomatiques*, c. d., dok. 450, s. 719, Pellé Clemenceauovi a Fochovi, Praha, 25. júna 1919.

98 ÁDÁM – LITVÁN – ORMOS, *Documents diplomatiques*, c. d., dok. 451, s. 720, Pellé Berthelotovi, Praha, 27. júna 1919.

99 HRONSKÝ, Marián. Priebeh vojenského konfliktu ČSR s Maďarskom v roku 1919. In *Historický časopis*, 1993, roč. 41, č. 5 – 6, s. 619 – 620.

100 ÁDÁM – LITVÁN – ORMOS, *Documents diplomatiques*, c. d., dok. 451, s. 721, Pellé Berthelotovi, Praha, 27. júna 1919.

Československá epizóda agenta Kominterny Alexandra Abramoviča*

Juraj Benko

Komunistická internacionála (KI, Kominterna) s ústredím v hlavnom meste sovietskeho Ruska predstavovala jeden z výrazných fenoménov medzinárodnej politiky v medzivojnovom období. Jej propagandistická, organizačná či spravodajská činnosť predstavovala silnú destabilizačnú hrozbu pre demokratické, ako aj nedemokratické režimy. Nepriateľná pre jednotlivé štáty bola samotná metóda práce komunistického hnutia. Popri legálnom, navonok relatívne autonómnom a verejne viditeľnom pôsobení sa kládol dôraz aj na budovanie ilegálnych štruktúr úzko previazaných s moskovským vedením. V komunistickom „podzemí" sa distribuovali inštrukcie, strategické informácie, propagandistický tovar, financie na chod jednotlivých strán a predovšetkým sa v ňom pohybovali „dôverníci" moskovského vedenia – ľudia splnomocnení centrálou Kominterny a vybavení potrebnými mandátmi, dokumentmi a peniazmi, ktorí mali za úlohu usmerňovať dianie v ľavom socialistickom a komunistickom hnutí v súlade s aktuálnymi inštrukciami a politickou taktikou Moskvy.

Štúdia sa venuje malej československej (čs.) epizóde jedného z nich – Alexandrovi Abramovičovi, ktorý patril k popredným emisárom Kominterny v dvadsiatych rokoch dvadsiateho storočia. Nemá väčšiu ambíciu než byť doplnkom obšírnejšej kapitoly Michaila Pantelejeva z jeho publikácie o kominternovských predstaviteľoch v zahraničí z roku 2005.[1] V jeho chronologickom rozprávaní o Abramovičovom živote chýba práve niekoľkomesačný čs. úsek.

***

Krátko predpoludním 15. mája 1921 zastavil v železničnej stanici Brod nad Labem v západočeskom pohraničí vlak prichádzajúci z Bavorska a smerujúci do Plzne. Do rúk príslušníkov čs. pohraničnej kontroly odovzdali bavorské policajné orgány manželský pár s ročným dieťaťom. Na hranice priviezli rodinu len deň po tom, ako boli vyhostení zo Švajčiarska. No ani tam neprebývali dlho. Stopy ich deportačnej anabázy viedli do Francúzska.

Dôvod, pre ktorý sa manželský pár s 13-mesačným potomkom dostal až na čs. hranice, bol lapidárny. Muž mal čs. pas, na základe ktorého bol identifikovaný ako dr. Franz Zalewski, absolvent krakovskej univerzity v odbore medicína. Popri diplome z Krakova

* Štúdia vznikla v rámci projektu VEGA 2/0119/14 Formovanie zahraničnopolitického myslenia slovenských politických elít a spoločnosti v rokoch 1918 – 1939. Zodpovedný riešiteľ: Mgr. Matej Hanula, PhD.

1 PANTELEJEV, Michail. *Agenty Kominterna. Soldaty mirovoj revoljucii.* Moskva : Jauza, Eksmo, 2005, kap. 2, s. 47 – 84. Kapitola venovaná Abramovičovi má názov „V Nizze je uväznený Čechoslovák, ktorý sa nazýva Zalevski a ktorého volajú tiež Abramovič". Pri opise kontextu Abramovičovej československej epizódy popri archívnych prameňoch a inej sekundárnej literatúre vychádzam najmä z tejto Pantelejevovej práce.

si niesol v kufri ešte aj ruský uznávací diplom. Žena vlastnila rakúsky pas na meno Selma Bertin.

Ešte zaujímavejší pre policajné orgány v každej z tranzitných krajín bol dôvod, kvôli ktorému k reťazovej deportácii došlo. Správy z Francúzska naznačovali, že Franz Zalewski tam bol stíhaný a následne vyhostený za komunistickú propagandu, poburovanie, podplácanie a protištátnu činnosť, ako aj falšovanie úradných dokladov.[2]

Kto je Zalewski?

Československé úrady získali informácie o putovaní „Čechoslováka" Zalewskeho k hraniciam republiky už niekoľko dní pred príjazdom.[3] Preventívne zisťovali, či dotyčný muž je skutočne čs. občanom a má domovskú príslušnosť v republike. Existovala o tom vážna pochybnosť. Pohraničnému komisariátu v Chebe sa preto nariaďovalo, aby do vyjasnenia celej záležitosti Zalewskeho neprebral. No situácia sa vyvinula ináč.

Pohraničná stráž síce podľa inštrukcií „zhora" nechcela Zalewskeho s rodinou prijať, no nakoniec po výstrahe bavorskej strany, že deportovaných dostanú na čs. územie „inak", ustúpili. Usúdili, že lepšie je nechceného návštevníka zaistiť už na hraniciach, než ho nechať voľne sa pohybovať v republike v prípade tajného prechodu hraničnej čiary. Po prevzatí do čs. rúk rodina Zalewských mierila do Domažlíc, a už na druhý deň boli obaja manželia zaistení pre podvod. Potvrdilo sa podozrenie, že ich pasy sú falošné. Vzápätí sa ukázalo, čo bolo pri komunikácii so sebavedomým Zalewskim viac-menej zrejmé – že nie je ani čs. občan a domovsky neprináleží na územie republiky. O tom, kto sa skutočne ocitol v rukách čs. polície, hovorili zatiaľ len kusé informácie od zahraničných úradov a z tlače.

Už od februára sa v súvislosti so zatknutím Zalewskeho vo Francúzsku objavili vo viacerých českých novinách s odkazom na francúzske denníky podrobnejšie informácie o osobe s údajnou domovskou príslušnosťou v obci s nie veľmi jasným názvom – „Straniscai v ČSR". V súvislosti s tým sa snažilo niečo o tomto domnelom čs. občanovi zistiť francúzske zastupiteľstvo v ČSR. Požiadalo o súčinnosť policajné riaditeľstvo v Prahe a poskytlo mu aj podobizeň zatknutého.[4] Pátralo sa v pražských Strašniciach i na samote Střižka vo frýdeckom okrese. No bezvýsledne.[5] V polovici marca rakúsky súdny radca dr. Franz Brandl tiež informoval čs. stranu o zatknutí „československého občana" Zalewskeho vo Francúzsku kvôli komunistickej činnosti, a rovnako požiadal o bližšie informácie o jeho identite. Dôvodom rakúskeho záujmu bol najmä fakt, že Zalewskeho žena mala byť Rakúšanka. Vo svojej odpovedi nemohla čs. strana opäť poskytnúť nič presnejšie.

V každom prípade, z dostupných informácií z Francúzska sa mohli vyšetrovacie orgány dozvedieť, že Zalewski používa aj meno Abramovič. Krátko pred prijatím čs. orgánmi – 11. mája – informoval český *Čas* s odkazom na francúzsky denník *L'Humanité* zo 7. mája, že koncom januára bolo vo Francúzsku odhalené komunistické sprisahanie a bol zatknutý medzi inými aj istý Zalewski, *„ktorý bol všeobecne považovaný za delegáta moskovských sovietov, a obvinený z toho, že cudzími peniazmi podporoval boľševickú propagandu vo*

2 Národní archiv České republiky (ďalej NA ČR) Praha, fond (ďalej f.) PMV AMV 225, kartón (ďalej k.) 81, signatúra (ďalej sign.) 6, fol. 29.
3 NA ČR Praha, f. PMV AMV 225, k. 81, sign. 6, fol. 53.
4 NA ČR Praha, f. PMV AMV 225, k. 81, sign. 6, fol. 56.
5 NA ČR Praha, f. PMV AMV 225, k. 81, sign. 6, fol. 58.

Francúzsku.“[6] Proces s ním podľa novín skončil bezvýsledne, rovnako ako s ostatnými zatknutými, a Zalewski bol vypovedaný do Švajčiarska, kde bol následne opäť zaistený.[7] Francúzsky časopis *Journal* už začiatkom marca informoval, že zatknutý komunistický agitátor pochádza z Československa.

Čs. orgány po prevzatí Zalewskeho spustili pátranie po jeho pravej identite. Čoskoro sa im podarilo vyskladať veľmi zaujímavý životopis zatknutého. Pred vyšetrovateľom, ktorý mal v máji 1921 prípad dr. Zalewskeho na stole, sa na základe dostupných zdrojov postupne odkrýval životopis prominentného boľševického revolucionára s bohatými skúsenosťami, ktoré ho predurčovali na dôležité misie za hranicami sovietskeho Ruska. V hlavných črtách a indíciách sa len málo líšil od toho, čo o Zalewskom môžeme vedieť dnes na základe archívnych prameňov.

Už krátko po vzatí do väzby sa Zalewski sám priznal, že je v skutočnosti Rusom a do Ruska chce aj odísť. Pas, podľa vlastných slov, si dávnejšie kúpil v Berlíne „od jedného známeho“ na základe rovnako falošného domovského listu.[8] Skutočnosť, že doklady sú falošné, čoskoro potvrdili aj príslušné inštitúcie v Berlíne.[9] Vzhľadom na nové, závažné informácie padlo trestné oznámenie (policajná väzba mohla byť len 48-hodinová) a na základe prečinu falšovania verejných listín sa Zalewski ocitol v súdnej väzbe.

Zalewski alias Abramovič

Zalewskeho pravé meno bolo naozaj Abramovič – presnejšie Alexander Jemelianovič Abramovič. Narodil sa v roku 1888 na Ukrajine, sto vierst od Odesy v malej obci Mackuly ako statkársky syn. Hoci študoval viackrát medicínu, najprv na Novoruskej univezite v Odese, neskôr aj v emigrácii na Ženevskej univerzite, štúdium nikdy nedokončil. Dôvodom bola vždy politika – a revolúcia. V roku 1908 sa stal členom ruskej boľševickej strany a v roku 1911 sa prvýkrát stretol s Vladimirom Iljičom Leninom. To už sa po uväznení a úteku z Ruska (uskutočneného počas cesty do vyhnanstva) nachádzal vo Švajčiarsku. V krajine pod Alpami zotrval do jari 1917 – až do odchodu známeho vlaku so „zaplombovanými vagónmi“, ktorým sa Lenin po februárovej revolúcii v Rusku prepravil cez Nemecko do Petrohradu. Abramovič sa viezol s ním.

V Rusku sa Abramovič agilne zapojil do prípravy revolúcie a následného rozšírenia boľševickej moci. Pred Októbrom 1917 pôsobil ako organizátor boľševickej strany v petrohradských závodoch. Po neúspešnom júlovom povstaní bol vedením strany odvelený na rumunský front ako agitátor. Odtiaľ sa presunul do Odesy, kde sa ako člen revolučného výboru zúčastnil na dobytí moci miestnymi sovietmi.

Po úspešnom prevrate sa stal dôležitým exponentom a organizátorom boľševickej moci i Červenej armády v Petrohrade, Moskve i v rodnom odeskom regióne. Pôsobil ako výjazdový inštruktor Ústredného výboru Ruskej komunistickej strany (boľševikov) (ÚV RKS(b)) a potom ako náčelník oddelenia osobitného určenia Moskovského vojenského okruhu. Po brestlitovskom mieri pracoval na územiach okupovaných nemeckou armádou.

6 Spolu s ním bolo zatknutých ďalších 18 ľudí spojených s činnosťou Abramoviča. PANTELEJEV, c. d., s. 68.
7 Zalewski do Prahy? In *Čas*, 1921, č. 109 z 11. 5. 1921.
8 NA ČR Praha, f. PMV AMV 225, k. 81, sign. 6, fol. 53.
9 Tamže.

Počas občianskej vojny sa zúčastnil bojov proti denikinovským vojskám i čs. légiám, ktoré v druhej polovici roku 1918 predstavovali hlavnú hrozbu boľševickej moci.

Čas jeho zahraničnej misie nastal začiatkom roka 1919. Ruskí boľševici sa už od októbrového prevratu intenzívne venovali exportu revolúcie do strednej a západnej Európy. Povojnovú sociálnu a politickú radikalizáciu sa snažili, pokiaľ možno, ešte viac stimulovať. Vhodným nástrojom ich plánov na vyvolanie reťazovej revolúcie boli radikálne socialistické, syndikalistické, komunistické a anarchistické strany. Do jednotlivých štátov smerovali zo sovietskeho Ruska skúsení matadori ilegálnej práce so všetkým, čo k revolúcii treba – s jednoduchým a jasným revolučným manuálom i nemalým balíkom financií.[10] Abramovič patril k tejto menej viditeľnej, podzemnej garde „starých boľševikov", ktorí sa rozbiehali do sveta.[11]

1919: prvá misia na Západe

Z Ruska na západ vyrazil vo februári 1919. ÚV RKS(b) ho vyslal do Nemecka. Úloha bola jasná: nadviazať vzťahy s revolučnými prúdmi a všemožne napomôcť mocenskému prevratu.[12]

Vo vojne porazené Nemecko bolo v tom čase silne radikalizované a volanie po revolúcii bolo neobyčajne silné. Rovnako sa rýchlo formovali aj podobne radikálne, krajne pravicové prúdy. Abramovič, tentokrát ako Fritz Unger, mal namierené do Mníchova, ktorý predstavoval pomerne liberálne centrum Nemecka a kam smerovali aj prenasledovaní ľavicoví revolucionári z iných častí Nemecka. Už v apríli došlo k prevratu pod vedením komunistov, ľavých socialistov a anarchistov a bola vyhlásená Bavorská republika rád. Podľa vlastných slov sa počas jej krátkej dvojtýždňovej existencie zapojil do fungovania sovietskeho experimentu aj Abramovič. Po porážke „bavorskej Komúny" ušiel do Lipska.[13] Ako člen Západoeurópskeho byra Komunistickej internacionály[14] tu pôsobil do augusta 1919 a počas tohto obdobia sa zúčastnil na celom rade konferencií mladej Komunistickej strany Nemecka – v Magdeburgu, Halle, Hamburgu a Brémach. Svoje skúsenosti zhodnotil pre nemeckú stranu nelichotivo: *„Strana, rozorvatá vnútornými spormi, je veľmi slabá, a teraz sa najdôležitejšou úlohou javí vnútorná reorganizácia,"* napísal do Moskvy.[15] Následne v auguste odišiel po prvýkrát s poslaním do Francúzska, kde pracoval až do apríla 1920.

---

10 Téme financovania komunistického hnutia v strednej Európe v povojnových rokoch som sa venoval o. i. v štúdii: BENKO, Juraj. Sovietske Rusko, Kominterna a financovanie komunistického hnutia v strednej Európe 1917 – 1922. In *Český a slovenský komunismus (1921 – 2011)*. Jan Kalous, Jiří Kocian (eds.). Praha : Ústav pro soudobé dějiny AV ČR : Ústav pro studium totalitních režimů, 2012, s. 317 – 332.

11 „Starí boľševici" bolo po roku 1917 neoficiálnym označením predrevolučných členov ruskej boľševickej strany, ktorí sa v porevolučných časoch v Rusku tešili vysokej prestíži.

12 PANTELEJEV, c. d., s. 51.

13 Tamže, s. 53.

14 Západoeurópske byro Kominterny vzniklo z rozhodnutia Exekutívy Kominterny (EKI) 2. februára 1920, no prípravy na jeho vznik už prebiehali od novembra 1919. Malo za úlohu vytvoriť funkčné spojenia medzi komunistickými stranami Nemecka, Francúzska, Belgicka, Švajčiarska, Talianska a Poľska. ADIBEKOV, Grant M. – ŠACHŇAZAROVA, Eleonora N. – ŠIRIŇA, Kirill K. *Organizacionnaja struktura Kominterna 1919 – 1943*. Moskva : ROSSPEN, 1997, s. 12.

15 PANTELEJEV, c. d., s. 53 – 54.

Aj vo Francúzsku nadväzoval kontakty s revolučne orientovanými stranami a usiloval sa ich pritiahnuť pod krídla vznikajúcej moskovskej KI. Vo februári 1920 pod menom Albrecht podpísal spolu s holandskou komunistickou radikálkou Henriette Roland-Holstovou manifest, ktorý nabádal francúzsky proletariát na pripojenie ku KI.[16]

Z Francúzska sa Abramovič presunul do talianskeho Milána, odtiaľ do Viedne, cez Československo do Berlína a odtiaľ odcestoval do Moskvy.[17] Popri nadväzovaní nových a oživovaní starých kontaktov a vzťahov a aktívnom podnecovaní revolúcie medzi predstaviteľmi radikálnej socialistickej ľavice v krajinách svojho pôsobenia sa zároveň utvrdzoval v tom, že centralizácia týchto strán podľa úspešného boľševického vzoru je kľúčovým receptom na víťazstvo revolúcie.

1920: II. kongres Kominterny a druhá misia

Jeho presvedčenie potvrdil aj II. Kongres Kominterny v Moskve v júli a auguste 1920, na ktorý sa dostavil ako člen francúzskej delegácie, pôsobiacej vo Francúzsku ako Výbor III. Internacionály.[18]

V Kominterne, ktorá v tomto čase už predstavovala sebavedomú alternatívu Socialistickej internacionály, sa na tomto kongrese začali presadzovať centralizačné tendencie v jej riadení. Na základe rozhodnutia ÚV RKS (b) z augusta 1919 vzniklo Malé byro, ktoré fakticky predstavovalo riadiaci orgán celej medzinárodnej organizácie.[19] Realizovalo rozhodnutia Výkonného výboru, riešilo hlavné organizačné otázky Kominterny a zabezpečovalo nadviazanie a udržiavanie kontaktov s komunistickými stranami za hranicami. V jeho rukách sa sústreďovala moc nad celou globálnou organizáciou, ktorú vykonávala v úzkej súčinnosti s ruskou boľševickou stranou a v súlade s jej osvedčenými, direktívnymi praktikami. Nielen to. Zároveň kongres prijal 21 podmienok vstupu do KI, ktoré podobné praktiky riadenia a činnosti vyžadovali aj od komunistických strán. Vzorom tak pre chod Kominterny, ako aj pre afilované národné strany bola ruská boľševická strana. Organizačné a propagandistické evanjelium ruských boľševikov sa malo intenzívne naďalej šíriť v komunistickom hnutí za hranicami Ruska.

8. augusta Malé byro vymenovalo Abramoviča spolu s ďalšími osvedčenými „starými boľševikmi" (Ľubarskij, Heller) predstaviteľom Kominterny v románskych krajinách: Francúzsku, Belgicku, Luxemburgu, Taliansku, Španielsku a Portugalsku. Všetci traja mali už bohaté skúsenosti so „straníckou prácou" pre Kominternu vo Francúzsku a Taliansku.[20] V novembri 1920 teda vyrazil Abramovič z Moskvy opäť. Po prvýkrát so sebou vzal ženu a svoje polročné dieťa. Dovtedy jazdil sám a bez dokladov, tentoraz sa rozhodol

16 NA ČR, f. PMV AMV 225, k. 81, sign. 6, fol. 28.

17 PANTELEJEV, c. d., s. 64 – 65.

18 Výbor III. internacionály vznikol 8. 5. 1919 a za úlohu si stanovil *„dosiahnuť pripojenie robotníckych, socialistických, komunistických revolučných organizácií ako jednej organizácie k III. internacionále"*. HÁJEK, Miloš – MEJDROVÁ, Hana. *Vznik Třetí internacionály.* Praha : Karolinum, 2000, s. 165.

19 ADIBEKOV – ŠACHŇAZAROVA – ŠIRIŇA, c. d., s. 8.

20 Za pozornosť v súvislosti s ďalším pokračovaním Abramovičovho príbehu stojí, že pre krajiny bývalého Rakúska-Uhorska bol menovaný splnomocnencom Kominterny iný „starý boľševik" – Poliak Mieczysław Broński-Warszawski. Tamže.

zadovážiť si cestovné pasy pre seba i rodinu.[21] O nadobudnutí čs. pasov vypovedal, že ich kúpil v Berlíne za 4 000 mariek a po ôsmich dňoch dostal pasy aj s príslušnými vízami. Spolu s pasmi si obstaral aj spomínaný diplom krakovskej univerzity a ruský uznávací diplom na meno MUDr. František Zalewski. S týmito dokumentmi chcel zdôvodniť aj svoj pobyt v Paríži, kde sa plánoval zapísať na štúdium na Pasteurovom inštitúte. Po návrate do Francúzska v druhej polovici roku 1920 sa vo francúzskom socialistickom hnutí schyľovalo k rozhodujúcemu boju. Chlieb sa v európskych socialistických stranách lámal na ich zjazdoch, na ktorých sa demokraticky hlasovalo o vstupe do Komunistickej internacionály a prijatí tvrdých 21 podmienok, ktorými bol vstup podmienený. Úspech kominternovského krídla Francúzskej socialistickej strany (SFIO) na jej zjazde v Tours v januári 1921 bol hlavnou úlohou Abramoviča, tentoraz vystupujúceho pod menom Alexander, ako splnomocnenca Kominterny.

Vstúpil do francúzskej komunistickej strany a ňou bol za jeden z parížskych okrskov aj delegovaný na zjazd, ktorý začal 3. decembra 1920. Kominternu zastupovala narýchlo a ilegálne pricestovaná Klara Zetkinová. Abramovič sa najmä zákulisne snažil presviedčať delegátov, aby sa rázne vyslovili za vstup do moskovskej Internacionály. V tlači, ktorá vrenie v socialistickej strane pozorne sledovala, bol označený za „oko Moskvy", ktoré dohliada na francúzskych socialistov. Abramovičove metódy, ako aj spôsob, akým o situácii informoval Moskvu, poburovali aj mnohých predstaviteľov socialistickej ľavice. Na ich stranu sa postavila aj veteránka socialistického hnutia Zetkinová. Aj keď ocenila jeho prácu, poukázala na nedôveru tamojších súdruhov v jeho schopnosť podávať objektívne správy.[22]

Ruch okolo Abramoviča vyvolal aj pozornosť francúzskej polície, ktorá ho už nespustila z očí. Najviac sa „zviditeľnil" škandálom, ktorý sa spájal v týchto dňoch so socialistickým hnutím: s tzv. šekovou aférou. Prostredníctvom šekov American Express presunul sumu v hodnote 50 000 frankov jednému z predstaviteľov socialistickej ľavice na účely financovania francúzskej mutácie časopisu III. internacionála, ktorý vychádzal v Moskve.[23]

1921: cesta za mreže

Keď mu začala horieť pôda pod nohami, presunul sa so ženou a synom do talianskeho Livorna, kde sa pre zmenu zúčastnil zjazdu talianskych socialistov. Podobne ako vo Francúzsku, hlavnou témou zjazdu bola otázka pripojenia sa ku Kominterne a prihlásenia k 21 podmienkam vstupu do nej. Po návrate do Francúzska na Abramoviča už spadla klietka. V Nice manželov zatkla polícia za vstup do krajiny s falošnými dokumentmi, uväznila ich a po dvoch týždňoch previezla do Paríža. Zadržanie Abramoviča prebehlo v rámci rozsiahlej policajnej akcie namierenej proti kominternovským činiteľom vo Francúzsku. V parížskom väzení Santé zostal až do začiatku mája. Po prepustení bol Abramovič s rodinou deportovaný do Švajčiarska, Nemecka a Československa.[24] Čs. orgány sa prijatiu bránili a chceli ho vrátiť do Francúzska. Hoci sa ukázalo, že nie je „Čechoslovák", pokus

---

21 NA ČR Praha, f. PMV AMV 225, k. 81, sign. 6, fol. 28.

22 PANTELEJEV, c. d., s. 66 – 67.

23 WOHL, Robert. *French Communism in the Making, 1914 – 1924.* Stanford University Press, 1966, s. 219 – 220.

24 Pantelejev sa vo svojej životopisnej črte o A. Abramovičovi relatívne podrobne venuje chronológii jeho aktivít v rokoch 1920 – 1921. Sleduje jeho pohyb až po deportáciu do Švajčiarska v polovici

vrátiť Abramoviča do Francúzska zostal len v rovine úvah úradníkov ministerstva vnútra. Abramovič bol už na území ČSR pod zámkom a jediným reálnym riešením, ako sa tejto ideologicky toxickej zásielky „zbaviť"[25], bolo vyhostiť ho z územia ČSR a posunúť ďalej smerom k domovskej krajine. Zaužívaným riešením podobných situácií v ČSR i inde bolo odovzdať ho miestnej polícii na hraniciach s ďalším štátom stojacim v ceste k domovskej krajine. Týmto štátom na ceste do Ruska malo byť Poľsko. Skôr, než sa tento obvyklý postup stihol naplniť, vložila sa do veci ruská strana prostredníctvom zastúpenia ruského Červeného kríža v Prahe.

Zásah ruského splnomocnenca v Prahe

Diplomatické vzťahy boľševického Ruska so strednou a západnou Európou boli od konca vojny zredukované na nevyhnutnú – humanitárnu – mieru. Týkali sa predovšetkým státisícov občanov jednotlivých štátov, ktorí sa počas vojny dostali na cudzom území do zajatia. V Rusku sa nachádzali státisíce zajatých vojakov z rakúsko-uhorskej monarchie, a naopak, v nástupníckych štátoch zasa státisíce obyvateľov zaniknutého cárskeho impéria. Už koncom vojny vznikali bilaterálne repatriačné zmluvy a postupne – od leta 1920 – aj obchodné dohody. Suplovali štandardné diplomatické vzťahy, ktoré v dôsledku ovládnutia Ruska boľševikmi prakticky zamrzli. Členovia misií boli dôkladne vyberaní a poverení nielen humanitárnymi či hospodárskymi, ale aj diplomatickými, politickými alebo spravodajskými úlohami.[26] Zástupcovia sovietskeho Ruska v zahraničí mali v náplni práce celý rad neoficiálnych úloh spojených s organizáciou komunistického hnutia v Európe, propagandou revolučných ideí a šírením pozitívneho obrazu sovietskeho Ruska v európskych štátoch.[27] Tak vo Viedni, ako aj v Prahe sa stali tieto ruské misie komunikačným centrom domáceho komunistického hnutia s Moskvou, zabezpečujúcim transport cenností, propagandistického materiálu a inštrukcií s cieľom organizovať a podporovať revolučné hnutie. Na čele týchto dôležitých oporných bodov nového hnutia stáli osvedčení veteráni ruského revolučného hnutia. Vo Viedni viedol obchodnú misiu od júna 1920 Mieczysław Broński-Warszawski[28]

mája a následne píše: *„17. júla prišiel do Ruska."* (PANTELEJEV, c. d., s. 69) Československú epizódu, ktorá je v centre pozornosti tohto textu, nespomína.

25 NA ČR Praha, f. PMV AMV 225, k. 81, sign. 6, fol. 53. Oficiálne MV žiadalo urýchlene vyriešiť celú záležitosť najmä z ohľadu na Abramovičovu manželku Selmu s ich 13-mesačným synom, ktorú museli rovnako kvôli podvodu s falšovaním dokladov vziať do väzby.

26 Viac ako splnenie kritérií pre vykonávanie oficiálnych úloh sa prihliadalo k spôsobilosti v organizovaní revolučného hnutia a jeho propagandy, ako aj na znalosť politického prostredia. Tento kvalifikačný kľúč sa uplatňoval aj pri obsadzovaní administratívnych či technických funkcií. K tomu aj: BENKO, Juraj. *Boľševizmus medzi Východom a Západom 1900 – 1920.* Bratislava : Historický ústav SAV, 2012, s. 161 – 162

27 Bližšie k tejto téme pozri: BENKO, Juraj. Revolúcia a diplomacia. Misie sovietskeho Ruska v strednej Európe v prvom roku po boľševickom prevrate (1917 – 1918). In OSYKOVÁ, Linda – HANULA, Matej a kol. *Ideológia naprieč hranicami : myšlienkové transfery v Európe a na Slovensku v 1. polovici 20. storočia.* Bratislava : Historický ústav SAV : Veda, 2015, s. 27 – 50.

28 Mieczysław Broński (1882 – 1941, pseudonymy Warszawski, M. Braun), pôvodne poľský socialista, hlásiaci sa k Zimmerwaldskej ľavici, sa od júna 1917 stal agitátorom a propagandistom poľskej sekcie boľševickej strany v Petrohrade. Po revolúcii zamestnanec Ľudového komisariátu obchodu a priemyslu. V roku 1918 vo frakcii ľavých komunistov v boľševickej strane. Po skončení ilegálneho poslania v Nemecku sa stal predstaviteľom ruskej obchodnej misie vo Viedni od júna 1920,

a v tomto období (10. 7. 1920) dorazila do Prahy misia Červeného kríža na čele s dr. Solomonom Gillersonom.[29]

Gillersonova misia mala na starosti predovšetkým starostlivosť o ruských vojnových zajatcov a občanov na území Československa a organizáciu ich repatriácie do vlasti. Okrem toho bola poverená aj prípravou hospodárskych a politických dohôd.[30] Gillerson bol v spojení jednak s najvyššími politickými kruhmi republiky, aby sondoval ich postoje k sovietskemu Rusku, a zároveň s predstaviteľmi radikálno-socialistického a komunistického hnutia v Čechách. Jednou z jeho hlavných funkcií bolo pomerne podrobné informovanie ruskej vlády o situácii v Československu, predovšetkým o vyhliadkach blízkej revolúcie, revolucionizovaní ľavice a obzvlášť o pokrokoch, ktoré česká marxistická ľavica urobila na ceste k založeniu komunistickej strany. Misia sa stala strediskom distribúcie financií, informácií a tovarov pre domáce komunistické hnutie.

Československé úrady mali dostatok indícií o tom, že hlavná činnosť misií nie je v súlade s ich oficiálnym poslaním. Na druhej strane „vyšší záujem", na ktorý dohliadalo najmä ministerstvo zahraničných vecí, a exteritoriálne práva misií velili do určitej miery mlčky tolerovať prešľapy voči pohostinnosti domáceho štátu. V každom prípade, vzhľadom na bezpečnostné riziká, ktoré činnosť týchto „trójskych koňov" boľševizmu prinášala, boli predstavitelia sovietskych misií po opustení brány misie pozorne sledovaní.

Zatknutie Zalewskeho vyvolalo sústredený záujem oficiálnych predstaviteľov sovietskeho Ruska nielen v Prahe, ale aj vo Viedni. Indikoval, že Zalewski-Abramovič patrí k eminentným predstaviteľom medzinárodného komunistického hnutia. V polovici júna predstaviteľ misie ruského Červeného kríža v Prahe Gillerson adresoval pražskému ministerstvu zahraničných vecí žiadosť, aby československé orgány Zalewskeho so ženou a dieťaťom nevydávali poľskej strane a miesto toho bol odovzdaný do koncentračného tábora pre ruských zajatcov z prvej svetovej vojny v Josefove, ktorí boli postupne v rámci medzinárodných dohôd repatriovaní do vlasti.

Abramovič zároveň nebol jediným prípadom svojho druhu, na ktorý sa začiatkom leta sústredila pozornosť ruských predstaviteľov v Československu. Žiadosť o premiestnenie do repatriačného tábora sa okrem Abramoviča so ženou týkala ešte dvoch ďalších osôb, ktoré sa ocitli v rukách čs. orgánov.

Prípad Krasny

Krátko po Abramovičovi sa do rúk polície dostal podobným spôsobom, rovnako s falošnými pasmi, ďalší prominentný boľševický revolucionár a kominternovský emisár podobného razenia. Tentoraz na hraniciach s Rakúskom a o päť dní neskôr. Pohraničná stráž v Gmunde zachytila 20. mája 1921 istého 44-ročného muža s pasom znejúcim na

necelý rok pred svojim menovaním bol jeden zo zakladateľov Berlínskeho byra Kominterny a od augusta 1920 bol menovaný, popri zastupiteľskej funkcii, za splnomocnenca EKI *„pre Rakúsko a bývalé rakúske krajiny"*. PJATNICKIJ, Vladimir I. *Osip Pjatnickij i Komintern na vesach istorii.* Minsk : Charvest, 2004, s. 636; *Politbjuro CK RKP(b) i Komintern. 1919-43.* Dokumenty. Moskva : ROSSPEN, 2004, s. 833; ADIBEKOV – ŠACHŇAZAROVA – ŠIRIŇA, c. d., s. 30.

29 AMORT, Čestmír et al. *Přehled dějin československo-sovětských vztahů v údobí 1917 – 1939.* Praha : Academia 1975, s. 115 – 116.

30 Viď Archiv ústavu T. G. Masaryka (ďalej AÚTGM) Praha, f. TGM, R – Zdravotnictví, k. 457, spis Misse ruského Červ. k., sl. 9; SLÁDEK, Zdeněk. *Československá politika a Rusko (1918-1920).* In *Československý časopis historický*, 1968, roč. 16, s. 867, pozn. 62.

meno Josef Wanderer. Spolu s mladou partnerkou sa vracali po dlhšom pobyte v Nemecku a Československu do Viedne. Čoskoro sa ukázalo, že ide o poľského komunistu (a „starého poľského boľševika", ako sám seba v jednom liste nazval) Józefa Krasneho s milenkou.[31] Krasny bol veterán boľševického hnutia v bývalej cárskej ríši. V mene revolučných ideí strávil za mrežami 10 rokov a na upozornenie colného úradníka, že bude za svoj prečin potrestaný, boľševický veterán lakonicky odpovedal: *„Nebude to prvý krát."*[32] Krasny vycestoval z boľševického Ruska do Európy v novembri 1918. V decembri sa zúčastnil ustanovujúceho zjazdu komunistickej strany Poľska. V máji 1919 prešiel cez Berlín do Budapešti a pri vláde Maďarskej republiky rád (MRR) pôsobil ako predstaviteľ poľskej komunistickej strany. Po porážke MRR odišiel do Viedne ako tajný emisár Kominterny. Bol jedným zo zakladateľov Viedenského byra Kominterny začiatkom roka 1920, ktorá mala v náplni práce riadiť agitáciu a propagandu v krajinách strednej Európy a Balkánu, nadväzovať a udržiavať vzťahy s tamojšími komunistickými stranami.[33] Vydával tiež viacero periodík a bulletinov v rôznych jazykoch. Zároveň stál za viacerými avanturistickými revolučnými podujatiami – ako napr. pokusom o povstanie v Haliči v roku 1920. V čase zatknutia oficiálne pôsobil ako zamestnanec ruskej obchodnej misie. Neoficiálne zastupoval najmä záujmy Kominterny a ruskej tajnej služby. Z Viedne sa koncom roka 1920 vydali (spolu s milenkou) s falošnými rakúskymi pasmi a vízami cez Československo do Berlína. Odtiaľ sa na niekoľko mesiacov vybrali do Horného Sliezska. Hoci čs. vyšetrovatelia viac o pobyte dvojice na tomto nepokojnom plebiscitnom území viac nezistili, Krasny vo svojom životopise napísal, že pracoval v strane a redigoval tamojšie regionálne komunistické periodiká: nemecké *Oberschlesische Rote Fahne* a jeho poľskú mutáciu *Czerwony sztandar.*[34] Po návrate do Berlína a získaní ďalších falošných víz pre pobyt v ČSR sa presúvali cez Karlove Vary a Prahu späť do Viedne. Zadržané dokumenty okrem iného naznačovali, že Krasneho cesta s partnerkou nebola len čisto súkromného rázu, ale mala zároveň aj „pracovný" charakter.[35]

Krátko po zatknutí poslal Krasny predstaviteľovi ruského Červeného kríža v Prahe S. Gillersonovi telegram, v ktorom nemecky písal: *„Krasny a Starka* (prezývka jeho ženy) *zatknutí v Gmunde. Prevážaní do Prahy. Prosím o odvolanie, ako občan sovietskej republiky."*[36]

Gillersonova úloha bola jasná: dostať ako Abramoviča, tak i Krasneho bezpečne do Ruska a v týchto intenciách začal aj konať. Ako píše jedna zo správ venujúca sa prípadu, na zakročenie *„náčelníka misie Červeného kríža vo Viedni Bronského"* prišiel Gillerson so svojím podriadeným Višnievským osobne za Abramovičom do väzby v Plzni. V rámci

31 Pravé priezvisko Krasneho bolo Rotstadt, okrem toho počas svojej kariéry v podzemnom hnutí používal množstvo pseudonymov: po roku 1917 dr. Wanderer, dr. Wiatr, Joterko, Mianowski, Czerwony či najčastejšie zaznamenané meno Krasny. ROSTWOROWSKI, Emanuel – MARKIEWICZ, Henryk (red.) *Polski słownik biograficzny, zv. 32.* Wrocław : Zakład Narodowy im. Ossolińskich - Wydawnictwo Polskiej Akademii Nauk, 1989 – 1991, heslo Rotstadt.

32 NA ČR Praha, f. PMV AMV 225, k. 97, sign. 36, fol. 50.

33 K tomu: Rossijskij gosudarstvennyj archiv sociaľnoj i političeskoj istorii, Moskva (ďalej RGASPI), f. 498, op. 1, d. 1.

34 RGASPI, f. 293, op. 1, d. 45.

35 NA ČR Praha, f. PMV AMV 225, k. 97, sign. 36, fol. 25 a 51.

36 NA ČR Praha, f. PMV AMV 225, k. 97, sign. 36, fol. 50.

rozhovoru mu údajne oznámil, že *„má súhlas ministerstva zahraničia R. Č. S. k dopraveniu Abramoviča a jeho rodiny do tábora v Josefove, odkiaľ by potom spoločne s transportom ruských zajatcov a utečencov boli dopravení do Ruska“*. Abramovičovi predovšetkým sľúbili, že nebude deportovaný cez Poľsko – to bolo príliš nebezpečné.[37] V polovici júna sa ruskí predstavitelia obrátili na ministerstvo zahraničných vecí. Žiadali, aby sa uväznení Abramovič a Krasny nedeportovali tradičnou cestou na česko-poľské hranice pri Bohumíne, ale aby boli odovzdaní v zmysle dohody ruskej misie s ministerstvom zahraničia a ministerstvom vnútra do koncentračného tábora v Josefove pri Jaroměři (okres Hradec Králové). V ňom boli sústredení ruskí vojnoví zajatci z územia ČSR, pripravení na repatriáciu do vlasti. Týmto spôsobom – v repatriačnom transporte – mali byť aj obaja kominternovci dopravení do Ruska. Ministerstvo zahraničných vecí, ktorému obzvlášť záležalo na vzťahoch s okolitým svetom, ako aj na obraze republiky v zahraničí, túto žiadosť podporilo argumentom, *„aby sa nezopakoval prípad ukrajinského študenta Lipkovského, ktorý bol vyhostený z ČSR na poľskú hranicu a tam Poliakmi zastrelený, čo viedlo k veľmi nemilej diplomatickej zápletke.*[38]

Vyhovenie ruskej žiadosti, napriek politickej vôli, však nebolo jednoduché ani rýchle. Prípad zasahoval do kompetencií viacerých vládnych rezortov s vlastným prístupom k problému: ministerstva vnútra (ktoré previnilcov zaistilo, prípad vyšetrovalo a dbalo o vnútornú bezpečnosť režimu), ministerstva zahraničných vecí (ktoré komunikovalo s ruskou stranou a snažilo sa nedať podnet na diplomatickú roztržku), štátneho zastupiteľstva (ktoré za trestný čin podvodu dalo podnet na trestné stíhanie), ministerstva spravodlivosti (ktoré stíhaný čin posudzovalo a malo určiť sankciu podľa platnej legislatívy) a ministerstva obrany (ktorého repatriačné oddelenie malo na starosti transporty ruských zajatcov a iných ruských občanov).

Od 16. júna ministerstvo zahraničných vecí na čele s Edvardom Benešom začalo komunikovať s ostatnými ministerstvami, aby boli Abramovič a Krasny spolu s partnerkami urýchlene prevezení do tábora pre ruských vojnových zajatcov a spolu s nimi repatriovaní už 26. júna. Dňa 21. júna už aj ministerstvo vnútra informovalo rezort zahraničia, že nariadilo ich odovzdanie do tábora v Josefove. Vnútro, v rámci ktorého sa oba prípady už mesiac vyšetrovali, si však neodpustilo podotknúť na adresu ministerstva zahraničia, že vzhľadom na prominentnosť oboch osôb v boľševickom hnutí by stálo za úvahu, či by kominternovských emisárov nebolo možné vymeniť za tých čs. občanov v Rusku, ktorým je zatiaľ sovietskou vládou návrat do ČSR znemožnený.

Hoci aj štátne zastupiteľstvo v prípade Abramoviča navrhlo zastavenie stíhania, peripetie Abramoviča, ako aj Krasneho nekončili. Ešte tu bolo ministerstvo spravodlivosti, ktoré medzitým celú záležitosť prevzalo.[39] Zdá sa, že práve tu sa politicky urýchľovaný proces oslobodenia previnilcov zabrzdil. Súdne konanie s Abramovičovcami skončilo nakoniec až začiatkom júla. Až potom (3. júla) mohli byť odovzdaní policajným orgánom na prevoz do Josefova.

37 NA ČR Praha, f. PMV AMV 225, k. 81, sign. 6, fol. 30.
38 NA ČR Praha, f. PMV AMV 225, k. 81, sign. 6, fol. 32.
39 NA ČR Praha, f. PMV AMV 225, k. 81, sign. 6, fol. 5.

Do posledného, 8. transportu ruských vojnových zajatcov z Josefova, ktorý odchádzal 10. júla 1921, sa však Abramovičovci nedostali. Tábor a organizácia transportov patrili pod repatriačné oddelenie ministerstva obrany, ktoré sa dôsledne ohradzovalo voči tomu, aby do transportov zaraďovalo iné osoby než zajatcov. Neskôr, v súvislosti so snahou presunúť do josefovského tábora Krasneho s partnerkou, v medzirezortnej komunikácii odkázalo: *„je mylný názor Policajného riaditeľstva, že tábor je tak zariadený, aby mohol slúžiť k internovaniu a vyhosteniu určených osôb a cudzincov, ako aj ten, že Ministerstvo národnej obrany – repatriačné oddelenie malo možnosť transporty takýchto [osôb] uskutočňovať. Naše zmluvy a dohody s príslušnými činiteľmi (Medzinárodný červený kríž, Nemecko, atď.) o transportoch sa týkajú výhradne zajatcov a nesmú sa ľubovoľne rozširovať.“*[40]

Nakoniec Abramoviča s rodinou 11. júla odprevadili četníci z Josefova na hranice a odovzdali do rúk pruského policajného úradu v Seidelbergu. Do Ruska sa dostali 17. júla.[41] Krasny opustil ČSR ešte neskôr – rozsudok nad ním a jeho milenkou bol vynesený až 19. júla. Odsudzovali sa na 7 dní väzenia, následne čakali na vybavenie platných cestovných dokladov a územie republiky sa im podarilo opustiť až 21. augusta 1921.

Abramovičov prípad bol jedným z posledných v agende Gillersonovej misie Červeného kríža. Svoju činnosť v júli 1921 ukončila. Jej hlavný cieľ – repatriácia ruských vojnových zajatcov – sa pomaly, ale isto naplnil spolu s odchodom posledného repatriačného transportu zajatcov. Začiatkom leta 1921, v období, keď vyšetrovanie Zalewského a Krasneho bolo v plnom prúde, už preberali reprezentačnú, diplomatickú, politickú a organizačnú funkciu repatriačných misií v Československu a Rusku obchodné delegácie. Vedením ruskej obchodnej misie v Prahe plánovala sovietska vláda opäť poveriť, ako inak, skúsených veteránov revolučného hnutia v Rusku. Československá vláda najprv odmietla po búrlivej kampani v tlači na mieste predstaviteľa misie v Prahe Semiona Ivanoviča Aralova, ktorý bol dovtedy náčelníkom operačného oddelenia Červenej armády.[42] Vzápätí ruská strana navrhla Pavla Nikolajeviča Mostovenka.[43] Delegácia pricestovala do ČSR v polovici júna 1921.[44] Okrem ruskej obchodnej misie sa v Prahe usídlila aj obchodná misia sovietskej Ukrajiny na čele s ďalším kovaným boľševikom Michailom V. Levickým. Obchodné delegácie plne prevzali úlohy repatričných misií aj pri podpore stredoeurópskeho komunistického hnutia. V priebehu roka 1921 odovzdávali českej marxistickej ľavici a neskôr komunistickej

40 NA ČR, f. PMV AMV 225, k. 97, sign. 36, fol. 17.

41 Tento dátum uvádza PANTELEJEV, c. d., s. 69.

42 Menovanie Aralova na post v Prahe bolo predmetom zasadnutia Malého byra EKI (5. 4. 1921) pod tradičným bodom rokovania *„O súdruhoch, vyslaných za hranice“*. Byro nariadilo K. Radekovi pred odchodom nádejného vyslanca v Československu s ním ešte rokovať (*Komintern i ideja mirovoj revoľucii. Dokumenty.* Ed. Jakov S. Drabkin. Moskva : Nauka 1998, s. 247). S. I. Aralov (1880 – 1969) bol v rokoch 1920-21 politickým predstaviteľom sovietskeho Ruska v Litve (nahradil tu Mostovenka), neskôr, v rokoch 1921 – 1925, v Turecku a Lotyšsku.

43 Pavel N. Mostovenko (1881 – 1939), pôsobil v socialistickom hnutí v Rusku od konca 19. storočia, v roku 1901 vstúpil do ruskej sociálnej demokracie, za svoju činnosť viackrát väznený a vo vyhnanstve; aktívny účastník revolúcie v roku 1905 i 1917 v radoch boľševikov. Organizátor revolučného hnutia na Ukrajine a v Nemecku. V rokoch 1921 – 1922 splnomocnenec sovietskeho Ruska v Litve a v Československu. Neskôr sa venoval hospodárskej politike a akademickej práci. Obeť stalinských represií.

44 NA ČR Praha, f. PMV AMV 225, k. 81, sign. 6, fol. 17.

strane peňažné prostriedky na činnosť a na ich pôde sa viedli aj rokovania medzi predstaviteľmi národných strán a Kominterny.[45] Predovšetkým zastupiteľstvá v Berlíne (na čele s Wigdorom Koppom), Viedni a v Prahe okrem čulej komunikácie s Moskvou a predstaviteľmi komunistického hnutia v jednotlivých krajinách, si vymieňali informácie aj medzi sebou a snažili sa postupovať jednotne pri plnení najrôznejších úloh a riešení problémov.

V súvislosti s prípadmi Zalewski a Krasny nový splnomocnenec sovietskeho Ruska v ČSR Pavel N. Mostovenko v správe pre svojho nadriadeného – ľudového komisára zahraničných vecí sovietskeho Ruska Georgija Čičerina – začiatkom augusta skonštatoval, že *„Zalevskij už vycestoval do Ruska, Krasnyj, nehľadiac na jasnú prítomnosť usvedčujúcich dôkazov, už opublikovaných v novinách a medzi iným značne kompromitujúcich našu misiu Červeného kríža, dostal 7 dní žalára so započítaním predbežnej väzby a teraz ide o otázku technickej možnosti prepraviť ho do Ruska.“*[46]

***

Rok 1921 mal v kariére profesionálneho revolucionára Abramoviča pomerne trpkú príchuť. V internácii a pod dohľadom bezpečnostných orgánov strávil nezvykle veľa času – od konca januára až do polovice júla. Dvojmesačný pobyt na území Československa bol od začiatku do konca vyplnený väzbou, vyšetrovaním a súdnym konaním a ako začal, tak aj skončil – deportáciou. Na druhej strane, čs. epizóda neznamenala pre ľudí rangu Abramoviča či Krasneho nič mimoriadne. Padnúť z času na čas do rúk polície patrilo k bežnej skúsenosti práce v politickom podzemí, či už v cárskom Rusku alebo povojnovej Európe. Pripravenosť na obdobnú situáciu bola súčasťou rutinnej výbavy aj ďalších komunistických kádrov. Vedeli ako sa majú správať, čo môžu povedať i na koho sa obrátiť. Rovnako boli pripravení využiť aj prípadný verejný súdny proces ako tribúnu na propagáciu myšlienok revolúcie.

Po návrate do Ruska Abramovičova revolucionárska kariéra nerušene pokračovala. Už 24. júla kominternovské Malé byro ho menovalo zástupcom vedúceho administratívneho oddelenia EKI. Už čoskoro ho vyslali do Estónska a koncom roku sa ocitol na dlhšom pobyte vo Viedni. Predsedníctvo EKI ho tam poverilo vedením jednej z regionálnych pobočiek Kominterny v strednej Európe – Balkánskej komunistickej federácie.[47] Na jej čele mal za úlohu koordinovať činnosť balkánskych komunistických strán. Vo Viedni, s občasnými výjazdmi na Balkán, zotrval do roku 1924. Následne istý čas pracoval doma tak vo vrcholnom aparáte Kominterny (Oddelenie medzinárodných vzťahov), ako aj v provincii. Zásadnou výzvou však bolo jeho odvelenie do Číny začiatkom roka 1927. Ako člen Ďalekovýchodného byra Kominterny pôsobil v Šanghaji s novým pseudonymom Arno. V krajine uprostred občianskej vojny vydržal do roku 1931. Vtedy bol aj na vlastnú žiadosť uvoľnený zo služieb Kominterny. Popri práci pre stranu sa začal venovať akademickej kariére. Najťažšia skúška však ešte len mala prísť a Abramovič v nej prekvapujúco obstál: na rozdiel od väčšiny „starých boľševikov“ prežil stalinské procesy v druhej polovici 30. rokov. Zomrel prirodzenou smrťou v roku 1972.[48]

45 RGASPI, f. 498, op. 71, d. 24, l. 11 – 12.
46 RGASPI, f. 495, op. 71, d. 15, l. 22 – 26.
47 ADIBEKOV – ŠACHŇAZAROVA - ŠIRIŇA, c. d., s. 14.
48 PANTELEJEV, c. d., s. 84.

Triumf a prehra. Dva odlišné výsledky Hodžovho rozvíjania československo-britských vzťahov v 20. rokoch 20. storočia*

Matej Hanula

Zahraničná politika a medzinárodné vzťahy nepatrili medzi oblasti, ktoré by dominovali politickému diskurzu na Slovensku v období prvej Československej republiky. Slovenská verejnosť žila prakticky počas celého dvadsaťročia najmä témami spojenými s pozíciou Slovenska v rámci republiky, pričom sa tu rozoberala nielen politická, ale aj kultúrna a všeobecne spoločenská stránka tohto problému. Najväčšia pozornosť sa tak v krajine zameriavala na hľadanie riešení tzv. slovenskej otázky. Len málokto z popredných slovenských politikov tohto obdobia si naplno uvedomoval, že aj tento problém je úzko prepojený so zahraničným postavením Československa v rámci strednej Európy, s celkovým vývojom zahraničnopolitických vzťahov a možnými zmenami postojov veľmocí, ktoré stáli pri vzniku republiky v roku 1918. Predovšetkým medzi predstaviteľmi autonomistického prúdu slovenskej politiky prevládala skôr predstava, že ide o otázku, ktorá je výsostne vnútornou záležitosťou československého (čs.) štátu a jej riešenie treba nájsť pri rokovaní zástupcov českých a slovenských politických elít. O okrajovej pozícii zahraničnopolitických udalostí v medzivojnovom verejnom živote slovenskej spoločnosti svedčí okrem iného aj spravodajstvo všetkých významnejších denníkov a periodík. Zahraničnopolitické udalosti sa v nich zväčša sledujú iba strohými správami zvyčajne bez akýchkoľvek ambícií publicistov a verejných predstaviteľov na stránkach, v tom čase striktne vyhranených straníckych periodík, prichádzať s vlastnými hodnoteniami a analýzami udalostí v blízkom, ale i vzdialenejšom zahraničí. Jedinú výnimku predstavovali v tomto smere pravidelné kritické hodnotenia nedemokratického vývoja v susednom Maďarsku, ktorý sa dával do protikladu k realite demokratického Československa. Na Slovensku sa v tomto období nevytvorilo žiadne centrum, ktoré by sa odborne a systematicky zaoberalo zahraničnou politikou – nestalo sa tak na bratislavskej univerzite, v Matici slovenskej ani na prípadnej osobitej špecializovanej nezávislej inštitúcii.[1]

Výraznou výnimkou medzi slovenskými politikmi medzivojnového obdobia bol v tomto smere Milan Hodža, ktorý býva dnešnou historiografiou často označovaný za vtedajšieho najkoncepčnejšieho slovenského verejného predstaviteľa. Pre jeho politické a verejné aktivity bolo naopak príznačné, že o väčšine problémov uvažoval vždy v širších, prinajmenšom stredoeurópskych súvislostiach. Vnútropolitický vývoj v susedných štátoch,

* Štúdia vznikla v rámci projektu Vega č. 2/0119/14 Formovanie zahraničnopolitického myslenia slovenských politických elít a spoločnosti v rokoch 1918 – 1939. Zodpovedný riešiteľ: Mgr. Matej Hanula, PhD. Štúdia bola vypracovaná v rámci projektu APVV-15-0349 Indivíduum a spoločnosť – ich vzájomná reflexia v historickom procese. Zodpovedný riešiteľ: PhDr. Slavomír Michálek, DrSc.

1 ZELENÁK, Peter. Milan Hodža a jeho pohľady na medzinárodné vzťahy. In GONĚC, Vladimír – PEKNÍK, Miroslav et al. *Milan Hodža ako aktér medzinárodných vzťahov.* Bratislava : VEDA, 2015, s. 47.

ale aj v najvýznamnejších európskych krajinách, najmä v Nemecku, vo Veľkej Británii a Francúzsku, pomerne pravidelne publicistiky analyzoval a hodnotil. Neobmedzoval sa však iba na úlohu pasívneho glosátora zahraničnej politiky. Už od začiatku budovania republiky patril k politikom, ktorí prikladali veľkú váhu zahraničnopolitickým aktivitám s dôrazom na rozvíjanie spolupráce predovšetkým s víťaznými mocnosťami Veľkej vojny a krajinami, ktoré boli zaangažované na zachovaní a upevnení povojnového usporiadania Európy.[2] Jeho zahraničnopolitické priority sa tak nijako neodchyľovali od hlavných zásad oficiálneho čs. zahraničnopolitického programu, ktorého hlavným reprezentantom bol dlhoročný minister zahraničných vecí Edvard Beneš. Hodža však fakticky už od pôsobenia na čele rezortu poľnohospodárstva v roku 1922 vyvíjal vlastné zahraničnopolitické iniciatívy. Nadväzovanie kontaktov s predstaviteľmi iných štátov a národov bolo integrálnou súčasťou jeho politických aktivít prakticky už od jeho vstupu do verejného života v rakúsko-uhorskom období a po vzniku republiky v tejto praxi akoby plynulo pokračoval. Vo funkcii spomínaného ministra poľnohospodárstva, prípadne od roku 1926 v pozícii šéfa rezortu školstva podnikal cesty do zahraničia s úmyslom nadväzovať spoluprácu. Okrem toho prijímal predstaviteľov iných krajín samozrejme aj na domácej čs. pôde. Dobrým príkladom sú predovšetkým jeho cesty do Poľska, ktoré v 1. polovici 20. rokov na krátko prispeli k zlepšeniu dovtedy pomerne chladných vzťahov medzi oboma krajinami. Hodža návštevy zahraničia podnikal v období, keď ešte neboli pre predstaviteľov štátu okrem hláv štátov, premiérov a ministrov zahraničia takou samozrejmosťou, akou sú nimi napríklad dnes. Pražské ministerstvo zahraničia a jeho hlavný protagonista však nesledovali Hodžove cesty do zahraničia vždy s nadšením.[3] Práve naopak, vnímali ich ako zasahovanie do svojich kompetencií, ktorých nekoordinovanosť s aktivitami zahraničného rezortu mala potenciál prinášať so spojeneckými krajinami skôr nezhody a nedorozumenia.

Charakter a náplň týchto Hodžových „výletov" do oblasti zahraničnej politiky dobre ilustrujú dva príklady z druhej polovice 20. rokov, pri ktorých bol hostiteľom zástupcov jednej z dvoch najvýznamnejších veľmocí garantujúcich (alebo skôr majúcich garantovať) zachovanie povojnového usporiadania Európy, a teda aj čs. hraníc vytýčených mierovými zmluvami z rokov 1919 – 1920. Na jeseň roku 1927, resp. 1928 sa v Prahe stretol s dvomi reprezentantmi Veľkej Británie. Výsledky a hodnotenie oboch podujatí však boli diametrálne odlišné. Kým po prvom, ktorým bola slávnostná večer s novým britským vyslancom v Prahe Ronaldom Macleayom, zožal potlesk a chválu fakticky od všetkých politických prúdov naprieč čs. straníckym spektrom a ministerstvo zahraničia nemohlo mať k tejto akcii žiadne výhrady, po stretnutí s bývalým britským premiérom a nádejným kandidátom na opätovné získanie tejto funkcie Jamesom Ramsayom MacDonaldom v októbri nasledujúceho roka ho minister Beneš podrobil zdrvujúcej kritike. Práve táto udalosť sa stala spoločne s ďalšími Benešovými ponosami na zasahovanie do kompetencií jeho rezortu v čase vyhrocujúceho sa sporu Hodžu s ministrom zahraničia jedným zo zásadných argumentov kritiky, po ktorej musel Hodža vo februári 1929 dočasne pozície vo vládnom kabinete opustiť.

2 BYSTRICKÝ, Valerián. Milan Hodža – problémy zahraničnej politiky a medzinárodného vývoja v rokoch 1918 – 1938. In GONĚC, Vladimír – PEKNÍK, Miroslav et al. *Milan Hodža ako aktér medzinárodných vzťahov*. Bratislava : VEDA, 2015, s. 53 – 63.

3 DEJMEK, Jindřich. Milan Hodža a československá zahraniční politika ve třicátých letech (1935 – 1938). In *Moderní dějiny* 7, 1999, s. 66.

Obe udalosti svedčia okrem iného o tom, že Hodža sa rozhodne nerozpakoval zasahovať do zahraničnopolitickej oblasti a s prípadnými výhradami voči týmto svojim aktivitám si dovtedy ťažkú hlavu naozaj nerobil. Cieľom tohto príspevku je podrobnejšie priblížiť detaily oboch prípadov, ktoré v mnohom ilustrujú Hodžov prístup a angažovanosť v oblasti zahraničnej politiky a zároveň jeden zo zdrojov jeho v tom čase mimoriadne napätých vzťahov s ministrom zahraničia.

Leto v roku 1927 sa nieslo v Československu a predovšetkým na Slovensku v atmosfére poznačenej protestmi proti kampani britského tlačového magnáta lorda Rothermera za revíziu trianonských hraníc Maďarska. V svojom londýnskom denníku *Daily Mail* publikoval 21. júna 1927 úvodník pod názvom Miesto Maďarska na Slnku. Maďarská vláda jeho príspevok propagandisticky využila a vytiahla argumenty o nesúhlase značnej časti britskej verejnosti a politickej reprezentácie s povojnovým usporiadaním strednej Európy. Československo sa proti kampani samozrejme ostro ohradilo. V republike sa v letných mesiacoch roku 1927 konali protestné protirothermerovské verejné zhromaždenia, na ktorých organizácii sa podieľali takmer všetky československé a slovenské strany (teda aj autonomistické subjekty) pôsobiace na Slovensku, ako aj aktivistické maďarské politické organizácie.[4] Britská vláda Rothermerovu iniciatívu síce nepodporovala, zároveň sa však od nej dlho dištancovala len počas kuloárnych rozhovorov so zamestnancami čs. zastupiteľského úradu v Londýne.[5] Získať verejné a jasné odsúdenie kampane významným reprezentantom Veľkej Británie sa preto stalo jednou z priorít čs. politiky. Bolo to o to nutnejšie v situácii, keď z Londýna prichádzali správy, že prinajmenšom časť významných britských politikov s Rothermerovými názormi sympatizuje, čoho dôkazom bolo okrem iného napríklad vytvorenie tzv. Maďarského výboru v britskom parlamente, ktorého členmi sa stali prívrženci revízie hraníc Maďarska naprieč politickým spektrom.[6]

V tejto situácii sa v septembri 1927 do celej záležitosti naplno politicky vložil vtedajší minister školstva a národnej osvety Hodža. Na získanie britského antirotheremerovského stanoviska sa mu naskytla vynikajúca príležitosť na výročnom slávnostnom bankete Britskej spoločnosti pre Československo, ktorej hlavnou náplňou bolo rozvíjať kultúrne a spoločenské vzťahy medzi oboma krajinami. Hodža bol jej predsedom, pričom do tejto funkcie ho iste predurčili aj jeho jazykové znalosti, pretože ako jeden z mála prvorepublikových politikov hovoril plynule po anglicky. Vhod mu prišla skutočnosť, že v Československu pôsobil v tom čase čerstvo vymenovaný anglický vyslanec sir Ronald Macleay. Jeho predchodca na

---

4 O pozadí a priebehu Rothermerovej akcie z novších prác publikovaných na Slovensku, napr. MICHELA, Miroslav. Reakcia slovenských politických kruhov a tlače na Rothermerovu akciu (1927 – 1928). In *Historický časopis*, 2004, roč. 52, č. 3, s. 503 – 522; OLEJNÍK, Milan. *Politické a spoločenské aktivity maďarskej minority v prizme štátnych orgánov a dobovej slovenskej tlače (1918 – 1929).* Košice, 2011, s. 95 – 112; MICHELA, Miroslav. K aktivizácii maďarskej zahraničnej politiky v rokoch 1926 – 1927. In MICHÁLEK, Slavomír. *Slovensko v labyrinte moderných európskych dejín : pocta historikov Milanovi Zemkovi.* Bratislava : Historický ústav SAV v Prodama, 2014, s. 164 – 166.

5 DEJMEK, Jindřich. *Nenaplněné naděje. Politické a diplomatické vztahy Československa a Velké Británie od zrodu První republiky po konferenci v Mnichově (1918 – 1938).* Praha : Karolinum, 2003, s. 161 – 162.

6 DEJMEK, *Nenaplnené naděje*, c. d., s. 161

tejto pozícii George Clerk bol čestným členom spoločnosti a Hodža preto výročné zasadanie v roku 1927 využil, aby podobnú poctu ako jej predseda udelil Macleayovi. Pozval ho na slávnostný banket, ktorý sa konal v Prahe 23. septembra 1927. Vyslanec si síce uvedomoval, že v čase vrcholiacej propagandistickej vojny medzi Československom a Maďarskom vyvolanou Rothermerovou iniciatívou nesie účasť na tomto podujatí so sebou isté diplomatické riziká, svoju účasť ako zástupca spriatelenej krajiny navyše na podujatí spolku, ktorý mal priateľské styky oboch krajín prehlbovať priamo vo svojom poslaní, však odmietnuť nedokázal.[7]

Hodža nadobudol počas rothermeriády pocit, že mnohí obyvatelia Československa vnímajú vec v jej svetle tak, že sa zmenil priateľský postoj Veľkej Británie k republike. Tieto obavy sa chystal rozptýliť získaním verejného odsúdenia lordovej akcie od oficiálneho zástupcu Londýna v Československu.[8] Vo svojom prípitku prednesenom na začiatku podujatia sa síce Rothermerovi priamo nevenoval, spomenul však jeden zo zásadných bodov jeho kritiky voči Československu, ktorou bola prebiehajúca československá pozemková reforma. Rotheremere ju s obľubou označoval za nástroj, ktorý čs. republika využívala na útlak svojich menšinových Maďarov a zároveň ju prirovnával k vyvlastňovacím praktikám používaným ruskými boľševikmi.[9] Hodža vo svojej reči, ktorá sa prevažne venovala rozvíjaniu vzťahov medzi Anglickom a českými krajinami od čias cirkevných reformných hnutí v neskorom stredoveku, naopak v krátkej pasáži priklincoval, že pozemková reforma je dôkazom toho, ako je čs. štát schopný zosúladiť dva zdanlivo protichodné fenomény, ktorými boli tradície a pokrok. Podľa neho totiž získala demokracia v republike zásluhou drobných prídelov pôdy uchádzačom konzervatívny rozmer a v širokých masách roľníctva dokázala vypestovať úctu a zmysel pre súkromné vlastníctvo, teda pravý opak toho, čo bolo podstatou pozemkovej reformy podľa Rothermera. Po Hodžovej reči nasledoval prípitok vyslanca Macleaya, ktorý sa v kontexte Hodžovho prejavu tiež nemohol téme pozemkovej reformy vyhnúť. Ocenil v nej, podobne ako čs. minister, že čs. štát dokázal zosúladiť vo svojom zákonodarstve liberálne a konzervatívne prvky. Vyzdvihol, že čs. pozemková reforma vytvorila početnú vrstvu súkromných roľníkov, ktorú považoval za hrádzu voči myšlienkam prichádzajúcim po boľševickej revolúcii z Ruska. Pripúšťal, že pri prerozdeľovaní pozemkového vlastníctva museli bývalí veľkostatkári priniesť obete v podobe zníženia rozlohy svojich pozemkov, podľa neho však išlo o opatrenie, ktoré bolo v konečnom dôsledku na osoh štátu a sociálneho zmieru v záujme veľkej väčšiny jeho občanov.[10] Podobne ako u Hodžu, aj u Macleaya tvorili pasáže venované pozemkovej reforme iba krátku, ale v skutočnosti najpodstatnejšiu časť jeho prejavu. Čs. minister sa však postaral, aby sa v nasledujúcich dňoch práve tejto zmienke podrobne venovali na svojich stránkach prakticky všetky

7 The National Archives (ďalej TNA) Londýn, FO 371/12099, C 8156/12.

8 TNA, FO 371/12099, C 8156/12.

9 O čs. medzivojnovej pozemkovej reforme doteraz najkomplexnejšie publikácia *Československá pozemková reforma 1919 – 1935 a její mezinárodní souvislosti. Sborník příspěvků z medzinárodní vědecké konference konané ve dnech 21. a 22. dubna 1994*. Uherské Hradiště : Slovácké muzeum v Uherském Hradišti, 1994.

10 Pražský anglický vyslanec o Československu. In *Slovenský denník*, roč. 10, č. 219a, 25. 9. 1927, s. 1.

významnejšie čs. denníky.[11] Macleyove slová na slávnostnom bankete interpretovali ako jasný dôkaz dištancovania sa vlády Veľkej Británie od Rothermera, ktoré odzneli na pôde republiky a potvrdzovali už podobné skoršie stanovisko prednesené ministrom zahraničia Austenom Chamberlainom na rokovaní Rady Spoločnosti národov v Ženeve.[12] Aj na Slovensku prevzali správu ČTK s podrobnými citáciami pasáží venovanými pozemkovej reforme oboch hlavných aktérov všetky centralistické, ale aj autonomistické periodiká.[13] Vo väčšine denníkov na Slovensku i v Čechách nechýbali ani hodnotenia prejavu britského vyslanca. Bolo evidentné, že čs. tlač sa chopila príležitosti a jeho reč naplno zužitkovala v stále prebiehajúcom latentnom súboji o význame a dôsledkoch Rotheremerovej iniciatívy s maďarskou žurnalistikou, ktorý prebiehal už od júna intenzívne na stránkach časopisov v oboch krajinách. Taký významný príspevok, akým bol prejav oficiálneho zástupcu Veľkej Británie v Prahe, si v tomto konflikte rozhodne nenechala ujsť. Agrárnický *Slovenský denník* písal otvorene o tom, že Macleayove slová znamenajú schválenie postupu čs. vlády pri pozemkovej reforme a zároveň uštedrili jasnú porážku maďarskej propagande. Podobne aj pražský denník agrárnikov *Venkov* vyzdvihol prejav ako obhajobu myšlienok, z ktorých republika vznikla a zároveň ako ocenenie jej najvýznamnejšieho sociálneho a hospodárskeho diela, ktorým mala byť práve pozemková reforma. Zároveň malo ísť o jasný dôkaz, že jedna z najdôležitejších európskych mocností stojí za Československom. Tento fakt zdôraznili v komentári k Macleayovmu prejavu aj v druhom bratislavskom agrárnom denníku – *Slovenskej politike*, ktorá upozornila, že v kontexte toho, že diplomatické príhovory sú väčšinou veľmi zdržanlivé, boli vyslancove slová až prekvapujúco úprimné a pre republiku jednoznačne pozitívne. Na stránkach tohto periodika sa zároveň oceňovala úloha, ktorú pri získaní tohto významného argumentu proti Rothermerovi zohral Hodža. *Národní listy* hodnotili Macleayov prejav ako rozhodné odmietanie zasahovania do vnútorných záležitosti čs. republiky zo strany iných medzinárodných subjektov a jednoznačné dištancovanie sa britskej vlády od Rothermerovej kampane.[14]

O tom, že získanie takéhoto neoceniteľného propagandistického nástroja v súboji o význam Rotheremerovej iniciatívy s maďarskou propagandou bolo jednoznačne Hodžovou zásluhou, vypovedajú zreteľne referencie, ktoré zasielal o celej záležitosti do Londýna vyslanec Macleay. Hodža mu údajne už dopredu pri pozvaní na slávnostný banket zdôrazňoval, že by chcel čs. verejnosť presvedčiť o tom, že Rotheremerova akcia nemá podporu britskej vlády, o čom sa chystal na podujatí prehovoriť. Macleayovi sa tento zámer veľmi nepozdával, napokon však súhlasil, že na večeri sa zúčastní a prednesie rovnako ako jeho hostiteľ prípitok, v ktorom sa vyjadrí aj k politickým vzťahom medzi oboma krajinami. Čs. ministra však požiadal, aby mu dopredu zaslal znenie svojej reči. Od Hodžu mu ju však doručili až ráno 23. septembra, teda v deň, keď sa banket konal. Vyslanec tak nemal príliš mnoho času na prípravu svojho prejavu, čím do Londýna akoby ospravedlňoval jeho vyzne-

11 TNA, FO 371/12099, C 8156/12.

12 Páni vo vlastnom dome. In *Slovenský denník*, roč. 10, č. 220, 27. 9. 1927, s. 3.

13 Okrem už citovaného *Slovenského denníka* napríklad aj ľudácky *Slovák*: Veľké poslanie pozemkovej reformy. Zdôrazňoval anglický vyslanec Macleay v Prahe. In *Slovák*, roč. 9, č. 216, 27. 9. 1927, s. 2.

14 Postoje viacerých čs. denníkov sumarizoval agrárnický *Slovenský denník*: Páni vo vlastnom dome. In *Slovenský denník*, roč. 10, č. 220, 27. 9. 1927, s. 3.

nie. Na samotnom podujatí svojim slovám príliš veľkú váhu neprikladal, pretože prítomná bola iba „malá spoločnosť", ktorá ich prijala priaznivo. Macleay zrejme rátal, že tu sa celá záležitosť ukončí a jeho prejav nebude mať významnejšiu publicitu. Prejavil sa ako pomerne neskúsený diplomat, pretože podľa jeho slov ho prekvapilo, keď sa Hodža rozhodol poskytnúť znenia oboch prejavov tlači.[15] Či to myslel vážne, alebo sa týmto tvrdením pokúšal vylepšiť svoju pozíciu na Foreign Office, sa už zrejme nedozvieme. V čase vrcholiacich sporov o Rotheremera a aj pri náznakoch Hodžových úmyslov pred samotným podujatím ho však publikovanie oboch prejavov a veľká pozornosť, ktorú im čs. tlač venovala, rozhodne prekvapiť nemali. Podľa vyslanca prisúdili noviny jeho reči neprimeranú dôležitosť a považovali ju za jednoznačný dôkaz nesúhlasu s Rotheremrovou kampaňou, hoci takto explicitne sa vo svojom príhovore rozhodne nevyjadril. Súkromnú večeru s ministrom čs. vlády nepovažoval v prvom momente ani za vhodný námet pre správu do Londýna, spravil tak až po odozve, ktorú jeho slová vyvolali. Ako jeden z argumentov na obhájenie svojho kladného postoja voči čs. pozemkovej reforme použil aj slová čs. prezidenta Tomáša Gariggua Masaryka, ktorý ho v lete desať dní hostil vo svojej rezidencii v Topoľčiankach. Pri častých rozhovoroch, ktoré tu spolu viedli, sa dotkli aj pozemkovej reformy. Podľa Masaryka bol pomerne radikálny program čs. pozemkovej reformy jediným nástrojom, ktorým sa dalo v zradikalizovanej povojnovej situácii čeliť potenciálnym sociálnym nepokojom, či dokonca revolúcii. Majitelia veľkostatkov by podľa jeho slov v opačnom prípade prišli nielen o svoje majetky, za ktoré im čs. štát vyplatil náhradu, ale boli by priamo v ohrození života.[16] Zdá sa, že tieto prezidentove slová na Macleaya urobil veľký dojem.

Zástupca stáleho sekretára londýnskeho ministra zahraničia Orme Sargent, ktorý sa reakciami britskej a zahraničnej verejnosti na Macleayov prejav zaoberal, mal napriek pochopiteľnej kritike zo strany britských Rotheremerových sympatizantov pre kroky pražského vyslanca pochopenie. Ubezpečoval ho, že Londýn na jeho slovách nevidí nič, voči čomu by mohli byť výhrady a zároveň chápe, že Hodža ho náročky vystavil v čase rothermeriády do zložitej situácie, ktorej sa väčšina diplomatov snaží z pochopiteľných príčin vyhýbať.[17] Jeho prejav bol však plne v súlade so staršími stanoviskami britskej vlády voči čs. pozemkovej reforme. Na pravidelne sa opakujúce výhrady jej kritikov, ktorí nechýbali ani medzi britskými občanmi s majetkami dotknutými čs. pozemkovou reformou, neustále zdôrazňovala, že britská vláda nezasahuje do vnútornej legislatívy iných štátov.[18] Informoval ho zároveň o odpovedi, ktorú dalo ministerstvo členovi hornej komory britského parlamentu lordovi Titchfieldovi na jeho kritickú interpeláciu Macleayových pražských slov. Podľa Sargenta

15 TNA, FO 371/12099, C8324/8156/12. List pražského vyslanca R. Macleaya stálemu tajomníkovi FO Ormovi Sargentovi z 5. 10. 1927.

16 TNA, FO 371/12099, C8324/8156/12. List pražského vyslanca R. Macleaya stálemu tajomníkovi FO Ormovi Sargentovi z 5. 10. 1927.

17 TNA, FO 371/12099, C8324/8156/12. Odpoveď stáleho tajomníka FO Orma Sargenta pražskému vyslancovi R. Macleayovi z 18. 10. 1927.

18 O reakciách niekoľkých britských občanov, ktorých majetkov v Československu sa dotkla čs. pozemková reforma, pozri HANULA, Matej. Hľadanie priateľského kompromisu : realizácia československej pozemkovej reformy na majetkoch britských občanov s dôrazom na Slovensko. In KOVÁČ, Dušan (ed.). *Slovenské dejiny v dejinách Európy : vybrané kapitoly.* Bratislava : Historický ústav SAV : Veda, 2015, s. 136 – 154.

bol Titchfield starým Rothermerovým priateľom, pozemky v ČSR však nevlastnil.[19] Foreign Office ho uistila, že Macleayove slová nijako nevybočovali z už spomínanej oficiálnej línie ministerstva voči čs. pozemkovej reforme. Zároveň dávali na pravú mieru jeho tvrdenia o znárodňovaní majetkov pražskou vládou, keďže v skutočnosti nešlo o konfiškáciu, ale iba o vyvlastnenie za finančnú náhradu. Svojho vyslanca bránili aj tým, že nemal v úmysle svoj prejav poskytnúť tlači, ale spravil tak až na naliehanie čs. ministra.[20]

Z korešpondencie medzi Foreign Office a Macleayom je zrejmé, že vmanévrovanie britského vyslanca do pozitívneho vystúpenia oceňujúceho čs. pozemkovú reformu v čase vrcholiacej rothermeriády bolo zo strany Hodžu skutočne majstrovských ťahom. Prejavil sa tu ako strategicky uvažujúci politik s dobrým odhadom situácie a rozmýšľajúci o dva ťahy pred svojím súperom. Tento jeho počin vysoko oceňovali predstavitelia čs. politiky fakticky naprieč celým jej spektrom. K celej udalosti nemohlo mať navyše žiadne výhrady ani Benešovo ministerstvo zahraničia, pretože nijak neohrozila jeho zahraničnopolitickú líniu. Pri svojom ďalšom vstupe na pôdu zahraničnej politiky v nasledujúcom roku, ktorý sa zhodou okolností opäť spájal s významným predstaviteľom Veľkej Británie, však už Hodža taký úspešný nebol.

Spomínanou udalosťou, ktorá výrazne poškodila nielen Hodžovo zahraničnopolitické renomé, ale aj jeho celkovú politickú reputáciu a prispela k jeho dočasnému politickému pádu, bola návšteva bývalého britského premiéra a vodcu labouristickej strany Jamesa Ramseya MacDonalda v Prahe v októbri 1928. Udalosti spojené s jeho pražským pobytom veľmi výstižne okomentovali na londýnskom ministerstve zahraničia, kde ho označili za „čudný incident".[21] Išlo pritom len o veľmi krátky, ani nie dvojdňový pobyt MacDonalda v Prahe, ktorý bol súčasťou jeho stredoeurópskeho turné. Do hlavného mesta Československa totiž pricestoval večer 12. októbra z Viedne a už o dva dni neskôr odcestoval do Berlína, kde sa v prejavoch venoval v tom čase aktuálnym otázkam európskeho odzbrojenia a ďalším medzinárodnopolitickým problémom.[22] Jeho príchod vyznieval zvláštne už z krátkych noticiek, ktoré uverejnili v deň jeho príchodu nielen agrárnické noviny, ale zo servisu ČtK ho prevzali aj mnohé periodiká ostatných strán vrátane nezávislých *Lidových novín*. Hlavným bodom jeho krátkeho pobytu v Československu malo byť totiž stretnutie s ministrom školstva Hodžom a zároveň rokovania s ním pozvanými zástupcami agrárnych strán z Juhoslávie, Poľska a Rumunska, ktoré mu mal prvý muž agrárnej strany na Slovensku sprostredkovať.[23] Prekvapovalo, že ústredným bodom návštevy jedného z najvýznamnejších predstaviteľov vtedajšej európskej politickej ľavice mali byť rokovania s predstaviteľmi stredo-pravicových konzervatívnych stredoeurópskych agrárnych zoskupení. O ich priebehu a konkrétnych záveroch sa však už čitatelia novín v nasledujúcich dňoch nikde nedočítali. Správy sa totiž zväčša obmedzovali na krátky oznam, že MacDonald už

19 TNA, FO 371/12099, C8324/8156/12. Odpoveď stáleho tajomníka FO Orma Sargenta pražskému vyslancovi R. Macleayovi z 18. 10. 1927.

20 TNA, FO 371/12099, C 8156/12. List FO lordovi Titchfieldovi zo 14. 10. 1927.

21 TNA, FO 371/ C 7839/12.

22 Macdonald v Berlíne. In *Slovák*, roč. 10, č. 234, 17. 10. 1928, s. 3.

23 Napr.: Macdonald v Prahe. In *Slovák*, roč. 10, č. 232, 14. 10. 1928, s. 2; MacDonald v Praze. In *Lidové noviny*, roč. 36, č. 528, 15. 10. 1928, s. 1.

z Prahy odcestoval do Berlína.[24] Okrem toho uverejnili s vodcom britských labouristov polovládne nemeckojazyčné *Prager Presse* a sociálnodemokratické *Právo Lidu* krátke interview s prakticky rovnakým znením. V ňom sa však britský hosť stretnutiu so stredoeurópskymi agrárnikmi či s Hodžom vôbec nevenoval, ale spomínal len vnútropolitickú situáciu vo Veľkej Británii a veľké šance svojej strany v chystajúcich sa regionálnych voľbách, zdôraznil odhodlanie obyvateľov svojej krajiny prispieť k zachovaniu mieru a bezpečnosti v Európe a zároveň vyzdvihol všeobecný progres najmarkantnejší na zlepšenej nálade obyvateľov, ktorý podľa neho stredná Európa dosiahla od jeho predchádzajúcej návštevy v roku 1926.[25] Až v dňoch nasledujúcich po odchode MacDonalda z Československa sa začali v kontexte konfliktu medzi Hodžom a Benešom objavovať v čs. tlači správy, že stretnutie MacDonalda so spomínanými agrárnikmi sa neuskutočnilo a o tom, že jeho prípravou spôsobil Hodža ministerstvu zahraničia mnoho nepríjemností, pretože ním ohrozil dobré vzťahy so spojeneckým Kráľovstvom SHS.[26] Postupne začalo vychádzať najavo, že Hodža síce svoje stretnutie s MacDonaldom majstrovsky spropagoval, už podstatne horšie ho však naplánoval. Zároveň takmer vôbec nedomyslel, aké by mohla mať schôdzka popredného britského politika s v tom čase opozičnými chorvátskymi agrárnikmi organizovaná ním ako ministrom čs. vlády v Prahe následky pre československo-juhoslovanské vzťahy. Bolo to prekvapujúce vzhľadom na to, že Hodža bol už v tom čase pomerne skúseným politikom a ako dokladá jeho večierok s vyslancom Macleayom z predchádzajúceho roka, dobre chápal aj následky, ktoré môžu mať aj zdanlivo nevinné politické kroky pre zahraničnopolitické vzťahy.

Hodža tak zrejme podľahol vtedajšiemu kúzlu Ramsayho MacDonalda a stretnutím s ním chcel pravdepodobne posilniť svoju pozíciu na vnútropolitickej scéne Československa. MacDonald totiž v tom čase patril k najpopulárnejším politikom v Európe. Lídrom labouristov ho zvolili v roku 1922[27] a už v januári 1924 sa stal tento škótsky rodák prvým socialistickým premiérom v dejinách Spojeného kráľovstva, keď jeho menšinový kabinet získal po nezhodách medzi liberálmi a konzervatívcami podporu prvej z dvoch tradičných britských politických strán.[28] Vo svoje prvej vláde vykonával zároveň aj funkciu ministra zahraničných vecí. Aj čs. diplomacia spájala jeho príchod do úradu s istými nádejami na väčšiu angažovanosť v stredoeurópskom priestore. Svojimi idealistickými predstavami o možnosti jednoduchého nájdenia mierových riešení pre starý kontinent, ako aj dištancovaním sa od metód tradičnej diplomacie však začal čoskoro ministerstvu pod Benešovým vedením spôsobovať skôr vrásky. Prispieval k tomu aj fakt, že v radoch jeho strany bolo

24 Macdonald v Berlíne. In *Slovák*, roč. 10, č. 234, 17. 10. 1928, s. 3.

25 MacDonald spokojen se střední Evropou. In *Lidové noviny*, roč. 36, č. 522, 14. 10. 1928.

26 TNA, FO 371 /12869, C 8021/7839/12. Správa pražského vyslanca R. Macleaya pre FO z 25. 10. 1928.

27 O ceste MacDonalda k vodcovstvu Labour party bližšie: LYMAN, Richard W. James Ramsay MacDonald and the Leadership of the Labour Party, 1918 – 22. In *Journal of British Studies*, 1962, roč. 2, č. 1, s. 132 – 160.

28 Napriek tomu, že MacDonald bol nepochybne jednou z najpozoruhodnejších postáv britskej politiky 20. storočia, publikovala britská historiografia o jeho kariére doteraz okrem dvoch biografií z pera jeho súčasníkov vydaných krátko po jeho smrti v roku 1937 len jednu vedeckú biografiu: MARQUAND, David. *Ramsay MacDonald: A Biography.* London : Metro Books, 1997, 928 s. Prvé vydanie tejto monografie vyšlo v roku 1977.

pomerne rozšíreným presvedčenie, že na porazených štátoch prvej svetovej vojny spáchali mierové zmluvy vážne krivdy, čo platilo predovšetkým o Nemecku.[29] Pôsobila tu zrejmá istá lojalita vychádzajúca zo spolupráce labouristov s nemeckými sociálnymi demokratmi. MacDonaldove časté zdôrazňovanie nutnosti zachovania mieru a posilňovania európskej bezpečnosti spolu s faktom, že išlo o prvého britského „robotníckeho premiéra" však posilňovali jeho popularitu medzi európskym proletariátom. Do istej miery k tomu prispela aj porážka labouristov v parlamentných voľbách na jeseň 1924, ktorú do veľkej miery zapríčinil tzv. Zinovjevov telegram zverejnený krátko pred ich konaním. Doposiaľ nejasný zdroj zaslal britskému ministerstvu zahraničia list šéfa Kominterny Grigorija Zinovjeva, v ktorom požadoval vytváranie komunistických buniek v britskej armáde a námorníctve. Napriek tomu, že jeho pravosť bola diskutabilná, zverejnila jeho znenie britská pravicová tlač. Voľby sa aj prispením tohto incidentu skončili drvivým víťazstvom konzervatívcov a labouristi sa vrátili do opozície.[30] V ďalších voľbách v roku 1929, v ktorých mohli po prvý raz voliť britské ženy, zaznamenali presvedčivé víťazstvo a MacDonald sa tak stal rok po návšteve Prahy znovu premiérom.[31] V úrade prečkal aj rozštiepenie labouristickej strany, ktorej väčšina predákov odmietla v roku 1931 podporiť protikrízové škrty jeho vlády a MacDonalda zo strany vylúčila.[32] Až do roku 1935 však ostal na čele tzv. Národnej koalície, ktorú tvorili okrem torza jemu verných tzv. národných labouristov aj konzervatívci a liberáli a Britániu napokon previedla rokmi veľkej hospodárskej krízy. MacDonald sa pri jej utvorení ocitol v paradoxnej situácii, keď mnohí jeho noví koaliční partneri spomedzi konzervatívcov ho ešte krátko predtým najčastejšie označovali za boľševika, kým jeho bývalí spolustraníci ho naopak po vytvorení koaličnej vlády obviňovali zo zrady Labour party a ich najobľúbenejším označením pre bývalého straníckeho vodcu sa stalo slovo „sociálfašista".[33] V júni 1935 MacDonald unavený politikou a sužovaný chorobami funkciu premiéra na vlastnú žiadosť opustil.

Do Prahy však prichádzal MacDonald zrejme na vrchole svojej politickej kariéry a obľúbenosti, o čom svedčilo víťazstvo jeho strany v regionálnych voľbách o niekoľko týždňov neskôr. Paradoxom a dôkazom o nesmiernej dynamike vývoja v medzivojnovom období je skutočnosť, že na tejto ceste po strednej Európe ho sprevádzal vtedajší stranícky kolega – poslanec dolnej komory londýnskeho parlamentu za labouristickú stranu Oswald Mosley. Mosley bol v rokoch 1918 – 1922 poslancom za konzervatívcov, následne však prešiel na opačný pól politického spektra k labouristom. Ani tu sa mu však jeho ambície naplniť nepodarilo, a tak začiatkom 30. rokov stranu opustil. Do histórie sa najvýraznejšie zapísal od roku 1934, keď sa stal predsedom novoutvorenej Britskej únie fašistov, ktorá sa v druhej polovici 30. rokov zviditeľnila pochodmi uniformovaných oddielov v štýle talianskych fašistov, ale zmeniť alebo čo i len ohroziť politický režim vo Veľkej Británii sa jej na rozdiel od talianskych a nemeckých nacistických vzorov nepodarilo.[34]

29 DEJMEK, *Nenaplnené naděje*, c. d., s. 97 – 99, 179.

30 DEJMEK, *Nenaplnené naděje*, c. d., s. 114 – 117.

31 DEJMEK, *Nenaplnené naděje*, c. d., s. 170.

32 KERSHAW, Ian. *To Hell and Back : Europe 1914 – 1949*. Penguin Books, 2016, s. 218.

33 VINEN, Richard. *Evropa dvacátého století*. Praha : Vyšehrad, 2007, s. 151.

34 O politickej kariére Oswalda Mosleyho s dôrazom na činnosť jeho fašistického zoskupenia bližšie: KOVÁŘ, Martin. Príbeh jedného fašistu. In *História. Revue o dejinách spoločnosti*, 2007, roč. 7,

Ďalším paradoxom MacDonaldovej návštevy bola už naznačená skutočnosť, že podľa noticiek čs. tlače malo byť hlavnou náplňou jeho pražského pobytu Hodžom sprostredkované stretnutie so zástupcami stredoeurópskych a východoeurópskych agrárnych strán, pričom niektoré tlačoviny dokonca referovali, že vodca britských labouristov, teda ľavicovej socialistickej strany, prejavil sám záujem o stretnutie s reprezentantmi tohto pomerne regionálne špecifického politického prúdu.[35] Išlo o zástupcov Medzinárodného agrárneho bureau (MAB), ktoré bolo verejnosti známe aj pod žurnalistickým označením Zelená internacionála. Organizácia bola oficiálne založená v roku 1923 predovšetkým vďaka aktivitám čs. agrárnej strany na čele s jej predsedom Antonínom Švehlom, pričom jej sídlom sa stala Praha. Spočiatku malo byť náplňou fungovania MAB združovať a koordinovať činnosť agrárnych strán zo slovanských krajín, predovšetkým z Poľska, Bulharska a SHS. V roku 1927 však prišlo opäť na Švehlov popud k zmene stanov organizácie, ktorá sa mala stať centrálou združujúcou agrárne strany z celej Európy. Tento zmenený štatút bol oficiálne schválený na zjazde MAB, ktorý sa konal v máji 1928 v Prahe. Chorého Švehlu už v tom čase vo funkcii výkonného predsedu organizácie vystriedal práve Hodža, ktorý celé podujatie režíroval. V nasledujúcom období sa stali členmi MAB agrárne strany s rozdielnym vplyvom na politickú scénu svojich krajín z Rumunska, Rakúska, Estónska, Litvy, Lotyšska, Fínska, Francúzska, Holandska, Švajčiarska a Nemecka. Špecifikom organizácie bolo, že pri mnohonárodnostných štátoch pripúšťala, aby mala v jej radoch zastúpenie každá jeho národnosť. Z SHS tak vstúpili do radov MAB až tri agrárne strany – slovinská, srbská a najvplyvnejšia chorvátska roľnícka strana. Zo svojich deklarovaných cieľov, medzi ktorými nechýbala napríklad obrana demokratických režimov v jednotlivých členských krajinách pred autoritárskymi tendenciami či koordinácia agrárnych politík medzi jednotlivými členskými štátmi, dokázala Zelená internacionála najmä pre slabý vplyv väčšiny svojich členských subjektov na politickú scénu svojich krajín splniť máločo. Ostala tak najmä fórom pre výmenu skúseností členských subjektov a pre čs. agrárnikov, na ktorých organizačných schopnostiach a financiách bola organizácia úplne závislá, išlo o skvelý nástroj na posilňovanie ich prestíže a autority na domácej a zahraničnej politickej scéne.[36]

Na túto kartu zrejme stavil pri MacDonaldovej návšteve Hodža. Jeho avizované stretnutie so zástupcami agrárnych strán z Kráľovstva SHS, Rumunska a Poľska malo opäť zvýšiť prestíž Zelenej internacionály nielen na čs. politickej scéne, ale pri takom známom politikovi aj rozšíriť povedomie o jej existencii v rámci celej Európy. Členstvo v organizácii bolo síce otvorené všetkým stranám, ktoré vo svojich krajinách obhajovali záujmy poľnohospodárskeho a vidieckeho obyvateľstva a stáli na zásadách parlamentnej demokracie,[37] len pri značnej dávke fantázie však mohli byť za Britániu považovaní za takýto subjekt práve

---

č. 1, s. 25 – 28.

35 Napr. MacDonald v Prahe. In *Robotnícke noviny*, roč. 25, č. 235, 14. 10. 1928, s. 2.

36 Z novších prác k činnosti MAB pozri napr.: KUBŮ, Eduard – ŠOUŠA, Jiří. Sen o slovanské spolupráci (Antonín Švehla – ideový a organizační tvůrce Mezinárodního agrárního bureau). In RAŠTICOVÁ, Blanka (ed.). *Agrární strany ve vládních a samosprávných strukturách mezi světovými válkami. Studie Slováckého muzea.* Uherské Hradiště : Slovácké muzeum, 2008, s. 35 – 41.

37 HANULA, Matej. Prekonávanie hraníc podľa agrarizmu : úskalia spolupráce agrárnych strán strednej a juhovýchodnej Európy v medzivojnovom období. In OSYKOVÁ, Linda – HANULA, Matej. *Ideológia naprieč hranicami : myšlienkové transfery v Európe a na Slovensku v 1. polovici 20. storočia.* Bratislava : Historický ústav SAV, Veda, 2015, s. 124.

labouristi s ich akcentmi na záujmy robotníctva a všeobecne skôr mestského obyvateľstva. O tom, že sa na schôdzke chystal Hodža MacDonaldovi ponúknuť členstvo v MAB, sa dá preto pochybovať. O stretnutie prejavili navyše z Hodžom pozvaných subjektov skutočný záujem len chorvátski agrárnici na čele s poslancom Vladimirom Maćekom, ktorí ako jediní do Prahy aj vycestovali.[38] Možno sa len domnievať, že hlavnou motiváciou ich cesty za MacDonaldom nebola potreba diskutovať o problémoch chorvátskeho roľníctva. Bývalého a potenciálne aj budúceho britského premiéra sa zrejme skôr chystali informovať o národnostnej situácii v Kráľovstve SHS a prezentovať mu kritické stanovisko voči politike belehradskej vlády. Takúto príležitosť si iste nechceli nechať ujsť najmä vzhľadom na vtedajšiu mimoriadne vypätú vnútropolitickú situáciu v Kráľovstve SHS. Schôdzka sa totiž mala uskutočniť iba niekoľko mesiacov po krvavých udalostiach v belehradskom parlamente, kde po streľbe srbského radikálneho poslanca prišli o život dvaja poslanci Chorvátskej roľníckej strany. Na následky zranení, ktoré pri incidente utrpel, zahynul začiatkom augusta i vodca strany Stjepan Radić. Jeho pohreb sa stal protisrbskou demonštráciou a napätá situácia v krajine sa skončila v januári nasledujúceho roka nastolením diktatúry kráľa Alexandra.[39] Vláda SHS samozrejme po informáciách o chystanom stretnutí chorvátskych agrárnikov s MacDonaldom neváhala a pražskému ministerstvu zahraničia adresovala ostrý protest. Po zákroku Beneša o po informovaní nič netušiaceho MacDonalda, aké podujatie preňho v Prahe Hodža pripravil, sa napokon stretol iba s Hodžom a s chorvátskymi agrárnikmi nerokoval.[40] Beneš totiž nemohol pripustiť, aby mu priamo pod nosom organizoval kolega z vládneho kabinetu podujatie, ktoré podráždi jedného z najvýznamnejších malodohodových spojencov Československa. Svedčia o tom správy o priebehu MacDonaldovho pobytu v ČSR zaslané pražským zastupiteľstvom Veľkej Británie do Londýna, ako aj hodnotenie situácie samotným čs. ministrom zahraničia Benešom.

Podľa správ zaslaných vyslancom Macleayom britskému ministerstvu zahraničia mala mať MacDonaldova návšteva predovšetkým súkromný charakter. Sprevádzali ju rôzne spravodajské šumy, podľa ktorých sa mal s predstaviteľmi chorvátskej opozície na čele s poslancom Maćekom pôvodne stretnúť pod podmienkou, že rozhovory sa nebudú situáciou v SHS zaoberať, ale prediskutujú len všeobecné európske témy, ako boli v tom čase aktuálne rozhovory o odzbrojení či ustanovení arbitrážnych mechanizmov pre rozhodovanie prípadných sporov medzi členskými krajinami Spoločnosti národov. Vyslanec zároveň do Londýna referoval o Benešovom uistení, že k stretnutiu MacDonalda s Chorvátmi napokon po jeho zásahu neprišlo a že Chorváti boli skutočne jediní z pozvaných zástupcov agrárnych strán, ktorí do Prahy na stretnutie s vodcom Labour party dorazili. Viac svetla do celého prípadu aj pre britské zastupiteľstvo v Prahe vniesol až počas decembra český sociálnodemokratický poslanec Lev Winter, ktorý o podrobnostiach informoval v straníckej tlači. Ako sa ukázalo, iniciátorom MacDonaldovej návštevy bol práve tento sociálny demokrat, ktorý svojho britského kolegu pozval do Prahy ešte pred letom. Hodža sa mal podľa neho stretnúť s MacDonaldom počas svojej návštevy Londýna v predchádzajúcom roku a slovenskému agrárnemu politikovi mal pri tejto príležitosti sľúbiť, že mu počas naj-

38 TNA, FO 371 /12869, C 7839/12. Správa pražského vyslanca R. Macleaya pre FO zo 17. 10. 1928.
39 PIRJEVEC, Jože. *Jugoslávie 1918 – 1992 : vznik, vývoj a rozpad Karadjordjevićovy a Titovy Jugoslávie.* Praha : Argo, 2000, s. 52 – 54.
40 TNA, FO 371 /12869, C 7839/12. Správa pražského vyslanca R. Macleaya pre FO zo 17. 10. 1928.

bližšieho pobytu v Prahe túto zdvorilosť odplatí. Na stretnutí s Hodžom nevidel MacDonald pochopiteľne nič zlé, podľa Wintera však o agrárnikmi avizovanom rokovaní so zástupcami MAB nebol pred príchodom do čs. hlavného mesta vôbec informovaný, a preto ho vôbec nemal v pláne. Keď ho Winter informoval tom, s akým rozhorčením o celej záležitosti píše belehradská tlač a zároveň o výhradách vlády SHS, rozhodol sa s Chorvátmi nestretnúť. S Hodžom napriek tomu krátko rokoval. Winter teda rezolútne poprel Hodžovu verziu, že agrárnici boli iniciátormi jeho pražskej návštevy, ako aj to, že sa tu z vlastnej iniciatívy plánoval stretnúť so zástupcami členských strán MAB, ako záležitosť pôvodne prezentovala predovšetkým agrárnická tlač.[41]

Britské zastupiteľstvo v Prahe zároveň podotklo, že aféra kompromitovala najmä ministra zahraničia Beneša, ktorý nemohol pripustiť, aby sa pre túto chybu agrárnikov narušili spojenecké zväzky s Kráľovstvom SHS. Zároveň nezabudlo zdôrazniť, že celá záležitosť opätovne vyhrotila vzťahy medzi Hodžom a šéfom čs. diplomacie, keďže podľa názoru pisateľa správy sa už v poslednom období zdalo, že obaja muži sa pripravujú na zmierenie.[42] Ich napäté vzťahy analyzovali britskí diplomati aj v nasledujúcich mesiacoch až do konečného rozuzlenia Hodžovou demisiou vo februári 1929. Podľa nich bolo toto súperenie dvoch mimoriadne schopných politikov na škodu pre celý čs. štát. Ani na britskej ambasáde už v tom čase nevideli iné východisko, ako odchod jedného alebo druhého aktéra tohto sporu.[43]

Beneš mal v tomto období viacero vážnych dôvodov považovať Hodžu za svojho hlavného soka. Ľavicový tábor čs. politiky a hradné kruhy mu všeobecne pripisovali hlavný podiel na zostavení stredovo-pravicovej vlády bez socialistických strán v roku 1926, ktorá spochybnila jeho zotrvávanie na dovtedy vyárendovanej pozícii ministra zahraničia, keďže ani Benešovi národní socialisti členmi tohto kabinetu neboli. Od prezidentských volieb v roku 1927 sa navyše v agrárnej strane, ako aj v niektorých ďalších pravicových stranách začalo o Hodžovi hovoriť ako o možnom nástupcovi Masaryka v prezidentskom kresle, pričom Hrad mal toto miesto vyhradené práve pre Beneša.[44] Minister zahraničia sa preto pripravoval na úder voči svojmu ministerskému kolegovi. Veľmi zle zároveň znášal už spomínanú Hodžovu zaangažovanosť v rozvíjaní zahraničných kontaktov, ktoré považoval za zasahovanie do záležitostí svojho rezortu. Len za posledné dva roky prekážalo Benešovi viacero takýchto Hodžových aktivít, a tak MacDonaldova návšteva a jej okolnosti iba priliali pomyselný olej do ohňa. Minister školstva stihol v tomto období podráždiť svojho kabinetného kolegu napríklad uzavretím kultúrnych dohôd s SHS, Poľskom a Rumunskom, či zabezpečiť otvorenie lektorátu čs. jazyka a literatúry na francúzskych a talianskych univerzitách. V inkriminovanom októbri 1928 absolvoval napríklad oficiálnu návštevu Dánska,

41 TNA, FO 371 /12869, C 7839/12. Správa pražského vyslanca R. Macleaya pre FO zo 17. 10. 1928; TNA, FO 371 /12869, C 8021/7839/12. Správa pražského vyslanca R. Macleaya pre FO z 25. 10. 1928.

42 TNA, FO 371 /12869, C 8021/7839/12. Správa pražského vyslanca R. Macleaya pre FO z 25. 10. 1928.

43 TNA, FO 371/13579, C 1441/119/12. Správa britského zastupiteľstva v Prahe pre FO o rezignácii M. Hodžu z postu ministra školstva z 25. 2. 1929.

44 BARTLOVÁ, Alena. Príspevok k zahraničným kontaktom a ekonomickým aktivitám Milana Hodžu v medzivojnovom období. In GONĚC, Vladimír – PEKNÍK, Miroslav et al. *Milan Hodža ako aktér medzinárodných vzťahov.* Bratislava : VEDA, 2015, s. 293.

kde bol prijatý premiérom i ministrom zahraničných vecí a zúčastnil sa na slávnostnom odhalení pamätnej tabule dánskej kráľovnej Dagmar, ktorá sa narodila v Čechách ako princezná Markéta Přemyslovna. Okrem toho sa Hodža stihol zúčastniť na Beethovenových oslavách vo Viedni či na oslavách stého výročia narodenia chemika Marcellina Berthelota na parížskej Sorbonne. Vo francúzskej tlači zároveň v tomto období rozvíjal svoje koncepcie spolupráce stredoeurópskych krajín, na ktorých mal podľa svojich vyjadrení pracovať už osem rokov.[45] Najmä táto posledná spomínaná aktivita zrejme Benešovi mimoriadne prekážala, pretože istým spôsobom vrhala tieň na jeho aktivity vo funkcii ministra zahraničia, hoci Hodžove koncepcie v žiadnom výraznom rozpore s jeho názormi neboli.

Svoju kritiku a výhrady voči Hodžovi rozvinul Beneš v januári 1929 v rozsiahlom elaboráte určenom pre zastupujúceho predsedu vlády, ktorým bol v tom čase predseda Čs. strany lidovej Jan Šrámek. MacDonaldova návšteva v Prahe bola popri Hodžových finančných transakciách na podporu družstevných centrál bulharských agrárnikov[46] a finančnej náhrade pre ostrihomského arcibiskupa jednou z jeho ústredných tém.[47] Úlohou textu bolo uviesť dôvody, pre ktoré by mal Hodža rezignovať na ministerskú funkciu. Beneš v ňom zdôraznil svoje rezolútne stanovisko, podľa ktorého nemal žiadny člen vlády právo vyvíjať vlastné nezávislé zahraničnopolitické aktivity bez informovania a súhlasu ministerstva zahraničia, čo bol práve prípad MacDonaldovej návštevy. Vytkol mu nepríjemnosti, ktoré svojimi krokmi pri prípravách stretnutia chorvátskych opozičných politikov spôsobil nielen jeho rezortu, ale celej republike. Podľa Beneša neobstáli ani Hodžove tvrdenia, že zástupcovia MAB plánovali s vodcom labouristov rokovať len o všeobecných politických otázkach, pretože ako skúsenému politikovi mu malo byť jasné, že pri napätej vnútropolitickej situácii v Kráľovstve SHS sa každá zmienka o organizovaní politických rokovaní so zástupcami opozičných síl aktívnym ministrom čs. vlády bude v Belehrade hodnotiť krajne nepriaznivo. Najväčšie výhrady mal ale k už spomínanému neinformovaniu svojho ministerstva o celej záležitosti, o ktorej sa dozvedelo až z Belehradu a v dokumente viackrát prízvukoval, že žiadny člen vlády nemá právo na vlastné zahraničnopolitické iniciatívy, pretože v týchto záležitostiach podlieha rezortu zahraničných vecí.[48]

Hodža na obvinenia z osnovania republike škodlivého stretnutia MacDonalda s chorvátskou opozíciou začal reagovať od decembra 1928, teda v čase, keď proti nemu vrcholila kampaň hradných kruhov na viacerých frontoch. V tom čase musel čeliť nielen útokom

45 FERENČUHOVÁ, Bohumila. Milan Hodža počas krízy medzinárodných vzťahov 1936 s vyvrcholením po vstupe nemeckých vojsk do demilitarizovanej zóny v Porýní. In GONĚC, Vladimír – PEKNÍK, Miroslav et al. *Milan Hodža ako aktér medzinárodných vzťahov.* Bratislava : VEDA, 2015, s. 258.

46 K záležitosti Hodžovho angažovania sa v Bulharsku pozri HANULA, Matej. Úskalia partnerskej pomoci. Milan Hodža a spolupráca s bulharskými agrárnikmi v medzivojnovom období. In GONĚC, Vladimír – PEKNÍK, Miroslav et al. *Milan Hodža ako aktér medzinárodných vzťahov.* Bratislava : VEDA, 2015, s. 186 – 205.

47 O vyplatení finančnej kompenzácie ostrihomskému arcibiskupstvu podrobnejšie BARTLOVÁ, Alena. Dar pre arcibiskupa. Kauza Milan Hodža a 23 miliónov. In BYSTRICKÝ, Valerián – ROGUĽOVÁ, Jaroslava (eds.). *Storočie škandálov : aféry v moderných dejinách Slovenska.* Bratislava : Pro Historia, 2008, s. 99 – 106.

48 Archiv Ústavu T. G. Masaryka (ďalej AÚTGM) Praha, fond (ďalej f.) Edvard Beneš I, kartón (ďalej k.) 245, signatúra (ďalej sig.) 171/12. List E. Beneša J. Šrámkovi z 25. 1. 1929.

zo strany Beneša, ktorému celá záležitosť priliala muníciu do protihodžovského boja, ale aj atakom zo strany ďalších sociálnodemokratických či národnosocialistických politikov, a dokonca aj od najbližšieho spojenca Hradu v radoch slovenských agrárnikov, svojho dlhoročného hlavného straníckeho rivala Vavra Šrobára.[49] V tlači na Benešove obvinenia reagoval iba vágnymi a vyhýbavými tvrdeniami, podľa ktorých mu ministerstvo zahraničia nikdy nedalo na známosť výhrady Belehradu voči organizovaniu stretnutia, hoci o nich už malo vedomosť.[50] Podrobnejšie sa o veci rozpísal až v liste na svoju obhajobu, ktorý zaslal na vyvrátenie tvrdení zo spomínaného Benešovho elaborátu voči svojej osobe rovnako ako jeho rival Šrámkovi. Opäť zdôrazňoval, že o výhradách Belehradu k celej záležitosti bol ministerstvom zahraničia informovaný až dva dni pred MacDonaldovým príchodom a príjazd chorvátskych politikov tak už nemohol odvolať.[51] Zdá sa, že sa stal v celej veci obeťou britského občana, štipendistu Carnegie Endorsement inštitútu pre poľnohospodárske otázky v strednej Európe predstavujúceho sa priezviskom Mitrani, ktorý v tom čase v Prahe pôsobil.[52] Práve tento muž sa mu mal pred MacDonaldovým príchodom prezentovať ako dôverník vodcu labouristov a informovať ho, že MacDonald by sa v Prahe rád stretol so zástupcami Zelenej internacionály.[53] Tejto verzii sa dá veriť, pretože prílišná dôvera voči ľuďom zo svojho okolia, ktorí Hodžu napokon neraz sklamali, bola jednou z charakteristík jeho politickej kariéry. Je pravdepodobné, že pri vidine zvýšenia prestíže agrárnej strany, MAB a svojej osoby tejto vízii podľahol a Mitranimu naozaj uveril. Ministerstvu zahraničia zároveň vyčítal, že ho o pochybnom profile Mitraniho neinformovalo skôr, ale až počas MacDonaldovho pobytu v Prahe sa dozvedel, že na vodcu britských labouristov nemá žiadne skutočné väzby. Hodža sa obhajoval, že spoločne s poslancom Winterom po pochopení celej situácie a oboznámení sa s nepriaznivou reakciou Belehradu MacDonaldovi schôdzku s Chorvátmi vyhovoril.[54]

Pri zohľadnení všetkých spomínaných skutočností naozaj prekvapuje, že sa Hodža, ako v tom čase už skúsený politik, pustil do tohto nie príliš premysleného a vzhľadom na situáciu v Kráľovstve SHS naozaj riskantného podujatia. Zdá sa, že organizovanie stretnutia s MacDonaldom spojené s vidinou zvýšenia prestíže nielen svojej strany, Zelenej internacionály, ale aj svojej osoby mu zabránilo vopred odhadnúť mieru rizika a možných negatívnych politických dôsledkov, ktoré sa s organizovaním podujatia spájali. Vylúčiť môžeme skutočnosť, žeby ho s MacDonaldom spájalo hlbšie priateľské puto, ktoré by bolo jedným z motívov organizovania celej akcie. Hodža, ktorý sa počas 30. rokov pravidelne vyjadroval k významným zahraničnopolitickým udalostiam, totiž publicisticky ani prejavom nijako

49 ZEMKO, Milan. Spor Hodžu a Šrobára pri 10. výročí vzniku ČSR alebo História v službe politiky. In PEKNÍK, Miroslav (ed.). *Milan Hodža: politik a žurnalista.* Bratislava : Ústav politických vied SAV; Slovenská národná knižnica v Martine vo vydavateľstve Veda, 2008, s. 117 – 127.

50 TNA, FO 371/13580, C 2322/12. Výročná správa vyslanca R. Macleaya o Československu za rok 1928.

51 Archiv Národního muzea (ďalej ANM) Praha, f. Milan Hodža, k. 6, inventárne číslo (ďalej inv. č.) 352. Odpoveď M. Hodžu J. Šrámkovi na kritiku zo strany E. Beneša, február 1929.

52 AÚTGM, f. Edvard Beneš I, k. 245, sig. 171/12. List E. Beneša J. Šrámkovi z 25. 1. 1929.

53 ANM, f. Milan Hodža, k. 6, inv. č. 352. Odpoveď M. Hodžu J. Šrámkovi na kritiku zo strany E. Beneša, február 1929.

54 ANM, f. Milan Hodža, k. 6, inv. č. 352. Odpoveď M. Hodžu J. Šrámkovi na kritiku zo strany E. Beneša, február 1929.

nereagoval na MacDonaldov odchod z funkcie britského premiéra, ani na jeho náhlu smrť na následky infarktu, ktorá bývalého vodcu labouristov zastihla počas plavby na zaoceánskom parníku do Južnej Ameriky v roku 1937.

Namiesto zvýšenia svojej prestíže tak napokon Hodža nevydarenou organizáciou MacDonaldovej návštevy v čase vrcholiacej kampane za jeho odchod z ministerskej funkcie iba vložil ďalšiu zbraň na útok proti svojej osobe do rúk svojmu vtedajšiemu hlavnému vnútropolitickému rivalovi Benešovi. Minister zahraničia ju pochopiteľne veľme efektívne využil. Hradným kruhom sa tak pri rekonštrukcii čs. vládneho kabinetu vynúteného chorobou dovtedajšieho premiéra Antonína Švehlu vo februári 1929 podarilo dosiahnuť nielen to, že sa Hodža nestal namiesto Švehlu predsedom vlády, ako sa o tom medzi agrárnikmi ešte v prvej polovici roka 1928 vážne uvažovalo, a funkcia pripadla umiernenému prohradnému zástupcovi agrárnej strany Františkovi Udržalovi, ale zároveň bol nútený opustiť kreslo ministra školstva, na ktorom ho vystriedal ďalší slovenský agrárnik Anton Štefánek.

***

Dve epizódy zo zahraničnopolitických aktivít Milana Hodžu dobre ilustrujú skutočnosť, že problematika medzinárodných vzťahov bola naozaj témou, ktorej sa popri množstve iných politických tém a záležitostí s obľubou a veľmi intenzívne venoval. Zároveň sú dokladom o tom, že hoci bol považovaný za jedného z najrozhľadenejších verejne angažovaných predstaviteľov čs. republiky a v tom čase patril už i k najostrieľanejším slovenským politikom, aj on sa dokázal pri odhade následkov svojich politických krokov mýliť. Prvú z analyzovaných udalostí, slávnostný banket Britskej spoločnosti v Československu, môžeme označiť za jeho politický triumf. Britského vyslanca Macleaya sa mu podarilo šikovne vmanévrovať do pozície, v ktorej musel, hoci nie veľmi ochotne, odsúdiť Rothermerovu akciu na podporu revízie hraníc Maďarska a jeho kritiku vnútropolitického vývoja v Československu. Naopak, návšteva MacDonalda z jesene 1928 sa dá veľmi jednoznačne hodnotiť ako Hodžova prehra. Zdá sa, že sa pri nej stal opäť obeťou prílišnej dôvery ľuďom zo svojho okolia a zároveň celkom neodhadol, aké prudké odmietavé reakcie môže vyvolať organizovanie stretnutia významného britského politika s predstaviteľmi chorvátskej opozície v tom čase v kľúčovom spojeneckom Belehrade. Podujatie, ktoré malo zvýšiť jeho politickú prestíž, tak napokon prispelo k jeho dočasnému politickému pádu. Zdá sa však, že sa Hodža z tohto neúspechu poučil a po svojom návrate do vrcholnej politiky v roku 1932 sa už pomerne úspešne snažil podobným riskantným akciám vyhýbať.

Otázky zahraničnej politiky v predvolebných programoch politických strán na Slovensku v období 1. ČSR*

Linda Osyková

Príspevok sa zaoberá otázkami zahraničnej politiky v programoch štyroch najsilnejších politických strán na Slovensku – ľudovej, agrárnej, sociálno-demokratickej a komunistickej pred parlamentnými voľbami počas trvania 1. Československej republiky (ČSR), konkrétne v rokoch 1920, 1925, 1929 a 1935. Venuje sa tiež činnosti uvedených politických strán pred parlamentnými voľbami, ktorá súvisela s problematikou zahraničnej politiky.

Predstavitelia agrárnej strany prijali v septembri 1919 dokument s názvom Program Národnej republikánskej strany roľníckej. Tvorili ho tri základné ideové časti. Prvá časť, politický a národný program, obsahovala postoje strany k vnútornej a zahraničnej politike. Agrárnici rešpektovali karpatských Rusov, vnímali ich ako bratov, a rovnako si vážili aj obyvateľov iných národností žijúcich v Československu. Poskytnúť pomoc chceli českým a slovenským menšinám žijúcim v Maďarsku, Rumunsku, na území bývalej Juhoslávie a ďalších štátoch. V zahraničnej politike žiadali prehĺbiť hospodárske, kultúrne a politické vzťahy s vtedajším Kráľovstvom Srbov, Chorvátov a Slovincov, Ruskom, Poľskom a Rumunskom. Pokojné a priateľské styky si chceli udržať predovšetkým s krajinami, ktoré podporili slobodnú ČSR.[1]

Pred parlamentnými voľbami roku 1920 prezentovala už zjednotená Slovenská národná a roľnícka strana Manifest Slovenskej národnej a roľníckej strany k voľbám do Národného zhromaždenia Republiky československej. V názoroch na zahraničnú politiku vychádzal z politického programu strany, teda preferoval mierové riešenia problémov, pokojné vzťahy so susednými štátmi, spojencami a najmä so slovanskými, bratskými národmi. Agrárnici považovali otázku autonómie v neistom povojnovom období za vítaný príspevok k revizionistickým požiadavkám Maďarska. Milan Hodža obvinil ľudákov, že medzi ľuďmi šíria heslo autonómie bez toho, aby konkretizovali, čo presne si pod týmto termínom predstavujú. Uznal však, že Slovensko potrebovalo na spravovanie svojich politických a hospodárskych záležitostí samosprávu na župnej a obecnej úrovni.[2]

Slovenský týždenník aj *Národnie noviny* informovali o porade národnej a agrárnej strany, ktorá sa uskutočnila 10. januára 1920. Poradu viedol minister s plnou mocou pre správu Slovenska Vavro Šrobár. Predstavitelia oboch politických strán odsúhlasili nový program,

* Štúdia bola vypracovaná v rámci projektu APVV-15-0349 Indivíduum a spoločnosť – ich vzájomná reflexia v historickom procese. Zodpovedný riešiteľ: PhDr. Slavomír Michálek, DrSc. Štúdia vznikla v rámci grantu Vega 2/0135/15 Víťazstvo a pád Tretej republiky. Malá dohoda medzi Francúzskom a Talianskom 1914 – 1940. Zodpovedný riešiteľ: PhDr. Bohumila Ferenčuhová, DrSc.

1 HARNA, Josef – LACINA, Vlastislav. *Politické programy českého a slovenského agrárního hnutí 1899 – 1938.* Praha : Historický ústav, 2007, s. 87 – 89.

2 HANULA, Matej. *Za roľníka, pôdu a republiku : slovenskí agrárnici v prvom polčase 1. ČSR.* Bratislava : Historický ústav Slovenskej akadémie vied v Prodama, spol. s r. o., 2011, s. 31 – 32.

pripravený Jurajom Janoškom a Jurajom Slávikom. Diskusia sa týkala predovšetkým otázky autonómie. Juraj Janoška uisťoval amerických Slovákov, že strana ideovo súhlasila s Pittsburskou dohodou. Emil Stodola sa k téme autonómie vyjadril, že časť strany, ktorá uznávala dohodu a etapovitú autonómiu, svoj postoj presadí. Milan Hodža, naopak, avizoval riziko možné zo strany zahraničných nepriateľov, ak bude strana podporovať autonómiu. Zástupcovia strany odsúhlasili názov strany Slovenská národná a roľnícka strana (SNaRS). Predstavitelia SNaRS podpísali rezolúciu, ktorá vzišla z valného zhromaždenia strany, prihlásili sa k Mikulášskej, Pittsburskej a Martinskej deklarácii. Rezolúcia deklarovala ich vernosť jednotnej ČSR, Pittsburská dohoda sa podľa nich realizovala v tom zmysle, že slovenčina sa stala úradným a verejným jazykom a slovenská kultúra sa mohla slobodne vyvíjať. Odmietli zneužívanie Pittsburskej dohody na znepriatelenie Slovákov a Čechov.[3]

Ako uvádza historik Matej Hanula, národniari sa vzdali svojej požiadavky postupného budovania autonómie už na porade oboch politických strán v Piešťanoch 15. decembra 1919. Z toho dôvodu sa do politického programu zjednotenej strany zmienka o postupnom budovaní autonómie ani nedostala. Tému Pittsburskej dohody však priniesol hosť zjazdu, predseda Slovenskej ligy v Amerike Albert Mamatej, ktorý požiadal prítomných predstaviteľov strany o jasný postoj k téme, aby sa nemohla zneužívať tzv. nepriateľmi štátu. Hodža zopakoval svoj názor z minulosti a úsilie ľudákov o prijatie autonómie označil za inšpirované maďarskou propagandou. Národniari sa teda vzdali svojej požiadavky postupného budovania autonómie, v pripravovanej ústave malo mať Slovensko garantované samosprávne práva na župnej úrovni v rezorte školstva, hospodárstva, administratívy a cirkvi.[4]

K otázke prípadnej autonómie Slovenska vyjadrila SNaRS svoj postoj jednoznačne aj vo februári 1920 na stránkach *Slovenského týždenníka.* Uverejnila výzvu Klubu slovenských poslancov adresovanú slovenskému národu. Výzva mala demonštrovať myšlienku jednoty československého (čs.) národa a štátu, podpísalo ju všetkých 53 poslancov: *„Vyhlasujeme za zlomyseľnú lož každé tvrdenie, ktoré by chcelo vzbudiť v zahraničí dojem, ako by na Slovensku boly snahy, smerujúce proti československej štátnej jednote. Zodpovedné alebo nezodpovedné orgány susedných štátov, menovite Maďarska, rozširujú tieto lži, aby podoprely nimi svoje imperialistické snahy, podržať i naďalej pod maďarskou nadvládou nemaďarské národy bývalého Uhorska, ktoré použijúc práva sebaurčenia, dobrovoľne spojily sa zase v štátne celky so svojimi národnými súkmenovcami. Nástrojom tejto propagandy nepriateľských štátov sú tiež nezodpovední jednotlivci, ktorým vždy boly cudzie a ľahostajné ľudské a národné práva slovenského národa, z ktorého pošli, a ktorí teraz vydávajú sa v zahraničí za jeho zástupcov. Vyhlasujeme, že žiadna slovenská politická strana alebo skupina nepoverila nikoho, aby jej menom pracoval v zahraničí za oddelenie Slovenska od Československej republiky a za jeho pripojenie k inému štátu."*[5] V článku noviny spomínali dlhoročné nezhody Slovákov a Maďarov, zverejnili slobodné verejné vyhlásenie Slovákov

3 Sjednotenie slovenskej národnej a národnej republikánskej roľníckej strany v Turčianskom Sv. Martine. In *Slovenský týždenník*, roč. XVII, č. 3, 16. 1. 1920, s. 1. Sjednotenie slovenskej národnej a národnej republikánskej roľníckej strany v Turčianskom Sv. Martine. In *Národnie noviny*, roč. LI, č. 8, 13. 1. 1920, s. 1.

4 HANULA. *Za roľníka*, c. d., s. 36 – 37.

5 Politický prehľad. Za jednotu československého národa a štátu. Slovenskí poslanci k slovenskému národu. In *Slovenský týždenník*, roč. XVII, č. 7, 13. 2. 1920, s. 1.

o tom, že nechceli žiť v uhorskom štáte. V texte sa doslovne uvádzalo, že *„niet na Slovensku Slováka, ktorý by žiadal pripojenie Slovenska k Maďarsku a ktorý by protestoval proti štátnej jednote Čechov a Slovákov, dvoch vetví jednoho národa.“*[6] Túto jednotu označili za posvätenú krvou českých a slovenských legionárov.

Téme riešenia autonómie sa venoval tiež autor článku Riešenie samosprávy (autonómie) Slovenska v *Slovenskom týždenníku.*[7] Návrh pracoval s tzv. spravujúcimi výbormi pre Čechy, Moravu so Sliezskom a Slovensko. Vo vedení krajinského alebo zemského výboru by stál hlavný župan. Osobitné sekcie, rady by sa zriadili pre školské, poľnohospodárske a iné záležitosti.

Predstavitelia SNaRS dôkladne mapovali autonomistické prejavy Slovenskej ľudovej strany (SĽS). Vo svojej tlači si všímali politickú činnosť ľudáckeho poslanca Jozefa Budaya, súvisiacu s autonómiou.[8] Buday o Františkovi Jehličkovi napísal, že ho platila maďarská vláda. V *Slovenskom týždenníku* uverejnili správu z Jehličkových novín *Slovák zahraničný*, kde vyšiel článok o blížiacich sa voľbách na Slovensku. Jehlička na jednej strane zastával názor, že slovenský národ bude stáť pri svojom mučeníkovi Andrejovi Hlinkovi a bude voliť jeho stranu. Na druhej strane však paradoxne odporúčal Slovákom vôbec nehlasovať, a tým prejaviť svoj nesúhlas so spolužitím s Čechmi a s politikou Prahy.[9] Zrejme mal na mysli väznenie Hlinku pre jeho cestu na mierovú konferenciu do Paríža[10] v auguste 1919, kde na základe časti Pittsburskej dohody, ktorá obsahovala vytvorenie slovenskej administratívy, snemu, súdov a slovenčina mala byť úradným jazykom v školách, úradoch a verejnom živote, požadoval uskutočnenie plebiscitu o štátnej príslušnosti na Slovensku, čo žiadala aj budapeštianska vláda. Najvyššia rada ho neprijala, František Jehlička zostal v Budapešti. Hlinku internovali. Súd sa s predsedom SĽS nakoniec nekonal, na Slovensku sa uskutočnili manifestácie na jeho podporu. Hlinku pred voľbami prepustili.[11]

Milan Hodža sa detailne venoval otázke samosprávy, napr. aj v liste adresovanom županovi Ladislavovi Moyšovi.[12] Slovákom žijúcim v Amerike poďakoval za podporu pri boji za slobodu Slovákov. *„Dnes nachodíme záruky usporiadania nášho štátu jedine vo spoločnom československom zákonodarstve, a keby podpisatelia pittsburskej dohody boli tu sami na zodpovednej stráži svojho národa, za niekoľko hodín by si nadobudli to isté presvedčenie. V tomto bode tedy odbočujeme od pittsburskej dohody, naproti tomu nemohli sme sa uspo-*

6 Politický prehľad. Za jednotu československého národa a štátu. Slovenskí poslanci k slovenskému národu. In *Slovenský týždenník*, roč. XVII, č. 7., 13. 2. 1920, s. 1.

7 Riešenie samosprávy (autonómie) Slovenska. In *Slovenský týždenník*, roč. XVII, č. 7., 13. 2. 1920, s. 1.

8 Kam chce zájsť ľudová strana. In *Slovenský týždenník*, roč. XVII, 6. 2. 1920, č. 6, s. 1, 2.

9 Zradca národa Jehlička radí hlasovať za ľudovú stranu. In *Slovenský týždenník*, roč. XVII, č. 6, 6. 2. 1920, s. 2.

10 Viac o mierových zmluvách pozri: FERENČUHOVÁ, Bohumila. Československá zahraničná politika a otázky medzinárodnej bezpečnosti. In ZEMKO, Milan – BYSTRICKÝ, Valerián (eds.). *Slovensko v Československu (1918 – 1939).* Bratislava : VEDA, 2004, s. 35 – 39. FERENČUHOVÁ, Bohumila. Mierová konferencia v Paríži a mierové zmluvy. In FERENČUHOVÁ, Bohumila – ZEMKO, Milan a kol. *Slovensko v 20. storočí. 3. zväzok. V medzivojnovom Československu 1918 – 1939.* Bratislava : Veda : Historický ústav SAV, 2012, s. 59 – 69.

11 KÁRNÍK, Zdeněk. *České země v éře první republiky (1918 – 1938). Díl první. Vznik, budování a zlatá léta republiky (1918 – 1929).* Praha : Libri, 2000, s. 77 – 80.

12 Ku samospráve Slovenska. In *Slovenský týždenník*, roč. XVII, č. 9, 27. 2. 1920, s. 1.

kojiť s tým obmedzením, ku ktorému odsúdila pittsburská listina našu slovenskú reč."[13] Hodžova idea obsahovala viaceré návrhy. Slovenčina nemala byť len úradnou rečou, ale štátnym jazykom. Zabezpečená mala byť funkčná administratívna, školská a hospodárska samospráva. Politická samospráva Slovenska mala byť sústredená v 24-člennom zemskom zbore, volenom župnými zastupiteľstvami pomerným hlasovaním. Prvých 8 členov by sa stalo súčasťou zemského výboru, ktorý by disponoval výkonnou mocou a rozpočtovým právom. Ostatných 16 členov malo byť súčasťou zemského dozorného zboru, ktorý mal dozerať na činnosť zemského výboru. Predseda zemského výboru mal mať status miestodržiteľa alebo zemského hajtmana. Hospodárske záležitosti mala mať na starosti poľnohospodárska rada a obchodné a remeselnícke komory. Školstvo mala riadiť správa zemskej školskej rady volená zo župných zastupiteľstiev. Cirkvi mali dostať úplnú autonómiu. Takáto podoba zriadenia samosprávy na Slovensku mala byť Hodžovou úlohou. Hodža tiež uviedol, že niektorí jednotlivci v USA kritizovali pripravovanú ústavu ČSR, pričom deklarovali svoje poverenie od Slovenskej ľudovej strany. Hodža sa vyjadril, že poverenie od ľudovej strany nedostali, lebo predsedníctvo tejto strany sa úradne zaručilo, že im takéto poverenie nedalo.

Agrárnici vo svojej tlači označili voľby za plebiscit o autonómii, v ktorom sa jasne slovenskí voliči vyjadrili proti nej, keďže podporili centralistické strany.[14]

Historička Jaroslava Roguľová sa výstižne vyjadrila o vnímaní zahraničnej politiky Slovenskou ľudovou stranou a Slovenskou národnou stranou: „*V medzivojnovom období SNS a HSĽS spájalo rovnaké videnie slovenskej otázky v hierarchii vnútropolitických a zahraničnopolitických problémov. Ani jedna strana nemala odborníkov na medzinárodnú politiku. Najväčšiu pozornosť sústreďovali na slovenskú otázku a jej vyriešenie považovali za prvoradý politický problém ČSR. SNS aj HSĽS medzinárodný vývoj posudzovali cez prizmu slovenských otázok. Do veľkej miery to naznačuje úzky, až lokálny rámec slovenskej národnej politiky v medzivojnovom období. SNS a HSĽS rovnako vnímali medzinárodný vývoj z ideologického hľadiska. Podľa nich v období po prvej svetovej vojne nesúperili demokratické a antidemokratické sily, ale šlo o boj nacionalizmu a internacionalizmu, boj národných a nenárodných ideí, ktorý považovali za najväčší bezpečnostný problém v Európe. Strany sa zhodovali aj v tom, že medzinárodný vývoj v 30. rokoch jasne signalizoval porážku ľavice a internacionalizmu. SNS aj HSĽS boli autonomistické strany, ktoré zhodne deklarovali, že vyriešenie slovenskej otázky je potrebné docieliť úpravou postavenia Slovenska v ČSR, a to formou decentralizácie. Autonomistické koncepcie SNS a HSĽS však tvorili dva modely, ktoré sa odlišovali v názore na formu a mieru samosprávy. Ľudová strana už od augusta 1919 agitovala za úplnú národnú autonómiu Slovenska. Jej zriadenie označovala za naplnenie národných práv samobytného slovenského národa a požadovala začlenenie Pittsburskej dohody do ústavy ČSR.*"[15]

Práve rezolúcie o autonómii Slovenska z dielne ľudovej strany tvoria samostatnú kapitolu. Už 22. septembra 1920 vypracoval výkonný výbor Slovenskej ľudovej strany rezolúciu, ktorú prijal v Žiline. V Národnom zhromaždení ju 9. novembra 1920 citoval Andrej Hlinka. Ľudová strana od vlády požadovala slobodu tlače, slobodu zhromažďovania, zrušenie cen-

13 Ku samospráve Slovenska. In *Slovenský týždenník*, roč. XVII, č. 9, 27. 2. 1920, s. 1.

14 HANULA, *Za roľníka*, c. d., s. 44.

15 ROGUĽOVÁ, Jaroslava. *Slovenská národná strana 1918 – 1938*. Bratislava : Kalligram, 2013, s. 279 – 280.

zúry tlače, usporiadať cirkevné pomery obsadením biskupských stolcov, odovzdať cirkevné majetky a školy ich majiteľom, uplatniť zákon o slovenčine ako úradnej reči na Slovensku, zamestnať na Slovensku slovenských úradníkov, odstrániť platový rozdiel medzi slovenskými a českými úradníkmi, vykonať pozemkovú reformu, prideliť licencie Slovákom, zrušiť centrály a zabezpečiť voľný obchod, uskutočniť obecné a župné voľby, vytvoriť úplnú samosprávu Slovenska.[16]

Prvý návrh na vytvorenie autonómie Slovenska predložili zástupcovia SĽS v poslaneckej snemovni Národného zhromaždenia v januári 1922, nedošlo však k prerokovaniu návrhu. V auguste 1922 na 3. zjazde ľudovej strany v Žiline delegáti prijali memorandum s názvom Hlas na zahynutie odsúdeného slovenského národa k civilizovannému svetu. Ľudáci ho zverejnili v *Slováku* 16. decembra 1922, ale štátna cenzúra skonfiškovala celé vydanie. Memorandum vyšlo až po interpelácii poslanca Floriána Tománka 22. decembra 1922 opäť v *Slováku*. Dokument vychádzal z Clevelandskej dohody a Pittsburskej dohody, protestoval proti odsunu priemyslu zo Slovenska, proti nezamestnanosti, vysťahovalectvu, favorizovaniu českých štátnych zamestnancov, výučbe z českých učebníc a pod. Žilinské memorandum, ktoré požadovalo autonómiu Slovenska, predložila ľudová strana prezidentovi ČSR T. G. Masarykovi a Spoločnosti národov v Ženeve. Memorandu venovala pozornosť minoritná sekcia Spoločnosti národov, ale zhodnotila ho tak, že nespĺňa podmienky menšinovej sťažnosti.[17]

Ferdiš Juriga, Ľudovít Labaj a Vojtech Tuka vypracovali tri samostatné návrhy a v roku 1921 ich zverejnili v tlači. Jurigov návrh stál na základoch čs. štátnej jednoty, ale pre Slovákov požadoval samosprávu, vlastnú administratívu, vlastné školstvo, rovnocennosť slovenčiny na celom území ČSR. Labaj predložil návrh, z ktorého neskôr vychádzal oficiálny text ľudovej strany. Tuka presadzoval federatívne usporiadanie troch samostatných štátnych území: českých krajín, Slovenska a Podkarpatskej Rusi, ktoré by získali samostatné medzinárodné uznanie, ústavu, zákonodarstvo, vládu, parlament, armádu. Spoločné mali mať trestné a občianske zákony, celoštátny parlament, zahraničnú reprezentáciu.[18] Následne poslanci ľudovej strany predložili 25. januára 1922 prvý spoločný oficiálny návrh na vznik samosprávy Slovenska Národnému zhromaždeniu. Slovensko malo figurovať v jednom štátnom celku v ČSR spolu s českými krajinami, ale s vlastnou zákonodarnou a výkonnou mocou v hospodárskej, školskej, administratívnej, súdnej a sociálnej oblasti. Napr. armáda, zahraničné záležitosti, voľba prezidenta mali zostať v celoštátnej pôsobnosti. Slovenská vláda sa mala zodpovedať slovenskému snemu, ktorý by disponoval kompetenciou prijímať zákony platné na Slovensku. Z dôvodu národnostnej rôznorodosti zloženia obyvateľstva ČSR sa mohla narušiť politická stabilita štátu, preto prezident i vláda ČSR odmietali auto-

16 ROLKOVÁ, Natália. Smerovanie Slovenskej ľudovej strany v rokoch 1905 – 1939 na podklade jej programových dokumentov. In LETZ, Róbert – MULÍK, Peter – BARTLOVÁ, Alena. *Slovenská ľudová strana v dejinách 1905 – 1945*. Martin : Matica slovenská, 2006, s. 174.

17 FERENČUHOVÁ, Bohumila. Ochrana národnostných menšín v Spoločnosti národov a československá politika (1919 – 1926). In BENEŠ, Zdeněk – KOVÁČ, Dušan – LEMBERG, Hans (eds.). *Hledání jistoty v bouřlivých časech. (Češi, Slováci, Nemci a mezinárodní systém v první polovině 20. století)*. Ústí nad Labem : Albis international, 2006, s. 107 – 138.

18 BARTLOVÁ, Alena. *Túžby, projekty a realita. Slovensko v medzivojnovom období*. Bratislava : Historický ústav SAV, Prodama, spol. s r. o., 2010, s. 87 – 90.

nomistické snahy Slovenskej ľudovej strany, ktoré chápali ako nestabilizačný prvok nepodporujúci konsolidáciu národnostných pomerov v ČSR.[19]

Agrárna strana sa držala v predvolebnej kampani pred parlamentnými voľbami v roku 1925 Programu Republikánskej strany zemedelského a maloroľníckeho ľudu, ktorý odsúhlasili stranícki účastníci zjazdu 29. júna 1922. Strana sa stala pokračovateľkou Českej strany agrárnej, SNaRS a Slovenskej Domoviny – strany maloroľníckeho ľudu. Tieto strany sa spojili do jednej a vypracovali jednotný a doplnený program, ktorý stál na troch zásadách: agrarizmus, demokracia, republikanizmus a rozvinuli ho na sústave: 1. pôda, človek, práca, 2. rodina, obec, samospráva, 3. národ, vlasť, štát, 4. ľudstvo. Zahraničná politika v ňom nehrala dôležitú úlohu. Podčiarkli dôležitosť samostatného národného štátu a pestovanie čs. vlastenectva. So Slovákmi spájal Čechov spoločný pôvod, slovenčinu chápali ako rovnoprávny jazyk s češtinou na celom území ČSR. Národnostným menšinám chceli zaručiť občiansku rovnoprávnosť a chceli sa postarať o čs. minority v zahraničí. Preferovali vybudovanie čs. armády na základe demokratických princípov, len s najnevyhnutnejšou početnosťou.[20]

Zahraničnopolitická otázka sa dostala aj na predvolebné schôdzky. Vavro Šrobár sa venoval aj týmto aspektom politiky.[21] Na zhromaždení agrárnikov v Banskej Bystrici hovoril o význame nadchádzajúcich parlamentných volieb, pričom sa nevyhol kritike politických strán pôsobiacich na Slovensku. Vyzdvihol príklad politického systému v Spojených štátoch amerických, kde na demokratický politický život stačia len dve politické strany. Vyjadril sa aj k siláckym rečiam ľudovej strany, ktorá verila vo svoje víťazstvo vo voľbách. Šrobár vystúpil aj proti autonómii presadzovanej ľudákmi. Považoval ju za ľudácku hru, ktorou brzdili aj zahraničnopolitickú zmluvu medzi Československom a Maďarskom, pričom so všetkými susednými štátmi už ČSR mala zmluvy podpísané.

Vplyv zahraničných politikov sa dal badať v činnosti niektorých predstaviteľov ľudovej strany a Komunistickej strany Československa. Sociálni demokrati dôkladne pozorovali predvolebné schôdzky, tlač i personálne záležitosti a kandidatúry komunistov, ale aj ľudákov. Navyše obe politické strany porovnali: *„Tieto strany sa predstihujú, aby sa zaľúbily vrchnému vedeniu zahraničnému, ktoré má v rukách ich budúcnosť a kariéru. Má to za následok vzájomné špehovanie predákov strany, hľadanie spojenia cez hlavy domáceho vedenia k vedeniu zahraničnému."*[22] Predstavitelia sociálnodemokratickej strany vo svojej tlači tvrdili, že Alojza Munu, jedného z prvých komunistických pracovníkov, odvolali členovia moskovského vedenia, lebo sa stretol s ľuďmi nepriateľnými pre Moskvu. Ďalších údajne vykúpili za 125-tisíc korún z vyšetrovacej väzby. Niektorých zástupcov ľudovej strany sa zasa dotýkal pápežov čiastočný zákaz kandidatúry kňazov do parlamentu. Sociálni demokrati nesúhlasili so zasahovaním zahraničných predstaviteľov či už politických, alebo cirkevných do domácich záležitostí. Na predvolebných schôdzach vystríhali voličov pred

19 Návrhom autonómie Slovenska sa zaoberali aj predstavitelia maďarskej politiky. Viac pozri MICHELA, Miroslav. *Pod heslom integrity. Slovenská otázka v politike Maďarska 1918 – 1921.* Bratislava : Kalligram, 2009, s. 67 – 75.

20 HARNA, Josef – LACINA, Vlastislav. *Politické programy českého a slovenského agrárního hnutí 1899 – 1938.* Praha : Historický ústav AV ČR 2007, s. 116 – 153.

21 Vavro Šrobár v Banskej Bystrici. In *Slovenský denník*, roč. VIII, 2. 10. 1925, č. 249, s. 4.

22 Moskva a Rím. In *Robotnícke noviny*, roč. XXII, č. 225, 4. 10. 1925, s. 1.

tézami konkurenčných strán, podľa ktorých mala byť liekom na biedu podľa ľudákov autonómia a podľa komunistov diktatúra.

Sociálni demokrati upozorňovali na údajné prepojenie aj medzi agrárnikmi a ľudákmi, čím sa postavili proti koaličným partnerom agrárnikom: *„Ľudáci vedeli vnútiť ich konkurentom, agrárnikom, presvedčenie, že voľby vyhrajú, a tak pán minister Hodža ide už teraz smlúvať s nimi spojenectvo. Pán minister Hodža chce byť aj po voľbách ministrom, ale nie zemedelstva. Túži po kresle zahraničnom, ba chce snáď ešte vyššie. K tomu mala by mu pomôcť podpora slovenských ľudákov a tu smlúva s Hlinkom, čo by to asi stálo.“*[23] Hlinka podľa sociálnych demokratov vďačil Hodžovi za finančnú pôžičku určenú na záchranu Ľudovej banky. Hodža sa podľa sociálnych demokratov vyjadril, že na Slovensku treba strpieť klerikalizmus. Tieto záležitosti nazvali sociálni demokrati kšeftom medzi agrárnikmi a ľudákmi. Neskôr ich upodozrievali, že si už delia volebné víťazstvo.[24]

Krátko pred voľbami sa zástupcovia sociálnodemokratickej strany vyjadrili k programom konkurenčných strán. Ľudáci si za svoj program vzali naplnenie Pittsburskej dohody, teda žiadali aj slovenskú administratívu a snem, ale nevenovali pozornosť jednej vete z nej: *„Podrobné ustanovenia o zariadení česko-slovenského štátu ponechávajú sa oslobodeným Čechom a Slovákom a ich právoplatným predstaviteľom.“*[25] Nezabudli tiež voličom pripomenúť Hlinkovu návštevu zahraničia a jeho spolupracovníka – maďarského profesora Tuku. Komunistom vyčítali prázdne reči a žiadne skutky, kritizovali tiež ich politické vzory, lebo Rusko už za vzor hodný nasledovania nepovažovali.

Predstavitelia Komunistickej strany Československa (KSČ) venovali analýze politiky strán koaličnej vlády celú brožúru, ktorú nazvali *Koalice*. Zaoberali sa vývinom koaličných vlád v ČSR, stavom demokracie v praxi. Konštatovali, že parlament sa zmenil na hlasovací stroj. Jeho vplyv na štátnu správu sa podľa nich rovnal nule. Trvali na tom, že zákon na ochranu republiky umožňoval každej vláde a každému súdu trestne stíhať akýkoľvek opozičný prejav. Tvrdili, že počas celej vlády cisára Františka Jozefa I. sa toľko nestrieľalo do štrajkujúcich a demonštrujúcich robotníkov ako za sedem rokov trvania ČSR. V národnostnej politike pritvrdili: *„Tak jako Washingtonská deklarace, zůstala na papíře i pittsburská smlouva, že Slovákům bude dána samospráva. ... Hospodářsky a politicky jedná se se Slovenskem právě tak jako s Podkarpatskou Rusí, jako s dobytým územím, jako s kolonií. ... Národnostní politika koaliční vlády proti národním menšinám vede ke katastrofě, znemožňuje demokratické řešení národnostní otázky a připravuje půdu nacionalisticko-fašistickému násilnému režimu.“*[26] Koaličnú zahraničnú politiku nazvali vazalstvom voči západným mocnostiam. Kritizovali ministra Edvarda Beneša, že nenadviazal normálne diplomatické styky so ZSSR, a tým zmaril obchodné kontakty s týmto štátom.

Zástupcovia komunistickej strany mali v tomto čase výhodné postavenie, nakoľko dosiahli dobré výsledky v obecných voľbách v roku 1923. Často používali taktiku hyperbolizovanej obžaloby svojich politických protivníkov. Napr. tvrdili, že vývoj politických pomerov v ČSR smeroval k fašizmu. Najviac kritizovali zákon na ochranu republiky

---

23 Hlinka – Hodža. In *Robotnícke noviny*, roč. XXII, č. 231, 11. 10. 1925, s. 1.
24 Čakajú víťazstvo. In *Robotnícke noviny*, roč. XXII, č. 239, 21. 10. 1925, s. 1.
25 Volebné manifesty. In *Robotnícke noviny*, roč. XXII, č. 247, 31. 10. 1925, s. 5.
26 NA ČR Praha, f. PMR, i. č. S 139/1, k. 100. Brožúru vydali po konfiškácii v druhom opravenom vydaní, nákladom sekretariátu KSČ, a vytlačila ju Grafia v Prahe roku 1925.

a volebnú reformu, ktoré im komplikovali ich extrémne poňatú predvolebnú agitáciu. Odsudzovali väznenie stovky komunistických dôverníkov, funkcionárov a prívržencov strany. Vyjadrili obavy, že ich volebné schôdze budú marené a usporiadatelia zastrašovaní štátnymi úradmi. Predpokladali, že ich tlač, plagáty a letáky budú konfiškované, k čomu aj došlo, keďže porušovali platné zákony. Komunistická strana kritizovala všetky koaličné vlády v ČSR, parlamentný ani volebný systém nevyhovoval jej politickým praktikám. Zahraničná politika koalície podľa KSČ zosobňovala podriadené postavenie ČSR voči západným mocnostiam. Presadzovala diplomatické a obchodné styky so ZSSR.

Pred parlamentnými voľbami v roku 1929 sa stalo viacero udalostí, ktoré pomerne zásadne ovplyvnili témy predvolebných zhromaždení. Vo februári 1929 sa musel vzdať ministerského kresla Milan Hodža pre zasahovanie do zahraničných záležitostí, ktoré patrili do kompetencií ministra zahraničia Edvarda Beneša. Navyše, Hodžu spájali s nejasnými finančnými okolnosťami pri presunoch majetku bývalej ostrihomskej arcidiecézy. Matej Hanula k problému napísal: *„V tom čase sa už nad Hodžovým ministerským pôsobením sťahovali mraky. Trpezlivosť prezidenta Masaryka s jeho počínaní, najmä otvorenou kritikou ministra Beneša, pretiekla. Hradné kruhy sa preto rozhodli proti Hodžovi energicky zakročiť. Okolie prezidenta a ministra zahraničia dospelo k presvedčeniu, že odstavenie Hodžu z vládnej pozície ho pripraví nielen o prestíž, ale aj o možnosť disponovať najrôznejšími ministerskými finančnými fondmi, čo ho zbaví nielen vplyvu v rámci agrárnej strany, ale aj na slovenskej politickej scéne. Príležitosť sa im naskytla začiatkom roka 1929. Beneš využil Hodžove sťažnosti o tom, že ho rezort zahraničných vecí neinformoval o kampani, ktorú proti nemu viedla bulharská tlač. Šéf diplomacie preto vypracoval rozsiahly elaborát o Hodžových zahraničnopolitických prešlapoch.“*[27] V máji 1929 sa konal riadny ríšsky zjazd agrárnej strany. Hodža sa ho však nezúčastnil. Jeho neprítomnosť vo vláde trvala až do roku 1932. To však neznamenalo, že neovplyvňoval politiku agrárnej strany na Slovensku.[28]

Najväčšou predvolebnou kauzou sa stala tzv. Tukova aféra. Vojtech Tuka publikoval 1. januára 1928 v denníku *Slovák* článok V desiatom roku Martinskej deklarácie, v ktorom tvrdil, že Martinská deklarácia mala tajnú klauzulu o tom, že štátoprávne usporiadanie ČSR bolo obmedzené na 10 rokov. Po tomto období mal nastať v republike bezprávny stav. Na súdnom pojednávaní s Tukom prečítali aj údajný odpis martinskej zápisnice. Podľa ľudákov išlo o návrh prijatý s tým, že po uplynutí prechodnej lehoty, najneskôr do 10 rokov, upraví sa štátoprávny pomer Slovákov dohodou medzi legitímnymi zástupcami z jednej strany zo Slovenska a z druhej strany z Čiech, Moravy a Sliezska. Hodža podľa tohto dokumentu navrhoval na prechodný čas stanoviť česko-slovenský štát na základe slovenského svojrázu. Emil Stodola žiadal garancie a medzinárodne stanovený termín, kedy by nastal stav autonómie. Juraj Slávik žiadal najširšiu autonómiu v oblasti školstva. Juriga preferoval zabezpečenie teritoriálnej osobitosti slovenského národa, sebaurčenie, demokraciu a federalizmus. Ivan Markovič žiadal autonómiu na poli výučby, Dula autonómiu, ktorú zmluvou

27 HANULA, *Za roľníka*, c. d., s. 125.
28 KLIMEK, Antonín. *Velké dějiny zemí Koruny české. Svazek XIII. 1918 – 1929*. Praha – Litomyšl : Paseka, 2000, s. 661 – 666.

potvrdia Česi a Slováci. Samuel Zoch videl nebezpečenstvo v prízvukovaní samostatnosti a decentralizácii. Emanuel Lehocký vyzval na jednotu oboch národov.[29]

Dňa 5. októbra 1929 uprostred predvolebnej kampane súd vyniesol nad Tukom rozsudok: *„Napriek kontroverzným výpovediam a nedostatku priamych usvedčujúcich dôkazov uznal Krajský súd v Bratislave Tuku vinným a odsúdil ho za zločin vojenskej zrady spáchanej za zvlášť priťažujúcich okolností podľa § 6 a prípravu úkladov o republiku podľa § 2 zákona na ochranu republiky na 15 rokov „káznice" a stratu čestných občianskych práv na dobu troch rokov podľa § 32 toho istého zákona č. 50/23 Zb. z. a n."*[30]

Ľudáci po uzavretí Tukovej aféry a Tukovom odsúdení príslušným súdom nasmerovali záujem voličov na problémy politických rivalov. Išlo o typickú ukážku predvolebnej stratégie. Predstavitelia HSĽS zverejnili údajne dôveryhodný dokument o Hodžovom poprevratovom vyjednávaní v Budapešti. Ľudákom sa totiž nepozdávala snaha o návrat Milana Hodžu do politiky.[31] Redakcia Slováka zašla až tak ďaleko, že obvinila Hodžu z vlastizrady. Publikovala kópiu dokumentu, osvedčenia Alberta Barthu, bývalého maďarského ministra domobrany, ktorý tvrdil, že v novembri 1918 nerokoval o českej demarkačnej čiare. Predlohy k nej podal dvakrát v mene versailleskej komisie francúzsky podplukovník Ferdinand Vix. S Hodžom vyjednával u ministra pre národnosti Oskara Jászyho.[32] Ľudáci kritizovali Hodžu, že mal funkciu splnomocnenca ČSR a zároveň rokoval v mene Slovenskej národnej rady (SNR) a požadoval údajne len jedno slovenské ministerstvo, 2 – 3 županáty a slovenské velenie 2 – 3 plukov.

Zástupcovia agrárnej strany po vypísaní predčasných parlamentných volieb očakávali neľahký predvolebný zápas, v ktorom sa museli pripraviť na tlak ľudákov popudených Tukovým procesom.[33] Po tom, ako predstavitelia ľudovej strany začali kampaň na oslabenie prípadných negatívnych dosahov procesu s Vojtechom Tukom na volebné výsledky HSĽS, sústredenú na Milana Hodžu, museli agrárnici odpovedať na vzniknutú situáciu. Ľudáci sa snažili spochybniť Hodžovu úlohu pri vyjednávaní hraníc ČSR s Maďarskom spomínaným osvedčením Alberta Barthu, ktorý sa kriticky vyjadril o Hodžovej aktivite.[34] Redaktori *Slovenského denníka* o probléme napísali: *„Celá táto senzácia spísaná zlým maďarským pravopisom v základe svojom je detinskou volovinkou, vzhľadom však na to, že 'Slovák' sám rozširuje lži, ktorých hojne využíva proti našej republike peštianska iredenta, bude*

29 Zápisnica zo zasadnutia výboru Slov. nár. rady v Turčianskom Sv. Martine 31. októbra 1918. In *Slovák*, roč. XI, č. 170, 31. 7. 1929, s. 1.

30 HERTEL, Maroš. *Dr. Vojtech Tuka v rokoch 1880 – 1929. Pokus o politický profil.* Dizertačná práca, nepublikovaná. Bratislava : Historický ústav SAV, 2003, s. 168. Viac k téme: HERTEL, Maroš. Vlastizrada alebo pomsta? : kauza Vojtech Tuka a spol. In BYSTRICKÝ, Valerián et al. *Storočie procesov : súdy, politika a spoločnosť v moderných dejinách Slovenska.* Bratislava : Veda, vydavateľstvo SAV : Historický ústav SAV, 2013, s. 66 – 82.

31 Smie vstúpiť Hodža znova na pole aktívnej politiky českej alebo slovenskej? In *Slovák*, roč. XI, č. 204, 8. 9. 1929, s. 1 – 2.

32 Viac k téme: ZEMKO, Milan. *Občan, spoločnosť, národ v pohybe slovenských dejín. Pravidlá parlamentnej demokracie a obmedzenia v ich uplatňovaní v slovenskej spoločnosti 20. rokov 20. storočia.* Bratislava : Historický ústav SAV, 2010, s. 125 – 132.

33 Zajtra rozpustenie parlamentu a vypísanie volieb. In *Slovenský denník*, roč. XII, č. 221, 25. 9. 1929, s. 1.

34 Viac k téme: FERENČUHOVÁ, Bohumila. *Francúzsko a slovenská otázka 1789 – 1989.* Bratislava : Veda, 2008, s. 318 – 341.

užitočné, keď jej pôvodca pôjde pred súd."[35] Agrárnici teda nepovažovali Barthove tvrdenie zverejnené v *Slováku* za pravdivé, videli v ňom len snahu ľudákov o odvrátenie pozornosti verejnosti od Tukovho procesu. Hodžovi sa dostalo podpory tiež tým, že čs. tlač odsúdila Barthovo osvedčenie.

Karol Hušek, šéfredaktor *Slovenského denníka*, požiadal o vyjadrenie Józsefa Diner-Dénesa, ktorý zastával vo vláde Mihálya Karolyiho post štátneho tajomníka ministra zahraničných vecí. Ten sa vyjadril o Barthovi, že nehovoril pravdu a nestalo sa tak prvý raz. Hodža rokoval s Barthom z pozície čs. splnomocnenca, rokoval v rámci svojich kompetencií. Ľudáci nepovažovali tento dôkaz za dostatočný. Súboj oboch politických strán v novinách pokračoval. *Slovenský denník* uverejnil článok Józsefa Halmiho o Albertovi Barthovi, ktorý ľudáci skritizovali. Tvrdili, že Halmi propagoval boľševizmus a pracoval v službách sovietskeho vyslanectva v Berlíne, dokonca ho vykázali z ČSR, kde sa napriek tomu zdržiaval.[36] Zástupcovia ľudovej strany usúdili, že Hodža sa obával predstúpiť pred súd, na rozdiel od Tuku. Pre agrárnikov sa kauza skončila tým, že napriek tvrdeniu v *Slováku*, že Hodža sa vyhýbal súdnemu konaniu, podal na redakciu *Slováka* žalobu Krajskému súdu v Bratislave prostredníctvom svojho právneho zástupcu Vladimíra Krna.[37]

V *Slováku* sa vyjadrili na adresu agrárnej strany, že *„nič divného, keď sa agrárna strana blíži svojím vnútorným charakterom a snahami k materialisticko-triednej strane robotníckej, k sociálnej demokracii. Obe strany u svojej kolísky maly židov – tu Alfonz Šťastný, tam Karol Marx a neskôr Lev Trockij – a dostaly do svojej krvi čosi, čo nie najkrajšie reprezentuje židov: hrabivosť, honbu za grošom a za bohatstvom.*"[38] Politická činnosť agrárnej strany sa podľa ľudákov podobala diktatúre, porovnávali ju s krvavým boľševizmom v ZSSR, teda išlo o preexponované hodnotenie podobné vyhláseniam KSČ o fašizujúcej sa čs. vláde.

Krátko pred konaním parlamentných volieb agrárnici identifikovali finančné zdroje ľudovej strany. *Slovenský denník* tvrdil, že Vojtech Tuka a jeho prívrženci chceli rozvrátiť ČSR: *„Robili to za maďarské peniaze, ktoré Tuka dostával z Budapešti od prof. Lukinicha, svojho bývalého kolegu na maďarskej univerzite bratislavskej, z iredentistického spolku 'Pre Horniaky' i z maďarského zahraničného ministerstva, avšak maďarské peniaze nedostával len Tuka sám. Maďarské peniaze dostávala i Hlinkova ľudová strana a sám Hlinka.*"[39] Údajne tieto informácie potvrdili viaceré dôveryhodné zdroje: Tukov tajomník Karol Stöger, bývalý redaktor *Slováka* Jur Koza Matejov a lučenecký starosta Karol Belánsky.

Parlamentné voľby v roku 1935 možno označiť za posledné demokratické voľby na území ČSR až do roku 1946. Československá republika mala naďalej demokratický charakter, ale obranné okolnosti nútili jej štátny aparát tento charakter sčasti obmedzovať, preto sa niekedy režim tohto obdobia nazýva autoritatívnou demokraciou.[40] Predvolebná

35 „Slovák" musí pred súd. In *Slovenský denník*, roč. XII, č. 209, 11. 9. 1929, s. 2.

36 Dr. M. Hodža bojí sa ísť pred súd! In *Slovák*, roč. XI, č. 224, 3. 10. 1929, s. 1.

37 Vedomé nepravdy ‚Slováka' a jeho zakukleného ‚Rodobranca'. In *Slovenský denník*, roč. XII, č. 228 a, 4. 10. 1929, s. 3.

38 Roľník patrí vraj do roľníckej strany. In *Slovák*, roč. XI, č. 223, 2. 10. 1929, s. 1.

39 Hlinkova ľudová strana dostala z Maďarska peniaze. In *Slovenský denník*, roč. XII, č. 239, 17. 10. 1929, s. 2.

40 KÁRNÍK, Zdeněk. *České země v éře první republiky (1918 – 1938). Díl druhý. Československo a české země v krizi a v ohrožení (1930 – 1935).* Praha : Libri, 2002, s. 448.

kampaň v roku 1935 trvala krátko, ale mala intenzívny charakter. Voľby sa mali pôvodne konať v jesennom termíne, koalícia však zhodnotila zahraničnopolitické i vnútropolitické okolnosti a rozhodla sa pre májový termín.[41]

Silný ideologický a politický vplyv mal počas celej existencie ČSR predseda Krajinského zastupiteľstva sociálnodemokratickej strany na Slovensku Ivan Dérer, ktorý pôsobil vo viacerých vládach medzivojnovej ČSR. Na pozícii ministra školstva (1929 – 1934) požadoval odluku cirkvi od štátu a obhajoval zmenu školského systému, ktorá by zmiernila vplyv katolíckeho duchovenstva v školách. Sledoval tým oslabenie významu HSĽS.[42] Začiatkom 30. rokov 20. storočia sociálnodemokratická strana ostro vystupovala proti hrozbe fašizmu. Základ úspechu pri jeho likvidácii videla vo svojej účasti vo vláde.[43] Dérer *„videl v postupe celého autonomistického tábora len deštrukciu, zameranú proti Československej republike a proti jej demokratickému režimu, navyše s podporou a v zhode so záujmami zahraničných, republike nepriateľských síl"*.[44]

Milan Hodža sa vyjadril na margo autonómie, ktorú presadzovala ľudová strana. Označil ľudákov za krátkozrakých, keď odmietali vládnuť nad celou ČSR, a v súvislosti so zahraničnou politikou považoval za nesprávne používanie slova autonómia, nakoľko evokovalo odtrhnutie sa od ČSR. *„V zahraničí pod pojmom autonomie rozumie sa také politické úplne samostatné zriadenie, ktorého snahou je uvoľniť sväzky so štátom, a ešte viac: aj snahu vo vhodnom okamihu sa odtrhnúť. Toto je príčina, prečo mnoho ináč objektívnych zahraničných politikov a publicistov hodnotí autonomizmus našich kolegov ľudáckych a národniarskych ako snahu o rozklad štátu."*[45] Ľudáci vyčítali Hodžovi, že centralistické strany nezabezpečili pre Slovensko dostatok výhod. Práve pod tlakom autonómie sa podľa ľudovej strany dosiahli čiastkové úspechy. Tvrdili, že ak budú mať Slováci v čs. vláde zástupcov strán, ktoré nie sú len pobočkami českých strán na Slovensku, získajú väčšie ústupky. Hodžu kritizovali aj za neriešenie hospodárskeho dualizmu. Z negatívneho vnímania autonomizmu v zahraničí vinili práve protiautonomistickú kampaň Hodžu a Dérera.[46]

Karol Sidor analyzoval problém termínu volieb. Vo vládnej koalícii identifikoval dva smery. Občiansky, reprezentovaný agrárnikmi, požadoval voľby ešte v máji 1935, nakoľko podľa Sidora nevedeli, ako sa vyvinie situácia okolo obilného monopolu. Socialistický smer, reprezentovaný Benešom a sociálnou demokraciou, preferoval jesenný termín volieb, predovšetkým z dôvodu zahraničnopolitickej situácie. *„My slovenská opozícia, musíme v štyritýždňovom predvolebnom období vykonať všetko, aby sme pod svoj autonomistický prápor strhli veľkú väčšinu slovenských voličov."*[47]

---

41 Viac o zahraničnopolitických okolnostiach pozri: FERENČUHOVÁ, Bohumila. Československá zahraničná politika a otázky medzinárodnej bezpečnosti. In ZEMKO, Milan – BYSTRICKÝ, Valerián. *Slovensko v Československu 1918 – 1939*. Bratislava : VEDA, 2004, s. 36 – 56.

42 RUMAN, Ladislav. Československá sociálna demokracia. In *Politické strany na Slovensku 1860 – 1989*, Bratislava : Archa, 1992, s. 127.

43 RUMAN, Československá sociálna demokracia, c. d., s. 131.

44 ŠUCHOVÁ, Xénia. *Kapitoly z dejín sociálnej demokracie na Slovensku*. Bratislava : T. R. I. MÉDIUM, 1996, s. 245.

45 Nehrajme si s osudom Slovenska. In *Slovenský denník*, roč. XVIII, č. 112, 14. 5. 1935, s. 2.

46 „Už ju vyžrali..." In *Slovák*, roč. XVII, č. 107, 10. 5. 1935, s. 1.

47 19 a 26. In *Slovák*, roč. XVII, č. 87, 13. 4. 1935, s. 1.

Ku koncu kampane zverejnila agrárna strana niekoľko apelatívnych textov v súvislosti so zahraničnopolitickou situáciou. *„Znovu sa vo svete hazarduje s myšlienkou mieru, tohto najdrahšieho pokladu človeka. V posledných rokoch zmenila sa tvárnosť Europy. Okolo nás zúrily občianske války, brat zabíjal brata, vyrástly nové armády. Je zmätok medzi národmi, hrozí boj jedných proti druhým.“*[48] Agrárnici preferovali mierovú politiku, vernosť pôde, súdržnosť Čechov, Slovákov i obyvateľov Podkarpatskej Rusi, silu demokracie, vybudovanie silného vojska na obranu krajiny, spojeneckú zahraničnú politiku, posilnenie stráženia hraníc. Agrárnici vo svojej tlači uviedli, že sa inšpirovali anglickým výrokom, že každý národ má takú vládu, akú si zaslúži. Neprichádzalo podľa nich do úvahy, aby Anglicko, krajina s vyspelou demokratickou tradíciou, mala na svojom čele diktátora. Rovnako považovali za demokratickú krajinu Francúzsko. *„Demokratická sústava a systém parlamentnej väčšiny, ktoré u nás po prevrate neustále udržiavame, vzbudzuje rešpekt celého civilizovaného sveta. Sme ostrovom demokracie, okolo nás niet štátu, ktorý by bol ovládaný princípami demokracie a parlamentnej väčšiny. V Nemecku je diktátorom Hitler, diktatúra je v Maďarsku, Rakúsku, Poľsku.“*[49]

Strana sociálnej demokracie výrazne spomedzi ostatných politických strán zdôrazňovala zahraničnopolitické súvislosti, ktoré ovplyvňovali aj vnútornú politiku ČSR. Vo svojej periodickej i letákovej tlači a na verejných zhromaždeniach apelovala na veľkú ostražitosť voličov, aby zvážili svoje rozhodnutie, lebo vo voľbách išlo o zachovanie demokracie a mieru. Napríklad na verejnej schôdzi v Prostějove predniesol prejav minister Rudolf Bechyně, v ktorom poukázal na zlepšenie hospodárskej situácie v Československu, ale aj na situáciu spred polroka, keď hrozilo vážne nebezpečenstvo vojny.[50] Za pozitívne považoval, že ZSSR vstúpil do Spoločnosti národov a zblížil sa s Francúzskom i Československom. Zjednotenie národa videl v koalícii, a nie v tzv. národnom zjednotení. Do volebného boja strana plánovala ísť s tézou na obranu demokracie, na vybudovanie základov nového hospodárskeho poriadku a zriadenie systému, ktorý bude pomáhať trpiacim hospodárskou krízou.

Ivan Dérer sa na mnohých verejných zhromaždeniach vyjadril, že sociálna demokracia je baštou mieru všade tam, kde sa ešte udržala.[51] Negatíva videl práve v tom, že sa v Nemecku nezachovala sociálnodemokratická strana. Adolf Hitler zaviedol všeobecnú brannú povinnosť, rušil mierové zmluvy, mal výbojné snahy namierené najmä proti ZSSR. Sociálni demokrati ocenili mierovú politiku ZSSR s Malou dohodou a Francúzskom. Vo vnútornej politike videli budúcnosť v plánovanom hospodárstve. Komunistov a ľudákov považovali za rozvratníkov, ktorí môžu Československo priviesť k takému koncu ako v susedných diktátorských krajinách. Dérer mobilizoval občanov článkom napísaným pri príležitosti osláv 1. mája, aby prišli voliť sociálnych demokratov, ktorí boli podľa jeho slov vždy strážcami republiky, demokracie a socializmu. *„Pri voľbách nebojujú len domáce strany vzájomne proti sebe. Pri týchto voľbách bojujú i zahraniční nepriatelia proti československému štátu. Používajú k tomu masky niektorých domácich politických strán a skupín. Zdanlive bojujú*

48 Všetkým občanom republiky! Mužovia a ženy! In *Slovenský denník*, roč. XVIII, č. 105, 5. 5. 1935, s. 1.

49 Pár slov k voľbám. In *Slovenský denník*, roč. XVIII, č. 96, 24. 4. 1935, s. 1.

50 S akým heslom pôjdeme do volieb. In *Robotnícke noviny*, roč. 32, č. 49, 27. 2. 1935, s. 1.

51 Dva veľké tábory ľudu sociálnej demokracie na južnom Slovensku. In *Robotnícke noviny*, roč. 32, č. 65, 19. 3. 1935, s. 1.

proti sociálnej demokracii, v skutočnosti však proti československému štátu.“[52] Zopakoval, že v krajinách, kde padla sociálna demokracia, udržala sa vláda len brutálnou mocou a krvavým násilím. Uviedol, že 1. mája sa mobilizuje sila pracujúceho ľudu na bitku, v ktorej je nevyhnutné poraziť hydru ľudáckonárodniarskej, fašisticko-kurtyakovskej reakcie. Mal tým na mysli Autonomistický blok, ktorý vytvorila HSĽS pred parlamentnými voľbami so SNS, s poľskou (Polskie stronnictvo v Cechoslowaciji) a rusínskou (Rusínsky autonomni zemnedelsky sojuz) menšinovou stranou. Politické zoskupenie vzniklo z pragmatických dôvodov strán spojených v ňom: „*Úpravu postavenia Slovenska v ČSR, ktorú požadovali autonomisti, bolo možné docieliť len na pôde parlamentu, a teda predpokladom jej realizácie bolo získanie náležitého počtu poslaneckých kresiel. Pred parlamentnými voľbami roku 1935 SNS zvažovala rozličné možnosti spojenectva, pričom pakt s HSĽS bol jednou z nich. Nakoniec po stroskotaní iných alternatív strany rokovali o spoločnom postupe. V apríli 1935 podpísali volebnú dohodu, v ktorej si určili poradie kandidátov oboch strán na kandidačných listinách, finančné náklady a pod.*“[53]

HSĽS a SNS sa spolu s ďalšími partnermi v Autonomistickom bloku sústredili na otázku autonómie. Mala však už iný rozmer než v predchádzajúcom období. Zahraničnopolitické tendencie ovplyvnili aj radikálnejšie prúdy v tomto zoskupení, či už krídlo v HSĽS, ale najmä poľského a podkarpatoruského spojenca ľudákov, ktorí mali aj územné požiadavky.

V roku 1920 dominovala téma autonómie, ktorú štátne orgány ČSR považovali za potenciálne ohrozujúcu celistvosť republiky. Čo sa týkalo predvolebného programu ľudovej strany, otázka autonómie ostávala primárnou pred každými parlamentnými voľbami. Milan Hodža v roku 1920 nesúhlasil s autonómiou, akú navrhovali ľudáci, uznal však, že Slovensko potrebovalo samosprávu na župnej a obecnej úrovni, ktorá by mala v kompetencii politické a hospodárske záležitosti. Otázkam zahraničnej politiky patrila v programoch strán skôr sekundárna úloha. Taktiež sa táto téma neobjavovala primárne na volebných schôdzkach. Pred rokom 1925 ľudová strana ešte vygradovala požiadavku autonómie návrhmi viacerých svojich členov strany. Pred voľbami v roku 1929 sa ľudáci pokúšali odviesť pozornosť od Tukovej aféry a spustili protikampaň na zmiernenie dosahov Tukovho procesu zameranú na osobu Milana Hodžu. Ľudáci chceli spochybniť Hodžovu úlohu pri vyjednávaní hraníc ČSR s Maďarskom. Komunistická strana v podstate pred každými parlamentnými voľbami kritizovala vládu, odmietala parlamentný aj volebný systém. Zahraničná politika koalície sa podľa KSČ podriaďovala západným mocnostiam. Komunisti preferovali diplomatické a obchodné styky so ZSSR. V roku 1935 sociálni demokrati intenzívne zdôrazňovali zahraničnopolitické súvislosti, ktoré ovplyvňovali aj vnútornú politiku ČSR. Vo svojej tlači a na verejných schôdzkach vyzývali voličov, aby dôkladne zvážili svoje rozhodnutie, lebo vo voľbách išlo o zachovanie demokracie a mieru. Najvýraznejšou postavou kampane sa stal Ivan Dérer, ktorý mobilizoval voličov, aby odmietli fašizmus a autonomistické požiadavky.

52 Za Republiku, demokraciu a socializmus! In *Robotnícke noviny*, roč. 32, č. 100, 1. 5. 1935, s. 1.
53 ROGUĽOVÁ, *Slovenská národná strana*, c. d., s. 294.

Zápas o teritoriálnu integritu Slovenskej krajiny v rokoch 1938 – 1939*

Valerián Bystrický

Vybudovanie teritoriálnej celistvosti a jej zabezpečenie cestou organizácie bezpečnosti bolo základným predpokladom existencie novovzniknutého štátu Čechov, Slovákov a neskôr Podkarpatských Rusov. Súčasťou tohto úsilia bolo utvoriť spojenecké zväzky s veľmocami, s pomocou a podporou ktorých došlo k vzniku nového štátu.[1] Súčasne politickí reprezentanti republiky sa museli snažiť participovať na rôznych formách medzinárodných garancií, ktoré vznikali v záujme udržania nového celoeurópskeho územného usporiadania po Veľkej vojne. Nedeliteľnou súčasťou bola súčasne snaha získať podporu vzniknutej Spoločnosti národov z hľadiska procesu demokratizácie medzinárodných vzťahov a viera v určitú, predovšetkým diplomaticko-politickú pomoc pri ochrane územnej celistvosti štátu. Na druhej strane jednoznačná prozápadná orientácia republiky vyvolávala spory s revizionistickými veľmocami a susedmi. V Európe rástlo v procese vývoja napätie medzi súperiacimi veľmocami a novo vzniknutými štátmi dotýkajúce sa aj ich územnej integrity. V tejto súvislosti sa v československom prostredí začali postupne v časti spoločnosti, ale aj u niektorých politických subjektov prejavovať pochybnosti o účinnosti existujúcich záruk bezpečnosti, najmä zo strany Spoločnosti národov.

V povojnovej Európe rozdelenej na „víťazov a porazených“[2] musel vznik Československa súčasne vyvolať negatívnu reakciu, pretože k jeho utvoreniu došlo na základe rozpadu predchádzajúcich štátnych útvarov a revízie dovtedy existujúceho mocensko-teritoriálneho rozdelenia regiónu. Snaha o zmenu nového územného usporiadania po roku 1918 sa stala permanentnou súčasťou vzťahov medzi republikou a väčšinou jej susedov. Podľa Edvarda Beneša akékoľvek trvalé zlepšenie vzťahov so susednými krajinami sa mohlo uskutočniť len po územných ústupkoch v ich prospech.[3] Rovnako základnou axiómou bolo, že územná integrita štátu bola nedeliteľná a túto skutočnosť rešpektovali do roku 1938 všetky slovenské, resp. celoštátne politické subjekty, prirodzene, s výnimkou strán národnostných menšín. Potvrdzovala to aj reakcia na pokusy presadzovať revíziu hraníc počas tzv. rothe-

* Štúdia bola vypracovaná v rámci projektu APVV-14-0644 a bola podporovaná agentúrou VEGA v rámci projektu č. 2/0119/14 Formovanie zahraničnopolitického myslenia slovenských politických elít a spoločnosti v rokoch 1918 – 1939. Zodpovedný riešiteľ: Mgr. Matej Hanula, PhD.

1 *Politické programy českého a slovenského agrárního hnutí 1899 – 1938*. Eds. Jozef Harna, Vladislav Lacina. Praha: Historický ústav AV ČR, 1999 s. 89.

2 HOLEC, Roman. Zmeny národnostného zloženia miest na Slovensku po roku 1918 a možnosti ich interpretácie. In *Veľká doba v malom priestore. Zlomové zmeny v mestách stredoeurópskeho priestoru a ich dôsledky. (1918 – 1929)*. Eds. Peter Švorc, Harald Heppner. Prešov, Graz : Universum, 2012, s. 13.

3 *Formování československého zahraničného odboje v letech 1938 – 1939 ve světle svědectví Jana Opočenského*. Ed. Milan Hauner v spolupráci s Markem Ďurčanským, Václavem Podaným a Michalem Šulcem. Praha : Akademie věd České republiky, 2000, s. 133.

merovej akcie,[4] v reakcii na problematické interview T. G. Masaryka britskému novinárovi,[5] na článok v týždenníku Přítomnost, kde sa teoreticky pripúšťala možnosť revízie hraníc v strednej Európe,[6] na návrh paktu štyroch veľmocí v roku 1933 a pod. Jednoznačne sa odmietali iredentistické akcie Františka Jehličku, Viktora Dvortsáka a pod., ktorí požadovali pre Slovensko právo na samourčenie, pričom poskytnutie autonómie malo utvoriť predpoklady na pripojenie autonómneho Slovenska k Maďarsku.[7] S týmto cieľom sa slovenská otázka využívala na diskreditáciu republiky a v Maďarsku sa vnútorná nestabilita ČSR, a rovnako aj nástupníckych štátov považovala za predpoklad zdôvodnenia revízie novovzniknutého územného usporiadania strednej Európy.[8] Z týchto príčin sa za možné ohrozenie teritoriálnej integrity Slovenskej krajiny prakticky považovali približne do polovice 30. rokov predovšetkým revizionistické ambície Maďarska[9] a jeho snaha o obnovu svätoštefanského kráľovstva. Pokiaľ však Maďarsko nemalo podporu veľmoci, vzhľadom na jeho vplyv a mocenskú silu Československa a existenciu Malej dohody neprichádzala do úvahy korektúra hraníc so Slovenskom. Situácia sa menila so stupňovaním agresívnej politiky nacistického Nemecka v druhej polovici 30. rokov minulého storočia. V Berlíne začali konkrétne plánovať agresiu proti Československu a v rámci nej chceli, aby sa exponovalo aj Maďarsko. Odmenou malo byť prinavrátenie „Horného Uhorska“. Konkrétne sa otázka Slovenska ako možnej „koristi“ z hľadiska ambícii Budapešti objavila už v novembri 1937, keď Adolf Hitler ubezpečoval maďarských politikov, že si *„nerobí nárok ani na Bratislavu, ani na iné časti Slovenska“.*[10] Súčasne dostali ubezpečenie, že Maďarsko *„v prípade nemeckého zásahu v Československu získa predvojnové hranice Uhorska“.*[11] Cieľavedome a systematicky sa pripravovali politické, ekonomické a diplomatické konflikty súvisiace s postavením nemeckej menšiny v Československu a neskôr v roku 1938 najmä s požiadavkou jej návratu do tretej ríše. V zmenenej situácii videli v Budapešti príležitosť realizovať podobným spôsobom a s pomocou nacistického Nemecka aj svoje revizionistické ambície. Ale ešte v máji 1938 sa v Budapešti sťažovali, že Nemecko nepodniklo nič, aby s Maďarskom nadviazalo kontakt pri vyriešení slovenskej otázky.[12] Nacistickí politici a zvlášť Hitler neboli ochotní poskytnúť informácie o svojich plánoch Budapešti a rokovať

---

4 MICHELA, Miroslav. Reakcia slovenských politických kruhov a tlače na Rothermerovu akciu 1927 – 1928. In *Historický časopis*, 52, 2004, č. 3, s. 188 a n.

5 ZMÁTLO, Peter. *Katolíci a evanjelici na Slovensku (1929 – 1932). Ľudáci a národniari na ceste k spolupráci.* Ružomberok : Verbum 2001, s. 109 – 111.

6 SIDOR, Karol – VNUK, František. *Andrej Hlinka 1864 – 1938.* Bratislava: Lúč , 2008, s. 722.

7 KOVÁČ, Dušan. Česko-slovenská štátnosť v kontexte slovenských dejín (otázka kontinuity a diskontinuity). In *Československo 1918 – 1938. Osudy demokracie v střední Evropě.* Eds. Jaroslav Valenta, Emil Voráček, Josef Harna. Praha : Historický ústav AV ČR, 1999, s. 26.

8 MICHELA, Miroslav. *Pod heslom integrity. Slovenská otázka v politike Maďarska 1918 – 1921.* Bratislava : Kaligram, 2009, s. 27, 44.

9 KAMENEC, Ivan. *Spoločnosť, politika, historiografia. Pokrivené (?) zrkadlo dejín slovenskej spoločnosti v dvadsiatom storočí.* Bratislava : Historický ústav SAV, 2009, s. 14.

10 DEÁK, Ladislav. *Hra o Slovensko: Slovensko v politike Maďarska a Poľska v rokoch 1933 – 1939.* Bratislava : Veda SAV, 1991, s. 79.

11 *Slovensko a slovenská otázka v poľských a maďarských diplomatických dokumentoch v rokoch 1938 – 1939.* Eds. Dušan Segeš, Maroš Hertel, Valerián Bystrický. Bratislava : Spoločnosť Pro História, 2012, dok. 6, s. 80. Informácia premiéra Kálmána Darányiho 25. 2. 1938.

12 Tamže, dok. 53, s. 185.

o spoločných politicko-diplomatických a vojenských krokoch proti Československu prakticky až do septembra 1938.

Ak predstavitelia slovenských politických subjektov po roku 1918 jednotne a jednoznačne trvali na udržaní územnej celistvosti štátu, v roku 1938 sa situácia zmenila. Bezprostredná hrozba nacistickej agresie proti republike a v tejto súvislosti z hľadiska Slovenska hlavne snaha Maďarska uplatniť svoje mocenské ambície poskytovaním vízie šťastnej budúcnosti v znovu zjednotenom bývalom kráľovstve, resp. hrozbou použitia sily, boli príčinou, že otázky bezpečnosti štátu a udržania územnej celistvosti sa začali hodnotiť z iného pohľadu. Jednoznačne sa v roku 1938 konkrétne ukázalo, že prestali fungovať princípy, na základe ktorých sa budovala dvadsať rokov bezpečnosť republiky. Myšlienka kolektívnej bezpečnosti vyjadrená najmä v zmluvách s veľmocami (Francúzsko, Sovietsky zväz), v Spoločnosti národov, resp. čiastočne aj v rámci Malej dohody koncom 30. rokov totálne skrachovala. Táto skutočnosť neovplyvňovala len otázky organizácie bezpečnosti štátu, ale aj jednotlivých národov a priamo vplývala na prehodnotenie existujúceho štátoprávneho postavenia Slovenska. Nového štátoprávne usporiadanie sa malo hľadať v spolupráci so susednými krajinami. Andrej Hlinka sa domnieval, že *„rok 1938 bude mať pre Slovákov taký istý význam ako rok 1918,“*[13] čo prakticky znamenalo, že sa počítalo s hrozbou korekcie existujúceho teritoriálneho usporiadania stredoeurópskeho priestoru. Uvedené skutočnosti sa prejavovali aj v rámci celkovej politiky Hlinkovej slovenskej ľudovej strany.

V politických kruhoch ľudovej strany sa v priebehu roka 1938 v súvislosti so zhoršovaním medzinárodnej situácie a pod hrozbou rozbitia republiky nepochybovalo, že musí dôjsť ku korekcii hraníc Slovenskej krajiny a Podkarpatskej Rusi v prospech Maďarska. Toto presvedčenie vychádzalo zároveň z hodnotenia politickej situácie štátu a zo vzťahu nacistického Nemecka voči republike. Už v priebehu tajných rokovaní, ktoré viedol poslanec čs. parlamentu János Esterházy v zastúpení maďarských oficiálnych kruhov s Karolom Sidorom a Jozefom Tisom v lete 1938, bolo pre maďarskú politiku zrejmé, že časť politického spektra ľudovej strany je pripravená súhlasiť s nie presne určenými územnými korektúrami v prospech Maďarska.[14] Nová koncepcia vychádzala z predstavy, že predstavitelia ľudovej strany prestali veriť v trvácnosť republiky a sú ochotní v prípade útoku nacistického Nemecka a porážky Československa hľadať iné štátoprávne usporiadanie.[15] V danom prípade nešlo o iniciatívu ľudovej strany dať impulz takémuto vývoju, ale

---

13 Tamže, dok. 24, s. 126.

14 Peštianske *Slovenské noviny* 28. 4. 1939 písali, že A. Hlinka pred svojou smrťou povedal K. Sidorovi: *„Karolko keď nadíde čas odtrhnúť sa od Čiech, stokrát skôr naspäť k Maďarom, ako ešte ráz s Čechmi.“* K. Sidor konštatuje: *„To je pravda, ale bez Karolka. Mňa Hlinka oslovoval Karole alebo Karol“*. SIDOR, Karol. *Vatikánsky denník I.* Ed. František Vnuk. Bratislava : Ústav pamäti národa, 2011, s. 380; A. Hlinka v máji 1938 tvrdil poľskému konzulovi v Bratislave W. Łacinskému že *„Slovákov s Čechmi už nič nespája. Považuje ich za najväčších nepriateľov slovenského národa“. Slovensko a slovenská otázka v poľských a maďarských diplomatických dokumentoch v rokoch 1938 – 1939*, c. d., dok. 46, s 169.

15 TILKOVSZKY, Lóránt. *Južné Slovensko v rokoch 1938 – 1945*. Bratislava : Veda, 1972, s. 20. Otázka kto a kedy začal rokovať o možných korektúrach hraníc s Maďarskom sa neskôr stala predmetom ideologických zápasov. Vynikal v tom M. Jozef Kirschbaum, keď tvrdil: *„Lebo aj južné územia nám boli vzaté nie za Slovenskej republiky ale za ČSR. Dr. Beneš vlastnoručným telegramom ministrovi Cianovi ich ponúkal a jeho zahraničný minister ich Maďarom vo Viedni*

o predstavu ako postupovať v situácii, ak by sa republika stala objektom nacistickej agresie a následne aj agresie zo strany Maďarska. Kontakty so zástupcami ľudovej strany začali už koncom roku 1937 a v priebehu svetového eucharistického kongresu v Budapešti (25. – 28. 5. 1938) sa stretol J. Tiso s ministrom zahraničných vecí Maďarska Kálmánom Kányom. Minister ho ubezpečoval, že maďarská vláda *„je pripravená priznať Slovensku rozsiahlu autonómiu. Tiso vyjadril pripravenosť pricestovať do Budapešti, ak to bude potrebné.“*[16] Súčasne ubezpečil maďarského ministra, že Slováci po odtrhnutí od Čechov budú ochotní vytvoriť s Maďarskom štátny vzťah.[17] Rozhovory o týchto otázkach neprebiehali na úrovni zástupcov maďarskej vlády, ale len časti vedúcich predstaviteľov HSĽS a výlučne ich sprostredkoval poslanec Esterházy. Uvedený fakt jednoznačne znamenal, že Budapešť sa necítila ani nemusela cítiť viazaná priebehom a najmä výsledkami týchto politických kontaktov. Podstatou bolo, že sa malo spresniť, aký by sľubovaná autonómia Slovenskej krajiny mala rozsah a potvrdiť garancie zaručujúce splnenie nezáväzne poskytovaných sľubov. Neoficiálne sa spomínala alternatíva, že Slovensko by dostalo takú autonómiu, akú žiadala HSĽS od Prahy. Rozhodujúce pri komplikovaných rozhovorov bolo, že Budapešť sa vytrvalo odmietala aj cez prostredníka Esterházyho záväzne vyjadriť, ako by sa riešilo celkové postavenie Slovenska v prípade jeho návratu do Maďarska. Ktorá časť by dostala autonómiu a ktorá by sa priamo včlenila do existujúceho maďarského štátu.[18] V každom prípade by došlo k teritoriálnemu deleniu Slovenska. Pritom maďarská vláda nedala v tejto záležitosti nijaké formálne záruky. Poľskí diplomati v Bratislave v septembri 1938 prišli k záveru, že k stroskotaniu maďarsko-slovenských rokovaní došlo v dôsledku prehnaných požiadaviek prichádzajúcich z Budapešti. Navyše, keď Maďarsko začalo klásť ultimatívne politické návrhy okorenené vyhrážkami, dospeli Poliaci v danej situácii k názoru, že *„Slováci sa v súčasnosti prikláňajú skôr k nezávislosti“*.[19] Súčasne však maďarské politické kruhy v septembri 1938 ponúkli J. Tisovi možnosť autonómie a čakali, že po rokovaniach v Žiline 6. októbra 1938 sa *„Slovensko pripojí k Pešti“*. Neskôr, keď Sidor získal o týchto diplomatických rokovaniach dôverné informácie, konštatoval: *„A za mojim chrbtom Maďari rokovali s Tisom“*.[20]

---

potom aj odovzdal.“ KIRSCHBAUM, M. Jozef. *Náš boj o samostatnosť Slovenska*. Cleveland : Slovenský ústav, 1958, s. 136 – 137. Počas Viedenskej arbitráže nebol už E. Beneš takmer mesiac prezidentom. Autor neuvádza dátum dokumentu, kde sa nachádza, prečo mal E. Beneš ponúkať Maďarsku časť teritória ČSR a tým vyvolať precedens. L. Deák v troch zväzkoch dokumentov o Viedenskej arbitráži sa ani nezmieňuje o podobnom dokumente. Prezident neposielal telegramy zahraničným ministrom.

16 *Slovensko a slovenská otázka v poľských a maďarských diplomatických dokumentoch v rokoch 1938 – 1939*. Eds. Dušan Segeš, Maroš Hertel, Valerián Bystrický. Bratislava : Spoločnosť Pro História, 2012, dok. 60 a 63, s. 222, 230.

17 JANEK, István. Maďarské a slovenské revizionistické snahy a bilaterálne vzťahy v rokoch 1939 – 1940. In *Juh Slovenska po Viedenskej arbitráži 1939 – 1945*. Ed. Ján Mitáč. Bratislava : Ústav pamäti národa, 2011, s. 76.

18 *Polskie dokumenty dyplomaticzne 1938*. Ed. Marek Kornat. Warszawa : Polski institut Spraw Międzynarodowych, 2007, dok. 135, s. 320 – 322. Budapešť 3. júna 1938.

19 Archivum Akt Nowych Varšava, f. MSZ, sign. 5 432, č. 31. Bratislava 26. 9. 1938.

20 SIDOR, Karol. *Vatikánsky denník III. (1.1.1942 – 27.10.1942)*. Ed. František Vnuk. Martin : Matica slovenská, 2015, s. 35 – 36.

Ďalšou alternatívou, s ktorou operovali predstavitelia HSĽS v septembri 1938 po faktickom skrachovaní rokovaní s Maďarskom, bola myšlienka nezávislého slovenského štátu s poľskou garanciou. Poľský vyslanec v Prahe Kazimierz Papée po návšteve J. Tisa a Sidora 29. septembra 1938 na vyslanectve v Prahe informoval Varšavu, že slovenskí politici v deklarácii určenej poľskej vláde vyslovili v podstate prosbu „o prevzatie ochrany Slovenska na medzinárodnom fóre". Malo ísť o úniu s Poľskom v rámci dualistického štátu.[21] O problematickom význame pokusov HSĽS riešiť zahranično-politické postavenie Slovenska okrem rokovaní s Maďarskom svedčila aj skutočnosť, že na deklaráciu ľudovej strany poľská vláda ani nereagovala. Napriek uvedeným skutočnostiam sa určitá časť predstaviteľov ľudovej strany domnievala, že podobnými návrhmi a rokovaniami by dokázali zabezpečiť práva Slovákov v štátnom útvare, ktorý by vznikol po rozbití republiky. Úvahy zaoberajúce sa tým, aké dôsledky by takýto postup znamenal pre budúcnosť Slovenska (o takomto vývoji nemali žiadne reálne predstavy), nie sú zachytené v žiadnych relevantných dokumentoch z daného obdobia. Bol to však jednoznačne postup, ktorý nemal v slovenskej politike obdobu, pretože došlo k spochybneniu územnej integrity Slovenska a zároveň aj republiky, pričom sa uvažovalo o štátoprávnom usporiadaní s Českom, Maďarskom a Poľskom takmer súčasne. Žiadna iná slovenská politická strana okrem ľudovej strany neuvažovala, resp. nerokovala do Mníchovskej dohody o možnosti radikálnej zmeny štátoprávneho postavenia, resp. korekcie územnej integrity Slovenska. Výnimkou bol Milan Hodža, ktorý sa klonil k možnosti územných zmien Slovenska pri komplexnom riešení týchto problémov v rámci republiky.

Bývalý ministerský predseda uplatňoval z celoštátneho aspektu koncom septembra 1938 a v ďalšom vývoji na rozdiel od predchádzajúcich predstáv iné koncepcie. Po prijatí ultimáta zo strany Veľkej Británie a Francúzska z 19. septembra 1938 prezidentom a pražskou vládou presadzoval mierové riešenie problému. V rozhovore s poľským vyslancom v Prahe Papéem naznačoval 26. septembra 1938 nielen svoj súhlas, ale aj kladné stanovisko kompetentných pražských politických kruhov s územnými zmenami. Poľsko malo dostať Zaolžie, Maďarsko Žitný ostrov a Nemecko územia s nemeckou väčšinou.[22] Obávajúc sa vojenskej avantúry chcel sa preto vyhnúť izolovanému vojenskému konfliktu s nacistickým Nemeckom a prakticky tým zabrániť širšiemu vojenskému stretnutiu. Dával prednosť „mierovému" riešeniu problémov aj za cenu kapitulácie. Vojenskú konfrontáciu považoval pre štát za totálnu katastrofu. Na jeho návrhy poľská vláda, a už vôbec nie Nemecko nereagovali.

Slovenské politické subjekty s výnimkou komunistov v súvislosti s Mníchovskou dohodou akceptovali myšlienku „mierového" riešenia československej krízy, t. j. kapituláciu. Pritom ich východiská a princípy sa líšili. V procese finálneho riešenia československej krízy v roku 1938 tak zásadne prehodnotili názory na zahranično-politické smerovanie republiky, na otázky organizácie bezpečnosti štátu a na udržanie územného status quo, ktoré

21 *Diarius i teki Jana Szembeka (1935-1945) T. IV.* Ed. Jan Zarański. London : Polish Institute and Sikorski Museum, 1972, s. 189-191; *Slovensko a slovenská otázka v poľských a maďarských diplomatických dokumentoch*, c. d. dok. 126, 127, s. 318, 320; SIDOR, Karol. *Denníky 1930 – 1939.* Ed. František Vnuk. Bratislava : Ústav pamäti národa, 2010, s. 384 – 385.

22 LANDAU, Zbigniew – TOMASZEWSKI, Jerzy. *Monachium 1938. Polskie dokumenty dyplomatyczne.* Varšava : Panstwowe Wydawnictwo Naukowe, 1985, s. 415 – 416.

v minulosti presadzovali a podporovali. Stabilite týchto predstáv a koncepcií verili počas celých dvadsiatich rokov existencie nového štátneho útvaru. V zmenených podmienkach pod tlakom vývoja medzinárodnej situácie museli prijať a akceptovali diktát štyroch veľmocí, pretože tak urobili prezident a vláda. Proti rozhodnutiu týchto inštitúcií nepodnikli ani nepripravovali protestné manifestácie alebo vyhlásenia. Dokonca ani nejaké organizované alebo osobné protesty. Otázka teritoriálnej integrity republiky, a tým aj Slovenska sa riešila na iných princípoch, s akými operovali malé štáty, resp. politické subjekty. Rozhodujúcim činiteľom sa stalo nacistické Nemecko.

Princípmi, na základe ktorých sa malo zmeniť postavenie Nemcov v Československu a následne aj národnostných menšín žijúcich v republike, malo byť právo národa na sebaurčenie. V žiadnom prípade sa neargumentovalo požiadavkou revízie mierových zmlúv prijatých vo Versailles. V priebehu rokovaní Hitlera s britským premiérom Nevillom Chamberlainom v Berchtesgadene (15. 9. 1938) a najmä na stretnutí v Bad Godesbergu o týždeň neskôr sa tento princíp akceptoval.[23] Pre obavy z komplikácií, ktoré hrozili vyústiť do vojenského konfliktu, sa štyri veľmoci dohodli na „mierovom" riešení problému, ktorého dôsledkom bolo akceptovanie teritoriálnych požiadaviek Nemecka a následne aj poľských a maďarských územných nárokov na uvedenom princípe. V žiadnom prípade nemalo ísť o riešenie národnostných problémov na kontinente, ale len ad hoc v Československu. Územia Slovenska a Podkarpatskej Rusi sa bezprostredne dotýkali predovšetkým teritoriálne požiadavky Maďarska, o ktorých ako ukázal neskorší vývoj, nerozhodovali dotknuté štáty, ale veľmoci, a to predovšetkým Nemecko. V tomto kontexte vznikla možnosť aj určitého uplatnenia revizionistických požiadaviek Budapešti.

Rôzne spolky aj vládne kruhy v Maďarsku neustále v období medzi dvoma svetovými vojnami verejne prezentovali teritoriálne ambície smerujúce k obnoveniu územnej celistvosti bývalého kráľovstva pred rokom 1918. V procese československej krízy po podpísaní Mníchovskej dohody sa začal stupňovať tlak maďarskej spoločnosti a politických kruhov. Typickým však bolo, že sa sústreďoval výlučne len proti Slovenskej krajine a Podkarpatskej Rusi, ale nie proti Rumunsku a Juhoslávii. Hoci v rôznych maďarských revizionistických organizáciách a spolkoch a v spoločnosti vôbec sa jednoznačne v celom období medzi dvoma svetovými vojnami forsírovala úplná revízia Trianonskej zmluvy, v oficiálnych diplomatických dokumentoch sa takáto požiadavka v roku 1938 nenastolila. Maďarská zahraničná politika, t. j. oficiálna reprezentácia štátu, sa musela a aj sa prispôsobila celkovým zásadám riešenia národnostných problémov v Československu na princípe práva národov na sebaurčenie. Automaticky to znamenalo, že mohlo ísť len o čiastočné uspokojenie územných nárokov Budapešti. Z týchto dôvodov mohla klásť územné požiadavky podľa vzoru nacistického Nemecka postupne len na odstúpenie Maďarmi obývaného územia v Slovenskej krajine a na Podkarpatskej Rusi. Netaktický prístup Budapešti, keď sa v oficiálnej note z 28. septembra zdôrazňovalo, že maďarská vláda *„je za praktické uplatnenie sebaurčovacieho práva pre všetky národnosti v Dunajskej kotline"*, využila Praha a tvrdila, že v takomto prípade by sa museli rokovaní zúčastniť aj Juhoslávia a Rumunsko.

23 *Akten zur deutschen auswärtigen Politik.* Serie D. Band II (ADAP) Baden – Baden. Frankfurt am Main : Keppler-Verlag, 1951, dok. 562, s. 697; *Mnichov v dokumentech.* Svazek I. Ed. Vladimír Soják. Praha : Státní nakladatelství politické literatúry, 1958, dok 97, s. 177, 179 – 180.

Okamžite nasledovala reakcia Budapešti. V maďarskom Aide-Memoire z 29. septembra 1938 sa uvádzalo, že výraz *„Dunajská kotlina sa prirodzene vťahuje iba na československý problém"*. Bolo to v kontexte s predchádzajúcimi tvrdeniami a požiadavkami, v ktorých sa argumentovalo, *„že najlepší spôsob ako zabezpečiť mier v Dunajskej kotline je súčasne s riešením nemeckej otázky uspokojiť aj maďarské požiadavky"*.[24] Dokonca sa v tomto smere angažoval minister zahraničných vecí Kánya, keď predstaviteľom HSĽS odkazoval do Bratislavy, že Slováci *„nech teraz nežiadajú autonómiu, ale nech z celej sily požadujú uskutočnenie práva na sebaurčenie (a nech nežiadajú autonómiu) a v ich úsilí dosiahnuť ho ich budeme podporovať. Ak našu radu neprijmú, nech potom v priebehu budúceho vývoja udalostí hľadajú chybu u seba."*[25] Išlo o mimoriadne rafinovanú radu, pretože ak by slovenskí politickí reprezentanti pristúpili na argumentáciu o práve národov a národností na sebaurčenie z hľadiska riešenia slovenskej otázky, tak by museli akceptovať aj maďarské teritoriálne požiadavky. Čo sa neskôr aj stalo.

Druhým dôležitým momentom, ktorý ovplyvňoval priamo rozsah budúcich územných zmien v prospech Maďarska na Slovensku, bol neúspešný pokus tretej ríše získať vojenskú podporu maďarskej armády v septembri 1938 v prípade vojenského riešenia československej krízy. Potom, ako predstavitelia ríše nenadviazali priame kontakty s kompetentnými politikmi Budapešti v priebehu prvej polovici roka 1938, podstatný obrat priniesli až rokovania maďarských politikov v ríši. Viedli ich ministerský predseda Béla Imrédy a minister zahraničných vecí Kánya 20. – 25. septembra 1938, ktorí však odmietli začať prípadné vojenské akcie proti republike súčasne s nacistickým Nemeckom.[26] Za týchto okolností už Hitler nemienil „odmeniť" Budapešť darovaním celého Slovenska v prípade rozbitia republiky. Po uzavretí Mníchovskej dohody, keď jej výsledok ani zďaleka neuspokojil agresívne ambície Hitlera, nadobudol postoj k zachovaniu Slovenska ako samostatnej krajiny nové kontúry. Koncepcia ďalšej nacistickej agresie, vychádzajúca z tajných plánov nacistického vodcu prostredníctvom vnútorného rozpadu republiky zdôvodniť okupáciu českých krajín počítala s tým, že „Slováci" vyhlásia samostatnosť a štát sa rozpadne.[27] Za týchto veľmi zložitých okolností a vzhľadom na momentálne panujúce pomery, aj dočasne, neprichádzalo rozdelenie alebo okupácia celého územia Slovenskej krajiny do úvahy. Danej situácii sa musela prispôsobiť aj maďarská politika a postupovať pri zdôvodnení svojich nárokov podľa vzoru Berlína. Jednoznačne sa presadila koncepcia, podľa ktorej sa mali maďarské teritoriálne požiadavky voči Československu, t. j. na Slovensku a v Podkarpatskej

---

24 DEÁK, Ladislav. *Viedenská arbitráž 2. november 1938.* Dokumenty I. Martin : Matica slovenská, 2002, dok. 16 a 17, s. 42 – 43.

25 *Slovensko a slovenská otázka v poľských a maďarských diplomatických dokumentoch v rokoch 1938-1939*, c. d., dok. 123, s. 314.

26 HOENSCH, K. Jörg. *Der ungarische Revisionismus und die Zerschlagung der Tschechoslowakei.* Tübingen : Studium zur Geschichte und Politik, 1967, s. 88; HOENSCH, K. Jörg. *Slovensko a Hitlerova východná politika. Hlinková slovenská ľudová strana medzi autonómiou a separatizmom 1938-1939.* Bratislava : Veda, 2001, s. 127; DEÁK, Ladislav. *Hra o Slovensko*, c. d. s.105.

27 HERMANN, Angela. Nepriama podpora myšlienky slovenskej autonómie zo strany nacionálne-socialistického režimu. In *Rozbitie alebo rozpad?* Eds. Valerián Bystrický, Miroslav Michela, Michal Schvarc a kol. Bratislava : Veda, 2010, s. 195; HOENSCH, K. Jörg. *Slovensko a Hitlerova východná politika*, c. d., s. 127, 136; LUKEŠ, František. *Podivný mír.* Praha : Svoboda, 1968, s. 217; KLIMKO, Jozef. *Tretia ríša a ľudácky režim na Slovensku.* Bratislava : Obzor, 1986, s. 57.

Rusi, riešiť podľa vzoru, ktorý sa uplatnil v prípade Nemcov v Sudetách. Súčasne sa stala perspektívnym cieľom Berlína okupácia českých krajín po vnútornom rozpade republiky, ktorý by nastal vyhlásením samostatného slovenského štátu a po okupácii Podkarpatskej Rusi Maďarskom. V tomto kontexte mala *„Slovákom pripadnúť tentoraz úloha, ktorú hrali predtým národní socialisti a sudetskí Nemci"*.[28] Za týchto veľmi zložitých okolností momentálne, a vzhľadom na panujúce pomery dočasne, v rokoch 1938 – 1939 neprichádzalo do úvahy rozdelenie alebo okupácia celého územia Slovenskej krajiny, ak sa bude v Bratislave vychádzať v ústrety požiadavkám nacistického Nemecka. V princípe sa akceptovala požiadavka, že Maďarsku by mali byť odstúpené územia, v ktorých žije viac ako 50 % maďarského obyvateľstvo podľa sčítania ľudu z roku 1910.

Druhý variant vychádzal z princípu uplatniť na území Slovenskej krajiny a Podkarpatskej Rusi plebiscit, pomocou ktorého sa mali dosiahnuť maximalistické nároky Maďarska. Budapešti sa nepodarilo presadiť túto alternatívu, pretože pre svoje plány nenašla porozumenie v Berlíne. Išlo by o zdĺhavé komplikované rokovania, ktoré boli v rozpore s pripravovanými agresívnymi plánmi proti republike. Nemecko už nepredpokladalo podporu rozsiahlym revizionistickým ambíciám Maďarska voči Slovensku vrátane odstúpenia Bratislavy a okolia.[29] Hrozila aj neprijateľná alternatíva, že podobná požiadavka plebiscitu by sa mala uplatniť aj v Maďarsku.

Československé ministerstvo zahraničných vecí ako kompetentný orgán komunikovalo s maďarskými oficiálnymi kruhmi po otvorení otázky riešenia postavenia maďarskej menšiny v Slovenskej krajine a na Podkarpatskej Rusi do uzavretia Mníchovskej dohody výlučne len v rámci republiky na základe pripravovaného národnostného štatútu.[30] Po prijatí Mníchovskej dohody sa situácia zmenila a Československo vyjadrilo ochotu začať rokovania o zmene postavenia maďarskej menšiny v republike. Krátko po Mníchovskej dohode sa ešte úradujúci minister zahraničných veci Kamil Krofta[31] usiloval hľadať predovšetkým pomoc pri zabezpečení mierového riešenia celého problému. V politickej atmosfére, aká sa utvorila po Mníchovskej dohode a hlavne v existujúcom politickom presvedčení, že zmyslom prebiehajúcich zmien je „spravodlivo" vyriešiť usporiadanie národnostných pomerov v Československu, stalo sa už priamo nespochybniteľným, že musí dôjsť ku korekcii maďarsko-československých hraníc v Slovenskej krajine a na Podkarpatskej Rusi. Uplatnenie týchto princípov v praxi znamenalo, že všetky štáty a predovšetkým veľmoci akceptovali požiadavku určitých územných zmien na úkor dvoch spomínaných častí republiky. Nikto nemal principiálne výhrady proti istej územnej korekcii hraníc aj v týchto častiach štátu. Nikto proti takémuto riešeniu neprotestoval. V princípe ho ani nespochybňoval. Rozhodujúci dôvod bol, že zmeny sa mali uskutočniť na základe Doplňujúceho vyhlásenia Mníchovskej dohody, ktoré ako celok vláda a prezident ČSR akceptovali s cieľom nájsť politické riešenie komplikovaných pomerov v stredoeurópskom priestore. Iná bola otázka, aké rozsiahle územné zmeny sa mali uskutočniť a akým spôsobom. V tomto smere sa anga-

28 HOENSCH, K. Jörg. *Slovensko a Hitlerova východná politika*, c. d., s. 136.

29 SCHVARC, Michal. Bratislava v nemeckých plánoch na jeseň 1938. In *Viedenská arbitráž v roku 1938 a jej európske súvislosti*. Bratislava : Úrad vlády Slovenskej republiky, 2008, s. 25 – 33.

30 DEÁK, Ladislav. *Viedenská arbitráž I*, dok. 14, s. 40. Praha 26. 9. 1938.

31 DEJMEK, Jindřich. *Historik v čele diplomacie: K. Krofta. Studie z dějin československé zahraniční politiky v letech 1936 – 1938*. Praha : Karolinum, 1998, s. 347.

žovalo ministerstvo zahraničných vecí, ale súčasne tiež predstavitelia ľudovej strany. Ich aktivity so skrývanými sympatiami vítal nový minister zahraničných vecí ČSR František Chvalkovský, pretože časť zodpovednosti za určité nespochybniteľné neúspechy v rokovaniach o hraniciach musela padnúť aj na slovenských politikov v tom čase autonómnej vlády premiéra J. Tisa.

Podľa rozhodnutia Doplňujúceho vyhlásenia Mníchovskej dohody sa mal do troch mesiacov vyriešiť aj problém maďarskej a poľskej menšiny v republike. Maďarská vláda už 1. októbra v nóte určenej vláde v Prahe žiadala, aby sa okamžite začali rokovania o požiadavkách maďarskej menšiny v Československu na základe práva na sebaurčenie národnostných menšín v republike. Akútnym problémom sa stalo určenie rozsahu predpokladaných územných zmien a rovnako snaha oboch zainteresovaných strán získať spojencov, ktorí by mohli brániť záujmy jednotlivých krajín.

Jednoznačne to dával najavo tiež Manifest slovenského národa zo 6. októbra 1938 vydaný vedením ľudovej strany. Politická strana v ňom žiadala právo na sebaurčenie pre Slovákov. V dokumente sa Pittsburská dohoda ani nespomenula, hoci s ňou strana v minulosti dvadsať rokov argumentovala. Rovnako sa Pittsburská dohoda nespomínala v žiadnej dohode uzavretej v Žiline. Ľudová strana argumentovala vo vydanom Manifeste výlučne právom národa na sebaurčenie bez výslovnej žiadosti získať autonómiu.[32] Malo už ísť o riešenie, aké sa uplatňovalo v širších medzinárodných súvislostiach, čo ale na druhej strane naznačovalo súhlas s územnými zmenami v prospech Maďarska. Na rozdiel od predchádzajúcich rokovaní v lete 1938 už len pre maďarskú menšinu v republiku, ale v žiadnom prípade nie pre návrat Slovenskej krajiny do bývalého Uhorska. Korekcia hraníc v prospech Maďarska vyplývala z rozhodnutia Mníchovskej dohody a cieľom bolo, aby sa uskutočnila bez použitia sily a v čo najmenšom rozsahu. Toto úsilie korešpondovalo aj so záujmami Juhoslávie a Rumunska, ktoré akceptovali požiadavky Maďarska voči Československu, ale sa usilovali, aby nedosiahli väčšie rozmery. Rozsiahlejšie územné rozšírenie maďarského územia by ohrozovalo ich bezpečnosť.[33] To boli mantinely, v rámci ktorých sa pohybovali diplomatické sondáže a konzultácie medzi zainteresovanými veľmocami, susednými štátmi a súperiacimi protivníkmi v danom období.

Priame rokovania medzi maďarskou a československou delegáciou sa konali v Komárne od 9. do 13. októbra 1938.[34] Československú delegáciu viedol predseda autonómnej vlády J. Tiso. Jeho partnermi bol minister zahraničných vecí Maďarska Kánya a minister školstva a kultúry Pál Teleki. Maďarská delegácia požadovala zmenu hraníc na juhu Slovenska od Devína až po Podkarpatskú Rus v rozsahu viacej ako 12-tisíc km². Podľa vzoru Nemecka argumentovala tým, že základom rokovania musia byť štatistiky z roku 1910, ktoré však neodrážali súčasný reálny stav, boli tendenčné, malo hodnoverné, pretože vznikli v čase vrcholiaceho procesu maďarizácie. Cieľom maďarských zástupcov však nebolo len riešiť postavenie maďarskej menšiny. Rovnako a možno povedať predovšetkým chceli maximálne ohraničiť zvyšok územia Slovenskej krajiny, resp. Podkarpatskej Rusi. Vyžadovať odstú-

32 *Dokumenty slovenskej národnej identity a štátnosti II.* Bratislava : Národné literárne centrum – Dom slovenskej literatúry, 1998, s.179 – 183.

33 DEJMEK, Jindřich. *Nenaplněné naděje. Politické a diplomatické vztahy Československa a Velké Británie (1918-1938*). Praha : Karolinum, 2003, s. 452, 456.

34 DEÁK, *Viedenská arbitráž I*, c. d., dok. 52 až 57, s.72 – 87.

penie väčších miest, kde sa koncentroval hospodársky život, izolovať územie Slovenska od prístupu k Dunaju a perspektívne tak utvárať podmienky na obnovenie stavu pred rokom 1918.[35] Uvedené ciele dokumentoval aj negatívny postoj Budapešti k sľúbenému garantovaniu prípadných nových hraníc zo strany veľmocí v Mníchovskej dohode. Rozhovory neviedli k žiadnym pozitívnym výsledkom, hoci československá delegácia reprezentovaná prakticky celá zástupcami Slovákov postupne súhlasila s odstúpením Žitného ostrova a akceptovala požiadavku, aby sa Komárno zmenilo na medzinárodný prístav a pod. Československá delegácia však kládla najväčší dôraz na paritné vyváženie menšín v oboch štátoch, t. j. koľko obyvateľov maďarskej menšiny by ostalo v Slovenskej krajine a na Podkarpatskej Rusi, toľko Slovákov a Rusínov by prešlo do Maďarska. Prakticky sa ukázalo byť evidentným, že na základe vzájomných rokovaní nemôže dôjsť k žiadnej dohode, hoci československá vláda predkladala ďalšie kompromisné návrhy. Po diplomatických rokovaniach a výmene nových návrhov sa obe delegácie postupne klonili k názoru, že celú otázku musia uzavrieť veľmoci, ktoré podpísali Mníchovskú dohodu.

Maďarsko rovnako ako Československo od roku 1918 hľadali spojencov, ktorí by podporili ich politické ciele. Na jednej strane sa Praha snažila organizovať bezpečnosť nového štátu a hľadať spojencov proti revizionistickým ambíciám predovšetkým Maďarska. Na druhej strane Budapešť jednoznačne inklinovala k veľmociam a štátom, ktoré by jej mohli alebo boli ochotní poskytnúť podporu a pomoc pri revízii existujúcich hraníc. V Maďarsku sa táto aktivita vystupňovala po uzavretí Mníchovskej dohody. Oba štáty začali vyvíjať diplomatickú aktivitu v zmysle podpory svojich požiadaviek. Výrazným nóvom bolo, že Československo muselo oficiálne akceptovať maďarské požiadavky a súhlasiť s korekciou hraníc podľa vzoru, aký sa uplatňoval pri nemecko-československých územných zmenách. V nových politických pomeroch prebiehal zápas už nie o celkový osud Slovenskej krajiny, ale o rozsah územných zmien, s ktorými bude musieť Československo súhlasiť. Rovnako v Budapešti panovalo nespochybniteľné presvedčenie, že dôjde síce nie k maximálnemu, ale v daných podmienkach obmedzenému naplneniu jej revizionistických ambícií. Otvorenou otázkou však ostávalo, v akom rozsahu by sa mohli uplatniť návrhy Maďarska.

Z hľadiska realizácie plánov oboch partnerov bola najdôležitejšia spolupráca s nacistickým Nemeckom, hoci v prípade Maďarska hralo dôležitú úlohu aj Taliansko. Danú skutočnosť si plne uvedomovala aj slovenská časť delegácie, ktorá rokovala s maďarskými partnermi v Komárne. Ferdinand Ďurčanský už v priebehu rozhovorov navštívil poľného maršala Hermanna Göringa v Karinhalle (12. októbra 1938). Pokúšal sa ovplyvniť jeho postoj k československo-maďarským rozhovorom. Žiadne sľuby alebo pomoc však nedostal. Ďurčanskému sa nepodarilo získať od H. Göringa ubezpečenie, že Nemecko nebude naklonené akceptovať prehnané požiadavky Maďarska.[36] Väčší význam sa zo strany oficiálnych miest Československa a autonómnej slovenskej vlády pripisoval rokovaniu s ministrom zahraničných vecí Joachimom von Ribbentropom v Mníchove 19. októbra 1938 za účasti J. Tisa a Ďurčanského.[37] Z rozhovorov získal premiér autonómnej vlády Slovenskej

35 DEÁK, *Hra o Slovensko*, c.d. s.172 – 173; DEÁK, *Viedenská arbitráž I*, c. d., s. 33 – 212.

36 LUKEŠ, František. *Podivný mír*. Praha : Svoboda, 1968, s. 126 – 127; *„Tretia ríša" a vznik Slovenského štátu. Dokumenty I.* Eds. Michal Schvarc, Martin Holák, David Schriffl. Bratislava : Ústav pamäti národa. SNM – Múzeum kultúry karpatských Nemcov, 2008, dok. 53, s.135.

37 Tamže, dok.70, 71, s. 186 – 193.

krajiny dojem, že Nemecko nepodporuje maximalistické požiadavky Maďarska a výsledky rokovaní si interpretoval optimisticky. Nadobudol presvedčenie, že pri korekcii hraníc s Maďarskom zostanú Košice v Československu, čo sa nenaplnilo.

Pražská diplomacia sa snažila v snahe zmierniť územné požiadavky Maďarska ovplyvniť postoj Francúzska, Veľkej Británie a zároveň malodohodových spojencov Rumunska a Juhoslávie. Prostredníctvom diplomatických intervencií už nebolo možné zabrániť revízii hraníc v prospech Maďarska, ale dosiahnuť, aby sa vzniknuté problémy neriešili silou, resp. aby prípadné teritoriálne zmeny neviedli k väčšiemu politickému a hospodárskemu posilneniu Maďarska. Mimoriadne sa v tomto smere exponovalo Rumunsko a Juhoslávia a ich postoj ovplyvňoval aj stanovisko Ríma. Pritom bolo jednoznačné, že tieto štáty podporujú plány na poskytnutie autonómie Slovenskej krajine, akceptujú výsledky Míchovskej konferencie a nemajú námietky proti určitým hraničným korektúram na účet Československa (Slovenskej krajiny a Podkarpatskej Rusi).[38] S rovnakým cieľom sa pražské diplomatické miesta a nitriansky biskup Karol Kmeťko obrátili na Svätú stolicu v snahe zmierniť rozsah maďarských požiadaviek, resp. dosiahnuť, aby Nitra zostala v Československu.[39] Proti neúmerným požiadavkám Maďarska intervenovali aj predstavitelia strany nemeckej menšiny na Slovensku Deutsche Partei. Potom, ako padli ich plány s rozšírením územia ríše na západnom Slovensku, sústredili sa na posilnenie vplyvu nacistického Nemecka v Slovenskej krajine. A tým samozrejme aj svojich pozícii.[40] Všetky tieto intervencie však neovplyvnili podstatu veci.

Paralelne s iniciatívou Československa vyvíjala diplomatickú aktivitu aj Budapešť. Z dvoch veľmocí, do ktorých vkladala nádej na podporu svojich územných požiadaviek, nachádzala väčšie porozumenie v Taliansku ako v Nemecku. Presvedčil sa o tom bývalý ministerský predseda Kálmán Darányi pri návšteve ríše (14. októbra 1938). Hitler vyslovoval pochybnosti o radikálnych maďarských požiadavkách, odmietal možnosť uskutočniť plebiscit, vyzýval k umiernenosti a k obnoveniu rozhovorov s československou vládou. Poveril Joachima von Ribbentropa, aby sprostredkoval rokovania s československou vládou a výsledkom rozhovoru bolo stanovenie tzv. Ribbentropovej línie. Podľa tohto návrhu mali Bratislava, Nitra, Užhorod a Mukačevo zostať v Československu.

Maďarská diplomacia dosiahla väčšie úspechy v rozhovoroch s talianskymi politikmi. Cieľom sa stalo urobiť celý problém otázkou arbitrážneho rokovania medzi Nemeckom a Talianskom. Aktivita Budapešti priniesla pozitívne výsledky počas rokovaní von Ribbentropa s talianskym ministrom zahraničných vecí Galleazzom Cianom v Ríme koncom októbra. Cieľom nemeckého ministra bolo v prvom rade získať súhlas Talianska s uzavretím vojenskej dohody a z tohto východiska sa vyvíjal aj jeho postoj k riešeniu maďarsko-československého sporu. Ministri sa v prvom rade dohodli, že najlepším riešením situácie bude ich arbitrážne rozhodnutie, ktoré by utváralo perspektívu dominantného postavenia oboch veľmocí v stredoeurópskom priestore. Súčasne odmietli maďarskú požia-

38 DEÁK, Ladislav. *Medzinárodný aspekt vyhlásenia autonómie Slovenska – 6. október 1938.* Eds. Richard Marsina, Peter Štanský. Žilina : Knižné centrum pre mesto Žilina, 2002, s. 68.

39 HRABOVEC, Emília. Česko-Slovensko a Svätá stolica 1938 – 1939. In *Rozbitie alebo rozpad?* Eds. Valerián Bystrický, Miroslav Michela, Michal Schvarc a kol. Bratislava : Veda, 2010, s. 42 – 43.

40 SCHVARC, Michal. Bratislava v nemeckých plánoch, c. d., 2008, s. 25 – 33.

davku na uskutočnenie plebiscitu v Slovenskej krajine a na Podkarpatskej Rusi. Ako kompenzáciu súhlasili s odstúpením Košíc, Užhorodu a Mukačeva Maďarsku a s ponechaním Bratislavy a Nitry v ČSR. Nová hranica mala byť určená na základe štatistiky z roku 1910 a Československo a Maďarsko mali obe veľmoci požiadať o arbitrážne rozhodnutie s tým, že sa zaviažu plne akceptovať jeho výsledok. Predstavitelia oboch veľmocí sa dokonca dohodli, že v prípade neprijatia rozsudku zo strany Slovenska by pre obe mocnosti vznikla eventuálne nevyhnutnosť uviesť arbitrážne rozhodnutie do platnosti pomocou ozbrojených síl.[41] Pri rokovaniach v Ríme ministri zahraničných vecí zároveň prijali zásady, ktoré sa neskôr realizovali pri rokovaní vo Viedni. Von Ribbentrop v podstate akceptoval návrhy G. Ciana a nesúhlasil ani s odporúčaniami vedúcich činiteľov Deutsche Partei, ktorí zdôrazňovali pri rektifikácii hraníc Slovenska s Maďarskom nutnosť rešpektovať životaschopnosť Slovenskej krajiny z hľadiska jej strategického významu pre ríšu.[42] Zahraniční ministri oboch veľmocí sa tiež dohodli, že Bratislava zostane v Slovenskej krajine.[43] Do pripravovaných arbitrážnych rozhovorov nezasahovali Veľká Británia a Francúzsko, ktorých diplomati v Prahe dávali nezakryto najavo, že pre Československo bude prospešnejšie, ak nebude žiadať ich krajiny o spoluúčasť na určení nových hraníc.[44] Pod vplyvom týchto skutočností súhlasili zodpovední politici s prípravou Viedenskej arbitráže, aby rozhodnutie urobili Nemecko a Taliansko. Veľká Británia po 2. novembri privítala rozhodnutie z Viedne, ale neuznala arbitráž de jure, ale len verbálne.[45]

Taliansko a Nemecko prijali na arbitrážnom rokovaní vo Viedni 2. novembra 1938 rozhodnutie, ktoré museli obe krajiny akceptovať. Prakticky už išlo len o formálne rokovanie, pretože Nemecko odstúpilo od pôvodnej tzv. Ribbentropovej línie a akceptovalo maďarské požiadavky tlmočené ministrom Cianom. Československá delegácia zastupovaná tiež J. Tisom sa rokovaní nemohla ani zúčastniť, pretože jej reprezentantom musel byť oficiálny predstaviteľ štátu a tým bol minister zahraničných vecí ČSR F. Chvalkovský. Výsledkom arbitrážneho rozhodnutia bolo, že Československo muselo odstúpiť Maďarsku na Slovensku územie v rozsahu 10 390,27 km^2 s 853 670 obyvateľmi, z ktorých bolo 272 145 Slovákov.[46] V princípe sa Maďarsko ani autonómna vláda Slovenskej krajiny nezmierili s vyneseným rozsudkom a v období 2. svetovej vojny sa usilovali, hoci neúspešne, o jeho revíziu. Ku korekcii hraníc došlo aj koncom marca 1939, keď maďarské vojenské oddiely začali agresiu proti vzniknutému Slovenskému štátu a donútili ho odstúpiť 1 070 km^2 v rozsahu 74 obcí s viac ako 40 000 obyvateľmi.

V priebehu októbra neočakávane začalo uplatňovať teritoriálne požiadavky voči Slovenskej krajine nacistické Nemecko. Už krátko po Mníchovskej dohode žiadal Hitler, aby na základe rozhodnutia medzinárodnej komisie o určení hraníc predmestie Bratislavy

41 ADAP-D-IV. dok. 400, s. 455.

42 KOVÁČ, Dušan. *Nemecko a nemecká menšina na Slovensku 1871 – 1945*. Bratislava : Veda, 1991, s. 124 – 125.

43 LUKEŠ, František. K diplomatickému pozadí Vídeňské arbitráže. In *Historický časopis*, 1962, roč. 10, č. 1, s. 64.

44 *Z pamětí československého diplomata Ivana Krnu*. Ed. Michal Šulc. Serie A. Fasciculus 5. Praha : Práce z dějin akademie věd, 1997, s. 146.

45 BECKER, András. Britský pohľad na Prvú viedenskú arbitráž. In *Juh Slovenska po viedenskej arbitráži 1938 – 1945*. Ed. Ján Mitáč. Bratislava : Ústav pamäti národa, 2011, s. 128 a 130.

46 DEÁK, *Viedenská arbitráž I.*, c. d., s. 24.

– Petržalka pripadlo Nemecku. Túto požiadavku presadzoval aj Hermann Göring pričom zdôrazňoval strategický význam predmostia. Dňa 10. októbra nacistické vojsko obsadilo Petržalku. O dva týždne neskôr navštívil Petržalku Hitler. V kontexte územných požiadaviek zástupcov nemeckej národnej skupiny sa však neuskutočnilo odstúpenie Bratislavy, pretože sa o tom rozhodlo na stretnutí von Ribbentropa a Ciana v Ríme koncom októbra 1938.

Ďalšia nemecká požiadavka sa týkala odstúpenia Devína. Trval na tom opäť zo strategických dôvodov Göring, pretože išlo o konečný bod plánovaného kanálu Odra – Dunaj.[47] Argumentácia vychádzala z tvrdenia, že podľa štatistík z rokov 1910 a 1930 mal nemeckú väčšinu. Nepomohli ani intervencie Vojtecha Tuku u Göringa a 22. novembra okupovala nemecká armáda Devín. O mesiac neskôr[48] došlo k čiastočnej korekcii prijatých rozhodnutí a ostrov Sihoť zostal v Č-SR. Celkové zmeny hraníc dosiahli 53 km². Pokusy zmeniť nadiktované rozhodnutia o hraniciach nemali úspech a rokovanie s Nemcami boli veľmi zložité.[49]

Začiatkom októbra 1938 začala celkom neočakávane otvárať možnosť zmeny hraníc so Slovenskou krajinou aj poľská tlač. V polovici októbra už poľská vláda žiadala revíziu hraníc aj oficiálne. Argumentácia Varšavy sa obdobne ako pri požiadavke Tešína neopierala o závery Mníchovskej dohody a predovšetkým o jej Doplňujúce prehlásenie zrejme pre zložité národnostné pomery v štáte. Poľsko, ktoré sa považovalo za stredoeurópsku mocnosť, chcelo riešiť daný problém samostatne. Oficiálne kruhy nepoužívali argument sebaurčenia národa, ale hospodárske, turistické a iné zdôvodnenia. Varšava používala nátlak hroziaci až vypuknutím ozbrojených konfliktov. Nastolenie teritoriálnych požiadaviek, o ktorých sa oficiálne nehovorilo, ale emotívne zdôrazňovalo v tlači, vyvolalo v slovenskej verejnosti a v radoch autonómnej vlády v Bratislave rozhorčenie. Ešte v lete 1938 minister zahraničných vecí Poľska Józef Beck tvrdil, že Varšava nemá voči Slovensku žiadne územné nároky.[50] Situáciu sa snažil zachrániť veliteľ Hlinkovej gardy Sidor počas návštevy Varšavy 19. – 21. októbra,[51] ale bez akéhokoľvek pozitívneho výsledku.

Mimoriadne emotívne sa v slovenskom prostredí registrovali uvedené územné požiadavky Poľska. Pritom nebolo rozhodujúce, že ich rozsah nebol veľký, ale že ich postavil štát, ktorý ľudácka propaganda vydávala za najbližšieho priateľa Slovákov. Ešte v tretej dekáde októbra denník *Slovák* šíril optimistickú náladu: *„Môžeme vyhlásiť, že Poliaci nechcú zo Slovenska ani jednej duše, ani územia.“*[52] Dôsledkom nastolenia územných zmien bolo ochladenie propoľských sympatií slovenskej verejnosti. Pritom sa celková politická situácia vyhrotila v súvislosti s prácou delimitačnej komisie. Slovenské obyvateľstvo sa nechcelo zmieriť s navrhovanými zmenami hraníc a na situáciu reagovalo spontánne. Nielenže protestovalo proti pripojeniu k Poľsku, ale dokonca sa snažilo priamo mariť prácu

47 HOENSCH, K. Jörg. *Der ungarische Revisionismus*, c. d., s. 211.

48 SCHVARC, Michal. Bratislava v nemeckých plánoch, c. d., s. 25 – 33; JANAS, Karol. K problematike hraničných sporov s Nemeckou ríšou v rokoch 1938 – 1943 v Bratislave a okolí. In *Zborník mestského múzea*, XVI. Bratislava, 2004, s. 121 – 128.

49 JANAS, c. d., s. 123.

50 ČAPLOVIČ, Miloslav. Tri dokumenty k slovensko-poľským vzťahom z jari 1938. In *Historický časopis*, 2000, roč. 48, č. 2, s. 346.

51 *Diarius i teki Jana Szembeka (1935 – 1945). T. IV.* Ed. Jan Zarański. London : Polish Institute and Sikorski Museum 1972, s. 319, 322.

52 In *Slovák*, 23. 10. 1938.

delimitačnej komisie. Situácia sa komplikovala natoľko, že v novembri 1938 došlo k incidentom v okolí Čadce a Javoriny. Hoci poľská delimitačná komisia mala policajný dozor, bola napadnutá davom v Oravskom Podzámku. Pomerne nepriaznivý ohlas malo zároveň vyháňanie slovenských kňazov a učiteľov a snaha úradov nahradiť slovenčinu poľštinou.[53] Celý priebeh rektifikácie hraníc spôsobil ochladnutie politických kontaktov a vyvolával napätie vo vzájomných vzťahoch. Obrat v slovensko-poľských vzťahoch však nebol taký radikálny a výrazný, ako v slovensko-maďarských kontaktoch, čo sa prejavilo v ďalšom období pri rokovaniach nielen o hospodárskej, ale aj o politickej spolupráci.

Vedúce poľské politické kruhy stupňovali svoje požiadavky sformulované do šiestich bodov. Dotýkali sa územia okolo Čadce, Javoriny, území v Pieninách, korekcie hraníc pri rieke Poprad a časti tatranských končiarov. V dôsledku tohto tlaku autonómna vláda ustúpila a 1. novembra ich akceptovala. Súčasne vznikla československo-poľská delimitačná komisia, ktorá na zasadnutí v Zakopanom 1. decembra podpísala delimitačný protokol. Výsledkom poľského nátlaku a vzájomných rokovaní bolo, že Česko-Slovensko muselo odstúpiť Poľsku v Slovenskej krajine 226 km^2 so 4 280 obyvateľmi v okolí Čadce, v oblasti Javoriny a na Spiši.[54] Po porážke Poľska Nemeckom na jeseň 1939 došlo ku korekcii hraníc a Slovensko získalo 770 km^2.

V súvislosti s územnými zmenami spôsobenými Mníchovskou konferenciou otvorila aj autonómna vláda v Chuste úpravu krajinskej hranice medzi Slovenskom a Podkarpatskou Rusou. Boli to tradičné spory, pretože mnohé strany na Podkarpatskej Rusi pokladali počas existencie Československej republiky časť Slovenska až po Poprad na základe silných pozícií gréckokatolíckej cirkvi za národnostnú súčasť Podkarpatskej Rusi. Gréckokatolícki duchovní a učitelia začali v týchto súvislostiach v daných nových politických podmienkach v októbri 1938 na východnom Slovensku intenzívnu propagandu s cieľom pripojiť časť východného Slovenska až po Poprad k Podkarpatskej Rusi.[55] Dokonca prebehli na úrovni ústrednej vlády rozhovory, v rámci ktorých premiér autonómnej vlády na Podkarpatskej Rusi Andrej Brody (Andrej Brodij) podmieňoval súhlas s arbitrážnym konaním medzi Maďarskom a Československom úpravou krajinskej hranice na východnom Slovensku. J. Tiso jeho požiadavku razantne odmietol ako neodôvodnenú. Spolu so Sidorom sa začali zaoberať myšlienkou získať pre Slovenskú krajinu za odstúpenie Podkarpatskej Rusi Maďarsku návrat Košíc a časť ich okolia. Dokonca o podobnej alternatíve hovorili aj s poľskými politikmi, resp. diplomatmi. Išlo o bizarné plány, keďže nekompetentní slovenskí politici chceli rozhodovať o inej samostatnej autonómnej časti republiky. Reakcia predsedu ústrednej vlády Jana Syrového a neskôr rovnako Rudolfa Berana bola negatívna.[56]

Proces rokovaní o možnosti korektúry hraníc na Slovensku sprevádzali už od začiatku októbra masmediálne a postupne aj teroristické akcie. Celá propagačná kampaň smerovala k vyrábaniu dôkazov o nespokojnosti maďarského obyvateľstva na Slovensku a k zdôraz-

53 MATULA, Pavol. *Rozdelené Kysuce. Zabratie severných Kysúc Poľskom v rokoch 1938 – 1939.* Krakov : Spolok Slovákov v Poľsku, 2012, s. 8 – 25.

54 DEÁK, *Hra o Slovensko*, c. d., s. 212.

55 ŠVORC, Peter. *Krajinská hranica medzi Československom a Podkarpatskou Rusou v medzivojnovom období (1919 – 1939).* Prešov : Universum, 2003, s. 243, 360.

56 Národní archiv České republiky Praha, f. AA, č. 18190-91, Praha 15. 11. 1938. MASAŘIK, Hubert. *V proměnách Evropy. Paměti československého diplomata.* Praha : Paseka, 2002, s. 267.

ňovaniu jeho práva na sebaurčenie. Maďarsko organizovalo teroristické akcie na slovensko-maďarskom pohraničí. Teroristické oddiely tzv. rongyos gárda (garda otrhancov) sa snažili destabilizovať vnútropolitickú situáciu, ale väčšina z nich nepriniesla pozitívne výsledky, pretože ich činnosť dokázali československé vojenské jednotky eliminovať. Výsledky Viedenskej arbitráže však neuspokojili maximalistické ambície Maďarska a v Budapešti sa netajili tým, že v budúcnosti sa budú snažiť o revíziu existujúceho stavu. Súčasťou maďarskej politiky súčasne bolo potlačiť na odstúpenom území spoločenské kultúrne a iné akcie slovenského obyvateľstva, z čoho vznikali komplikácie v kontaktoch medzi oboma štátmi. Trvalé napätie bolo súčasťou vzájomných vzťahov.

Výsledky Viedenskej arbitráže a súčasne vynútené odstúpenia území Slovenskej krajiny v prospech Nemecka a Poľska vyvolali neobyčajne negatívny ohlas slovenskej spoločnosti. Narušil sa územný status Slovenskej krajiny tak, ako sa fixoval po utvorení Československej republiky. Súčasne sa ukázalo, že predchádzajúce vyhlásenia o tom, koľko má Slovensko priateľov v zahraničí a jeho postavenie je úplne iné, ako pozícia českých krajín, boli len chimérou, populistickým balamutením dôverčivého obyvateľstva. Objektívnou situáciou bolo, že v daných podmienkach nedokázala autonómna vláda zabrániť územným korektúram. Nemohla v žiadnom prípade počítať s nejakou aktívnou diplomatickou pomocou pri riešení teritoriálnych otázok. Prakticky žiaden štát nevyslovil nesúhlas s uskutočnenými zmenami. Autonómna vláda hľadala vinníkov v prebiehajúcej katastrofe medzi svojimi politickými protivníkmi. Najjednoduchšie bolo zvaliť vinu na predchádzajúcich vládcov, ale súčasne sa objavil nový moment, obviňovanie židovského obyvateľstva, že podporuje maďarské revizionistické požiadavky. Príkladom bola manifestácia v Bratislave 2. novembra 1938, ktorá vznikla ako reakcia na deň predtým organizovanú provokáciu príslušníkov maďarskej menšiny, pri ktorej žiadali, aby hlavné mesto Slovenska pripadlo Maďarsku. Momentálnym vyústením protižidovských opatrení bol organizovaný presun – deportácie, dobovým termínom „postrkovanie“ nemajetných židov a židov bez domovskej príslušnosti na územia, ktoré mali pripadnúť Maďarsku na základe Viedenskej arbitráže. Stalo sa tak na základe rozhodnutia premiéra autonómnej vlády J. Tisa.[57] Maďarská strana prirodzene vracala židovských občanov späť na slovenské územie, vďaka čomu skončila celá akcia neúspešne.

Na slovenskú spoločnosť negatívne pôsobilo, akým spôsobom prebiehalo odovzdanie slovenských území Maďarsku na základe Viedenskej arbitráže. Arogantné správanie maďarských žandárov a armády k slovenským občanom vybičovalo politické vášne a situácia vyúsťovala do zvýšeného vzájomného napätia a stupňujúcich sa obojstranných útokov. Pre atmosféru doby bolo priamo prirodzené, že ani jedna strana sa nechcela zmieriť s prijatým rozhodnutím. Situačné napätie navyše zvyšovalo šikanovanie inteligencie, kolonistov a ich vyháňanie na Slovensko. Veľmi negatívne pôsobili pokusy o systematickú asimiláciu a odnárodňovanie. Vojenská správa zakazovala používanie slovenského jazyka ako úradného jazyka a slovenskí učitelia museli postupne opustiť všetky stupne škôl. Do vznikajúcich konfliktov zasiahli žandári a armáda. Krvavé incidenty v Šuranoch na Vianoce roku 1938, v Komjaticiach a Čechoch boli dôsledkom napätej situácie a nespokojnosti slovenského

57 KAMENEC, Ivan. *Po stopách tragédie.* Bratislava : Archa, 1991, s. 25. NIŽŇANSKÝ, Eduard. *Židovská komunita na Slovensku medzi československou parlamentnou demokraciou a slovenským štátom v stredoeurópskom kontexte.* Prešov : Universum, 1999, s. 198.

obyvateľstva. Napätie sa zvyšovalo brutálnymi zákrokmi maďarských žandárov hlavne proti kolonistom, ktorých jednoducho vyháňali na Slovensko bez akejkoľvek náhrady za ich majetok. Sprievodným znakom celej atmosféry doby bola pokračujúca propagandistická kampaň za uskutočnenie plebiscitu na Slovensku, ktorá sa organizovala rozhlasom a v tlači a participovala na nej aj maďarská menšina. Maďarská propaganda šírila myšlienky historického maďarsko-slovenského bratstva a dokonca sľubovala poskytnutie sociálnych vymožeností. Tieto propagačné akcie nemali ohlas v slovenskej spoločnosti a celý proces rektifikácie hraníc po novembri 1938 viedol k zhoršeniu vzájomných vzťahov a k trvalým politicko-diplomatickým konfliktom.

Autonómna vláda v zápase o udržanie územnej integrity Slovenska na jeseň 1938 žala len neúspechy. V tomto kontexte pokusy niektorých politikov a kultúrnych pracovníkov na oboch stranách rieky Moravy otvoriť otázku Moravského Slovenska, resp. moravských Slovákov[58] a ich pripojenie k Slovenskej krajine nemohli mať žiadny úspech. Naopak, k poslednej neskoršej zmene hraníc Slovenskej republiky už s Veľkonemeckou ríšou došlo na základe protokolu z apríla 1941, kedy Slovensko stratilo na hraniciach s Moravou 6,8 km^2.[59] Autonómna vláda nebola v stave zabrániť územnému okliešteniu Slovenska v daných súvislostiach v stredoeurópskom priestore. Nemohla však tento stav akceptovať a preto hľadala vinníka. Pre propagandistickú prax bolo priam prirodzené, že za príčiny neúspechu sa označil predchádzajúci režim a vlády. V slovenskej spoločnosti sa však nevyskytli hlasy, ktoré by obviňovali autonómnu vládu za spôsob, akým bránila slovenské záujmy. Verejná mienka, ale ani zanikajúce politické subjekty kriticky nemedializovali prístup vlády k rokovaniam o hraniciach. Spoločnosť sa s postupom slovenskej reprezentácie pri oficiálnych rokovaniach s daným stavom momentálne formálne zmierila. Agrárnici a sociálni demokrati však prisudzovali zodpovednosť za strašné územné oklieštenie Slovenska ľudovej strane a jej predchádzajúcej politike. Okamžite sa otvorila otázka budúcej možnosti revízie nadiktovaných zmien. Vznikli a vykryštalizovali sa tri alternatívy možného riešenia tohto problému.

Politické elity HSĽS sa nemienili zmieriť s existujúcimi vynútenými územnými zmenami. J. Tiso po návrate z Viedne do značnej miery oprávnene tvrdil, že v momentálnej situácii arbitrážna komisia vo Viedni *„poskytla nám úplné garancie našich nových slovensko-maďarských hraníc"*. Ale na druhej strane zdôraznil: *„nikto nám nemôže zabrániť, aby sme celému svetu neoznámili, že na slovenskom národe spáchaná bola veľká krivda"*.[60] Jednou z rozhodujúcich súčastí zahranično-politických aktivít autonómnej vlády a neskôr Slovenskej republiky sa stala revízia Viedenskej arbitráže. Už len vzhľadom na to, že uvedený cieľ sa nedal dosiahnuť bez aktívnej pomoci veľmoci, hľadali politické elity spojenca, ktorý by mal spoločné zahranično-politické zameranie. V tomto kontexte zostávalo jedinou alternatívou nacistické Nemecko a v určitom čase v rokoch 1939 – 1941 sa skúmali možnosti dosiahnuť isté výsledky aj s prípadnou podporou Sovietskeho zväzu. Vznikli aj pokusy o utvorenie spolupráce Rumunska, Chorvátska a Slovenska v boji za revíziu Viedenskej arbitráže. Rôzne plány a návrhy, ktoré sa objavovali na túto tému, neviedli

58 RYCHLÍK, Jan. *Češi a Slováci ve 20. století. Spolupráce a konflikty*. Praha : Ústav pro studium totalitních režimů; Vyšehrad, 2013, s. 170.

59 KADLEC, Čeněk. *Hry o hranice*. Praha : V. n., 2001, s. 127.

60 TISO, Jozef. *Prejavy a články (1938 – 1944) Zv. II*. Eds. Miroslav Fabricius – Katarína Hradská. Bratislava : Academic Electronic Press; Historický ústav SAV, 2007, s. 25 – 26.

k žiadnym výsledkom. Nemecko zásadne odmietalo diskusie o zmene hraníc v priebehu vojny. Vládnuce elity ľudovej strany nedokázali a ani nemohli presadiť revíziu Viedenskej arbitráže a obdobne ako v iných politických smeroch aj v tomto prípade neviedla ich cesta nikam.

Oficiálne politické kruhy na autonómnom Slovensku aj neskôr nemohli propagovať požiadavku revízie Viedenskej arbitráže z jednoduchého dôvodu, že v momentálnej situácii im dávala garancie hraníc. Revizionistickú kampaň preto organizovali a zabezpečovali viacerí jednotlivci, ako napr. Jozef Kirschbaum, Ferdinand Ďurčanský a ďalší. Celkovým zmyslom týchto akcií bolo zdôrazniť, že slovenskému národu sa stala krivda, za jej odstránenie je nutné bojovať a trvale udržiavať myšlienku revízie. Postupne sa podporovala zásada recipročných opatrení voči maďarskej menšine na Slovensku. Všetky tieto akcie mali predovšetkým propagandistický význam a nemohli vplývať na uskutočnenie revíznych ambícií. Vládnuca ľudácka garnitúra nemala v medzinárodných vzťahoch taký vplyv a postavenie, aby mohla dosiahnuť revíziu Viedenskej arbitráže. Celkovo stratila Slovenská krajina v rokoch 1938 – 1939 cca 11 739 27 km^2 územia s približne 915 500 tisíc občanmi slovenskej a inej národnosti.[61] Bola jednoznačne odkázaná len na postoj Nemecka k tejto otázke, ktoré sa snažilo využívať politickú situáciu výlučne na posilnenie svojich pozícií.

Postupne sa začala v slovenskom politickom živote uplatňovať a presadzovať nová koncepcia v prístupe k revízii rozhodnutí Viedenskej arbitráže. Vznikajúca opozícia, zahraničná emigrácia, ale aj protirežimistické ilegálne organizácie prakticky bez ohľadu na predchádzajúcu politickú orientáciu dospeli k jednoznačnému názoru; revíziu Viedenskej arbitráže možno dosiahnuť len po porážke nacistického Nemecka. To bol tiež jeden z veľmi dôležitých stimulov, ktoré viedli k podpore a sympatiám medzinárodnej antifašistickej koalície od roku 1941 a k podpore antifašistického boja v domácich podmienkach. Pritom bolo jednoznačné, že anulovanie Viedenskej arbitráže je nedeliteľnou súčasťou vyhlásenia Mníchovskej dohody za neplatnú, pričom táto koncepcia sa postupne presadila aj v politických postojoch veľmocí. Celý problém sa definitívne uzavrel na parížskej mierovej konferencii na začiatku roku 1947, keď došlo k anulovaniu Viedenskej arbitráže a k niektorým miestnym územným korektúram. Tým sa komplikovaný spor o teritoriálnom usporiadaní maďarsko-slovenských hraníc uzavrel.[62] Podobným spôsobom sa v rámci riešenia územných otázok po druhej svetovej vojne vyriešili aj zvyšné otázky týkajúce sa Petržalky a Devína a územných komplikácií s Poľskom.

61 Uvedené údaje sa po vzniku Slovenského štátu menili vplyvom územných zmien v dôsledku „Malej vojny“, účasti slovenskej armády na agresii proti Poľsku, korekcii hraníc s Nemeckom, Protektorat Böhmen und Mähren a pod.

62 ŠUTAJ, Štefan. Problematika revizionizmu a príprava mierovej zmluvy s Maďarskom po druhej svetovej vojne. In *Adepti moci a úspechu*. Eds. Jaroslava Roguľová – Maroš Hertel a kol. Bratislava : Veda, 2016, s. 247 – 265; ROMSICS, Ignác. *Parížska mierová zmluva z roku 1947*. Bratislava : Kalligram, 2008.

PREMENY SLOVENSKA V OBDOBÍ DEMOKRATICKEJ 1. ČSR

Formovanie židovskej národnej myšlienky po vzniku 1. ČSR (Náčrt problematiky)*

Katarína Mešková Hradská

Takmer 30 rokov pred vznikom Československej republiky sa jej budúci prezident T. G. Masaryk stal účastníkom tzv. Hilsneriády. V roku 1889 v procese proti Leopoldovi Hilsnerovi, ktorý bol obvinený z rituálnej vraždy mladej krajčírky Anežky Hrúzovej, vystúpil ako jediný na jeho obranu. Vraždu opísal ako poveru zo stredoveku a pozadie procesu označil za antisemitské. Keďže sa v tom čase prejavoval značný vplyv príslušníkov židovskej národnosti a Masaryk sa postavil na stranu obvineného Žida, vo veľkej časti spoločnosti sa stretol s nenávisťou a s pohŕdavou kritikou. Po Masarykových protestoch sa prípad vrátil do Viedne na ďalšie pojednávanie. O nevine obžalovaného rozhodol cisár František Jozef I. a v roku 1901 mu udelil milosť. Hilsner sa tak vyhol trestu smrti a Masaryk sa stal známy medzi Židmi celého sveta svojím zásadným postojom v kritike antisemitizmu.

V medzivojnových rozhovoroch so spisovateľom Karlom Čapkom sa Masaryk k Hilsneriáde vrátil.[1] Pripustil, že práve táto aféra mu vďaka americkej tlači politicky pomohla k tomu, že v Amerike, kde existovala silná sionistická skupina, na neho hľadeli ako na človeka s veľkými hodnotami. Potom, čo americká vláda uznala v septembri 1918 Národnú radu československú za spojeneckú, americkí sionisti boli medzi prvými, ktorí Masarykovi gratulovali k významnému politickému úspechu. V rovnakom čase zaslal Výkonný výbor sionistickej organizácie v Amerike Národnej rade posolstvo, v ktorom sionisti vyjadrili radosť z toho, že československý (čs.) národ si má vybudovať vlastný národný život a má byť oslobodený od ústredných mocností. Zároveň prejavili nádej, že slobodný čs. štát uzná práva všetkých národnostných menšín. Profesor Masaryk vo svojej odpovedi americkým sionistom poďakoval za uznanie československej národnej politiky a vysvetlil im, aké má predstavy o usporiadaní budúceho štátu. Týkali sa aj národnostných menšín. Nešlo iba o Nemcov, ale aj o ostatné národnosti žijúce v českých krajinách i na Slovensku. Vzájomne boli veľmi premiešané a nebolo možné a ani žiaduce radikálne ich teritoriálne ohraničiť a vzdať sa čo i len zlomku z ich počtu. Masaryk v uvedenom posolstve do Ameriky napísal, že *„Preto zavedieme také opatrenia, aby sme zabezpečili menšinám rovnaké práva vo verejnom živote a v ich školách. Židia budú mať rovnaké práva ako ostatní obyvatelia. Taktiež bude zrušený nespravodlivý systém rakúskej štátnej cirkvi, ktorá zneužívala náboženstvo pre svoje politické ciele.“*[2] Zároveň vyjadril sympatie voči sionizmu a židovskému národnému hnutiu, a to pre veľkú mravnú hodnotu, ktorá v sionizme tkvela.

* Štúdia vznikla v rámci projektu VEGA č. 2/0066/16 Politické, ekonomické a kultúrne osobnosti – elity židovskej komunity na Slovensku v rokoch 1918 – 1945. Zodpovedná riešiteľka PhDr. Katarína Mešková Hradská, PhD.

1 *„Hilsnerův proces jsem prodal teprve za války. Všude v dohodových zemích měli Židé velký vplyv na noviny; kam jsem přišel, psaly noviny pro nás nebo nám aspoň neškodily. Ani nevíte, co to pro nás znamenalo.“* ČAPEK, Karel. *Hovory s T. G. Masarykem*. Praha, 1946, s. 138.

2 In *Židovské zprávy*, roč. I., č. 18, 4. decembra 1918, s. 10 – 11.

Jeho skúsenosti so židovsko- národným hnutím v Európe a Amerike ho presvedčili o tom, že sionizmus nie je šovinistickým hnutím, ale že je založený na duchovnom základe a usiluje sa o obnovenie a mravnú hodnotu židovského národa. Preto deklaroval, že židovská národnosť nikdy nebude prekážkou v štáte, v ktorom žije viacej národností. Aj v budúcnosti vo svojich početných prejavoch obhajoval sionistické hnutie, ktoré sa usilovalo nielen o uznanie židovskej národnosti, ale aj o zabezpečenie a ochranu židovských práv. Týmto svojím postojom sa stal jedným z prvých európskych politikov nežidovského pôvodu, ktorí sa o sionizmus zaujímali a dokonca ho preferoval pred silným asimilačným hnutím. Poukazoval teda na prítomnosť asimilantov, ktorí boli protipólom sionistov. Ich existenciu bral na vedomie a svoj postoj k nim vyjadril slovami: *„Každý Žid stojí pred dvoma otázkami: sionizmus naľavo, asimilácia vpravo. Mohlo by sa tiež povedať: radikálne, alebo konzervatívne – národná renesancia, alebo zotrvanie v terajšom stave.“*[3]

Vznik Národnej rady židovskej

Pre európsku židovskú komunitu mal mimoriadny význam 14-bodový mierový program amerického prezidenta Woodrowa Wilsona z 8. januára 1918 prednesený v Kongrese USA. Zmieňoval sa v ňom o podpore pri presadzovaní práv jednotlivých národov Rakúsko-Uhorska po ukončení prvej svetovej vojny. Formoval nové zásady vzťahov medzi štátmi, ako aj princípy svetového poriadku. Reakciou na Wilsonove stanovisko bolo, že európski Židia ešte pred koncom vojny zakladali židovské národné rady, ktoré mali pod sionistickým vedením sledovať a uplatňovať presadzovanie práv Židov v jednotlivých štátoch Európy.

Niekoľko dní pred vznikom Československej republiky sa aj v Prahe sformovala Národná rada židovská s cieľom stať sa politickým reprezentantom národných Židov. Jej ambíciou bolo zastupovať židovskú menšinu v Československej republike, obhajovať jej práva a pretože v nej prevažovali sionisti, mala napomáhať šíreniu ich ideí. Za sionistický zväz v nej pôsobili významné osobnosti českého židovstva: Ludvík Singer, ktorý stál na čele rady až do jeho predčasného skonu v roku 1931, ďalej Norbert Adler, Alfred Engel, Max Brod, Hans Kohn a Hugo Slonitz. V programovom vyhlásení novovzniknutej židovskej rady proklamovali politické zjednotenie československých Židov s cieľom dosiahnuť ich zastúpenie v pražskom Národnom zhromaždení. Sionisti museli pritom rešpektovať skutočnosť, že čoraz viac sa rozrastá vplyv socialistických sionistických skupín, ktoré sa zomkli okolo najsilnejšej ľavicovej židovskej sociálnodemokratickej strany Poale Sion (v preklade Robotníci Sionu) a do Národnej rady židovskej im boli nútení ponúknuť päť miest z jedenástich. Socialistickú židovskú radu teda reprezentovali Karel Fischl, Oskar Altschul, Hugo Waldstein a Ludwig Schönfeld a jediná žena Ida Zappnerová. Poale Sion prešiel hneď po začlenení do Národnej rady židovskej niekoľkými fázami vývoja. Jednou z nich bolo priklonenie sa k myšlienke svetovej revolúcie a Tretej internacionály. Tieto prejavy napokon v roku 1920 vyústili do odchodu zástupcov Poale Sion z Národnej rady židovskej a následne na istý čas aj k zastaveniu jej činnosti.

3 MASARYK, Tomáš Garrigue. *Cesta demokracie*, zv. I., (1918 – 1920). Praha, 1933, s. 151. Pozri aj: HRADSKÁ, Katarína. Židovská komunita počas prvej ČSR. In *Česko-slovenská historická ročenka*, 2001, s. 49 – 58.

Pamätné Memorandum

Vedúcich predstaviteľov židovskej rady Ludvíka Singera a Maxa Broda prijal Masaryk ešte koncom roka 1918, teda krátko po návrate z exilu. Prediskutoval s nimi zásadné otázky židovskej komunity. Singer mu tlmočil požiadavku uznania právnej existencie židovskej národnosti v československom štáte. Vyjadril taktiež nádej, že Národné zhromaždenie vyhradí určitý počet mandátov aj židovským zástupcom. S Brodom hovoril Masaryk najmä o otázke židovského školstva a o demokratizácii náboženských obcí. Toto stretnutie bolo užitočným dialógom, počas ktorého Masaryk vyjadril presvedčenie, že Národná rada židovská a Židia samotní sa môžu spoľahnúť na jeho podporu. Po tejto návšteve sa činnosť Národnej rady židovskej stupňovala.

V deň vzniku Československej republiky priniesli zástupcovia židovskej rady L. Singer, M. Brod a K. Fischl do sídla Národného výboru československého v Prahe[4] svoje memorandum. To, že tento pamätný spis bol doručený práve v deň vyhlásenia republiky, sionisti chápali nielen ako Singerov prezieravý a diplomatický krok, ale aj ako prejav ústretovosti, ktorým sionisti signalizovali, že im záleží na dobrých a korektných vzťahoch s politickými elitami rodiaceho sa štátu. Nemecký historik Frank Hadler, ktorého vo svojej monografii o národnej identite Židov v Čechách cituje česká historička Kateřina Čapková, sa naopak prikláňa k názoru, že audiencii židovských predstaviteľov a Singerovej iniciatíve českí politickí reprezentanti nepripisovali žiadny význam a že dokonca neexistuje žiaden dokument o registrácii tejto návštevy židovských predákov.[5]

Bez ohľadu na túto skutočnosť sa memorandum stalo základným dokumentom o budúcnosti židovskej komunity v novom štáte. V úvode ocenilo proklamáciu britského ministra zahraničných vecí lorda Balfoura z 2. novembra 1917 o tom, že Židov pokladá za národ, ktorý má nárok na vybudovanie svojej národnej domoviny v Palestíne. Posmelení týmto výrokom sa sionisti sústredili na požiadavku uznania židovskej národnosti a možnosť slobodnej, dobrovoľnej možnosti prihlásiť sa k židovskej národnosti. Požadovali tiež plnú občiansku a verejnoprávnu rovnoprávnosť s ostatným obyvateľstvom republiky. Tieto požiadavky boli totožné so záujmami všetkých ostatných občanov. Odlišné postavenie Židov vo veciach týkajúcich sa obrany, štátnej politiky, súdnictva, štátnej služby a živností by sa javilo ako pokus znova vybudovať staré geto, ako pozostatok stredoveku, čo by Židia všetkými možnými prostriedkami odmietali. Súčasťou memoranda bola aj požiadavka vytvorenia kultúrnej samosprávy a v rámci nej zavedenie židovskej výchovy, pestovanie hebrejskej reči a vybudovanie moderných (nie konfesijných) židovských obecných a stredných škôl. Široko koncipované memorandum zahrňovalo tiež potrebu doriešiť volebný

4 Národný výbor vznikol 13. júla 1918 ako jediný zástupca národa. *„Národný výbor je plodom doby, ktorá už nechce reformu. Chce samostatný československý štát. Všetky strany svojou účasťou v Národnom výbore sa zaväzujú, že chcú toto a nič iné."* Pozri: PEROUTKA, Ferdinand. *Budování státu.* Zv. I., 1918 – 1919, Praha, 1991, s. 12 – 15.

5 ČAPKOVÁ, Kateřina. *Česi, Nemci, Židé? Národní identita Židů v Čechách 1918 až 1938.* Litomyšl, 2013, s. 39., ako aj HADLER, Frank. Für einen erträglichen Antisemitizmus. Jüdische Fragen und tschechoslovakischen Antworten 1918/19. In *Jahrsbuch des Simon Dubnow Instituts*, 2002/1, s. 182 – 183; HERZOG, A. Deutsche, Juden oder Oesterreicher? Zum nationalen Selbstwerständnis deutschsprachigen jüdischen Schriftstellen in Prag. In *Osterreich-Konzeptionen und jüdisches Selbsverständnis. Identitäts-Transfigurationen im 19. und 20. Jahrhundert.* Tübingen, 2001, s. 141 – 161.

systém a demokratizáciu židovských náboženských obcí, čím sa vlastne potvrdila potreba zrušiť dovtedajšie volebné právo, nahradiť ho novým, ktoré by prihliadalo na špecifické pomery Židov z Moravy. Vo všeobecnosti však išlo o presadenie uzákonenia rovného, priameho a tajného hlasovacieho práva v každej židovskej obci.[6]

Tézy, ktoré Národná rada židovská následne hodlala riešiť v rámci pôsobenia židovských náboženských obcí (t. j. zvrchovanosť židovskej obce, vyberanie daní, boj proti všetkým pokusom, ktoré by židovskú náboženskú obec pod zámienkou odluky cirkvi od štátu zbavili jej samostatnosti) sa však javili ako oveľa zásadnejší a zložitejší problém. Budúcnosť potvrdila, že kompetencie Národnej rady židovskej a hlavne možnosti uplatniť jej vplyv na riešenie týchto a niektorých ďalších otázok neraz narazili na koncepčné nezhody a rozdielne názory v samotnom jadre komunity.[7] Po vzniku ČSR Židov zjednotil najmä boj proti antisemitizmu, ktorý bol prítomný v českých krajinách i na Slovensku. Antisemitizmus sa stal zásadným problémom, narúšajúcim dovtedajšiu rovnováhu vzťahov medzi majoritou a minoritou. V mnohých vypätých situáciách prepukol do otvoreného nepriateľstva a neraz aj do pouličnej konfrontácie. Prejavy výtržností a rabovačiek, spojené s násilím a protižidovskými útokmi, ktoré vyprovokoval nedostatok základných životných potrieb po skončení prvej svetovej vojny, doznievali dlho a veľmi pomaly. Zástupcovia Národnej rady židovskej vyzývali vedúcich predstaviteľov štátu, aby nedovolili prerastanie antisemitizmu a aby včas zasiahli proti akýmkoľvek prejavom neznášanlivosti voči židovskej minorite a proti obmedzeniu občianskych práv Židov. Za jediný možný spôsob, ktorý by vyhovoval židovskej národnej cti a ktorý by bránil zasahovaniu antisemitských živlov do kedysi pokojného vývoja vzájomných vzťahov, pokladali naplnenie požiadaviek o uznaní židovskej národnosti a úplnej rovnoprávnosti. Rozmach antisemitizmu sledoval aj Masaryk a jeho eliminovanie pokladal za naliehavú úlohu. Po návrate z exilu v jednom zo svojich prvých prejavov uviedol, že chce, aby sa vybudoval *„obnovený slušný štát“,* čo si vyžaduje predovšetkým silnú autoritu vlády. Tejto predstave sa sám plne podriadil. Skoncipoval posolstvo, ktoré vopred poslal vláde na schválenie. V jednom z bodov sa venoval aj antisemitizmu a pred jeho zhubnou nákazou varoval politické elity nového štátu. Vláda však jeho posolstvo „čiastočne upravila“ a odsek o antisemitizme z neho vyškrtla. Argumentovala tým, že takéto varovanie nie je v českej spoločnosti potrebné. [8] Zakrátko sa začal masívne prejavovať ešte väčší nedostatok potravín, ľudia sa začali búriť a všetku vinu za ťažkú hospodársku situáciu začali pripisovať Židom.

Kritériá národnosti

Zásadnou otázkou Národnej rady židovskej bolo uznanie židovskej národnosti. Max Brod, sionista, prostredníctvom ktorého Masaryk udržiaval kontakt so židovskou komunitou a v ktorom videl schopného a obetavého spolupracovníka, prirovnal tento boj k odstráneniu nedoslýchavosti s otázkou, či český národ chce zostať navždy hluchý.[9] Podľa neho už nastal čas, keď bolo treba počúvať hlas rozumu. Za úspech pokladal, že židovskej verejnosti sa podarilo objasniť pojem židovská národnosť. Žiadny dovtedajší politický

6 In *Židovské zprávy*, roč. 1, 1918, č. 14 – 15, s. 3 – 6.
7 In *Židovské zprávy*, roč. 1, 1918, č. 21, s. 2.
8 PEROUTKA, *Budování státu*. I. zv. , c.d., s. 302.
9 In *Židovské zprávy*, roč. 1, 1918, č, 21, s. 6.

systém s takouto definíciou nerátal a ani sa ňou nezaoberal. Otázkou bolo, na základe čoho bolo možné stanoviť kritérium národnosti? Ak to mal byť jazyk, ten prichádzal do úvahy v prípade ktoréhokoľvek národa vrátane Čechov i Slovákov, ale netýkal sa Židov. Židia v jednotlivých častiach republiky sa nedorozumievali spoločným jazykom. Neujalo sa ani používanie hebrejského jazyka, hoci na Podkarpatskej Rusi vznikali školy s vyučovacím jazykom hebrejským, čo však nebolo smerodajné pre všetkých Židov. Tí sa väčšinou dorozumievali buď v nemčine, maďarčine, alebo jidiš. Otázka jazyka teda nebolo prvoradá pri určení kritéria národnosti. Max Brod židovskej verejnosti vysvetľoval, čo je pre nich najdôležitejšie: nielen uznanie národnosti a menšinových práv, ale aj princíp slobodnej voľby židovskej národnosti.

S vedomím, že židovská národnosť a ochrana práv židovskej menšiny budú zakotvené aj v mierových zmluvách sa Ludvík Singer zúčastnil na medzinárodnej mierovej konferencii, ktorá sa konala od polovice januára 1919 v Paríži. Predchádzalo jej stretnutie zástupcov židovských rád strednej a východnej Európy, ktorú vo Švajčiarsku organizoval vodca medzinárodnej sionistickej organizácie Nahum Sokolow. Konferencia mala vytvoriť spoločnú koncepciu o židovských záležitostiach, s ktorou by židovské delegácie odcestovali na snemovanie do Paríža. Delegácie parížskej mierovej konferencie sa po náročných rokovaniach napokon zhodli, že v mierových zmluvách štátov strednej a východnej Európy musia byť zakomponované záväzky na ochranu národnostných menšín. Hoci záväzky boli formulované vo všeobecnej rovine, predsa len obsahovali dve klauzuly vzťahujúce sa k židovskej menšine: išlo o záruku nad dodržiavaním sobotňajšieho pokoja, podiel na dotovaní židovských škôl a uznanie židovskej národnosti.

Výsledkom niekoľkomesačného trvania konferencie bolo prijatie piatich mierových zmlúv víťazných mocností a porazených štátov. Saint-Germainská mierová zmluva medzi Československou republikovou a dohodovými mocnosťami z 10. septembra 1919 o. i. potvrdila zrušenie Rakúsko-Uhorska a uznanie Československa. V jej texte sa však židovská menšina explicitne nespomína, čo bolo pre židovskú delegáciu akiste sklamaním. V hlave I, článku 2 stojí: *„Československo sa zaväzuje, že poskytne všetkým obyvateľom úplnú ochranu ich života a ich slobody bez ohľadu na ich pôvod, štátne občianstvo, jazyk, rasu alebo náboženstvo. Všetci obyvatelia budú mať právo, aby úplne vyznávali verejne alebo súkromne akékoľvek vyznanie, náboženstvo alebo vieru, vykonávanie ktorých nebude v nezhode s verejným poriadkom a dobrými mravmi.“*[10] Zmluvy s Poľskom a Maďarskom, naopak, zahŕňali už aj jazykovú a školskú ochranu menšín a obsahovali dokonca aj zvláštne záruky týkajúce sa menšinových práv Židov v otázke školstva a dodržiavania šabatu. Čs. židovskej delegácii veľmi záležalo na uvedení týchto požiadaviek v pripravovanej zmluve. Klauzulu o zvláštnych ustanoveniach pre Židov Edvard Beneš zásadne odmietol. Nepokladal ich za podstatné. Podľa neho Československo nemalo vyzerať ako štát, v ktorom hrozia židovské pogromy. Beneš oznámil Singerovi svoje stanovisko písomne s odôvodnením, že by nebolo múdre v záujme židovstva i republiky otvárať tento problém. Židovských delegátov parížskej mierovej konferencie toto vyjadrenie pobúrilo a začali hľadať spôsoby, ako Beneša presvedčiť o nutnosti uvedenia židovských požiadaviek. Iniciatívy sa chopil dokonca aj Nahum Sokolow, ktorý chcel Beneša presvedčiť o zmysle židovských klauzúl nielen pre

10 Pozri: Zbierka zákonov č. 508/1920.

československé židovstvo. Beneš zo svojho stanoviska nezľavil a na veľké sklamanie Národnej rady židovskej klauzuly, ktoré mali v budúcnosti zabezpečiť ochranu Židov, sa v zmluve s Československom neobjavili. Sokolow aj Singer napokon prijali Benešovu zábezpeku, že on sám i prezident Masaryk budú mať aj naďalej kladný vzťah k židovskej národnosti. Toto vyjadrenie im postačilo a svojich požiadaviek sa vzdali.

Prvé snemovanie československých Židov

V približne rovnakom čase ako sa začala medzinárodná mierová konferencia v Paríži, zvolala Národná rada židovská do Prahy prvý zjazd národne uvedomelých Židov, na ktorý sa prihlásili Židia zo všetkých väčších miest ČSR. Spomedzi 300 delegátov, najvýznamnejších predstaviteľov židovského a sionistického hnutia Čiech, Moravy a Slovenska, bolo len 20 slovenských delegátov. Aj napriek takémuto slabému zastúpeniu zjazd potvrdil, že aj na Slovensku jestvuje skupina uvedomelých Židov, ktorí podporovali snahy o národnú, kultúrnu i politickú sebarealizáciu. Sionisti pripisovali zjazdu veľký význam. Mal sa zaoberať etickým významom národno-židovského hnutia a zároveň mal vyjasniť niektoré sporné otázky týkajúce sa židovského národa vo vzťahu k socializmu, ale aj k židovskému nacionalizmu. Všetky prejavy smerovali k obrode moderného židovského národa a k upevneniu duchovnej sily, ktorá bude Židom nápomocná pri hľadaní odpovedí na ich životné otázky.

Zjazd československých Židov prijal niekoľko rezolúcií vrátane rezolúcie o Slovensku. Hovorí sa v nej: *„Národný zjazd Židov v štáte Československom, splnomocňuje prítomných zástupcov časti slovenského židovstva k okamžitej organizačnej práci medzi všetkým židovstvom na Slovensku na základe národno-židovského programu a berie na vedomie, že na uskutočnenie tejto úlohy bol založený osemčlenný výbor so sídlom v Piešťanoch.“*[11]

Prvé snemovanie československých Židov dalo podnet na založenie Ľudového zväzu Židov pre Slovensko. Ten svoj prvý zjazd zvolal do Piešťan na koniec marca 1919. Vyše 190 delegátov tam reprezentovalo 48 židovských náboženských obcí. Zjazd zvolil Židovskú radu na čele s Teodorom Wisterom a Levom Alexandrom. Tajomník pražskej Národnej rady židovskej Emil Waldstein, ktorý sa podujatia zúčastnil ako hosť, bol poverený, aby zriadil kanceláriu aj v Bratislave a začal tak organizovať ďalšie akcie. Na programe zjazdu boli aktuálne otázky (nielen) slovenského židovstva – politické a sociálne otázky, ako aj problém palestínskych utečencov, ktorí sa zdržiavali v Československu. Waldstein sa po príchode do Prahy nechal počuť, že situácia slovenských Židov je oveľa zložitejšia ako ju vnímajú v Prahe (sú na pokraji hospodárskeho krachu a sú vystavení atakom zo strany väčšinového obyvateľstva) a jediné, v čom sa črtá pokrok, je školstvo. Pozitívne však hodnotil, že

11 In *Židovské zprávy*, roč. 1, 9. januára 1919, č. 22 – 23, s. 7. Nebolo náhodou, že židovské aktivity Slovenska sa v tom čase sústredili do Piešťan. Po vzniku ČSR tam žilo asi 1 250 osôb židovského vierovyznania, ktorí tvorili vyše 13-percentný podiel na počte obyvateľstva. Delili sa na ortodoxných a liberálov. Funkciu hlavného rabína zastával Koloman Weber, ktorý sa pričinil aj o vznik Zväzu autonómnych ortodoxných židovských náboženských obcí, a až do svojej smrti bol prezidentom jeho ústrednej kancelárie. Na druhej strane, v Piešťanoch v roku 1926 asi 140 liberálne orientovaných židovských rodín založilo synagógové spoločenstvo, ktoré o dva roky neskôr vstúpilo do organizácie Ješurun. Predsedom liberálnej židovskej náboženskej obce sa stal Eugen Feldmar.

Ľudový zväz Židov pre Slovensko bude pri riešení národných, sociálnych a ekonomických problémov koordinovať svoj postup s Národnou radou židovskou.

Na prvý pohľad sa zdá, že snemovanie v Piešťanoch sa nieslo v duchu vzájomnej názorovej jednoty. Už na tomto zjazde sa však prejavili niektoré ideové rozpory, ktoré pramenili z rôznorodosti židovskej komunity na Slovensku. Nebola homogénna. Delila sa na viacero prúdov (ortodoxní, neologickí a status quo ante), rozlišovala sa podľa vzdelania, kultúrneho pozadia i podľa spôsobu výchovy. Okrem toho, že Židia medzi sebou komunikovali viacerými jazykmi, patrili k rozdielnym jazykovo-kultúrnym okruhom, boli rozvrstvení v rozdielnych sociálnych a ekonomických skupinách a v neposlednom rade sa hlásili aj k viacerým národnostiam. Kým Židia v západnej časti Slovenska sa nachádzali v pokročilom štádiu asimilácie, na východe ortodoxní Židia, ktorí tvorili podstatnú časť tamojšej komunity, asimiláciu zo zásady odmietali. Ani na piešťanskom zjazde nenašli sionisti spoločnú reč s asimilantmi a rozdeľovalo ich to, kvôli čomu sa zjazd vlastne zišiel – hľadanie vlastnej národnej identity. Spor o hľadanie samých seba, o podstatu vlastnej identifikácie vyústil napokon do ďalších rozporov vnútri slovenskej židovskej spoločnosti. Názorové nezhody sprevádzali Židov dokonca ešte aj v období, keď sa najviac očakávala ich vnútorná jednota.

Ľudový zväz Židov napriek tomu postupne rozširoval pole svojej pôsobnosti a stal sa, hoci s veľkými problémami, jediným zástupcom slovenského židovstva.[12] Za významný medzník v jeho činnosti možno pokladať rokovanie zväzu v marci 1919 v Liptovskom sv. Mikuláši, kde sa na popud sionistov zišli delegáti z liptovskej, turčianskej a oravskej župy. Spoločne vypracovali rozsiahle stanovisko, v ktorom upozorňovali na zložitú hospodársku i sociálnu situáciu Židov na Slovensku, ktorí boli navyše terčom častých útokov zo strany väčšinového obyvateľstva, voči čomu – podľa vyjadrenia funkcionárov zväzu i pražskej Národnej rady židovskej – nezasiahla ani vláda splnomocneného ministra Vavra Šrobára. Toho *Židovské zprávy* často obviňovali zo šírenia antisemitizmu, ktorému nevedel a ani nechcel zabrániť a podľa udania svedkov... *„Židov, ktorí boli ohrození na životoch nútil, aby po tom, utekali z dedín, kde zanechali celý majetok, vrátili sa do zborených a spálených príbytkov"*.[13] Po porade županov a poslancov o Židoch v Košiciach v novembri 1919 Šrobárov pomer k Židom vyvolával viaceré otázniky. Česká tlačová kancelária uverejnila jeho prejav, podľa ktorého *„Židia na Slovensku v poslednom čase vyhľadávajú čo najtesnejšie styky so slovenskými* (politickými – KH) *kruhmi. Myslím, že je v záujme Židov, štátu i nášho národa, aby židovstvo tieto styky pestovalo čo najintenzívnejšie a upustilo od úplného izolovania v štáte a národe, aby nedôvera a podozrievanie vymizlo ako prežitok minulosti a aby zmenilo úlohu, ktoré židovstvo hralo svojím neblahým postavením medzi slovenským ľudom."*[14] Tieto vety sa dajú vysvetliť v niekoľkých významoch. Možno ich chápať aj ako návod na založenie vlastnej židovskej politickej strany, ktorej zameranie by malo vylúčiť akékoľvek podozrenie z absencie vlastenectva alebo nepriateľského zmýšľania voči štátu.

Šrobár musel viackrát obhajovať svoj vzťah k Židom, ktorý on sám nechápal ako antisemitský. Dokonca ani vtedy, keď ho sionistická organizácia v Londýne v roku 1919 upozornila na skutočnosť, že situácia slovenských Židov sa po vzniku ČSR výrazne zmenila

12 Spolu s pražskou Národnou radou židovskou pred prvými parlamentnými voľbami v roku 1920 inicioval vznik nezávislej židovskej kandidátky známej ako Združené strany židovské.

13 In *Židovské zprávy*, r. 2, č. 11, s. 1

14 In *Židovské zprávy*, r. 2, č. 32, s. 6.

k horšiemu a že Židia sa stávajú terčom v protižidovsky ladených článkoch. Šrobár sionistom do Londýna zopakoval svoje stanovisko, že Židia si za svoje postavenie môžu do značnej miery sami. Podľahli maďarizácii, sú úžerníkmi, z ľudí spravili pijanov, boli agentmi Maďarov i boľševikov. Židov nepokladal za lojálnych občanov republiky. Vyhlásil, že *„keď nastal prevrat a národ československý zhodil zo seba jarmo tyranov, boli to Židia, ktorí na Slovensku podrývali mladému štátu pôdu pod nohami."* [15] Samotní Židia (nielen) toto jeho vyjadrenie podrobili ostrej kritike najmä na stránkach *Židovských zpráv*.

Ani Židia na Slovensku nemali v prvých rokoch existencie nového štátu svojho politického zástupcu, ktorý by ich obhajoval na vládnej úrovni. Pražská Národná rada židovská mala väčší dosah na Židov v Čechách a Ľudový zväz Židov pre Slovensko nepriťahoval do svojich radov väčšinu komunity. Ambiciózny cieľ – spojiť všetkých čs. Židov do jednej Židovskej strany – sa v tomto období nedarilo naplniť. Celkom iste prispelo k tomu aj to, že Židia v rôznych kútoch republiky nemali dostatočný prehľad o činnosti svojich súvercov a nie vždy vedeli dostatočne pochopiť ideologické otázky či sociálno-ekonomické záujmy toho druhého. Z radov českých Židov zaznievalo, že iniciatíva vychádza predovšetkým z Čiech, resp. Moravskej Ostravy, čo vyvolávalo určitú nevôľu slovenského židovstva. Rozdrobené slovenské židovstvo, obohatené o komunitu na Podkarpatskej Rusi, v hľadaní zjednocujúceho piliera zakladalo rozličné politické zoskupenia. Koncom dvadsiatych rokov začalo pôsobiť niekoľko politických strán, ktoré po prvýkrát vstúpili na politickú scénu. Ak mali uspieť v politickom boji v nadchádzajúcich komunálnych či parlamentných voľbách, museli prejsť zložitým vnútorným vývojom, ktorý im mal zabezpečiť stabilné postavenie v politickom živote prvej Československej republiky.[16]

15 TOMASZEWSKI, Jerzy. Židovská otázka na Slovensku v roku 1919. In *Historik v čase a priestore. Laudation Ľubomírovi Liptákovi*. Bratislava, 2000, s. 184 – 185.

16 Pôsobenie nastupujúcej Židovskej strany, ako aj ostatných židovských politických strán na slovenskej politickej scéne je predmetom pokračujúceho výskumu autorky.

Sociálne postavenie učiteľov na Slovensku počas prvej Československej republiky v rokoch 1918 – 1926*

Ľubica Kázmerová

Prvé roky činnosti rezortu školstva na Slovensku po vzniku Československa by sme mohli nazvať obdobím zainteresovanosti pre spoločnú vec – budovanie slovenského školstva, alebo vyjadrené Antonom Štefánkom,[1] ktorý viedol po prvýkrát konštituovanú inštitúciu pre riadenie školstva na Slovensku Referát Ministerstva školstva a národnej osvety (MŠaNO) v Bratislave, obdobím entuziazmu. Historicky po prvýkrát boli zriadené slovenské školy všetkých stupňov a postupne vznikali stavovské organizácie pedagógov. Do povojnového nadšenia však vstúpili problémy úzko súvisiace s každodenným životom všetkých obyvateľov a najviac sa prejavovali v sociálnej oblasti.

Z Rakúsko-uhorskej monarchie Slovensko zdedilo na uhorské pomery relatívne dobre vybudovaný štvorstupňový školský systém, ktorému však po skončení prvej svetovej vojny chýbali, z objektívnych príčin, vyučujúci. Mnohí učitelia a profesori maďarskej národnosti, ako je všeobecne známe, odišli z Československa, mnohí nesúhlasili so zložením sľubu vernosti novému štátu. Podľa A. Štefánka nepočetná skupina slovenských vyučujúcich nemohla zvládnuť nepriaznivú situáciu a začať plnohodnotný vyučovací proces na školách všetkých stupňov. *„Konkrétne rečeno"*, píše Štefánek priamemu nadriadenému ministrovi s plnou mocou pre riadenie Slovenska Vavrovi Šrobárovi, *„ je situácia takáto: Aspoň 1000 staníc učiteľských nutno zaplniť Čechmi trvale, ďalej asi 300 – 400 profesorských a odborne učiteľských teda dovedna 1300 –1400. K tomu cieľu treba vyberať najlepšie sily, ľudí taktných, šikovných, lebo Slováka možno snadno získať, ale treba znať jeho psychológiu, jeho zvyky, jeho odvislosť od kňazov atď. Vyberať takéto sily možno len v Prahe, ale kontrolovať ich ponaučovať, brúsiť atď. možno len na Slovensku samom t. j. v Bratislave. Tých 1300 učiteľov a profesorov bude potrebovať značnú dobu než sa vžijú do pomerov a získajú si lásku a vliv (vplyv) medzi ľudom."*[2]

Spôsob zabezpečovania pedagogických síl bol obdobou prístupu riešenia vzniknutej situácie v iných oblastiach života spoločnosti po prevrate. Chýbajúce pracovné sily dôležité na chod života spoločnosti zabezpečovali vládne orgány príchodom českých zamestnancov

* Štúdia je čiastkovým výstupom grantu Vega č. 2/0054/17, Kultúrna infraštruktúra školskej politiky čs. štátu a jej realizácia na Slovensku v rokoch 1918 – 1939. (Prepojenie vzdelávacej činnosti školského systému s osvetovo-výchovným pôsobením na obyvateľstvo, osobnosti). Štúdia bola vypracovaná v rámci projektu APVV-15-0349 Indivíduum a spoločnosť – ich vzájomná reflexia v historickom procese. Zodpovedný riešiteľ: PhDr. Slavomír Michálek, DrSc.

1 Podrobnejšie pozri KÁZMEROVÁ, Ľubica. Anton Štefánek a slovenské školstvo v prvých poprevratových rokoch (1918 – 1923) In *Historický časopis*, 2011, roč. 59, s. 687 – 703.

2 Národný archív Českej republiky Praha (ďalej NA ČR), fond (ďalej f. MŠaNO) Ministerstvo školstva a národnej osvety, kartón (ďalej k.) 311.

do štátnej správy a do hospodárstva.[3] Do školských služieb, okrem hospodársko-technickej oblasti činnosti školstva, prišlo po roku 1919 približne 1 400 českých učiteľov a ich počet postupne vzrastal. V roku 1938 pôsobilo na Slovensku 3 200 českých učiteľov.

S rozvojom mierového života v nových štátnych podmienkach pribúdali aj absolventi slovenských učiteľských ústavov. Často sa stávalo, že nedostali vždy primerané pracovné zaradenie. Viacerým z nich sa stal blízky návrh kňaza Ferdinanda Jurigu, ktorý pochádzal ešte z roku 1918. Juriga predložil na zasadnutí Slovenskému parlamentnému klubu v Prahe návrh, podľa ktorého mali oblasť školstva a konfesionálnych záležitostí na Slovensku spravovať slovenské národné orgány. Predstavy tejto časti učiteľov, ktorú návrhom zastupoval Juriga, sa výrazne odlišovali od vládou presadzovaných unifikačných postupov. V nich prevládal vzor prispôsobovania sa celého vzdelávacieho systému českým krajinám, ktoré preferovali zaužívaný predprevratový rakúsky školský systém.

Časť vyučujúcich, ktorí prichádzali na podnet Ministerstva školstva a národnej osvety (MŠaNO) na Slovensko z Čiech a Moravy, bola do slovenských škôl prikázaná[4] s určením miesta pôsobenia a ďalšia časť prichádzala dobrovoľne. Názory na ich príchod sa v radoch slovenských pedagógov a inšpektorov súputníkov týchto učiteľov rôznili. Vo svojich pamätiach píšu o rozdielnosti prístupu českých učiteľov k zverenej práci na slovenských školách, čo úzko súviselo s kvalifikáciou učiteľa, osobnostnými vlastnosťami, vzťahom k náboženstvu a prípadným ateizmom, ktorý bol na Slovensku len ťažko tolerovaný.

Vzhľadom na vidiecky ráz Slovenska dostávali sa prichádzajúci učitelia na rôzne miesta aj do odľahlých obcí vzdialených od mestských centier. Českí učitelia sa odlišovali rôznym stupňom kvalifikácie a počtom odpracovaných rokov v školstve, čo boli hlavné kritériá ich honorovania. Na začiatku 20. rokov minulého storočia približný hodinový plat učiteľa bol 25 Kč. Ku základnému platu dostávali českí vyučujúci na pokyn ministerstva školstva príplatky – diéty, ktoré mali kompenzovať zmenené životné podmienky a podporovať napr. budovanie novej domácnosti v mieste pôsobenia a pod. Diéty na deň predstavovali pre slobodných čiastku 26 – 36 Kč, ženatých 36 – 46 Kč.

Príplatok bol v nariadení charakterizovaný ako dočasný.[5] Diéty však nepoberali slovenskí učitelia, ktorí zmenili pôsobisko v rámci Slovenska a mali už jednu domácnosť a ich ročný plat bol 24 000 Kč. Odlišné finančné hodnotenie českých a slovenských učiteľov vyvolávalo medzi nimi napätie.[6]

Nedoriešenie mzdovej otázky pedagogickej obce podporilo diferenciáciu učiteľov v politických názoroch. Na Slovensku postupne vzbudzovalo nedôveru k nastolenému pro-

3 KRAJČOVIČOVÁ, Natália. Českí zamestnanci v štátnych službách na Slovensku v prvých rokoch po vzniku Československa. In *Československo 1918 – 1938. Osudy demokracie v střední Evropě. Zv.1., Sborník z medzinárodní vědecké konference*. Praha : Historický ústav, 1999, s. 179 – 184.

4 Českí učitelia boli prikazovaní na Slovensko výnosom MŠaNO zo dňa 30. júna 1920 č. 31152 prenesenom na Referát MŠaNO v Bratislave, ktorý dostal právomoc prikazovať v mene ministra školstva v zmysle zákona zo dňa 29. októbra 1919 č. 605/1919 Sb. z. a n. učiteľstvo z Čiech a Moravy na Slovensko. In *Věstník MŠaNO*, 1918/1919, s. 384.

5 VÁVRA, Václav. Organizační činnost profesorstva na Slovensku. In *Zpráva o prvním pracovním sjezdu čsl. Profesorů ze Slovenska konaném ve dnech 10. – 12. října 1925 v Lubochni*. Praha, 1926, s. 93.

6 KRAMER, Juraj. *Slovenské autonomistické hnutie v rokoch 1918 – 1929*. Bratislava : Vydavateľstvo Slovenskej akadémie vied, 1962, s. 243.

cesu unifikácie, ktorý mal v oblasti školstva, resp. školskej politiky štátu zosúladiť rozdielny školský systém vzdelávania zdedený z monarchie vo všetkých regiónoch spoločného štátu. [7] Platové rozdiely medzi českými a slovenskými učiteľmi nachádzali odozvu na oboch stranách. Upozorňovali na to napr. vo *Věstníku Ústředního svazu československých profesorů* a zmienku o neopodstatnenej platovej diferenciácii obsahovalo aj *Memorandum*, s ktorým Andrej Hlinka odchádzal do Paríža v roku 1919.[8] Formujúca sa štátna správa v tomto období stanovovala pravidlá odmeňovania za prácu. V oblasti školstva výšku príjmov, teda plat pedagóga obsahoval dobovo povedané osobné a požitkové pomery. Tie boli určované základnými zákonmi, zákonom suplentským z 23. mája 1919, č. 275 Sb. z. a n., zákonom októbrovým zo dňa 7. októbra 1919, č. 541 Sb. z. a n., článok VII., zákonom platovým zo dňa 24. júna 1926, č. 103 Sb. z. a n., § 66 – 86 a zákonom č. 104 známym ako učiteľský zákon.

Prvé riešenie problému prinieslo v máji 1919 prijatie paritného zákona č. 275/1919 Sb. z. a n. (zákon suplentský). Znenie zákona zjednocovalo mzdy vyučujúcich na verejných, obecných a štátnych školách so mzdami a penziami štátnych úradníkov. Zákon tiež upravoval služobné príjmy vrátane mzdy a výslužného, teda penzie učiteľov ľudových škôl a meštianok. V Čechách a na Morave zákon nadobudol účinnosť v roku 1919. Na ostatné časti štátu, Slovensko a Podkarpatskú Rus, zákon pamätal usmernením, podľa ktorého nadobudne platnosť vydaním zvláštneho nariadenia.[9] Stalo sa tak v roku 1920 s platnosťou pre slovenskú časť republiky prijatím vládneho nariadenia č. 181. Nariadenie sa zaoberalo finančným zabezpečením pedagógov na štátnych školách, ale neobsahovalo text o vyučujúcich na konfesionálnych školách. Tí zostali v nasledujúcich troch rokoch 1920 až 1923 odkázaní na drahotnú výpomoc od vlády.[10]

Zároveň s kreovaním sa školstva vznikali na Slovensku aj prvé stavovské organizácie učiteľov, resp. pracovníkov školstva. Ich vznik bol podnietený záujmom o kvalitu vzdelávania na školách v celom školskom systéme, ale aj narastajúcou nespokojnosťou s riešením vlastného sociálneho postavenia učiteľov. Jednou z prvých stavovských organizácií slovenských učiteľov bol Zemský učiteľský spolok (ZUS) s dátumom vzniku v roku 1919.[11] Predsedom spolku bol Anton Hancko. V čase vzniku spolku bol činný v Slovenskej ľudovej strane (SĽS) a od roku 1925 bol poslancom premenovanej ľudovej strany na Hlinkovú slovenskú ľudovú stranu (ďalej HSĽS a tiež ľudová strana) v Národnom zhromaždení. Zastával tiež post primátora mesta Žilina. Názov Zemský učiteľský spolok vychádzal z pojmov používaných v českých krajinách, kde boli početné krajinské organizácie tohto typu. Spolok mal obhajovať záujmy slovenského učiteľstva vyplývajúce z pedagogickej praxe, ako to uvádzal v *Slovenskom učiteľovi*, ktorý začal vychádzať v tom istom roku 1919.

7 Podrobnejšie pozri KÁZMEROVÁ, Ľubica. Riadiace orgány školstva na Slovensku a vzdelávací systém v rokoch 1918 – 1945. In KÁZMEROVÁ, Ľubica a kol. *Premeny v školstve a vzdelávaní na Slovensku*. Bratislava : Historický ústav SAV, 2012.

8 *Pramene k dejinám Slovenska a Slovákov, XII a, Slovensko pri budovaní základov Československej republiky*. Vedecký redaktor R. Letz. Bratislava, 2014, s. 74 – 84.

9 KŘIVÁNEK, Ján. *Příručka zákonů o národním školství v republice Československé*. Brno, 1924, s. 597.

10 MAGDOLÉNOVÁ, Anna. Slovenské školstvo v predmníchovskom Československu. In *Historický časopis*, 1982, roč. 30, č. 2, s. 292.

11 In *Slovenský učiteľ*, roč. 1, č. 1, s. 29.

Ľudová strana však mala výhrady k procesu unifikácie a obsadzovaniu učiteľských miest na Slovensku českými učiteľmi. Podporovala a prostredníctvom navonok nepolitického Zemského učiteľského spolku v tlači pertraktovala nespokojnosť učiteľov so sociálnym postavením, k čomu umne pripájala nacionálnu problematiku.

Okrem výšky mzdy spôsobovala učiteľom, resp. všeobecnejšie pedagógom problém otázka trvania pracovného pomeru. Ten bol uzatváraný na dobovo povedané zmluvnom základe pracovnou dohodou medzi MŠaNO a konkrétnym pracovníkom. Veľká časť slovenských vyučujúcich mala pracovnú dohodu v tomto období uzavretú na jeden rok, a to bez nároku na penziu. Ministerstvo školstva malo pri predĺžení pracovného pomeru, resp. uzatvorenia dohody pedagóga výhradné právo na jeho ďalšie *„ustanovenie po jednoročnom úspešnom účinkovaní"*.[12] Takto vystavené dekréty časť učiteľskej obce vnímala ako morálnu krivdu.

Ministerská rada vydala v júli 1920 *Zásady pre úpravu osobních poměrů státních zaměstnanců na Slovensku*,[13] ktorú verejnosť pomenovala „slovenská výhoda", čo v praxi malo znamenať príplatok pre všetkých štátnych zamestnancov k dovtedy poberanému platu o výmere jednej hodnostnej triedy a dvoch platových stupňov. *Zásady* si však jednotlivé rezorty uplatňovali rôznou formou. V čase uvedenia zákona do platnosti bratislavský Referát MŠaNO už prevzal dozor nad školami a pod jeho gesciou pôsobili školské inšpektoráty. Referát bol poverený ministerstvom školstva riešiť aj personálne otázky a tiež súbehy, ktorých prípravu však po organizačnej stránke často nezvládol. Napr. súbeh na profesorské miesta na Slovensku bol vypísaný skôr, ako sa konala skúška zo slovenského jazyka, ktorá bola podmienkou účasti na súbehu.

Počas veľkonočných sviatkov v roku 1921[14] sa v Prahe konali kurzy pre stredoškolských slovenských profesorov.[15] Zúčastnil sa ho aj riaditeľ košického reálneho gymnázia, člen ľudovej strany a jej neskorší tajomník v Košiciach Karol Murgaš. Zúčastnených oslovila jeho myšlienka založiť slovenský národný spolok profesorov, teda po učiteľoch druhú organizáciu tentoraz zameranú na stredoškolských pedagógov.[16] Vznik stavovskej organizácie profesorov podporili členstvom profesori dovtedy pôsobiaci v Ústrednom zväze československých profesorov. Konštituujúci sa spolok, ktorý na zjazde v Ľubochni podporil listom Vojtech Tuka, niesol názov Spolok profesorov Slovákov (SPS). Spolok mal byť apolitický i keď znenie prijatých stanov spolku, cieľov a požiadaviek preferovalo vstup výlučne slovensky národne orientovaných záujemcov o členstvo. Zakladajúcimi a čestnými členmi spolku boli v priebehu rokov 1921 – 1939 Michal Ursíny, bývalý rektor Českej techniky

12 *Sborník Spolku profesorov Slovákov* (ďalej Zborník – ZSPS), r. 1922, roč. 1., č. 1, s. 35 – 41. V ich dekrétoch sa hovorilo: *„Ustanovuji vás na šk. rok 1919/1920 zatímním profesorem v smluvnem poměru bez jakéholiv nároku na penzii"*.

13 MATULA, Pavol. *Českí stredoškolskí profesori na Slovensku 1918 – 1938*. Prešov : Vydavateľstvo Michala Vaška, 2006, s. 51.

14 V primárnych ani v sekundárnych prameňoch neuvádzajú presný dátum, organizátorov ani miesto konania kurzu v Prahe.

15 Slovenský národný archív Slovenskej republiky (ďalej SNA SR) Bratislava, fond (ďalej f.) Spolok profesorov Slovákov (ďalej SPS), kartón (k.) 1, 1921/I, inv. č. 2.

16 Jeho iniciatívu podporili – Ferdinand Šteller, Jozef Árvay, Ján Hvozdík, Ľudovít Ivaška, František Námer, Elena Poláčková, Ján Beniač, Jozef Martinka, Štefan Bezák, Gizela Ormajová, Július Augustín, Koloman Murgaš, Imrich Baclík, Mikuláš Mandeszor a Miloš Ruppeldt.

v Brne a Jur Hronec, neskorší profesor a rektor Slovenskej vysokej školy technickej, počas prvej ČSR pôsobiaci v Brne (1924 – 1938) na Českej vysokej škole technickej.[17]

Verejnosť chápala spolok ako organizáciu podporovanú ľudovou stranou a prívrženci československej národnej a jazykovej jednoty z radov učiteľov v priebehu prvého desaťročia jej existencie upozorňovali na prejavy separatizmu v článkoch *Sborníka spolku profesorov Slovákov* (ďalej *SPS*).[18] V témach článkov *Sborníka SPS* prevažovali odborné otázky z pedagogiky a didaktiky, za nimi nasledovali sociálna a nacionálna problematika. Na jeho stránkach sa pravidelne opakovali problémy so zamestnávaním slovenských pedagógov. Časopis uvádzal konkrétne prípady, keď kvalifikovanému slovenskému uchádzačovi s praxou, prijatému na jeden rok po uplynutí tejto doby, nebol obnovený pracovný pomer. Následne na uvoľnené miesto po ňom prijali nekvalifikovanú pracovnú silu z Čiech. Členovia SPS boli stranícky činní v ľudovej strane a už spomínaný agilný A. Hancko, zakladateľ učiteľského zemského spolku, a Ján Hvozdík boli zvolení v roku 1925 do Národného zhromaždenia. Ďalší z členov spolku sa stali senátormi, napr. Ján Kovalík a Karol Krčméry. Oboch počas autonómie Slovenskej krajiny zamestnali v novo konštituovanom slovenskom MŠaNO. S menami ďalších členov SPS sa stretneme na vedúcich miestach v celej štruktúre slovenského školstva rokov 1938 – 1945.[19]

Posledným zo zákonov, ktorý v období pred vypuknutím hospodárskej krízy v roku 1929 ovplyvnil postavenie učiteľov, bol zákon č. 104/1926 Sb. z. a n. o úprave služobných a platových pomerov učiteľov obecných a meštianskych škôl,[20] všeobecne v učiteľskej obci nazývaný učiteľský zákon. Otázky mzdy riešil z celoštátneho hľadiska a nadväzoval na zákon z 24. júna 1926 č. 103 Sb. z. a n. v § 66 – 86 známy ako platový zákon. Učiteľský zákon predstavoval prvú spoločnú normu stanovovania platov štátnych a neštátnych učiteľov. Znením bol prínosný hlavne pre učiteľov konfesionálnych škôl. Zvyšovaním ich platov však boli poverené príslušné cirkvi, ktoré však na to zväčša nemali finančné prostriedky. Ministerstvo školstva do istej miery malo po roku 1926 možnosť podporiť neštátne, a tým aj cirkevné školy poskytovaním preddavku neštátnym učiteľom na konto vydržovateľov škôl. Zákon obsahoval tiež ustanovenia, podľa ktorých českí učitelia strácali finančné ohodnotenie – spornú slovenskú výhodu. Tá však bola po roku 1929 nahradená tzv. činovným, t. j. vyrovnávacím príplatkom z rozpočtových rezerv ministerstva školstva. Jeho výška sa odvíjala od kategórie obce či mesta, v ktorej učitelia pôsobili. Ak pôsobili v malom meste, dostávali nižšiu finančnú odmenu – činovné,[21] čo opäť vyvolávalo nesúhlas a rozpory v radoch pedagogickej obce.

---

17 Medzi čestnými členmi SPS nájdeme univerzitného profesora vo výslužbe a správcu Matice slovenskej (MS) Jozef Škultétyho a profesora Evanjelickej a. v. teologickej vysokej školy v Bratislave Jána Kvačalu.

18 Zborník po stránke prezentácie pedagogickej odbornosti riešil dobovú problematiku výučby na prvom a druhom stupni vzdelávania.

19 *Zborník SPS*, roč. XXI., r. 1941/1942, č. 1, s. 57.

20 Zákon č. 104/1926 Sb. z. a n. o úprave služobných a platových pomerov učiteľov obecných a meštianskych škôl. Ministrom školstva národnej osvety bol v tomto období J. Kramář (marec 1926 – október 1926).

21 Výška činovného sa odvíjala od miesta pôsobiska. Do kategória A bola zaradená Bratislava, do kat. B patrili obce nad 25-tisíc obyvateľov, do kat. C obce s počtom od 2000 do 25-tisíc a do D kat. ostatné z nižším počtom obyvateľov ako 2000. Výšku činovného stanovoval výnos ministerstva

Nespokojnosť s výškou mzdy, ktorá tvorí základ sociálnej prosperity a postavenia učiteľského stavu, a ťažkosti so získaním pracovného miesta, ktoré by zodpovedalo štúdiom získanej kvalifikácii, pretrvávali v učiteľskej obci na Slovensku aj v 30. rokoch minulého storočia. V roku 1938 a v nasledujúcom roku prinútili spoločensko-politické podmienky pod gesciou Hlinkovej slovenskej ľudovej strany – Strany slovenskej národnej jednoty, odísť z autonómnej časti Č-SR, zo Slovenskej krajiny väčšinu pedagógov českej národnosti až na výnimky niekoľkých vysokoškolských učiteľov, školského personálu a úradníkov.

školstva zo 17. januára 1930 č. 111. In NEUHOÖFER, R. *Střední školství*. Praha: Státní nakladatelství, 1935, s. 149 – 153.

Zjazd mladej slovenskej generácie*

Róbert Arpáš

Československo oficiálne vzniklo ako národný štát „československého národa“. V tejto podobe bolo uznané koalíciou štátov Dohody, a preto sa československá vláda snažila pevne ukotviť túto zásadu aj v československom (čs.) právnom systéme. O tom svedčí aj znenie čs. ústavy prijatej 29. februára 1920. Jej preambula začína slovami: *„My, národ československý...“.*[1] Obsah preambuly tak právne sankcionoval ideologickú konštrukciu tzv. čechoslovakizmu, ktorý popieral národnú osobitosť Slovákov. Pri vzniku spoločného štátu mal tento ideový konštrukt svoje opodstatnenie, ktoré bolo väčšinovo rešpektované aj slovenskými politickými predstaviteľmi. Okrem už spomenutých podmienok zahraničnopolitického uznania nového štátneho subjektu závažnú úlohu zohrávali aj národnostné pomery rodiaceho sa čs. štátu. Iba presadením existencie fiktívneho „čs. národa“ ako štátotvornej jednotky bolo možné dosiahnuť v proponovanom národnom štáte väčšinu. Bez tejto konštrukcie by sa Československo z národného štátu „čs. národa“ zmenilo na štát národnostný.[2] Dalo by tak za pravdu svojim neprajníkom, ktorí ho označovali za malé Rakúsko-Uhorsko. A tomu sa čs. politická reprezentácia snažila zo všetkých síl zabrániť.

Ako z uvedeného vyplýva, primárnym záujmom čs. politických špičiek pri koncipovaní čs. štátno-národnej idey nebolo potláčanie slovenských národných aspirácií. Skutočným problémom bola početná nemecká menšina, ktorá sa netajila svojím odmietavým postojom k čs. štátu. Jej predstavitelia vystupovali veľmi aktívne na obhajobu vlastných záujmov, pri ktorých sa zaštiťovali, rovnako ako tvorcovia Československa, právom na národné sebaurčenie. Zabezpečenie pohraničných oblastí obývaných nemeckým obyvateľstvom pre rodiaci sa čs. štát bolo preto čs. politickými reprezentantmi považované za jednu zo základných úloh.[3]

---

* Štúdia vznikla v rámci projektu VEGA 2/0119/14 Formovanie zahraničnopolitického myslenia slovenských politických elít a spoločnosti v rokoch 1918 – 1939. Zodpovedný riešiteľ: Mgr. Matej Hanula, PhD.

1 PEROUTKA, Ferdinand. *Budování státu, Zv. 3.* Praha : Lidové noviny, 1991, s. 927.

2 Podľa sčítania ľudu z roku 1921 bolo národnostné zloženie obyvateľstva ČSR nasledovné: k československej národnosti sa hlásilo 8 760 937 obyvateľov, nasledovala nemecká národnosť s počtom 3 123 568, k Maďarom sa hlásilo 745 431 obyvateľov, ruskú národnosť uviedlo 461 849, židovskú 180 855, poľskú 75 853, rumunskú 13 974, juhoslovanskú 2 108 a inú 9 789 československých štátnych príslušníkov. ŠUCHOVÁ, Xénia. Prílohy I. – Obyvateľstvo. In ZEMKO, Milan – BYSTRICKÝ, Valerián (eds.). *Slovensko v Československu (1918 – 1939).* Bratislava : Veda, 2004, s. 494. Na Slovensku žilo v tom čase 2 013 792 príslušníkov československého národa, z ktorých 1 942 059 sa hlásilo k Slovákom a 71 733 k Čechom. TÓTH, Andrej – NOVOTNÝ, Lukáš – STEHLÍK, Michal. *Národnostní menšiny v Československu 1918 – 1938. Od státu národního ke státu národnostnímu?* Praha : Univerzita Karlova v Praze, Filozofická fakulta a TOGGA, s.r.o., 2012, s. 23.

3 O problematike postoja Nemcov k novému čs. štátu pozri napr. KÁRNÍK, Zdeněk. *České země v éře první republiky (1918 – 1938). Díl první. Vznik, budování a zlatá léta republiky (1918 – 1929).* Praha : Libri, 2003, s. 84 – 97.

Z tohto pohľadu predstavovala tzv. slovenská otázka skôr podružný problém, ktorý údajne navyše nemal ani oporu v realite. Volanie po uznaní národnej osobitosti a z nej následne vyplývajúcej slovenskej autonómie bolo rozhodujúcimi politickými činiteľmi čs. štátu považované viac za pokus o zachovanie integrity Uhorska než za skutočné zmýšľanie slovenského obyvateľstva. A vzhľadom k národnej uvedomelosti (či skôr neuvedomelosti) ľudu na Slovensku, ktorá bola dlhodobo programovo likvidovaná politikou maďarizácie, mali tieto názory svoje racionálne jadro.

Na rozdiel od českých krajín, na Slovensku sa všetci s myšlienkou čs. národa nedokázali stotožniť. V českej časti spoločného štátu bol vznik Československa vnímaný ako reštaurácia historického českého štátu a zrejme aj preto boli pojmy „český" a „československý" považované za synonymá. Na Slovensku však odlišná politická, kultúrna a náboženská tradícia, vyplývajúca z uhorského dedičstva, spôsobovala väčšiu senzitívnosť pri vnímaní česko-slovenských rozdielov. Požiadavka uznania slovenských národných práv a od nej odvodený nárok na samosprávu boli trvalou a významnou súčasťou programu časti slovenského politického spektra.

Autonomistický prúd[4] bol na Slovensku prítomný prakticky od vzniku Československa. Svojich prívržencov získaval postupne aj vďaka populistickej agitácii, v ktorej prezentoval autonómnu samosprávu ako univerzálny liek na riešenie všetkých slovenských problémov. Naliehavosť požiadavky zohľadňovania slovenských pomerov pri realizácii štátnej hospodárskej politiky sa obzvlášť intenzívne prejavila počas zhoršených ekonomických pomerov v období Veľkej hospodárskej krízy. Jej sociálny dosah zvýšil citlivosť slovenskej verejnej mienky, ale aj politických predstaviteľov k prehliadaniu slovenských potrieb zo strany ústredných štátnych orgánov.

Zvýšený záujem verejnosti o národnú otázku sa prejavil už v roku 1931 v spore o nové pravidlá slovenského pravopisu.[5] Aktívnu úlohu tu zohrala aj nastupujúca slovenská generácia. Jej predstavitelia sa odmietavo stavali voči praktizovanej ideológii čechoslovakizmu. Nesúhlas s postojom čs. štátu voči tzv. slovenskej otázke sa však už neobmedzoval iba na reprezentantov autonomistického prúdu. Svojich prívržencov si získaval i v radoch koaličných strán. Nastupujúca generácia aj v týchto politických subjektoch iniciovala návrhy na prehodnotenie dovtedajšej politickej línie v postoji k národnej svojbytnosti Slovákov a z nej vyplývajúceho nároku na určitú formu samosprávy.

Záujem mladej generácie z rôznych politických smerov o riešenie slovenskej otázky viedol k úvahám o zorganizovaní široko koncipovaného diskusného fóra, ktoré by sa venovalo problémom pútajúcim jej pozornosť. Iniciatívu v tomto smere vyvinula redakcia nového nezávislého časopisu *Politika.* Aj keď sa časopis vyhýbal spájaniu s konkrétnou politickou stranou, predsa len jeho redaktori mali blízko k agrárnej strane, predovšetkým k jej slovenskému lídrovi Milanovi Hodžovi. Využívajúc svoje nadstranícke postavenie vyzvali na uskutočnenie zjazdu mladej slovenskej generácie za účasti zástupcov všetkých politických smerov. O svojom úmysle informovali redaktori časopisu – Peter Zaťko, Ľudovít

4 Požiadavka na slovenskú samosprávu vo forme autonómie vychádzala z Pittsburskej dohody z 30. – 31. mája 1918, ktorú ako zástupca zahraničného čs. odboja podpísal aj budúci prezident Tomáš Garrigue Masaryk.

5 Pozri napr. ZMÁTLO, Peter. *Katolíci a evanjelici na Slovensku (1929 – 1932).* Ružomberok : Verbum, 2011, s. 160 – 174, 231 – 249.

Ruman[6] a Andrej Kostolný – prezidenta Tomáša Garrigua Masaryka 12. júna 1932. U prezidenta zanechali dobrý dojem, čo sa odrazilo aj na jeho postoji k časopisu, ktorý ohodnotil ako *„objektívny hlas mládeže vychovanej už republikou"*.[7] Počas návštevy poskytol prezident zástupcom redakčného kruhu rozhovor. Interview bolo zverejnené v zjazdovom čísle *Politiky*. Masaryk v ňom vyjadril presvedčenie o vzájomnom *„poznávání a sbližování obou větví národa"*. Zároveň podporil presadzovanie regionalizmu, pričom však na jeho adresu poznamenal: *„Úsilí o zpevnění a zobsažnění národní individuality je jistě správné, ale vyžaduje bdělého studia a správného hodnocení místních zvláštností."*[8]

Zjazdové číslo časopisu *Politika* z 20. júna 1932 hneď na titulnej strane zverejnilo program chystaného podujatia, ktoré bolo naplánované na dva dni – sobotu a nedeľu 25. a 26. júna 1932 do Trenčianskych Teplíc. Jeho súčasťou boli aj organizačné pokyny pre prihlásených účastníkov. Okrem ponuky na zaistenie ubytovania mohli využiť aj štvrtinovú zľavu na cestovnom poskytnutú ministerstvom železníc. Časopis tiež uverejnil kompletné znenie hlavných referátov s upozornením, že sa na zjazde nebudú čítať, ale referenti prednesú len *„stručný obsah a ihneď sa prikročí k rozprave"*.[9]

V stanovenom termíne do Trenčianskych Teplíc naozaj pricestovali reprezentanti nastupujúcej generácie rôznych politických smerov od krajnej ľavice až po konzervatívne pravicové spektrum. Za prítomnosti 380 účastníkov podujatie otvoril o 18.30 hod. predseda prípravného výboru Peter Zaťko. Prítomných vyzval, aby zaujali čo najjednoznačnejšie stanovisko na spoločnom slovenskom programe. Zároveň referentov a diskutérov požiadal, aby *„zadržali prísnu vecnosť, aby tu neoperovali heslami, ale dátami, dokladmi"*. Svoj prejav ukončil upozornením, že predsedníctvo *„bude prísne dbať, aby tu bol zachovaný pokoj a vecnosť"*.[10]

Snaha predsedníctva o pokojnú atmosféru rokovania však narážala na odpor mladej generácie voči predstaviteľom čs. politického systému. Okrem mládeže totiž na zjazd dorazili aj predstavitelia staršej politickej generácie z vládneho tábora, ako aj z radov opozície. A tak popri agrárnikoch Vavrovi Šrobárovi, Milanovi Hodžovi, Antonovi Štefánkovi, Ľudovítovi Medveckom a národnom demokratovi Milanovi Ivankovi sa do Trenčianskych Teplíc dostavili aj ľudáci Jozef Tiso a Ján Kovalik. Najmä prítomnosť vládnych reprezentantov vyvolávala negatívne reakcie zjazdového publika. Týkalo sa to predovšetkým vystúpení Medveckého a Štefánka, ktorých prejavy boli rušené *„stálym hlukom, ostrými ironickými poznámkami a búrlivým odporom"*. Chovanie delegátov, ktorí obviňovali aktívnych politikov zo spoluzodpovednosti za nezdravý politický vývin, primälo Hodžu, ako aj ostatných reprezentantov staršej politickej garnitúry rezignovať na vlastné vystúpenie.[11] Nezáujem

6 Niekde sa uvádza aj podoba mena Ruhman.

7 GAŠPARÍKOVÁ-HORÁKOVÁ, Anna. *U Masarykovcov. Spomienky osobnej archivárky T. G. Masaryka.* Bratislava : Academic Electronic Press; Ústav T. G. Masaryka; Historický ústav SAV, 1995, s. 163.

8 In *Politika*, roč. 2, č. 11, 20. 6. 1932, s. 122 – 123.

9 Tamže, s. 121.

10 Sjazd mladej slovenskej generácie jednohlasne: Proti centralizmu a za autonomiu Slovenska. In *Slovák*, 28. 6. 1932, XIV/146, s. 1. K problematike pozri tiež ZMÁTLO, *Katolíci a evanjelici*, c.d., s. 250 – 262.

11 In *Slovák*, roč. 14, č. 46, 28. 6. 1932, s. 1.

mládeže o ich vyjadrenia dokumentovalo aj uznesenie, aby z diskusie boli vylúčení príslušníci staršej generácie, keďže *„je sjazd tento sjazdom mladej slovenskej generacie"*.[12]

Zjazd si vytýčil tri tematické okruhy, ku ktorým sa malo po prediskutovaní zaujať jednotné stanovisko. Prvým bodom programu bolo sformulovanie *Stanoviska k platnému spoločenskému poriadku*. Referentmi k tejto otázke boli Vladimír Clementis, Imrich Karvaš a Jozef Zvrškovec. V úvodných prejavoch sa zreteľne odrážala politická orientácia rečníkov. Clementis ako presvedčený komunista označil aktuálny systém za nevyliečiteľne chorý. Jediným riešením podľa neho bolo nahradenie kapitalistického spoločenského poriadku novým socialistickým spoločenským systémom. Okrem jeho ekonomických výhod argumentoval aj vyrovnaním sa s nacionálnou otázkou. Heslo vytvorenia kultúry *„národnej svojou formou a proletárskej svojím obsahom"* malo umožniť plný kultúrny život desiatkam národov v Sovietskom zväze. Obhajoval pritom aj revolučný prevrat, keď spochybňoval argumenty kritikov proti *„násilnej revolúcii sovietskej"*. Poukazoval, že prevýchova obyvateľstva na nové pomery sa bez násilia nedá uskutočniť, čo dokladal na príkladoch francúzskej revolúcie alebo kresťanstva.[13]

Karvaš ako zástanca regionalizmu a etatizmu odmietal revolúciu a vyjadroval sa za evolučný vývoj opierajúci sa o zásady solidarity. Avšak podobne ako Clementis, aj on považoval za konečný cieľ zavedenie kolektivistického spoločenského poriadku, v ktorom mal štát regulovať hospodárske pomery. Jeho dosiahnutie však malo byť možné iba demokratickým uplatnením názoru väčšiny, a preto bolo potrebné odstrániť viazané kandidačné listiny.[14] Len vo voľných demokratických voľbách sa totiž mohli presadiť *„statoční a rozumní"* ľudia, ktorí *„budú v stave postarať sa o nápravu terajšieho chorého systému"*.[15]

Referujúci Zvrškovec favorizoval kresťanský spoločenský poriadok, ktorý jediný mohol podľa jeho názoru uzdraviť choré prejavy v spoločnosti.[16] Argumentoval, že kresťanský spoločenský a hospodársky poriadok uznával prirodzené právo, ale zároveň odmietal mravné zásady liberalizmu: *„Človek nemôže byť vo svojej činnosti vedený len vlastným osobným záujmom, ale musí rešpektovať aj záujmy iných jednotlivcov a spoločenského blahobytu..."* Odmietol tiež požiadavku marxizmu na likvidáciu súkromného vlastníctva. Zvrškovec považoval jeho zachovanie za prirodzené právo človeka i za hýbateľa vývoja spoločnosti, pretože človek *„popudzovaný je k práci práve výhľadom, že bude môcť výsledkami vlastnej práce sám a ľubovoľne disponovať"*. Súčasne zdôraznil úlohu štátu. Robotníkovi mal zabezpečiť spravodlivú mzdu, pričom mala byť stanovená mzda minimálna, ktorá robotníkovi *„dovolí primerane žiť i s rodinou"*. Tiež mal regulovať ceny tovarov, aby zabránil *„prehmatom ziskuchtivého kapitalizmu"*.[17] Kritika teda neznamenala, že by odmietal využitie dobrých prvkov či už z liberalizmu, alebo aj z marxizmu.[18]

---

12 Národní archiv České republiky (ďalej NA ČR) Praha, fond (ďalej f.) Prezidium ministerstva vnitra – Archiv ministerstva vnitra (ďalej PMV – AMV) 225, kartón (ďalej k.) 911, signatúra (ďalej sig.) 225-911-3.

13 In *Slovák*, roč. 14, č. 146, 28. 6. 1932, s. 1, por. *Politika*, roč. 2, č. 11, 20. 6. 1932, s. 123 – 126.

14 In *Politika*, roč. 2, č. 11, 20. 6. 1932, s. 130.

15 In *Slovák*, roč. 14, č. 146, 28. 6. 1932, s. 1.

16 Tamže.

17 In *Politika*, roč. 2, č. 11, 20. 6. 1932, s. 133.

18 In *Slovák*, roč. 14, č. 146, 28. 6. 1932, s. 1.

Hlavné referáty boli úvodom k následnej diskusii, do ktorej sa prihlásilo vyše dvadsať rečníkov. Ale po návrhu, aby z debaty bola vylúčená stará generácia, keďže ide o zjazd mladej slovenskej generácie, sa časť prihlásených vzdala slova. Vystúpila tak asi dvadsiatka delegátov. Aj s ohľadom na rôznorodosť politického zmýšľania jednotlivých diskutujúcich bola debata vzrušená, k čomu tiež prispeli demagogické výroky komunistov, ktorí zastrašovali, že ak *„kapitalisti odovzdajú svoje majetky dobrovoľne, nebudeme im rezať krky“*.[19] Na úrovni príspevkov sa negatívne prejavil aj časový limit obmedzujúci vystúpenie na osem minút, čo bola reakcia na siahodlhé vystúpenie prvého diskutujúceho.[20]

Rozdielne názory neumožňovali vytvoriť jednotný program, o čo sa organizátori ani neusilovali, keďže vydávanie rezolúcií už dopredu odmietli. Ich zámerom bolo sformulovanie takého stanoviska k vytýčeným bodom, na ktorom by sa boli schopní účastníci zjazdu zhodnúť. K prvému bodu formuloval stanovisko predsedajúci Zaťko. Skonštatoval v ňom, že platný spoločenský poriadok odmietli všetci rečníci. Ich vystúpenia sa líšili len v miere kritiky. Najráznejší v tomto smere boli komunisti, ktorí zastávali názor o nutnosti likvidácie aktuálneho zriadenia a jeho nahradenia úplne novým. Na rozdiel od nich ostatní diskutéri sa vyslovili za evolučnú cestu nápravy odstránením najväčších chýb. Po tomto zhrnutí Zaťko predstavil záverečné stanovisko: *„odstraňovať chyby platného poriadku prenikaním prvkov kolektivistických, poťažne tlačením týchto prvkov do štruktúry platného poriadku. Záujem kolektíva je väčší, ako záujem individua“*.[21] Tým bol prvý deň zjazdu ukončený o 20.40 hod.[22] a účastníkov čakala večera v Grand Hoteli.

Zjazd pokračoval nasledujúci deň 26. júna od ôsmej hodiny rannej. Rokovaniu o druhom bode – *Stanovisku k postaveniu Slovenska v ČSR* – predsedal Imrich Karvaš. Vo svojom úvodnom slove k asi 400 účastníkom skonštatoval, že šlo o najchúlostivejší problém, otázku citovú, a preto vyzval *„prítomných, aby sa chovali vážne a aby sa hovorilo vecne“*.[23] Prvým referentom bol reprezentant ľudovej strany Anton Vašek. Vo svojom vystúpení na historických príkladoch zo slovenských dejín od polovice 19. storočia poukázal, že *„Slováci ako národ suverený majú pevnú kolektívnu vôľu domáhať sa uskutočnenia autonomie Slovenska“*. Jej presadenie mal však znemožňovať pražský centralizmus, ktorý navyše Slovensko aj ekonomicky poškodzoval. Preto sa dožadoval včlenenia autonómie Slovenska do čs. ústavy.[24] Súčasne objasnil aj svoju predstavu štátoprávneho postavenia Slovenska v prebudovanom Československu: *„Autonomiou je zaradenie Slovenska do republiky ČSR na podklade federalistickom tak, aby prirodzený vývin slovenského národa bol zaistený“*.[25] V písomnej podobe svojho referátu si neodpustil ani varovanie o pripravenosti ľudákov využiť na dosiahnutie cieľa akékoľvek prostriedky, a to vrátane mimoparlamentných.[26]

19 NA ČR, f. Předsednictvo ministerské rady (ďalej PMR), k. 24, inventárne číslo (ďalej i. č.) 392, sig. 12, Politicko-situační zprávy – Slovensko.
20 In *Slovák*, roč. 14, č. 146, 28. 6. 1932, s. 2.
21 Tamže.
22 NA ČR, f. PMR, k. 24, i. č. 392, sig. 12, Politicko-situační zprávy – Slovensko.
23 In *Slovák*, roč. 14, č. 146, 28. 6. 1932, s. 2, por. NA ČR, f. PMR, k. 24, i. č. 392, sig. 12, Politicko-situační zprávy – Slovensko.
24 In *Politika*, roč. 2, č. 11, 20. 6. 1932, s. 136 a 139.
25 In *Slovák*, roč. 14, č. 146, 28. 6. 1932, s. 2.
26 In *Politika*, roč. 2, č. 11, 20. 6. 1932, s. 139.

Druhý referent Peter Zaťko označil centralizmus za najnesprávnejší správny systém a dovolával sa poskytnutia autonómie Slovensku. Keďže však pojem autonómie nebol teoreticky spracovaný, poskytol vlastnú definíciu: *„Územnou autonomiou rozumieme každý stupeň samosprávy určitého teritoria."* Jej rozsah mal byť stanovený na základe skĺbenia dvoch hľadísk – zvláštnych potrieb Slovenska a záujmov čs. štátu. Za najlepšie riešenie spĺňajúce tieto kritériá považoval regionalizmus.[27] Súčasne však odmietol obvinenia, že by zástancovia regionalizmu neriešili otázku existencie slovenského národa, ktorú považoval za samozrejmú. Pri volaní po autonomizme a federalizme však prorocky varoval: *„Federalizmus znamená delenie zákonodarnej moci... to vieme. Ale kde by sa zastavil tento vývoj?"* Pri kritike centralizmu zvlášť vyzdvihol negatívnu rolu slovenských centralistov, ktorí nedostatočným hájením slovenských záujmov *„do strašného svetla stavajú centralistický režim"*.[28]

Zatiaľ čo prvé dva referáty sa zaoberali problematikou Slovenska z politicko-správneho hľadiska, ďalšie vystúpenia sa venovali otázke postavenia Slovenska po kultúrnej stránke. Hneď po Zaťkovi sa slova ujal národne orientovaný rečník Matúš Černák. Vo svojom príspevku konštatoval, že slovenskému národu nebol umožnený slobodný kultúrny vývoj, ale naopak, *„slovenskému národu robily sa vedomé prekážky"*. Dotkol sa aj jazykovej otázky, keď odmietol oficiálnou politikou presadzovanú konštrukciu jazyka československého. Jeho vystúpenie bolo odmenené potleskom.[29]

Odlišná bola reakcia publika na vystúpenie spisovateľa a literárneho vedca Andreja Kostolného. Ako *„jediný sa usiloval z mladých hovoriť o tom, že s úžasom pozorujeme, že jestvovanie česko-slovenského národa stáva sa problematickým"*. Jeho postoj k jazykovej otázke tiež vychádzal z opačného hľadiska ako Černákov. Na slová o existencii reči československej reagovalo publikum hlasitým smiechom.[30] Kostolný pritom definoval pojem čs. jazyka: *„... nie je ňou nič takého, čo by bolo tvorené z češtiny a slovenčiny umele. Filologicky pojmom „československčina" označujeme živú reč čiže dialekty od východnej rečovej hranice Slovenska až po západnú rečovú hranicu Čiech."*[31] Existencia čs. jazyka ale zároveň nemala vylučovať jestvovanie slovenčiny, ktoré označil za *„faktum, o tom nikto nepochybuje"*. Poukázal na jej presadenie v školách, na úradoch a tiež *„opanúva s kroka na krok aj slovenskú spoločnosť"*.[32]

Posledným referujúcim bol komunista Ladislav Novomeský, ktorý z triedneho hľadiska podrobil kritike aktuálny vzdelávací systém. Ten označil za nedostatočný až priamo škodlivý.[33] Podobne hodnotil aj snahy o zbližovanie nového slovenského pravopisu s češtinou, ktoré odmietol ako výraz politickej expanzie kapitalizmu. Nesúhlasil však ani s predstavami odporcov nového pravopisu, lebo aj ich *„linguistické kriteria sú vzdialené živej reči ľudu"*.

27 Tamže, s. 140 – 141.
28 In *Slovák*, roč. 14. č. 146, 28. 6. 1932, s. 2.
29 Tamže.
30 Tamže.
31 In *Politika*, roč. 2, č. 11, 20. 6. 1932, s. 147.
32 In *Politika*, roč. 2, č. 11, 20. 6. 1932, s. 148.
33 In *Slovák*, roč. 14, č. 146, 28. 6. 1932, s. 2.

Pri revízii gramatiky požadoval jej prispôsobenie *„praktickej potrebe ľudovej pospolitosti"*.[34]

Po doznení referátov nasledovala rozprava. Početnosť záujemcov o diskusiu sa odrazila v ďalšom skrátení lehoty na vystúpenie, tentoraz už len na päť minút,[35] čo mnohí oprávnene považovali za nedostatočné. Z tridsiatich prihlásených sa debaty zúčastnilo dvadsaťosem. S výnimkou Štefánka a Medveckého všetci odsúdili centralistický systém ako škodlivý pre Slovensko. Takmer všetci súčasne odmietli čs. národnú i jazykovú jednotu. Proti nej postavili požiadavku uznania Slovákov za samostatný národ so všetkými k tomu prislúchajúcimi právami. V spôsobe presadenia tohto cieľa sa však rozchádzali.[36] Výmeny názorov boli miestami búrlivé, zvlášť pri prejave Štefánka a Medveckého a faktickej poznámke Oldry Sedlmayerovej.[37]

Závery debaty k druhému bodu zjazdu sumarizoval Jozef Konštantín Millo: *„Centralizmus na Slovensku sa jednomyseľne odsúdil. Celá mladá slovenská generácia je autonomistická, názory sa líšia len čo do stupňa. Jedni považujú za nutný federalizmus, druhí sa predbežne uspokojujú s úplným regionalizmom, zabezpečeným zákonom."*[38]

Po obede a krátkej prehliadke kúpeľov pokračovalo o 15. hodine rokovanie posledným bodom, ktorým bolo *Stanovisko k vedeniu nášho verejného života.* Ako prvý vystúpil reprezentant mladej agrárnej generácie Pavel Kordoš. Jeho reč sa zamerala na kritiku neodbornosti súčasných vedúcich činiteľov, a preto vyzýval k revízii vedenia verejného života.[39] Popri tom zdôraznil, že kritický postoj mládeže sa týka všetkých politických smerov, teda nielen opozičných, ale aj vládnych politických strán.[40]

Aj druhý rečník Jozef Konštantín Millo patril k mladej generácii agrárnej strany. Odsúdil personálne boje v politike a preferovanie osobných záujmov pred záujmami krajiny, ktoré boli dôkazom nemohúcnosti aktuálnych metód.[41] Vyjadril i vieru, že *„mladá generácia slovenská nájde vo verejnom živote spôsoby práce, akú vyžaduje záujem Slovenska i republiky"*.[42]

Po Millovi sa ujal slova predstaviteľ komunistického hnutia Daniel Okáli. V prejave zdôrazňujúcom triedne hľadisko skritizoval negatívne dosahy pozemkovej reformy na ekonomickú situáciu zadlžených roľníkov. Taktiež poukázal na slovenských politikov a podnikateľov, ktorí namiesto obhajoby záujmov Slovenska sa podieľali na odbúravaní jeho priemyslu.[43]

Posledným referentom bol František Paňák. Svoju pozornosť zameral na ústavu hovoriacu, že v Československu *„koniec – koncov vládne ľud"*. Pritom však položil otázku, či

---

34 In *Politika*, roč. 2, č. 11, 20. 6. 1932, s. 153.
35 In *Slovák*, roč. 14, č. 147, 29. 6. 1932, s. 3.
36 NA ČR, f. PMR, k. 24, i. č. 392, sig. 12, Politicko-situační zprávy – Slovensko.
37 Viac pozri napr. In *Slovák*, roč. 14, č. 146, 28. 6. 1932, s. 3, In *Slovák*, roč. 14, č. 147, 29. 6. 1932, s. 3, In *Slovák*, roč. 14, č. 146, 28. 6. 1932, s. 3, por. NA ČR, f. PMR, k. 24, i. č. 392, sig. 12, Politicko-situační zprávy – Slovensko.
38 In *Slovák*, roč. 14, č. 147, 29. 6. 1932, s. 3.
39 In *Slovák*, roč. 14, č. 147, 29. 6. 1932, s. 3.
40 In *Politika*, roč. 2, č. 11, 20. 6. 1932, s. 154 – 155.
41 In *Slovák*, roč. 14, č. 147, 29. 6. 1932, s. 3.
42 In *Politika*, roč. 2, č. 11, 20. 6. 1932, s. 157.
43 In *Slovák*, roč. 14, č. 147, 29. 6. 1932, s. 3 – 4, por. In *Politika*, roč. 2, č. 11, 20. 6. 1932, s. 161.

aj vysťahovalectvo, nezamestnanosť a ďalšie nezdravé javy pochádzajú z vôle ľudu. Totiž práve kvôli nim ľud *„cíti nenávisť proti rozhodujúcim pánom moci"*.[44] Uznával síce nesporné zásluhy Čechov na oslobodení i rozvoji Slovenska, tie však boli kalené ich prístupom, keď sa ku Slovensku mali správať ako dobyvatelia.[45]

Aj v poslednom bloku zjazdu bol veľký záujem o účasť v debate nasledujúcej po referátoch. Väčšina príspevkov sa opäť sústredila na kritiku slovenských politikov vo významných štátnych pozíciách. Na ich vytlačenie z funkcií navrhoval Ján Farkaš zrušenie viazaných kandidátnych listín, pričom odmietol paušálne obviňovanie starých. Vystupujúci dr. Strelec zase starú generáciu vyzval k voľbe medzi abdikáciou alebo dôsledným hájením slovenských požiadaviek. Súčasne navrhol likvidáciu filiálok čs. strán na Slovensku, za čo zožal búrlivý potlesk. Prostredníctvom Ľudovíta Rumanna bola zas prezentovaná idea na užšiu kooperáciu s mladou českou generáciou. O slovo sa znovu prihlásil aj reprezentant staršej generácie agrárnikov Ľudovít Medvecký, ktorému nesúhlasiace auditórium už po niekoľký raz opäť znemožnilo hlasitou obštrukciou dokončiť prejav.[46]

Debata bola ukončená o 17.30 hod. a jej závery sumarizoval Anton Vašek. Podľa jeho hodnotenia *„mladá slovenská generácia nie je spokojná s vedením dnešného verejného života a žiada aplikovanie metod, vyplývajúcich zo zásad demokracie, žiada... aby záujem Slovenska a republiky kladený bol nad záujem osôb a strán a aby viazané kandidačné listiny boly odstránené"*.[47] Definitívnou bodkou za podujatím mladej slovenskej generácie bolo konštatovanie predsedu zjazdu Petra Zaťka, že došlo k dohode na spoločnej slovenskej línii. Zároveň bol odsúhlasený návrh na usporiadanie spoločného zjazdu mladej slovenskej a českej generácie.[48]

Priebeh trenčiansko-teplického zjazdu poukázal na všeobecnú nespokojnosť mladej generácie tak s postavením Slovenska, ako aj s aktuálnym politickým systémom. Prijaté závery jasne dokazovali, že idea čs. jednoty sa na Slovensku ocitla v kríze. Veľká časť nastupujúcej generácie ju dokonca úplne odmietala. To neboli priaznivé vyhliadky pre budúcnosť čs. štátu. Zjazd mladej slovenskej generácie bolo preto možné chápať súčasne aj ako varovanie pre zástancov centralistického režimu. Bol akýmsi apelom na jeho zmeny v nových politicko-ekonomických podmienkach. Ale len malá časť vplyvných politikov bola ochotná vypočuť volanie po väčších kompetenciách pre slovenskú samosprávu. Väčšina stále zostávala na odmietavom stanovisku odôvodnenom obavami o existenciu Československa. Aj keď trenčiansko-teplický zjazd zintenzívnil diskusiu o riešení slovenskej otázky v ČSR, k jej vyriešeniu zostávala ešte dlhá cesta. Neustále odklady navyše spôsobili, že to nebolo v podobe vnútroštátneho česko-slovenského dialógu, ale už aj s asistenciou zahraničných vplyvov.

---

44 In *Slovák*, roč. 14, č. 147, 29. 6. 1932, s. 4.

45 In *Politika*, roč. 2, č. 11, 20. 6. 1932, s. 163.

46 In *Slovák*, roč. 14, č. 147, 29. 6. 1932, s. 4, por. NA ČR, f. PMR, k. 24, i. č. 392, sig. 12, Politicko-situační zprávy – Slovensko.

47 In *Slovák*, roč. 14, č. 147, 29. 6. 1932, s. 4.

48 Tamže. Pozri tiež NA ČR, f. PMV - AMV 225, k. 911, sig. 225-911-3.

Úloha bánk v rozvoji priemyslu na Slovensku 1867 – 1938 v stredoeurópskom kontexte*

Ľudovít Hallon

V celom stredoeurópskom priestore vrátane dnešného územia Slovenska zohrávali akciové banky univerzálneho typu od poslednej tretiny 19. storočia dôležitú úlohu v rozvoji priemyslu a industrializačného procesu. Stali sa kľúčovými centrami úverových, zakladateľských a ďalších finančných operácií výrobných a iných podnikov. Kombinovali krátkodobé úverové obchody s dlhodobými investičnými aktivitami, získavali akcie a hlasovacie práva akciových podnikov. Význam komerčného bankovníctva v rozvoji priemyslu sa však od konca 19. do polovice 20. storočia postupne menil, najmä po štátoprávnych a hospodársko-politických zmenách v strednej Európe v roku 1918. Nasledujúca štúdia je pokusom zhodnotiť vzťah bánk a priemyslu v špecifických podmienkach Slovenska počas existencie Uhorska do roka 1918 a v medzivojnovom Československu. Práca vychádza z doterajšieho stavu výskumu a mala by podať celkový obraz problematiky v dlhodobej perspektíve približne 60 rokov hospodárskeho vývoja naprieč hospodársko-politickými a štátoprávnymi premenami strednej Európy. Takýto obraz totiž doteraz v slovenskej historiografii chýbal.

Slovenská historiografia sa problematikou vzťahu bánk a priemyslu intenzívnejšie zaoberala od 60. rokov 20. storočia. Bola však zameraná predovšetkým na dejiny národne slovenského bankovníctva, teda bánk so slovenskou správou, ktoré mali v podnikovej sfére len vedľajšiu úlohu. Vývoj akciových bánk s inonárodnou správou a tiež filiálok bankových subjektov s centrálou mimo územia Slovenska vo vzťahu k priemyslu je spracovaný len okrajovo. Dejiny národne slovenského bankovníctva v období 1867 – 1938 aj s rámcovým hodnotením pôsobenia bánk v priemysle synteticky spracovali v trojzväzkovej publikácii Š. Horváth a J. Valach. Čiastkovými problémami a jednotlivými subjektmi bankovníctva v rámci sledovanej tematiky sa v početných štúdiách a monografiách zaoberali slovenskí a českí historici :A. Teichová, J. Faltus, V. Průcha, M. Písch, M. Strhan, R. Holec, F. Chudják, Ľ. Hallon, Š. Gaučík a niektorí ďalší. Vývoj do roka 1918 v celouhorských pomeroch nám sprostredkujú najmä práce maďarských, prípadne rakúskych historikov (I. T. Berend, Gy. Ránki, Gy. Köver, Á. Pogány a B. Tomka). Pre širšie súvislosti a pre obdobie po roku 1918 sú inšpiratívne práce českých historikov. Na začiatku 90. rokov zapojila historička A. Teichová českú a slovenskú historiografiu do medzinárodného projektu Európske banky a priemysel v medzivojnovom období. Zo slovenských historikov sa ho zúčastnil J. Faltus. Doterajší výskum napriek tomu pokrýva len časť problematiky vzájomného vzťahu bánk a priemyslu na území Slovenska v sledovaných rokoch. Keďže Slovensko až do roku 1938 tvorilo súčasť väčšieho štátneho útvaru a ekonomického priestoru, bol jeho hospodársky vývin osobitne zachytený štatistikami len okrajovo. Preto chýba dostatok údajov na hodnotenie dlhodobých vývojových tendencií v rámci nastolenej problematiky. Nasledujúca štúdia odráža možnosti a limity výskumu v danom smere.

* Štúdia bola vypracovaná v rámci projektu APVV-14-0644.

Po revolúcii z rokov 1848 – 1849 sa v Uhorsku uvoľnil priestor na budovanie trhového kapitalistického hospodárstva. Rozvoj podporili opatrenia ako uzákonenie slobody zakladania živností zákonom z roka 1860, zrušenie cechov roku 1872 a vznik priemyselných a obchodných komôr. Vývoj východnej časti monarchie sa urýchlil po dosiahnutí rakúsko-uhorského vyrovnania v roku 1867. Vznikli samostatné vládne hospodárske orgány Uhorska. V rokoch 1875 – 1876 bol prijatý liberálny živnostenský zákon a nový zmenkový zákon. Nastal rozvoj bankovníctva, finančného kapitálu a podnikania na akciovom základe. Nasledujúce obdobie relatívnej stability do roku 1914 umožnilo realizovať hospodárske zámery uhorskej vlády. Priaznivo pôsobila aj stabilizácia meny, prechod na korunovú menu a vznik centrálnej Rakúsko-uhorskej banky.[1] Zvýšenie tempa industrializácie na prelome 19. a 20. storočia bolo do značnej miery výsledkom podpory uhorskej vlády. Na podklade tzv. priemyselných zákonov z rokov 1881 až 1907 mali priemyselné podniky možnosť získať úľavy na daniach a rôznych poplatkoch, výhodné železničné tarify a za špecifických podmienok aj priame finančné subvencie. Tieto smerovali do rôznych odvetví, najmä do textilnej výroby. Priemysel sa mohol tiež oprieť o pravidelné štátne objednávky, najmä pre armádu a colné ochranárske opatrenia. Hlavným zámerom cieľavedomej industrializačnej politiky bolo mobilizovať domáci a prilákať zahraničný kapitál na investície do priemyslu a infraštruktúry. Pre banky mal osobitný význam zákonný článok IX/1890 o zvýhodnení bánk podporujúcich priemysel. Jedným z najväčších investorov do uvedených oblastí však bol aj samotný uhorský štát. V jeho rukách bola veľká časť rudného baníctva, časť hutníctva a železiarstva, tabakový priemysel a podniky niektorých ďalších odvetví. Napriek oživeniu industrializácie Uhorsko ostávalo prevažne agrárnou krajinou s feudálnymi prežitkami.[2]

Významným objektom hospodárskych zámerov uhorského štátu sa v poslednej tretine 19. storočia stalo dnešné územie Slovenska, ktoré malo viaceré prírodné a demografické predpoklady pre rozvoj priemyslu, akými boli zásoby rudy, magnezitu, dreva a lacných pracovných síl. Od 60. rokov 19. storočia pomerne úspešne postupovalo budovanie železníc. K rozvoju priemyslu však chýbali zdroje kapitálu. Jeho prílev sa urýchlil od 80. rokov 19. storočia. Kapitálovú expanziu usmerňovali koncepcie industrializačnej politiky vlády. V rámci nej sa územie Slovenska malo stať najmä centrom ťažby rúd, magnezitu, výroby surového železa a výstavby celulózovo-papierenského, drevárskeho, cementárskeho, textilného, kožiarskeho, cukrovarníckeho, sladovníckeho a čiastočne mlynárskeho priemyslu. Viaceré odvetvia ako moderné oceliarstvo, niektoré oblasti potravinárstva a najmä strojárstva boli však sústredené na územie dnešného Maďarska, predovšetkým do aglomerácie hlavného mesta Budapešť.[3]

Slovensko v rámci Uhorska zaznamenávalo od konca 19. storočia vysoké prírastky priemyselnej výroby. V skutočnosti tým len čiastočne zmierňovalo obrovský náskok vyspe-

1 PODRIMAVSKÝ, Milan a kol. *Dejiny Slovenska III. diel (od roka 1848 do konca 19. storočia).* Bratislava : Veda, 1992, s. 111 – 122, 375 – 377, 425 – 429; HAPÁK, Pavel a kol. *Dejiny Slovenska IV. diel (od konca 19. storočia do roka 1918).* Bratislava : Veda, 1986, s. 44 – 57.

2 ZAŤKO, Peter. *Industrializačná politika Maďarska a jej dôsledky.* Bratislava 1930, s. 28 – 32; BIANCHI, Leonard. Zákonodarstvo a vývoj priemyslu v Uhorsku za dualizmu (1867 – 1918). In *Právně historické studie*, 1973, roč. 17, č. 1, s. 113 – 144.

3 PODRIMAVSKÝ, *Dejiny Slovenska III*, c. d., s. 111 – 122, 375 – 377, 425 – 429; HAPÁK, *Dejiny Slovenska IV*, c. d., s. 44 – 57.

lých západných krajín, ako aj priemyselne rozvinutejšej rakúskej časti monarchie. V roku 1910 pracovalo v priemysle a remeselných závodoch 20,9 % činného obyvateľstva.[4] Na konci roka 1913 dosahovala hodnota priemyselnej produkcie Slovenska s výnimkou baníctva18,6 % hodnoty celouhorskej výroby. Najvyšší podiel 53,7 % mala výroba celulózy a papiera a textilný priemysel 33,7 %. Z ostatných odvetví sa viac ako 20 % podieľalo ešte železiarstvo s kovospracujúcim priemyslom, drevársky a kožiarsky priemysel. Osobitné postavenie malo slovenské rudné baníctvo a ťažba magnezitu. Slovensko patrilo k priemyselne najrozvinutejším oblastiam Uhorska. V niektorých odvetviach však zaostávalo, najmä v strojárstve, kde podiel v roku 1913 dosiahol iba 4 %.[5]

Zároveň s rozvojom priemyslu a obchodu v Uhorsku postupovala zakladateľská vlna v peňažníctve, reprezentovaná najmä akciovými bankami. Začiatky peňažníctva patria do 40. rokov 19. storočia. Skutočný prelom však nastal po roku 1867. Najvýznamnejšie uhorské banky vznikli v súvislosti s aktivitami rakúskych veľkobánk, prepojených so západným, najmä s nemeckým, francúzskym a anglickým finančným kapitálom. Uhorské banky kľúčového významu mali sídlo v Budapešti a prostredníctvom siete filiálok a afilácií postupne ovládli úverovú sústavu celej krajiny. Tieto vývojové tendencie podporovala uhorská vláda, ktorá v rámci industrializačnej politiky potrebovala zázemie silných kapitálových centier sústredených v hlavnom meste. V jednotlivých častiach Uhorska vznikali provinčné sústavy peňažných ústavov druhoradého významu napojené na budapeštianske finančné centrá.[6]

Hlavnú úlohu pri zakladaní uhorských veľkobánk od 60. rokov 19. storočia zohrala rakúska vetva rothschildovskej finančnej skupiny v spolupráci s nemeckým, francúzskym a anglickým kapitálom reprezentovaná bankou Österreichische Credit – Anstalt, ďalej skupina Wiener Bankverein, prepojená s berlínskou Deutsche Bank, skupina francúzskeho kapitálu zastúpená viedenskou Länderbank a Österreichische Zentral – Boden – Credit – Bank, spolupracujúca s parížskou Société Général, ako aj viedenská Anglo-rakúska banka, Francúzsko-rakúska banka, spoločnosť Bank – und Wechselstuben Gesellschaft Merkur. V poslednej štvrtine 19. storočia sa na rozmachu uhorských bankových centier stále viac podieľal aj domáci kapitál aristokratických, veľkostatkárskych a obchodných vrstiev. Čelné postavenie zaujalo päť budapeštianskych veľkobánk: Uhorská všeobecná úverová banka, Peštianska uhorská obchodná banka, Uhorská eskontná a zmenárenská banka, Uhorská banka a obchodná akciová spoločnosť a Peštianska vlastenecká prvá sporiteľňa. Ich podiel na celkovej hodnote akciového kapitálu v komerčnom bankovníctve Uhorska vzrástol do roku 1913 na 57,4 %.

Väčšina z nich mala filiálky aj na území Slovenska, najmä v Bratislave a Košiciach. Zároveň si budovali siete afilovaných bánk. Uhorská všeobecná úverová banka si na Slovensku pripútala afiláciami 15 a ďalšie tri budapeštianske banky celkom 12 regio-

4 *Magyar statisztikai közlemények*, 1913, zv. 48, tab. 2; *O priemysle Slovenska,* 1924, s. 10 – 13; FALTUS, Jozef – PRŮCHA, Václav. *Prehľad hospodárskeho vývoja na Slovensku v rokoch 1918 – 1945.* Bratislava : Vydavateľstvo politickej literatúry, 1969, s. 14.

5 ZAŤKO, *Industrializačná politika*, c. d., s. 28 – 32; *O priemysle Slovenska*, 1924, s. 10 – 13; HAPÁK, *Dejiny Slovenska IV*, c. d., s.71, 77 – 78.

6 BARCSAY, Thomas. Banking in Hungarian Economic Development 1867 – 1919. In *Business and Economic History,*1991, séria 2, zv. 20, s. 216 –225.

nálnych ústavov.[7] Na území Slovenska vznikalo moderné peňažníctvo od 40. rokov 19. storočia, keď sa formovali prvé tzv. sporiteľne. Kombinovali prvky komerčného bankovníctva a komunálnych sporiteľní. Peňažné ústavy s charakterom komerčného bankovníctva vznikali až po roku 1860. Do rakúsko-uhorského vyrovnania ich počet vzrástol na jedenásť. Štruktúra akciových bánk sa dotvorila v poslednej tretine 19. storočia. V krátkom období 1867 – 1873 pribudlo na Slovensku 66 nových akciových bánk a sporiteľní. Na tejto vlne participoval aj národne slovenský kapitál. Založil päť ústavov v regióne stredného Slovenska. Zakladateľská vlna pokračovala v 80. rokoch. Do konca 19. storočia vzniklo 63 nových komerčných bánk, ale 18 starších zaniklo. Reprezentanti slovenského kapitálu založili do roku 1900 desať akciových bánk, medzi nimi aj ústavy kľúčového významu, ktoré až do roku 1948 zohrávali v národne slovenskom peňažníctve hlavnú úlohu. Išlo predovšetkým o Úverovú banku v Ružomberku a Tatra banku v Martine. Tieto a ďalšie národne slovenské banky plnili úlohu hospodárskej základne národno-emancipačného hnutia Slovákov. Z maďarsko-nemeckých bánk patrili k významnejším napríklad Bratislavská prvá sporiteľňa a Bratislavská všeobecná úverová banka. Na financovanie priemyslu bola zameraná Bratislavská priemyselná banka.[8] Na prelome 19. a 20. storočia si komerčné banky so slovenskou správou vydobyli niektoré významnejšie pozície vo finančnej a podnikovej sfére za pomoci českého finančného kapitálu. Na tejto spolupráci, najmä formou reeskontných úverov, mala najväčší podiel Úverová banka v Ružomberku. Národne české banky však spoluprácu využívali aj na vlastnú expanziu do Uhorska. Pražská Živnostenská banka a Česká priemyselná banka založili v Budapešti afilované ústavy. Do roka 1918 počet akciových bánk a sporiteľní so slovenskou správou stúpol na 33 a ich podiel na akciovom kapitáli komerčného bankovníctva v podmienkach Slovenska vzrástol asi na 15 %.V celouhorskom meradle však podiel dosiahol iba 1 %. Zostatok akciového kapitálu bánk na území Slovenska s hodnotou 1,590 mil. K v roku 1918 pripadal na 195 maďarsko-nemeckých bánk.[9]

Do 80. rokov 19. storočia prevažovala v uhorskom priemysle investičná činnosť individuálnych domácich a zahraničných podnikateľov a firiem. Rýchly vzostup bankovníctva a rast jeho záujmu o financovanie industrializačného procesu na konci 19. a začiatku 20.storočia podnietila veľkou mierou industrializačná politika vlády. Jej výhody a investičné stimuly využíval rakúsky a západoeurópsky finančný kapitál, ako aj ním založené uhorské

7 BEREND, Ivan T.– SZUHAY, Miklós. *A Tökes gazdaság történte Magyarországon 1848 – 1944.* Budapest : Kossuth, 1975, s, 46 – 49; HORVÁTH, Štefan – VALACH, Ján. *Peňažníctvo na Slovensku do roku 1918.* Bratislava : Alfa, 1975, s. 66 – 67, 100; STRHAN, Milan. *Kríza priemyslu na Slovensku v rokoch 1921 – 1923.* Bratislava : Vydavateľstvo SAV, 1960, s. 42 – 44.

8 *50 rokov Slovenskej banky 1879 – 1930.* Bratislava 1930, s. 12 – 18; HORVÁTH – VALACH, *Peňažníctvo na Slovensku*, c. d., s. 33 – 37, 69 – 75; HOLEC, Roman – HALLON, Ľudovít. *Tatra banka v zrkadle dejín.* Bratislava : AEPress, 2007, s. 31 – 40; MARTULIAK, Pavol. Vznik a vývoj slovenského ľudového peňažníctva do roku 1918. In *Ľudia, peniaze, banky.* Bratislava : Národná banka Slovenska, 2003, s. 216 – 224.

9 HOLEC, Roman. Snahy o ústrednú slovenskú banku pred prvou svetovou vojnou. In *Historický časopis*, 1999, roč. 47, č. 2, s. 211 – 232; PÍSCH, Mikuláš. Vzrast a vývinové tendencie slovenského účastinárskeho peňažníctva v rokoch 1900 – 1918. In *Zborník Filozofickej fakulty Univerzity Komenského – Historica,* 1962, roč. 12 – 13, s. 322 – 327; HORVÁTH – VALACH, *Peňažníctvo na Slovensku*, c. d., s. 126 – 127.

veľkobanky. Industrializačná politika pôsobila ako jeden z katalyzátorov koncentrácie a centralizácie kapitálu, formovania kapitálovo silných akciových spoločností, prerastania finančného a priemyselného kapitálu a vzniku vplyvných uhorských kartelov. Hegemónom uvedených procesov bol spočiatku rakúsky a zahraničný finančný kapitál, ktorý prenikal do Uhorska priamo alebo cez afilované budapeštianske veľkobanky. Na prelome 19. a 20. storočia však uhorské veľkobanky znižovali závislosť na rakúskych a západných finančných skupinách a stávali sa ich konkurentom. Mali pritom účinnú podporu uhorských vládnych kruhov, s ktorými boli prepojené sieťou formálnych a neformálnych personálnych vzťahov. Kľúčovým nástrojom expanzie finančného kapitálu bolo akcionovanie starších podnikov priemyselného a obchodného kapitálu a najmä zakladanie nových akciových spoločností s účasťou bánk. Významnou formou rozširovania vplyvu bánk bolo aj financovanie prevádzky priemyselných podnikov a vytváranie závislosti na bankových finančných zdrojoch, najmä v prípade hospodárskych problémov a platobnej neschopnosti podniku.[10]

Do konca 19. storočia sa počet akciových spoločností nad 100-tis. zl. K v celom Uhorsku zvýšil na 312, z ktorých 221 vzniklo v 90. rokoch väčšinou za účasti finančného kapitálu. Prvý a zároveň najvýznamnejší uhorský kartel založili v roku 1886 v železiarstve. Po roku 1900 vzniklo 26 uhorských a 56 uhorsko-rakúskych kartelov. Tieto rozšírili kontrolu na väčšinu kľúčových priemyselných odvetví. V karteloch aj v akciových spoločnostiach sa upevňovala pozícia uhorských veľkobánk. Podiel piatich čelných budapeštianskych bánk na akciovom kapitále všetkých priemyselných podnikov Uhorska vzrástol do roka 1913 na 47 %. Podiel zahraničného kapitálu klesol v rokoch 1900 – 1913 približne zo 42 % na 29 %.[11]

Prevaha jednotlivých podnikateľov a firiem na zakladaní továrenských podnikov do 70. rokov 19. storočia bola charakteristická aj pre územie Slovenska. Významnú úlohu zohrávali podnikateľské aktivity šľachty, ktorá investovala do baníctva a železiarstva (Andrássy, Coburg, Csáki) a budovala továrenské podniky na svojich panstvách (cukrovary, liehovary, sklárne). Prvé obchodné banky na území Slovenska obmedzovali aktivity v priemysle na prevádzkové pôžičky. Oživenie zakladateľskej vlny nastalo počas konjunktúry 1867 – 1872. Väčšinu významnejších podnikov založili domáci a zahraniční podnikatelia a firmy. Napríklad tri nové cukrovary na západnom Slovensku vznikli z iniciatívy židovských podnikateľov z Rakúska a Česka. Firma J. Roth založila v Bratislave muničnú továreň a bratia Steinovci najväčší pivovar Slovenska. V roku 1873 začala rakúska vetva koncernu Dynamit Nobel za účasti viedenských podnikateľov budovať v Bratislave najväčší chemický podnik Slovenska. Finančný kapitál mal podiel až na jeho akcionovaní nemecko-rakúsko-uhorskou spoločnosťou. Ďalšími priekopníkmi aktivít finančného kapitálu boli Anglo-rakúska banka, ktorá ovládla cukrovar v Šuranoch, ako aj viedenskí bankári Wahrmann a F. Regeharts podielom na založení súkenky v Lučenci a v Bratislave.[12]

---

10 KÖVÉR, György. Banking and Industry in Hungary before 1914. In *Banking and Industry in Hungary. Uppsala Papers in Economic History,* Working Paper VI, Uppsala 1989; TOMKA, Béla. Das Verhältnis zwischen Banken und Industrie in Ungarn 1896 – 1913. In *Ungarn Jahrbuch,* München, 1977, zv. 23, s. 173 – 203.

11 VARGA, Jenö. *A magyar kartelek.* Budapest 1912, s. 17; BEREND – SZUHAY, *A Tökes gazdaság,*c. d., s. 122 – 130.

12 HOLEC, Roman. *Dejiny plné dynamitu. Bratislavský podnik Dynamit Nobel na križovatkách novodobých dejín 1873 – 1945.* Bratislava : Kaligram, 2011, s. 11 – 15; HORVÁTH – VALACH,

Skutočná expanzia finančného kapitálu na území Slovenska začala po roku 1880. Rakúske a západoeurópske bankové skupiny a v ich slede budapeštianske veľkobanky ovládli kľúčové odvetvia priemyslu zakladaním veľkých akciových spoločností a koncernov. Významnejšie regionálne banky mali podiel na vzniku menších a stredne veľkých závodov. Najväčší koncern bankového a priemyselného kapitálu na Slovensku a v celom Uhorsku vznikol na pôde železorudného baníctva a železiarstva. Išlo o Rimavsko-muránsku a šalgotarjánsku železiarsku akciovú spoločnosť založenú v roku 1881.Vlastnila niekoľko banských a vysokopecných závodov (Hnúšťa, Likier) na strednom a východnom Slovensku a ďalšie na území Maďarska. Kľúčovú kapitálovú pozíciu v koncerne spočiatku zaujímal rakúsky Wienerverein v spolupráci s budapeštianskymi veľkobankami. V 90. rokoch ovládol valcovne plechov Union vo Zvolene na strednom Slovensku, ako aj ďalší železiarsky koncern Pohornádsku uhorskú spoločnosť, kontrolovanú Deutsche Bank a Rakúsko-anglickou bankou. Pohornádska spoločnosť vybudovala železiarne Krompachy na východe Slovenska s kapitálom 12 mil. K. Po roku 1900 sa hlavný podiel v najväčšom koncerne Uhorska s kapitálom 52 mil. K dostal do rúk budapeštianskej Obchodnej banky. Jej manažment ovládol správu koncernu, ktorý v roku 1913 vyrábal 58 % uhorskej produkcie surového železa.[13]

V rudnom baníctve sa presadili aj koncerny z Moravy a Sliezska Vítkovické banské a hutnícke ťažiarstvo a Banská a hutnícka spoločnosť. Tieto vybudovali železorudné závody v regiónoch Spiš a Gemer na východnom Slovensku. Prvý z dvoch koncernov ovládali viedenské bankové skupiny Rotschildovcov a Gutmannovcov a druhý zoskupenie rakúskeho kapitálu F. Habsburga a Boden – Credit Anstalt Viedeň. Ťažbu pyritu od roka 1890 kontrolovala budapeštianska Obchodná banka a Rakúsko-anglická banka prostredníctvom spoločnosti Hornouhorská banská a.s. Uvedené banky založili aj chemickú spoločnosť Hungária so závodmi v Žiline a v Budapešti, ktoré pyrit spracovávali. Do nového magnezitového priemyslu prenikali uhorské banky, ale aj francúzsky, belgický a švajčiarsky finančný kapitál. V roku 1900 vznikla spoločnosť domácich a zahraničných bánk na čele s budapeštianskou Úverovou bankou Magnezitový priemysel s kapitálom 4,2 mil. K, ktorá budovala a financovala podstatnú časť odvetvia. O prienik do cementárskej a celulózovo-papierenskej výroby sa pokúšal slovenský finančný kapitál. V konkurencii s budapeštianskymi bankami však mal iba malý priestor na aktivity, najmä keď bol navyše diskriminovaný vládnymi kruhmi z národno-politických pozícií. Medzi hlavné centrá výroby portlandského cementu v Uhorsku patrili závody v Ladcoch a Lietavskej Lúčke. Prvý založil individuálny kapitál v roku 1890 a druhý spoločný kapitál slovenských bánk v roku 1902. Oba podniky v roku 1908 vstúpili do medzinárodného koncernu a v roku 1912 ich ovládla budapeštianska Úverová banka.[14]

Peňažníctvo na Slovensku, c. d., s. 67 – 69.

13 BEREND – SZUHAY, *A Tökes gazdaság,* c. d., s. 124 – 125; HAPÁK, *Dejiny Slovenska IV*, c. d., s. 72 – 73, 78 – 80.

14 ZÁŘICKÝ, Aleš. *Rothschildové a ti druzí aneb Dějiny velkopodnikání v Rakouském Slezsku před první světovou válkou.* Ostrava 2005, s. 89 – 102; PÍSCH, Mikuláš. Úloha slovenských bánk vo vývine slovenského účastinárskeho priemyslu v období imperializmu (1900 – 1918). In *Zborník Filozofickej fakulty Univerzity Komenského - Historica,* 1963, roč. 14, s. 65; HORVÁTH – VALACH, *Peňažníctvo na Slovensku*, c. d., s. 106 – 107; HAPÁK, *Dejiny Slovenska IV*, c. d., s. 97 – 98.

Papierenský priemysel na báze celulózy začal budovať rakúsky a uhorský individuálny aj bankový kapitál v Harmanci, Ružomberku a v Poprade na strednom a východnom Slovensku v 80. rokoch 19. storočia. Rakúska banka Union a budapeštianska Eskontná banka založili v roku 1882 papiereň v stredoslovenských Slavošovciach s celulózkou v Gemerskej Hôrke. Od prelomu storočí papierenské podniky preberal a budoval najmä kapitál budapeštianskych veľkobánk. Slovenské peňažné ústavy sa im pokúšali konkurovať za pomoci českého finančného kapitálu. Spoločne investovali do modernej celulózky v Martine na strednom Slovensku, dokončenej v roku 1904. Vládne kruhy im však odobrali licenciu a celulózka prešla do koncernu budapeštianskej Úverovej banky. Najúspešnejším počinom slovenského finančného kapitálu bolo založenie modernej Ružomberskej papierne a.s. v roku 1907. Staršiu ružomberskú papiereň však už roku 1899 akcionoval maďarský finančný kapitál. Papiereň v Harmanci a Slavošovciach prevzala budapeštianska Domáca banka. Finančný kapitál hlavného mesta, konkrétne Obchodná banka, založil aj modernú celulózku v Žiline z roku 1905. Hodnota produkcie celulózovo-papierenského priemyslu v Uhorsku vzrástla pod kontrolou bankovníctva v rokoch 1898 – 1913 zo 16 mil. na 50 mil. K.[15]

Textilná výroba so všestrannou podporou štátu vrátane priamych finančných dotácií novým podnikom prilákala rakúsky, ale aj anglický alebo francúzsky kapitál. Banky smerovali najskôr do vlnárskej výroby s domácimi surovinami a výhodami objednávok pre armádu. Najväčší závod na súkno pre potreby armády v Uhorsku založil roku 1891 brnenský podnikateľ Löw v Žiline. Podnik bol následne akcionovaný za účasti slovenských bánk. Počas krízy v roku 1902 sa však dostal pod kontrolu budapeštianskej Obchodnej banky. Ďalší závod na vojenské súkno budoval už od roka 1871 viedenský bankár F. Regenhart v Lučenci. Kapacity podniku sa podstatne rozšírili a modernizovali po roku 1907, keď ho prevzala Všeobecná depozičná banka vo Viedni v spolupráci s Obchodnou bankou v rámci väčšieho koncernu s kapitálom 8 mil. K. Tento vybudoval závody aj v Bratislave a Kežmarku. Po roku 1900 pokračoval rozmach vlnárstva založením tovární Obchodnej banky v Rajci a Čadci na severozápade Slovenska a najmä výstavbou modernej súkenky francúzskeho koncernu Tiberghien v Trenčíne.[16]

Prelom v rozvoji bavlnárskej výroby nastal v roku 1895 založením najväčšieho bavlnárskeho podniku monarchie v Ružomberku spoločnosťou Uhorský textilný priemysel s kapitálom 12 mil. K. Podnik bol súčasťou nadnárodného Mautnerovho koncernu, ale finančne v područí Boden – Credit – Anstalt Viedeň a Domácej banky v Budapešti. Pri textilke vybudovali závod americko-uhorského kapitálu s majoritným podielom Domácej banky na moderné Northropove tkáčske stavy. Najväčší závod na nite v Uhorsku založil anglický koncern Coast v Bratislave roku 1902. Rozmach bavlnárstva vyvrcholil založením pradiarne bavlny spoločnosti Danubius v Bratislave, ovládanej budapeštianskou Obchodnou

15 HOLEC, Roman. Zápas o martinskú celulózku ako najväčší projekt česko – slovenskej hospodárskej spolupráce pred 1. svetovou vojnou. In *Historické štúdie*, 1994, roč. 35, s. 49 – 57; HOUDEK, Ivan. Papiernický priemysel na Slovensku. In *Prúdy*, 1926, roč. 10, č. 9, s. 577 – 586; HAPÁK, *Dejiny Slovenska IV*, c. d. s. 109 – 111; CHUDJÁK, František. Úverové podmienky a postupy Slovenskej banky do roku 1914. In *Biatec*, 2003, roč. 11, č. 12, s. 23 – 25.

16 PÍSCH, *Úloha slovenských bánk*, c. d., s. 49; HOLEC – HALLON, *Tatra banka*, c. d., s. 48 – 49; HAPÁK, *Dejiny Slovenska IV*, c. d., s. 113 – 114.

bankou v roku 1907. Tri uvedené bavlnárske podniky sústreďovali v roku 1911 až 80 % všetkých bavlnárskych vretien textilného priemyslu Uhorska. Budapeštianska Obchodná banka prenikla aj do iných odborov textilnej výroby, napríklad do ľanárskeho priemyslu v Kežmarku a pletiarskeho podniku v Banskej Štiavnici.[17]

Kožiarstvo bolo jedným z mála odvetví, kde mal významný podiel národne slovenský kapitál. Reprezentovali ho najmä slovenské rodinné firmy v Liptovskom Mikuláši. Formu akciovej spoločnosti však mal iba tunajší podnik Kováč a Stodola s kapitálom 0,5 mil. K založený v roku 1905 s väčším podielom slovenskej Úverovej banky v Ružomberku. Akciové spoločnosti vlastnili aj väčšie kožiarske podniky v Bratislave, Nových Zámkoch a v Bošanoch. Tu mal podiel uhorský aj rakúsky kapitál (Úverová banka a Obchodná banka Budapešť). V drevárstve boli založené dve väčšie spoločnosti s kapitálom 2,7 mil. K Uhorskou bankou v roku 1911 na strednom Slovensku (Trenčín, Dubnica, Stará Bystrica). Ďalšie spracovanie dreva bolo obmedzené na niekoľko závodov, z ktorých významnejšie boli továrne na ohýbaný nábytok. Dva podniky uvedeného druhu v Banskej Bystrici a Košiciach ovládol a modernizoval koncern Mundus z kapitálovej sféry Úverovej banky v Budapešti. Ďalší podnik na ohýbaný nábytok, tzv. stoličkovú továreň, založil slovenský kapitál v Martine. Po akcionovaní podnik prevzala slovenská Tatra banka.[18]

V potravinárstve rakúske a uhorské banky (Domáca banka a Úverová banka Budapešť, Boden – Credit – Anstalt Viedeň v rámci koncernu Schoeller) ovládli do konca 19. storočia päť zo šiestich veľkých cukrovarov Slovenska v Trnave, Diószegu (Sládkovičovo), v Šuranoch, Orozske (Pohronský Ruskov), v Továrnikoch a v Uhorskej Vsi (Záhorská Ves). V rokoch 1900 – 1911 sa rakúsko-uhorský finančný kapitál Eskontnej banky v Budapešti, Länderbank Viedeň a ďalších ústavov zúčastnil na založení troch ďalších moderných cukrovarov v Seredi, Trenčianskej Teplej a v Trebišove. Rozhodujúci kapitálový podiel 30,3 mil. K získali v cukrovarníctve do 1913 budapeštianske veľkobanky. Uhorský finančný kapitál Domácej banky a Úverovej banky v Budapešti, finančnej skupiny Hatvany – Deutsch a iných subjektov prevzal do roku 1913 aj polovicu všetkých obchodných mlynov na Slovensku, medzi nimi najväčšie vo Veľkom Šariši pri Prešove v Čani pri Košiciach, v Bratislave, v Banskej Bystrici a inde. Z významnejších subjektov potravinárstva možno ešte spomenúť najväčší závod na kávové náhradky spoločnosti Frank v Košiciach, prvý továrenský podnik na cukrovinky rakúsko-nemeckej spoločnosti Stollwerck v Bratislave s kapitálom 4 mil. K, prvé továrenské konzervárne založené finančným kapitálom v Bratislave a v Rimavskej Sobote, veľké sladovne domáceho a zahraničného kapitálu v Trnave a Nitre a akciové pivo-

17 FLEKR, Miroslav. Vznik, rozvoj a perspektíva textilného priemyslu v Bratislave. In *Technické pamiatky Bratislavy.* Bratislava : Príroda, 1985, s. 49 – 54; OBUCHOVÁ, Viera. *Priemyselná Bratislava.* Bratislava : Marenčin PT, 2009, s. 245 – 258; HAPÁK, *Dejiny Slovenska IV*, c. d., s. 113, 115 – 116.

18 HOUDEK, Ivan. Slovenské účastinárske podniky továrenské pred prevratom. In *Prúdy*, 1935, roč. 19, č. 8, s. 455 – 474; SLABEJ, Ján. Dielňa na náradie ako príklad slovenských podnikateľských aktivít pred rokom 1918. In *Historické štúdie*, 2000, roč. 41, s. 175 – 192; HAPÁK, *Dejiny Slovenska IV*, c. d., 108 – 109, 116 – 118; HOLEC – HALLON, *Tatra banka*, c. d., s. 59 – 61; PÍSCH, *Úloha slovenských bánk*, c. d., s. 50 – 51.

vary v Martine, Nitre, Poprade a v Michalovciach. Martinský pivovar kapitálovo ovládla Tatra banka.[19]

V zaostávajúcom strojárstve okrem továrne na Northropove textilné stavy v Ružomberku vznikali významnejšie závody len v oblasti poľnohospodárskeho a banského strojárstva alebo v elektrotechnickom priemysle. Veľký závod na sejačky vznikol roku 1905 v Lučenci. Po ovládnutí budapeštianskou Uhorskou bankou sa stal najväčším svojho druhu v Uhorsku a dodával okolo 2 500 sejačiek ročne. Elektrotechnický priemysel reprezentovali iba dva väčšie, ale pomerne významné podniky v Bratislave. Prvým bola Továreň na káble, založená v roku 1895 za spolupráce finančného kapitálu Wienerverein a budapeštianskej Obchodnej banky s hodnotou akcií 3,8 mil. K. Založila vedľajší závod na izolačné materiály Gumon. Druhý elektrotechnický podnik vznikol v roku 1902 ako pobočka medzinárodného koncernu Siemens, za ktorým stál nemecký a uhorský finančný kapitál. Slovenský bankový kapitál sa už v roku 1893 podieľal na založení pobočky budapeštianskej elektrotechnickej továrne Helios v Žiline. Vyrábala telefóny, dynamá, elektromotory a iné stroje a zariadenia.

Jadrom chemického priemyslu na území Slovenska bol jeden z najväčších podnikov na výbušniny v strednej Európe Dynamit Nobel v Bratislave, kontrolovaný nemeckým kapitálom spoločnosti Dynamit Aktiengeselschaft (DAG) Troisdorf. Hodnota jeho akcií vzrástla na 6 mil. K a v roku 1908 založil pobočný závod na výbušniny v Trenčíne. Prvú veľkú rafinériu ropy na Slovensku Apollo Bratislava založila v roku 1895 budapeštianska Domáca banka. Na začiatku 20. storočia rafinériu prevzala Haličsko-karpatská petrolejárska a.s., ktorú vlastnil rakúsky a anglický finančný kapitál. Uhorskému kapitálu sa podarilo rafinériu získať späť, keď bol podnik ovládnutý budapeštianskou Eskontnou bankou a kapitál zvýšený na 7 mil. K. Progresívne odvetvia priemyslu zastupoval aj prvý gumárenský podnik na Slovensku, založený rakúskym kapitálom v roku 1904 v Bratislave – Petržalke firmou Matador.[20]

Akciový kapitál továrenských podnikov Slovenska vzrástol do konca roku 1917 približne na 335 mil. K. Päť budapeštianskych veľkobánk ovládalo podniky s kapitálom okolo 137 mil. K a spolu s viedenskými bankami 184 mil. K. To znamenalo podiel 55 %. Na zahraničný kapitál pripadalo 60 mil. K. V rukách národne slovenského finančného kapitálu v spolupráci s kapitálom českým sa nachádzalo 17 podnikov s akciami v hodnote 8,7 mil. K, čo predstavovalo 2,6 % uvedenej hodnoty akciového kapitálu v priemysle. Okrem vyššie

---

19 WIENER, Moszkó. *A magyar cukoripar fejlödése.* Budapest 1902, zv. I., s. 15 – 19; VADKERTYOVÁ, Katarína. *Dejiny cukrovarníckeho priemyslu a pestovania cukrovej repy na Slovensku 1800 – 1918.* Bratislava : Veda, 1972, s. 47 – 49, 75 – 80, 93 – 100;*Magyarország malomipara 1906-ban.* Budapest 1908; VADKERTYOVÁ, Katarína. Rozvoj hlavných odvetví poľnohospodárskeho priemyslu na Slovensku v rokoch 1848 – 1918. In *Hospodářské dějiny – Economic History*, 1982, roč. 9, s. 64 – 134; HAPÁK, *Dejiny Slovenska IV*, c. d., s. 120 – 124; HOLEC – HALLON, *Tatra banka*, c. d., s. 61 – 62.

20 JAROŠEK, Jozef. Počiatky elektrotechnického priemyslu na Slovensku. In *Technické pamiatky Bratislavy.* Bratislava : Príroda, 1985, s. 39 – 48; Závody firmy Siemens a spol., komanditní společnost v Bratislavě. In *Slavnostní list 7. sjezdu Elektrotechnické společnosti československé - ESČ.* Praha: ESČ, 1925, s. 77; HALLON, Ľudovít. Elektrifikácia Slovenska 1884 – 1945. In *Vlastivedný časopis*, 1989, roč. 38, č. 3, s. 117 – 121; HOLEC – HALLON, *Tatra banka*, c. d., s. 62 – 63; HAPÁK, *Dejiny Slovenska IV*, c. d., s. 90 – 91; SLÁDEK, Vojtech. *Elektrárenstvo na Slovensku 1920 – 1994.* Bratislava :1996, s. 9 – 16.

uvedených podnikov celulózovo-papierenského, drevárskeho, potravinárskeho, kožiarskeho a polygrafického priemyslu ovládal slovenský kapitál napríklad sklárne v Žiline, majoliku v Modre pri Bratislave, menšiu rafinériu ropy v Trstenej na severe Slovenska, rafinériu Liehu v Senici na západnom Slovensku. Najväčší podiel akciového kapitálu v priemysle zo slovenských ústavov kontrolovala Úverová banka v Ružomberku v hodnote 2,3 mil. K.[21]

Tabuľka č. 1 – Podiel bánk na akciovom kapitále továrenských podnikov Slovenska v roku 1917 v mil. K

kapitál celkovo	budapeštianske a viedenské banky	v %	zahraničný kapitál	v %	slovenské banky	v %
335,0	184,0	54,9	60,0	17,9	8,7	2,6

Pramene: STRHAN, Milan. *Kríza priemyslu na Slovensku v rokoch 1921 – 1923*. Bratislava : Vydavateľstvo SAV, 1960, s. 44 – 45; PÍSCH, Mikuláš. Úloha slovenských bánk vo vývine slovenského účastinárskeho priemyslu v období imperializmu 1900 – 1918. In *Zborník FFUK – Historica,* 1963, roč. 14, s. 44 – 45, 66 – 70.
Poznámka: Autori vypočítali uvedené údaje podľa firemných kompasov, napr. *Magyar pénzügyi Compass* 1917-1918, Budapest 1918; *Österreichisches Compass* 1918, vz. 1, atď.

Tabuľka č. 2 – Podiel finančného kapitálu na akciovom kapitáli v priemysle Slovenska v roku 1913 v tis. K

priemyselné odvetvia	kapitál celkovo	finančný kapitál	v %
baníctvo a hutníctvo	91 450	88 750	97,0
spracovanie kovov a strojárstvo	9 887	5 225	52,8
elektrotechnický priemysel	14 604	12 700	87,0
chemický a gumárenský priemysel	23 105	18 100	78,2
drevársky priemysel	9 700	4 350	22,1
papierenstvo a polygrafia	27 360	21 230	77,6
textilný a kožiarsky priemysel	61 192	39 550	64,6
potravinárstvo	60 590	26 000	43,0
sklársky a keramický priemysel	9 618	5 000	52,0
ostatné odvetvia	3 780	–	0,0
priemysel celkovo	**321 286**	**220 905**	**68,8**

Prameň: PÍSCH, Mikuláš. Úloha slovenských bánk vo vývine slovenského účastinárskeho priemyslu v období imperializmu 1900 – 1918. In *Zborník FFUK – Historica,* 1963, roč. 14, s. 69.
Poznámka: Autor vypočítal údaje podľa uhorských a rakúskych kompasov.

21 STRHAN, *Kríza priemyslu*, c. d., s. 44 – 45; HORVÁTH – VALACH, *Peňažníctvo na Slovensku*, c. d., s. 107 – 109; PÍSCH, *Úloha slovenských bánk*, c. d., s. 44 – 45, 66 – 70; *Magyar pénzügyi Compass 1917 – 1918*, Budapest 1918; *Österreichisches Compass 1918*, zv. I.

Zánik habsburskej monarchie v roku 1918 a vznik nástupníckych štátov vrátane Československa mal za následok rozpad ekonomického priestoru bývalého štátu. Prerušenie tradičných hospodárskych väzieb sa stalo hlavným zdrojom hospodárskych ťažkostí Slovenska po vstupe do nového ekonomického priestoru ČSR spolu s českými krajinami na podstatne vyššom stupni rozvoja industrializácie. Podiel Slovenska na priemyselnom potenciáli nového štátu dosahoval len okolo 8,5 %. Väčší podiel ako 10 % dosahovali celulózky, papierne, garbiarne, potravinárstvo, drevárstvo, chemický priemysel a spracovanie kovov a baníctvo. Rozpadom Uhorska bola vážne narušená infraštruktúra, najmä železničná sieť ako jediná rozvinutejšia zložka dopravného systému. Úverová sústava bola roztrieštená do 228 stredných a malých komerčných bánk a 235 drobných ľudovo-peňažných ústavov. Rozhodujúce postavenie mali filiálky piatich najväčších budapeštianskych bánk. Po októbri 1918 sa ich finančné kanály do centrál na území Maďarska narušili novou štátnou hranicou. Veľká časť podnikovej sféry tým bola odrezaná od finančných zdrojov. Obchodnú činnosť samostatných bánk paralyzovali administratívne zásahy nastupujúcej vládnej moci a imobilita v dôsledku zamrznutia aktív vo vojnových pôžičkách. V marci 1919 nový štát zaviedol vlastnú menu československú korunu (Kč). Výmena platidiel mala v špecifických podmienkach Slovenska vleklý a komplikovaný priebeh.[22]

Dôsledky zániku monarchie v ekonomike boli v rokoch 1919 – 1921 dočasne zahmlené hospodárskou konjunktúrou za všeobecného povojnového nedostatku. Národno-politické zmeny a hospodársko-politické opatrenia vytvorili vhodné podmienky na expanziu národne českého, ako aj slovenského finančného kapitálu. Hlavným nástrojom expanzie sa mal stať nostrifikačný zákon z 11. decembra 1919. Banky so slovenskou správou získali celé spektrum výhod. Pozícia maďarsko-nemeckých peňažných ústavov bola naproti tomu vážne ohrozená. V uhorských vojnových pôžičkách mali umŕtvené aktíva v celkovej hodnote 1 148 mil. Kč. Viaceré presunuli hotovostné prostriedky za hranice. Vládne kruhy ČSR obmedzili ich činnosť rôznymi opatreniami, ako bolo vládne nariadenie o príročí z decembra 1919. Umožňovalo zákaz prijímania vkladov a uvalenia štátneho dozoru.[23]

Predvojom národne slovenského finančného kapitálu sa stali popredné staršie, ako aj novozaložené, slovenské banky. Počas konjunktúry 1919 – 1921 zvýšili svoj podiel na celkovej hodnote akciového kapitálu v bankovníctve Slovenska zo 16,5 % na 54,6 %. Jednu z hlavných foriem expanzie tvoril proces fúzií a afilácií. Do konca roka 1921 fúzie a hospodárske problémy likvidovali 44 maďarsko-nemeckých bánk. Čelné miesto zaujala Tatra banka a Slovenská banka, vytvorená z predvojnovej Úverovej banky v Ružomberku. Tieto

22 PRŮCHA, Václav a kol. *Hospodářské a sociální dějiny Československa 1918 – 1992. I. díl. Období 1918 – 1945.* Brno : Doplněk, 2004, s. 41 – 48; FALTUS, Jozef – PRŮCHA, Václav. *Prehľad hospodárskeho vývoja na Slovensku v rokoch 1918 – 1945.* Bratislava : Vydavateľstvo politickej literatúry, 1969, s. 13 – 14; *Československé banky v roce 1918.* Statistika ministerstva financí k 31. 12. 1918. Praha, 1921; Slovenské národné peňažníctvo v Československu. In *Prúdy*, 1922, roč. 6, č. 1, s. 40 – 42; SKORKOVSKÝ, Jaroslav. *Banky a peněžní ústavy na Slovensku a Podkarpatské Rusi.* Praha, 1923.

23 Akce tzv. nostrifikační. In *Deset let Československé republiky.* Diel 2, Praha, 1928, s. 147; LACINA, Vlastislav. Nostrifikace podniků a bank v prvním desetiletí Československé republiky. In *Český časopis historický*, 1994, roč. 92, č. 1, s. 77 – 93; GAUČÍK, Štefan. Vznik a činnosť Jednoty peňažných ústavov na Slovensku a Podkarpatskej Rusi. 1918 – 1920. In *Ľudia, peniaze, banky.* Bratislava : Národná banka Slovenska, 2003, s. 266 – 270.

zvýšili spoločnú hodnotu akciového kapitálu na 145 mil. Kč. Ich rozvoju stačili konkurovať len tri ďalšie národne slovenské ústavy Americko-slovenská banka, staršia Ľudová banka v Ružomberku a Národná banka v Banskej Bystrici.[24]

Na poli obchodnej činnosti začala národne slovenskému bankovníctvu vyrastať nová konkurencia. Pramenila z troch zdrojov. Prvý predstavovali filiálky českých bánk. V 20. rokoch sa na Slovensku etablovalo 26 bánk s centrálou v českých krajinách. Najväčší vplyv nadobudla Živnostenská banka a z ďalších Moravská agrárna a priemyselná banka, Česká priemyselná a hospodárska banka, Agrárna banka, Banka československých légií. Druhým prameňom konkurencie sa stali dočasne umŕtvené pobočky budapeštianskych veľkobánk. Ich revitalizáciu umožnil proces nostrifikácie zahraničného kapitálu. Jeho najvýznamnejším produktom v peňažníctve Slovenska bol nový ústav Slovenská všeobecná úverová banka s kapitálom 50 mil. Kč, vytvorená z pobočiek Maďarskej všeobecnej úverovej banky za účasti českého a americko-slovenského kapitálu. Konkurencia prichádzala aj zo strany životaschopnejších domácich maďarsko-nemeckých bánk. Zákonom o konverzii vojnových pôžičiek na cenné papiere IV. štátnej pôžičky ČSR z júna 1920 dostali možnosť premeniť svoje zamrznuté aktíva na lukratívne pohľadávky. Kapitálovým prepojením s českými, ako aj s niektorými slovenskými, bankami sa postupne menili na multinacionálne ústavy, ako bola Dunajská banka v Bratislave.[25]

Národne slovenské banky rozvinuli v rokoch 1919 – 1921 jednu z najväčších vĺn expanzie slovenského finančného kapitálu. Do roka 1922 prenikli približne do 80 akciových podnikov, pričom ich kapitálové účasti dosiahli okolo 126 mil. Kč. Spoločnými silami vstúpili do medzinárodného obchodu, najmä do transakcií s drevom. S výnimkou niekoľkých významnejších podnikov sa však nová etapa expanzie do priemyslu týkala najmä stredne veľkých alebo menších závodov, najmä drevárskeho a potravinárskeho priemyslu. Celkový podiel národne slovenského finančného kapitálu v podnikovej sfére Slovenska dosiahol aj po dravom nástupe najviac 14 %. Napriek skromnému podielu sa čoskoro ukázalo, že transakcie, do ktorých banky so slovenskou správou vstúpili, boli vzhľadom na ich kapitálový potenciál a skúsenosti manažmentu priveľké.[26]

Hlavnú úlohu pri zakladaní a financovaní priemyslu národne slovenským kapitálom zohrávala Tatra banka a najmä Slovenská banka. Po roku 1918 si udržali niektoré priemyselné podniky z obdobia monarchie, ku ktorým rýchlo pribúdali ďalšie. Tatra banka rozšírila svoj podnikový koncern do roka 1923 na 18 subjektov, pripútaných akciovými podielmi alebo rozhodujúcou účasťou na ich financovaní. Hodnota akcií v podnikovej sfére dosiahla 48 mil. Kč. Tatra banka spolu s ďalšími národne slovenskými bankami založila Drevársky účastinársky spolok s viacerými piliarskymi závodmi na strednom Slovensku a ovládla Bratislavskú obchodnú spoločnosť, ktorá vlastnila polygrafické a iné závody

24 *Slovenské národné peňažníctvo*, c. d., s. 40 – 42; SKORKOVSKÝ, *Banky a peněžní ústavy*, c. d., s. 23

25 HORVÁTH, Štefan –VALACH, Ján. *Peňažníctvo na Slovensku 1918 – 1945.* Bratislava : Alfa, 1978, s. 88 – 89; Slovenský národný archív (SNA), f. Ministerstvo s plnou mocou pre správu Slovenska (MPS), k. 46. Telegram zástupcov národne slovenských bánk ministrovi pre správu Slovenska z 31. 10. 1921; SKORKOVSKÝ, *Banky a peněžní ústavy*, c. d.

26 HALLON, Ľudovít. Expanzia a ústup slovenského finančného kapitálu v účastinárskych podnikoch 1918 – 1929 na príklade Tatra banky. In *Historický časopis,* 1998, roč. 46, č. 2, s. 234 – 241.

v Bratislave a mala kapitálové spojenia aj s podnikmi v Rumunsku. Tatra banka ďalej založila Slovensko-českú stavebnú spoločnosť v Banskej Bystrici, vybudovala polygrafický koncern s tlačiarňami vo viacerých mestách, získala akciové podiely v liehovaroch, droždiarňach a syrárňach a nostrifikáciou ovládla továreň na rum a likéry J. Löwy v Banskej Bystrici. Prostredníctvom väčšinového podielu v novej Eskontnej a hospodárskej banke v Bratislave, ktorá vznikla nostrifikáciou pobočiek Eskontnej a zmenárenskej banky v Budapešti, získala kontrolu a vysoké úvery vo viacerých ďalších potravinárskych podnikoch a v chemickej spoločnosti Blasberg Hnúšťa. V roku 1924 dosiahli investície a úvery Tatra banky v jej akciových podnikoch okolo 180 mil. Kč. Spoločným znakom expanzie slovenského finančného kapitálu bolo tiež personálne prepájanie manažmentu bánk so správou koncernových podnikov.[27]

Slovenská banka na konci roka 1922 vlastnila akcie v hodnote asi 39 mil. Kč. Ich prostredníctvom však kontrolovala až okolo 45 podnikov, väčšinou priemyselných. Úspešnú expanziu Slovenskej banky spočiatku podporovala česká Živnobanka výhodnými úvermi až do hodnoty 100 mil. Kč. Spolupráca bola neskôr narušená. Aktivity Slovenskej banky sa tradične zameriavali na celulózovo – papierenský priemysel. Udržala si rozhodujúci podiel v Slovenskej papierni v Ružomberku a mala podiely v martinskej a žilinskej celulózke. Nové účasti získala v papierenskom podniku Tekla Skalica a v tlačiarňach Univerzum v Bratislave. V potravinárstve rozšírila vplyv na významnejšie pivovary a sladovne v Bratislave, Nitre, Michalovciach a v Bytči, ako aj na viacero mlynov, liehovarov a konzervárne v Poprade. V drevárstve kontrolovala viaceré podniky na strednom a východnom Slovensku. Nové investície vložila do kožiarskeho a tiež do železiarskeho a chemického priemyslu. Od maďarského kapitálu prevzala železiarne v Prakovciach. Ako jedna z mála národne slovenských bánk prenikla do podnikov mimo územia Slovenska. Bol to však najmä výsledok spolupráce so Živnobankou. Fuzionovala slovenskú Hospodársku banku v Trnave aj s jej podielmi v potravinárskom priemysle a v podnikoch Tatra banky. Úvery v podnikoch dosiahli viac než 100 mil. Kč.[28]

Ďalšie významnejšie banky so slovenskou správou, Ľudová banka v Ružomberku a Národná banka v Banskej Bystrici, investovali najmä do podnikov svojho regiónu, ako továreň na zápalky, píla a tehelňa v Ružomberku alebo mlyn v Krupine. Zároveň sa obidva peňažné ústavy zúčastnili na založení Drevárskeho účastinárskeho spolku. Celková hodnota ich akciových podielov v podnikovej sfére dosahovala okolo 8 mil. Kč. Nová Slovenská všeobecná úverová banka zdedila akciové podiely a úverové investície po bývalej materskej banke v Budapešti a rozšírila vplyv aj na ďalšie subjekty rôznych odvetví. Vlastnila akcie

27 SNA, f. Tatra banka, k. 152. Výročné správy Tatra banky 1919 – 1926; HOLEC – HALLON, c. d., s. 153 –156; HALLON, *Expanzia a ústup*, c. d., s. 236 – 244.

28 Archív Národnej banky Slovenska (ANBS), f. Slovenská banka, k. 9. Výročné správy Slovenskej banky1919 – 1926; CHUDJÁK, František. Podnikateľské aktivity Slovenskej banky v rokoch 1919 – 1929. In *Historický časopis,* 2008, roč. 56, č. 1, s. 43 – 80; CHUDJÁK, František. Podnikateľské aktivity Slovenskej banky v medzivojnovom období. In FUKASOVÁ, Daniela – FIALOVÁ, Ivana (eds.). *Kapitoly z dejín hospodárskeho vývinu Slovenska v medzivojnovom období 1918 – 1939.* Bratislava : Slovenský národný archív, 2011, s. 169 – 200.

elektrárenských a stavebných spoločností, celulózky v Martine, tlačiarne Slovenská Grafia v Bratislave, cukrovaru v Stummer v Trnave v hodnote maximálne 22,5 mil. Kč.[29]

Kľúčové pozície v podnikovej sfére Slovenska prevzali banky a koncerny českých krajín, kde v rámci nostrifikačného procesu získal významný vplyv kapitál západných dohodových mocností na úkor rakúskeho a nemeckého kapitálu. Najaktívnejšia bola Živnostenská banka. Táto mala za cieľ prevziať oslabené pozície budapeštianskych veľkobánk v najrozvinutejších priemyselných odvetviach Slovenska, ako bolo cukrovarníctvo, celulózovo-papierenský a textilný priemysel. Postupovala buď samostatne alebo v rámci kapitálových zoskupení a koncernov. Využívala proces nostrifikácie, ale priamy kapitálový vstup uplatňovala iba ako jednu z alternatív. V povojnovom období mali pre slovenský priemysel osobitný význam úverové aktivity Živnobanky, keďže finančné prepojenia s Budapešťou boli narušené. V rokoch 1919 – 1922 len do cukrovarníctva a textilného priemyslu vložila úvery najmenej 280 mil. Kč. Formou pôžičiek si pripútala takmer všetky významnejšie cukrovary. Majoritný kapitálový podiel prevzala iba v cukrovare Oroszka (Pohronský Ruskov). Využila na to koncern Schoeller, ktorý získala do sféry svojho vplyvu. Cez jeho kapitálové spojenia prenikla do siete koncernu K. Stummer, ktorý na Slovensku vlastnil cukrovary v Trnave a v Továrnikoch. V iných odvetviach potravinárstva prejavila záujem len o kľúčové subjekty, napríklad liehovarníctvo a mlynárstvo. V priemysle celulózy a papiera sa angažovala v podnikoch Slovenskej banky. Získala akciový podiel v Továrni na celulózu v Žiline a v jej koncernovom podniku na syntetický hodváb v Senici. Prostredníctvom žilinskej celulózky a koncernu Mautner ovládla Ružomberskú celulózku a papiereň. Polovicu získaných akcií postúpila svojmu koncernu SOLO. Tento využívala aj ako nástroj na šírenie vplyvu v oblasti výroby a predaja zápaliek. SOLO v jej mene odkúpil zápalkárne v Banskej Bystrici a Trnave. V textilnom priemysle Živnobanka ovládala najvýznamnejší podnik Slovenska bavlnárske závody Mautner v Ružomberku. Mautnerov koncern mal po zániku monarchie podniky v štyroch nástupníckych krajinách. Živnobanke sa podarilo preniknúť do siete koncernu tým, že v ťažkom povojnovom období si úvermi pripútala ružomberskú textilku.[30]

Podľa medzivojnových odhadov Živnobaka v slovenskej podnikovej sfére ovládla akciový kapitál až 400 mil. Kč. To by v polovici 20. rokov znamenalo podiel okolo 40 %. Živnobanka však podstatnú časť uvedenej hodnoty kapitálu kontrolovala iba nepriamo cez úverové spojenia a podiely v koncernoch. Osobitne to platilo o jej účasti v slovenskom rudnom baníctve, hutníctve, v magnezitovom a chemickom priemysle. V medzinárodných koncernoch uvedených odvetví Živnobanka v skutočnosti zaujímala iba pozíciu vedľajšieho spoluhráča veľkých skupín západného dohodového kapitálu. Podstatná časť rudného baníctva a úpravníctva ostala v rukách dvoch nadnárodných koncernov Vítkovické banské a hutnícke ťažiarstvo a Banská a hutnícka spoločnosť. Prvý z uvedených koncernov pre-

29 ANBS, f. Národná banka, k. 267. Výročné správy Národnej banky 1920 – 1924, 1927 – 1938; ANBS, f. Ľudová banka v Ružomberku, k. 207. Výročné správy Ľudovej banky v Ružomberku 1919 – 1921, 1925 – 1938; ANBS, f. Slovenská všeobecná úverová banka, k. 2. Výročné správy Slovenskej všeobecnej úverovej banky 1924, 1930 – 1938.

30 *Slovenský priemysel*, 1925 –1938; LACINA, Nostrifikace podniků, c. d., s. 77 – 93; STRHAN, Milan. Živnostenská banka na Slovensku 1918 – 1938 In *Historický časopis*, 1967, roč. 14, č. 2, s. 177 – 218.

šiel pod kontrolu parížskej a neskôr londýnskej vetvy rodiny Rothschildovcov. Kontrolný balík akcií Banskej hutníckej spoločnosti ovládla roku 1920 francúzska kapitálová skupina Schneider Cie – Creusot Paríž, za ktorou stál bankový dom rodiny Schneiderovcov so sídlom v Paríži. Národne český kapitál reprezentovaný Živnobankou získal iba 15 % akcií Banskej a hutníckej spoločnosti. Dva sledované koncerny ovládli na pôde ČSR celú vertikálu výrobného cyklu od ťažby rudy cez kovospracujúci priemysel až po strojárstvo. Banské podniky Slovenska figurovali v spodnej časti vertikály. Neskôr k nim pribudla nová vápenka vo Varíne pri Žiline, kovospracujúci podnik Coburg v Trnave a niektoré ďalšie podniky.

Koncern Schneider Cie – Creusot prevzal aj väčšinu akcií spoločnosti Slovenský magnezitový priemysel so sídlom v Bratislave. Menšinový podiel v odvetví ťažby a spracovania magnezitu získala Živnobanka cez jej záujmový koncern Západočeské závody kaolínové a šamotové. Petrochemický priemysel reprezentovaný spoločnosťou Apollo Bratislava bol po roku 1918 vo sfére vplyvu francúzskeho koncernu Société française des pétroles de Tchécoslovaquie, riadeného finančnou skupinou Société financière Paríž.[31]

Značný význam pre Slovensko mali aktivity belgického koncernu Solvay et Cie, ktorý sa stal hlavným akcionárom koncernu Spolok pre chemickú a hutnícku výrobu. Druhý najväčší podiel získala Živnobanka a spoločne oslabili pozície rakúskeho kapitálu. Spolok v súčinnosti so Živnobankou ovládol chemický závod Hungária v Žiline a neskôr podnik Handlovské uhoľné bane, kde vybudoval závod na karbid a silícium. Prenikol aj do celulózovo papierenského priemyslu a na konci 30. rokov začal budovať chemický závod v Novákoch. Živnobanka v spolupráci s francúzskou a britskou vetvou koncernu Dynamit Nobel presadili výstavbu monopolného podniku na výrobu výbušnín v ČSR pri Pardubiciach, v dôsledku čoho musel bratislavský Dynamit Nobel produkciu výbušnín zastaviť. Ostal však pod kontrolou nemecko-rakúskeho kapitálu spoločnosti Dynamit A. G. (DAG), ktorá sa v polovici 20. rokov dostala do sféry vplyvu nemeckého IG Farbenindustrie spojeného s Dresdner Bank. Bratislavský Dynamit Nobel ostal tiež kapitálovou centrálou, ovládajúcou sieť chemických podnikov v strednej a juhovýchodnej Európe.[32]

Na kapitálovej expanzii z českých krajín na Slovensko mal podiel aj afilovaný peňažný ústav Živnobanky Česká eskontná banka a úverný ústav (Bebka). Podobne ako iné banky českých krajín na Slovensku fuzionovala alebo afiláciou revitalizovala staršie nemecko-maďarské banky. S nimi prevzala aj miestne potravinárske, elektrárenské, stavebné a iné podniky. Získala tiež akcie magnezitových závodov v Jelšave a bratislavských podnikov Spojená stavebná spoločnosť, koncern Bratislavské mlyny a rafinéria Apollo. Zúčastnila sa na zakladaní nových cementární. Významné postavenie získali banky národne českého agrárneho kapitálu Agrárna banka v Prahe a Moravská agrárna a priemyselná banka v Brne. Druhá z menovaných bánk prevzala pod kontrolu papierne v Slavošovciach a Harmanci. Dôležitou akvizíciou bol kapitálový vstup do Továrne na káble v Bratislave, ktorá sa v 20. rokoch stala jedným z najväčších podnikov svojho druhu v strednej Európe. Agrárna banka spolu s Tatra bankou odkúpila od rakúsko-maďarského kapitálu cukrovar v Trebišove.

31 Pozri bližšie: TEICHOVÁ, Alice. *Medzinárodní kapitál a Československo v letech 1918 – 1938.* Praha : Karolinum, 1994; HALLON, Ľudovít. Príčiny, priebeh a dôsledky štrukturálnych zmien v hospodárstve medzivojnového Slovenska. In BYSTRICKÝ, Valerián – ZEMKO, Milan (eds.). *Slovensko v Československu 1918 – 1939.* Bratislava : Veda, 2004, s. 302 – 304.

32 STRHAN, *Živnostenská banka*, c. d., s. 177 – 208; HOLEC, *Dejiny plné dynamitu*, c. d., s. 49 – 55.

Získala tiež rozhodujúci podiel v koncerne liehovarov s centrálou v Malackách. Väčšie aktivity na Slovensku vyvíjala Česká priemyselná banka, Česká banka Union a najmä Banka československých légií (Legiobanka). Česká priemyselná banka získala dôležitú pozíciu v koncerne Spojené mlyny, a.s., Bratislava, kam patrili najväčšie mlyny v ČSR. Česká banka Union mala podiel na zakladaní nových cementární v Stupave a Hornom Srní. Legiobanka vznikla až na začiatku 20. rokov. Keďže sa nemohla dostatočne uplatniť v českých krajinách, hlavný prúd expanzie zamerala práve na Slovensko, kde ovládla celú sieť regionálnych bánk. Založila podnik Legiolom Bratislava a prenikla do spoločnosti elektrickej železnice vo Vysokých Tatrách a do textilného podniku Slovenka Martin.[33]

Sľubný rozmach expanzie finančného kapitálu na Slovensku narušila povojnová hospodárska kríza v rokoch 1921 –1923. Táto zapríčinila hlboký pokles priemyselnej výroby a súčasne aj zánik desiatok podnikov rôznych odvetví, ktoré postihla strata odbytísk. V roku 1922 zasiahol do vývoja podnikovej sféry ďalší faktor, ktorým bola deflačná kríza vyvolaná deflačnou politikou štátu. Rast kurzu meny vážne ohrozil vývozne orientované hospodárske odvetvia a s nimi prepojenú časť bankovníctva. Na Slovensku počas rokov 1922 – 1925 podľahlo fúziám alebo likvidácii ďalších 65 inonárodných bánk. Vládne miesta ČSR museli vypracovať program ozdravenia bankovníctva, ktorý v októbri 1924 dostal podobu tzv. finančných zákonov. Na ich základe mali vybrané banky možnosť využiť sanačné prostriedky na krytie strát, najmä v podobe tzv. fondových dlhopisov. V bankovníctve Slovenska boli odhalené straty v hodnote 643 mil. Kč. Na ústavy so slovenskou správou pripadalo 76 % celkovej hodnoty strát. Hlavný podiel mala Tatra banka a Slovenská banka. Ukázalo sa, že straty pochádzali najmä z veľkých obchodov povojnovej konjunktúry, z financovania koncernových podnikov a z početných fúzií inonárodných bánk. Štát poskytol bankovníctvu Slovenska sanačné prostriedky v hodnote 393 mil. Kč. Takmer celý uvedený prídel pohltili straty národne slovenských bánk. Obavy pred ďalšími stratami ich viedli k tomu, že sa vzdali veľkých obchodov a kapitálových účastí približne v 40 akciových spoločnostiach, čím ich podiel na hodnote akcií všetkých podnikov Slovenska klesol približne na 7 % v roku 1930. Počet samostatných bankových subjektov sa znížil do roka 1930 na 63.[34]

Národne slovenské banky v druhej polovici 20. rokov programovo ustúpili z kapitálových aktivít a financovania veľkých akciových podnikov, a to najmä priemyselných. Dôsledky povojnovej hospodárskej a deflačnej krízy oslabili kapitálovú expanziu bánk a koncernov českých krajín na Slovensko. Deflačná kríza navyše zasiahla aj časť bankovníctva prepojeného s vývozným priemyslom v západnej časti ČSR. Medzi najviac postihnuté patrili banky agrárneho kapitálu vyvíjajúce aktivity na Slovensku. Z povojnovej

33 STRHAN, *Kríza priemyslu*, c. d., s. 48 – 52; HORVÁTH – VALACH, *Peňažníctvo na Slovensku*, c. d., s. 137 – 147; NOVOTNÝ, Jiří – ŠOUŠA, Jiří. *Banka ve znamení zeleného čtyřlístku. Agrární banka 1911 – 1938 –1948.* Praha : Karolínum, 1996, s. 106 – 110; HALLON, Ľudovít. Medzi národným a hospodárskym záujmom : vzťahy slovenského, českého a maďarského kapitálu na slovenskom úverovom trhu po roku 1918. In *Česko-slovenská historická ročenka,* 2011. Praha : Brno : Bratislava : Academicus, 2011, s. 207 – 219.

34 FALTUS, Jozef. *Povojnová hospodárska kríza v Československu.* Bratislava Vydavateľstvo SAV, 1966, s. 170 – 176; HALLON, *Príčiny, priebeh a dôsledky*, c. d., s. 304 – 309; JIRÁSEK, J. Deset let vývoje slovenského peněžnictví. In *Ročenka československé republiky,*1929, s. 167 – 171; HALLON, Ľudovít. Sanačný proces v bankovníctve Slovenska v medzivojnovom období. In *Ľudia, peniaze, banky.* Bratislava : Národná banka Slovenska, 2003, s. 283 – 284.

hospodárskej a deflačnej krízy vyšiel víťazne koncern Živnobanky orientovaný prevažne na domáci trh. Skutočnosť, že práve Živnobanka priamo alebo sprostredkovane ovládla podniky životaschopnejších odvetví Slovenska prispela k tomu, že sa podarilo zachovať a čiastočne rozvinúť aspoň niektoré segmenty výrobnej základne tunajšieho priemyslu v 20. rokoch. Živnobanka perspektívnu časť priemyslu finančne podporila a jednotlivým podnikom vytvorila výhodné podmienky v kartelových a koncernových zoskupeniach, kde mala rozhodujúci alebo väčší vplyv.[35]

V najťažšej pozícii sa spravidla nachádzali subjekty priemyselnej výroby, ktoré ostali v rukách maďarsko-rakúskeho kapitálu budapeštianskych veľkobánk. Tieto neboli ochotné investovať do stratových podnikov v zahraničí s neistou budúcnosťou a s nevýhodnými výrobnými podmienkami. Len o niektoré zvádzali kapitálový zápas a volili radšej formu odpredaja bankám a koncernom v ČSR alebo ich likvidovali. Týkalo sa to najmä podnikov železiarstva a málo rozvinutého strojárstva, ktoré museli v novom štáte čeliť konkurencii vyspelého hutníctva a strojárstva českých krajín. Železiarske a strojárske koncerny ovládané finančnými skupinami českého a dohodového kapitálu vrátane Živnobanky nemali záujem slabšieho partnera vo východnej časti ČSR sanovať, ale potrebovali sa ho zbaviť a získať jeho trhy a kartelové kvóty. Mementom hospodárskeho vývoj Slovenska v medzivojnových rokoch bol osud slovenskej časti najmocnejšieho koncernu bývalého Uhorska Rimavsko-muránskej a šalgotarjánskej železiarskej spoločnosti (Rima), za ktorou stála budapeštianska Obchodná banka. Vedenie Rimy prejavilo záujem iba o banské a úpravnícke závody koncernu na území Slovenska, zatiaľ čo celej siete hutníckych a železiarskych podnikov sa vzdala. Preto uzavrela dohodu s banskými a železiarskymi koncernami českých krajín a za odstupné vo forme akciového podielu na ich základnom kapitáli súhlasila s likvidáciou svojich železiarskych podnikov na strednom a východnom Slovensku.[36]

V období konjunktúry 1924 – 1929 zaznamenala ČSR asi 40 % rast priemyselnej výroby. Tento sa však prejavil najmä v českých krajinách. Podniková sféra Slovenska prechádzala zložitým procesom stagnácie a štrukturálnych zmien. Jednou z hlavných príčin stagnácie industrializačného procesu bol práve odliv zahraničného a nezáujem domáceho finančného kapitálu. Na sklonku 20. rokov nastala konsolidácia hospodárskeho vývoja Slovenska. Prispelo k tomu zlepšovanie situácie v dopravnej infraštruktúre, nástup elektrifikácie a iné faktory vrátane konsolidácie bankovníctva sanovaného štátom. Konsolidáciu ekonomiky Slovenska prerušila na začiatku 30. rokov veľká hospodárska kríza. V krátkom čase paralyzovala obchodnú činnosť takmer všetkých národne slovenských aj inonárodných bánk. Stratové položky troch najväčších bánk Slovenska opäť dosiahli fatálnu hodnotu okolo 300 mil. Kč. Štát pristúpil k novým sanačným akciám. Bilančná hodnota celého bankového sektora sa v období 1930 – 1938 znížila o 24 %. Hospodárska kríza tento raz postihla aj koncern Živnobanky. Bez väčších strát skončila iba česká Legiobanka. Následne využila

35 CHUDJÁK, *Podnikateľské aktivity Slovenskej banky 1919 – 1929*, c. d., s. 43 – 80; STRHAN, *Živnostenská banka*, c. d., s. 177 – 208; HALLON, *Sanačný proces*, c. d., s. 283 – 284.

36 GAUČÍK, Štefan. Problematika slovenských záujmových podnikov Rimamuránskej-šalgotarjánskej železiarskej účastinnej spoločnosti a nové obchodno-politické stratégie (1918 – 1924). In LACKO, Miroslav (ed.). *Montánna história*, 2012 – 2013, č. 5 – 6, s. 162 – 211; STRHAN, *Kríza priemyslu*, c. d., s. 104 – 129; HALLON, *Príčiny priebeh a dôsledky*, c. d., s. 306 – 308.

dobrú pozíciu na rozšírenie kapitálovej expanzie najmä v slovenskom bankovníctve. V priemysle však boli jej aktivity len okrajové. Počet bánk na Slovensku do zániku ČSR klesol na 32 subjektov.[37]

Vládne kruhy ČSR sa pokúšali čeliť kríze zásahmi do ekonomiky. Postupne prešli k systémovým štátnomonopolistickým opatreniam. Pre Slovensko malo osobitný význam, že ich súčasťou bola podpora veľkých stavieb infraštruktúry. Novým impulzom rozvoja priemyslu bol rast vojenského ohrozenia štátu. Vláda iniciovala štátnymi objednávkami veľké zbrojárske firmy českých krajín (Brnenská zbrojovka, Škoda Plzeň) aj domáce strojárske podniky (Michera, Tauš) k investíciám na Slovensku, ktoré predstavovalo potenciálne vojnové zázemie voči Nemecku. Po prekonaní štrukturálnych zmien hospodárstva z 20. rokov začalo byť Slovensko s lacnou pracovnou silou opäť zaujímavé aj pre investície do mierových oblastí priemyselnej výroby. Kožiarske, obuvnícke, textilné, chemické a iné firmy českých krajín (Baťa, Nehera, Rolný, Spolok pre chemickú a hutnícku výrobu) a čiastočne aj zahraničný kapitál obnovili expanziu na Slovensko. V druhej polovici 30. rokov sa týmto oživil proces industrializácie. Hlavný podiel na pozitívnych trendoch však mali aktivity štátu, veľkých koncernov a firiem, zatiaľ čo banky len poskytovali priemyselným firmám úvery na nové investície.[38]

V druhej polovici 30. rokov zaznamenal slovenský priemysel aj nové iniciatívy domáceho finančného kapitálu. Smerovali najmä do potravinárskeho priemyslu. Ich hlavný prúd však pramenil zo sféry ľudového peňažníctva, ktoré na Slovensku pozostávalo z úverových družstiev, živnostenských úverových ústavov, komunálnych sporiteľní a zo vzájomných roľníckych pokladníc. V ťažkých hospodárskych pomeroch medzivojnového Slovenska sa ľudovo-peňažné ústavy prejavili ako životaschopnejšie než komerčné banky. Platilo to najmä pre roľnícke vzájomné pokladnice. Tieto mali účinnú podporu vládnych agrárnych kruhov a vznikli na pokyn ministra a od roka 1935 premiéra ČSR Dr. Milana Hodžu. Od konca 20. rokov boli zastrešené centrálou Zväzu roľníckych vzájomných pokladníc. Preberali pobočky obchodných bánk a prostredníctvom svojho centrálneho Zväzu expandovali aj do priemyslu. Stali sa finančným nástrojom agrárneho kapitálu. Napĺňali ambiciózny plán premiéra M. Hodžu na kapitálové prepojenie slovenského bankovníctva s ľudovým peňažníctvom a následný spoločný prienik do potravinárskeho priemyslu. Týmto by sa obnovila expanzia národne slovenského finančného kapitálu do podnikovej sféry. Zväz ovládol významnú Dunajskú banku, niekoľko cukrovarov a mlynov. Veľké ambície agrárneho kapitálu zastavili politické udalosti v ČSR na jeseň 1938.[39]

---

37 PRŮCHA, *Hospodářské a sociální dějiny*, c. d., s. 144 – 160; HALLON, Ľudovít. *Industrializácia Slovenska 1918 – 1938. Rozvoj alebo úpadok?* Bratislava : Veda. 1995, s. 68 – 87; HORVÁTH – VALACH, *Peňažníctvo na Slovensku*, c. d., s. 81 – 99, 119 – 145; HALLON, *Sanačný proces*, c. d., s. 286 – 287; CHUDJÁK, František. Slovenská banka v rokoch 1930 – 1938. Čas tvrdých skúšok a sklamaní. In *Historický časopis*, 2010, roč. 58, č. 2, s. 263 – 289; FERENČUHOVÁ, Bohumila – ZEMKO, Milan a kol. *Slovensko v 20. storočí. V medzivojnovom Československu 1918 – 1938*. Bratislava : Veda, 2012, s. 359 – 364.

38 PRŮCHA, *Hospodářské a sociální dějiny*, c. d., s. 277 – 284; HALLON, *Industrializácia Slovenska*, c. d., s. 147 – 161; FERENČUHOVÁ – ZEMKO, *Slovensko v 20. storočí*, c. d., s. 366 – 372.

39 HALLON, Ľudovít. Úloha Milana Hodžu v komerčnom bankovníctve Slovenska v rokoch 1918 – 1938. In *Historický časopis*, 2005, roč. 53, č. 1, s. 68 – 69.

Tabuľka č. 3 – Podiel kapitálu bánk a koncernov českých krajín, bánk a individuálnych firiem Slovenska a zahraničných bánk a koncernov na akciovom kapitále priemyslu, obchodu a dopravy Slovenska a Podkarpatskej Rusi v roku 1936 v mil. Kč

kapitál celkovo	kapitál českých krajín	v %	slovenský kapitál	v %	zahraničný kapitál	v %
1 754	1 201	68,5	170	9,7	383	21,8

Poznámka: Údaje o kapitále českých krajín a o slovenskom kapitále sú odhadované
Prameň: *Statistická ročenka Československé republiky,* 1938, s. 107.

Uvedené rámcové zhodnotenie vzťahu bánk a priemyslu v dlhodobej perspektíve od 60. rokov 19. storočia do roka 1938 naznačuje, že o kľúčovej úlohe bánk v industrializácii na území dnešného Slovenska možno hovoriť len s určitou rezervou, a to iba pre obdobie do roka 1914. Napriek veľmi dravému nástupu bánk rakúsko-nemeckého a západného kapitálu v poslednej tretine 19. storočia a následne najmä budapeštianskych bánk na začiatku 20. storočia v rozvoji uhorského priemyslu, súhlasíme s názorom väčšiny maďarských historikov (J. Komlos, Gy. Kövér, Á. Pogány a B. Tomka),[40] že banky zohrávali v industrializácii Uhorska stále významnejšiu, ale nie rozhodujúcu úlohu. Podobný názor zastávala aj popredná odborníčka na hospodárske dejiny strednej Európy A. Teichová.[41] Rozmach priemyslu v Uhorsku úzko súvisel aj s investičnými a najmä s hospodársko-politickými aktivitami štátu a vládnych hospodárskych kruhov. Tieto celým systémom benefitov vrátane finančných dotácií motivovali zahraničné a podporovali domáce banky v expanzii do podnikovej sféry. Ohľadne sledovanej problematiky je tiež zaujímavé hodnotenie, do akej miery zodpovedá vývoj na území Slovenska s teoretickou koncepciou významného amerického hospodárskeho historika a ekonóma ruského pôvodu A. Gerschenkrona o „ekonomickom zaostávaní v historickej perspektíve" (Economic Backwardness in Historical Perspective) zo 60. rokov minulého storočia. Podľa teórie A. Gerschenkrona, ktorý v medzivojnovom období študoval a pôsobil vo Viedni, jedným z hlavných atribútov hospodárskeho vývoja ekonomicky zaostávajúcich krajín stredovýchodnej Európy do 40. rokov 20. storočia bola určujúca úloha veľkých bánk a vládnych miest v kapitálovom zabezpečení podnikovej sféry. Aj v danom prípade možno tézu o kľúčovej úlohe bánk vo väčšom meradle akceptovať len pre obdobie na prelome 19. a 20. storočia, zatiaľ čo vplyv vládnych miest môžeme označiť za trvalý v celom sledovanom období.[42]

40 Pozri: KÖVÉR, *Banking and Industry*, c. d.; TOMKA, *Das Verhältnis*, c. d., s. 173 – 203; POGÁNY, Ágnes. From the Cradle to the Grave ? Banking and Industry in Budapest in the 1910s and 1920s. In *Journal of European Economic History*, 1989, roč. 18, č. 3, s. 529 – 549; KOMLOS, John. *The Habsburg Monarchy as a Customs Union*. Princeton NJ, 1983.

41 TEICHOVÁ, Alice. Continuity and Discontinuity. Banking and Industry in Twentieth-century Central Europe. In GOOD, David F. (ed.) *Economic Transformations in East and Central Europe. Legacies from the Past and Policies for Future*. London : Routledge,1994, s. 63 – 74.

42 Pozri bližšie: GERSCHENKRON, Alexander. *Economic backwardness in historical perspective, a book of essays*. Cambridge, Massachusetts : Belknap Press of Harvard University Press, 1962.

Po rozpade monarchie sa kapitálové vzťahy v strednej Európe zásadne zmenili, čo osobitne platilo pre medzivojnové Československo. Budapeštianske veľkobanky, ktoré ovládali podnikovú sféru Slovenska, sa buď pod tlakom alebo dobrovoľne vzdali veľkej časti kapitálových pozícií, ktoré sa pokúsili prevziať banky a koncerny českých krajín v spolupráci so západným dohodovým kapitálom a za výdatnej hospodársko-politickej podpory nového štátu. Vážne hospodárske problémy Slovenska, vyplývajúce z historických zmien ekonomického priestoru strednej Európy, však kapitálovú expanziu z českých krajín zastavili na polceste. Banky a koncerny českých krajín namiesto zakladania nového priemyslu dokonca prispeli k likvidácii niektorých kľúčových podnikov Slovenska v konkurenčnom boji o trhy na zúženom ekonomickom priestore ČSR. Po konsolidácii hospodárskych pomerov sa na Slovensku oživili investičné aktivity bánk českých krajín, ale tieto boli do značnej miery motivované štátom a realizovali sa najmä cez kapitálové prepojenia na veľké koncerny. V slovenskej historiografii, najmä marxistickej, sa preto stagnácia industrializácie, či dokonca prejavy dezindustrializácie v medzivojnovom Slovensku spájali práve s aktivitami československých veľkobánk, predovšetkým Živnostenskej banky. O expanziu do priemyslu sa už pred rokom 1918 aj po vzniku Československa pokúšali národne slovenské a ďalšie domáce banky. Ich úloha však pre kapitálovú slabosť a neskúsenosť manažmentu ostala iba okrajová. Po hospodárskych otrasoch v prvej polovici 20. rokov dokonca programovo ustupovali z kapitálových aktivít v podnikovej sfére. Vzhľadom na uvedené skutočnosti možno súhlasiť s historičkou A. Teichovou, že tézu A. Gerschenkrona a pokračovaní „misijnej“ úlohy obchodných bánk v industrializácii zaostávajúcich krajín Európy po roku 1918 treba odmietnuť. Uvedený postoj zaujali aj ďalší významní hospodárski historici.[43]

43 TEICHOVÁ, Continuity and Discontinuity, c. d., s. 65-66.

Budovanie železničnej a cestnej infraštruktúry na Slovensku v medzivojnovom období*

Miroslav Sabol

Na Slovensku, ale aj v celej Československej republike boli dopravné podmienky pre pomernú hornatosť, nedostatok vodných ciest, vzájomnú vzdialenosť priemyselných a prírodných surovinových oblastí omnoho komplikovanejšie ako vo väčšine európskych štátov. Nedostatok a zlý stav dopravných spojov, primitívna technika prepravy, a tým podmienené vysoké dopravné náklady podstatne obmedzovali vzájomnú výmenu tovarov medzi jednotlivými oblasťami krajiny. Územie Slovenska predstavovalo ešte aj v 18. storočí súbor izolovaných trhových okruhov. Rozvoj infraštruktúry nastal až v druhej polovici 18. storočia a v 19. storočí.

Zdedený dopravný systém Slovenska po rozpade Uhorska tvorila predovšetkým solídne dobudovaná železničná sieť. Systém železníc však nebol v súlade s hospodárskymi potrebami novej ČSR. Hlavné trate smerovali do Budapešti a po zániku Uhorska ich prerušila novovytvorená štátna hranica. Prepojenie východnej a západnej časti republiky zabezpečovala jedine košicko-bohumínska trať. Slovensko zdedilo aj množstvo súkromných tratí s vysokými dopravnými tarifami. Úlohou štátu bolo čo najskôr dobudovať chýbajúce železničné úseky a zmeniť ich orientáciu na východno-západnú, odkúpiť súkromné trate a znížiť tarify.

Cestná sieť bola rôznej kvality. Komunikácie podobne ako železničné trate mali rôznych vlastníkov. Štátne cesty počtom prevyšovali úseky župných a vicinálnych ciest, ktorých kvalita nezodpovedala úlohám rozvoja motorizovanej dopravy. Železničná doprava sa napriek tomu dostávala pod tlak rozvíjajúcej sa automobilovej dopravy, stratila časť prepravy a postupne sa stávala stratovou. Prínosom však bolo na druhej strane to, že železnice museli čeliť konkurencii automobilovej dopravy tým, že sa modernizovali, zrýchľovali dopravu a vylepšovali techniku. Cestná sieť rovnako potrebovala zmeniť orientáciu hlavných ťahov, poštátniť najdôležitejšie cestné úseky a urýchliť výstavbu chýbajúcich cestných spojov.[1]

Prvá svetová vojna (1914 – 1918), prirodzene, stav železníc na území Slovenska nezlepšila. Hoci k priamemu vojnovému ničeniu železničných tratí nedošlo, zlá údržba technických zariadení a vozového parku mala nepriame následky na kvalitu a spoľahlivosť železničnej dopravy. Podobne pôsobil nedostatok uhlia, personálu atď., ako aj dezorganizácia a chaos, ktoré priniesol rozpad monarchie. Maďarské vojsko pri ústupe zo Slovenska významne nepoškodilo železničný zvršok a zariadenia, odvlieklo však so sebou okolo 20-tisíc vagónov a lokomotív.[2]

---

* Štúdia bola vypracovaná v rámci projektu APVV-15-0349 Indivíduum a spoločnosť – ich vzájomná reflexia v historickom procese.

1 SABOL, Miroslav. *Dejiny dopravy na Slovensku 1938 – 1948 (1950). (Jej hranice a limity).* Bratislava : VEDA, 2015, s. 251; HALLON, Ľudovít. Hospodársky vývin po vzniku ČSR a v 20. rokoch. In FERENČUHOVÁ, Bohumila – ZEMKO, Milan. *V medzivojnovom Československu 1918 – 1939.* Bratislava : VEDA, 2012, s. 216.

2 FALTUS, Josef – PRŮCHA, Václav. *Prehľad hospodárskeho vývoja na Slovensku v rokoch 1918 – 1945.* Bratislava : Vydavateľstvo politickej literatúry, 1969, s. 77.

Problémy spojené so železničnou dopravou sa v medzivojnových rokoch stali Achillovou pätou celkového hospodárskeho vývoja Slovenska. Železničná sieť totiž pred rokom 1918 predstavovala jedinú rozvinutejšiu zložku dopravného systému a celej infraštruktúry Slovenska. Do konca 20. storočia sa dĺžka železníc v porovnaní so stavom v roku 1915 rozšírila už len asi o 11 %. Príčinou závažných problémov bola predovšetkým skutočnosť, že celková geografická orientácia a štruktúra železníc, ktoré sa plánovali v duchu hospodárskych záujmov Uhorska, nezodpovedala po zásadných štátoprávnych a politických zmenách hospodárskym potrebám nového štátneho celku. Druhú kľúčovú príčinu predstavoval charakter vlastníckych vzťahov na železnici. Siete železníc na území dnešnej Slovenskej a Českej republiky tvorili do rozpadu habsburskej monarchie integrálnu súčasť železničných dopravných systémov rakúskej a uhorskej časti dualistického štátu. Vyvíjali sa ako autonómne celky a vzájomne prepojené boli iba v niekoľkých bodoch. Podliehali dvom samostatným ministerstvám vo Viedni a Budapešti. Z hľadiska geografickej orientácie boli hlavné trate prechádzajúce Slovenskom budované predovšetkým v smere severo-južnom, zatiaľ čo v rovnobežkovom východo-západnom smere pretínala Slovensko len jediná trať kľúčového významu. Viedla z východoslovenského mesta Košice do moravského mesta Bohumín v severnej časti krajiny. Dve ďalšie transverzálne trate v južnej časti Slovenska boli po vzniku ČSR na viacerých miestach prerušené štátnou hranicou s Maďarskom. Hospodárske záujmy Československa vyžadovali prepojenie dvoch okliešťených železničných systémov českých krajín a Slovenska hlavnými magistrálami v transverzálnom smere. Predtým vybudované vedľajšie rovnobežkové trate bolo nutné prepojiť novými spojnicami a napojiť ich na hlavné ťahy.[3]

Nový československý (čs.) štát prikladal železniciam už od prvého dňa svojho vzniku nemalý význam. Dokladom je menovanie generálneho riaditeľa čs. železníc už 30. októbra 1918, čiže dva dni po vyhlásení samostatnej ČSR. Začiatkom roku 1919 vzniklo ministerstvo železníc, ktorého prioritnou úlohou bolo vybudovať výkonné spojenie medzi historickými krajinami a Slovenskom.[4] Pri nedostatku personálu na Slovensku dôležité posty na železnici postupne obsadzovali českí železničiari. Prvý minister železníc ČSR Isidor Zahradník ich odchod na Slovensko komentoval takto: *„Úkol Váš na Slovensku je těžký. Po staletí byla krásna země ta zanedbávána a dobrý lid její násilím i úskoky ujařmován a odnárodňován. Na Vás jest, zjednati nápravu, vybudovati vzorný provoz drah a spojiti nerozlučně větve národa po věky osudem oddělené. Máte zříditi provoz drah československé republiky na Slovensku. Moderní železniční doprava jest jedním z vrcholů lidské civilisace jest z najdůležitejších součástek národního hospodářství a tím obtížnější, zodpovědnější a vznešenejší jest průkopnicka práce Vám svěřená.“*[5]

K prvým úlohám, ktoré musel nový štát riešiť na železničnom poli, patrila problematika vlastníckych vzťahov v železničnej doprave, ktorá úzko súvisela s ďalšou závažnou otázkou –výškou dopravných taríf. Súvislosť spočívala predovšetkým v tom, že na súkromných železniciach boli vyššie tarify ako na tratiach v rukách štátu. Uhorsko malo väčší podiel

3 Tamže, s. 77 – 78.

4 VYSLOUŽIL, Jiří. Vývoj železniční sítě v Československu. In *Medzinárodní symposium 150 let železnic v Československu.* Brno : ČSVTS, 1989, s. 79.

5 Múzejno-dokumentačné centrum Bratislava (ďalej MDC BA), archív: Pokyny českým zřízencům železničním na Slovensku.

súkromných tratí ako Rakúsko a v železničných spoločnostiach prevládal zahraničný kapitál. Celková hladina dopravných taríf bola preto v uhorskej časti bývalej monarchie vyššia. Rozdiely tým však nekončili. Na súkromných železniciach Uhorska boli vyššie tarify než na súkromných tratiach Rakúska a Uhorsko malo vyššie tarify aj na železniciach štátnych. Zo strany uhorského štátu išlo o jednu z foriem ochrany proti zahraničnej konkurencii, ako aj proti konkurencii z Rakúska. Domáci výrobcovia mohli na štátnych tratiach využívať systém výhodných tarifných zliav. V poslednom roku existencie monarchie ešte uhorské štátne železnice preradili niektoré druhy prepravovaných tovarov z nižších do vyšších tarifných tried a k vojnovej dopravnej dani vo výške 30 %, platnej pre celú monarchiu, zaviedli v prípade určitých tovarov daňovú prirážku 4 až 17 %. Československo po svojom vzniku prevzalo tarifný systém Rakúsko-Uhorska. Slovensko zdedilo vysoké uhorské tarify a väčší podiel súkromných železníc. Okrem toho sa po zmene orientácie hlavných železničných ťahov podstatná časť objemu železničnej prepravy na Slovensku presunula zo štátnych severo-južných magistrál na transverzálne východo-západné trate, ktoré ovládal z väčšej časti súkromný kapitál. Hlavným dôsledkom uvedených pomerov boli veľké rozdiely dopravných nákladov na železniciach západnej a východnej časti nového štátu. Odstránenie týchto rozdielov sa dalo uskutočniť zjednotením taríf na štátnych železniciach českých krajín a Slovenska, poštátnením súkromných tratí a znížením vysokých taríf súkromných železníc na úroveň taríf platných na tratiach v rukách štátu.[6]

Práve odstraňovanie dualizmu v systéme železničných taríf medzi západnou a východnou časťou ČSR patrilo medzi obzvlášť kontroverzné a najviac diskutované problémy hospodárskej politiky vládneho centra v Prahe vo vzťahu k Slovensku. V rokoch 1919 – 1921 ostávali tarifné systémy českých krajín a Slovenska zdedené po habsburskej monarchii bez podstatných zmien. Slovensko prevzalo vyššie uhorské tarify na štátnych železniciach a väčší podiel súkromných tratí, ale zľavy na železnici poskytované uhorskou vládou pre domácich výrobcov stratilo. Už na jeseň 1918 bola zrušená vojnová dopravná daň, zatiaľ čo uhorské prirážky k tejto dani ostali v platnosti. Pretrvávanie oddelených sústav štátnych a súkromných železníc generovalo ešte jeden kľúčový problém, ktorým bol tzv. lomený výpočet dopravných sadzieb pri prechode zo štátnej na súkromnú trať. Výpočet sadzieb sa totiž uskutočňoval pre štátnu a súkromnú železnicu zvlášť, pričom sa neprepočítavali vzdialenosti po prechode z jednej trate na druhú. Z uvedeného vyplývalo, že znižovanie sadzieb v závislosti od prekonanej vzdialenosti sa uplatňovalo len čiastočne. Dopravné náklady na súkromných železniciach preto ešte podstatne vzrástli. Lepšie to však nebolo ani na štátnych dráhach. V roku 1920 na celkovej preprave po štátnych železniciach v rámci republiky Slovensko participovalo len 9,3 %, ale príjmy z tejto prepravy predstavovali podiel 27 %. Z 1,021 mld. Kč prevádzkových výnosov štátnych dráh bolo 275 mil. zo Slovenska. Podľa štatistík vyberali slovenské štátne železnice v priemere o 110 % viac za dopravu tovaru ako v českých krajinách.[7]

---

6 KAPP, Otto. *O hospodářských poměrech Slovenska a Podk. Rusi.* Praha : Česká národohospodářska společnost, 1924, s. 44 – 45; KARVAŠ, Imrich. *Sjednocení výrobních podmínek v zemích českých a na Slovensku.* Praha : Orbis, 1933, s. 70 – 92 .

7 KAPP, *O hospodářských poměrech*, c. d., s. 44 – 45; KARVAŠ, *Sjednocení výrobních podmínek*, c. d., s.70 – 80.

Okrem zjednotenia tarifných systémov preto stála pred vládnymi hospodárskymi orgánmi aj ďalšia kľúčová úloha, ktorou bolo tzv. prepočítanie súkromných tratí a odstránenie lomeného výpočtu sadzieb. Do roku 1921 existoval lomený výpočet sadzieb aj pri prechode zo štátnych železníc českých krajín na štátne trate Slovenska. Odstránenie uvedenej anomálie bolo prvým významným krokom v riešení pálčivej otázky železničných taríf. Roku 1921 správa štátnych železníc zaviedla na svojich tratiach v oboch častiach štátu jednotnú dopravnú tarifu, odstránila lomený výpočet sadzieb a zrušila uhorskú dopravnú daň, čím zjednotila dopravné podmienky na štátnych železniciach českých krajín a Slovenska. Odstraňovanie tarifných rozdielov na štátnych a súkromných tratiach však postupovalo iba malými krokmi v závislosti od procesu poštátňovania a priebehu rokovaní medzi vedením štátnych a privátnych železníc. Osobitná pozornosť sa venovala rokovaniam s Košicko-bohumínskou železnicou (KBŽ), ktorá postupne odstraňovala lomený výpočet sadzieb a roku 1926 znížila tarify na úroveň štátnych železníc. Zároveň prebiehalo zjednocovanie tarifných pomerov na poštátnených železniciach a na niektorých súkromných tratiach v prevádzke štátu. Roku 1927 boli v rámci tzv. malej tarifnej reformy znížené tarify všetkých železníc Slovenska na úroveň štátnych železníc. Do roku 1932 bol úplne odstránený aj lomený výpočet sadzieb. Eliminácia rozdielov tarifných systémov na železniciach západnej a východnej časti ČSR prišla pre viaceré podniky Slovenska neskoro, lebo podľahli konkurencii v dôsledku neúmerne vysokých dopravných nákladov. V každom hospodárskom odvetví Slovenska existovalo množstvo príkladov o znižovaní konkurencieschopnosti výrobcov odkázaných na dopravu tovaru po súkromných železniciach. Napríklad vývozcovia cukru zo Slovenska zaplatili roku 1924 v rámci dopravných nákladov za 10 t vyvezeného cukru o 2-tisíc Kč viac než vývozcovia z Čiech. Známy slovenský národohospodár Imrich Karvaš odhadoval škody slovenského hospodárstva následkom tarifných rozdielov počas rokov 1919 – 1932 na približne 600 mil. až 700 mil. Kč.[8] Pomalé zjednocovanie tarifných systémov malo pritom okrem nesporných objektívnych príčin aj subjektívne dôvody vyplývajúce zo skupinových hospodárskych záujmov, najmä na českej strane. Vo vzájomnej výmene tovarov medzi západnou a východnou časťou ČSR predstavovala vyššia hladina dopravných nákladov na Slovensku nevýhodu pre slovenských aj českých výrobcov, lebo súkromné železnice Slovenska museli využívať obe strany. V exporte na trhy západných vyspelých krajín, kam sa po strate uhorských trhov preorientovala aj podstatná časť výrobcov zo Slovenska, však mali podniky českých krajín výhodu bližšej geografickej polohy, ako aj nižších dopravných taríf. Značné rozdiely v dopravných nákladoch existovali aj medzi podnikmi v rôznych častiach Slovenska a medzi výrobcami v Čechách a na Morave. Viaceré vplyvné podnikateľské skupiny, predovšetkým v českých krajinách, preto nemali záujem na urýchlenom zjednotení dopravných taríf. Bolo preto pochopiteľné, že uvedené skutočnosti neunikli predstaviteľom podnikateľskej a politickej scény Slovenska, ktorí vyslovene „bombardovali" vedenie štátnych železníc a vládne hospodárske orgány požiadavkami urýchliť nápravu tarifných pomerov. Pomalé odstraňovanie tarifných rozdielov spolu so zaostávaním procesu poštátňovania železníc a výstavby chýbajúcich železničných úsekov vytvárali tzv. dopravný problém Slovenska, ktorý postupne získaval hospodársko-politický a následne aj národno-politický charakter. Na politickej scéne sa stal „dopravný problém" jedným z argumentov pri útokoch

8 Tamže.

proti vládnemu centru v Prahe, proti centralistickému modelu štátoprávneho usporiadania ČSR a zároveň aj vhodným nástrojom nacionalistickej propagandy. Národohospodár Štefan Janšák charakterizoval v roku 1926 nacionalistickú propagandu v súvislosti s problémom dopravných taríf slovami: *„...keď zvoláš na Slovensku železničné tarify, ozve sa ti von s Čechmi...“* Otázka taríf zohrávala veľmi zásadnú úlohu medzi hospodárskymi elitami v západnej časti republiky. Všimli si to dokonca aj maďarskí politici, ktorí v Paríži v roku 1919 vyjednávali o povojnovom usporiadaní hraníc v strednej Európe. Boli presvedčení, že sa im podarí udržať veľkú časť Slovenska, ak urobia Čechom ústupky v tarifnej a hospodárskej politike. Slovenskí národohospodári v spolupráci s triezvo uvažujúcimi predstaviteľmi hospodárskeho a politického života Slovenska hľadali riešenie „dopravného problému“ predovšetkým cestou racionálnych argumentov, predkladaných zástupcom vládnych hospodárskych kruhov. Na tento účel vytvorili aj osobitný orgán – Slovenský dopravný výbor. Združovali sa na pôde tzv. regionalistického hnutia, kde riešili aj otázky rozvoja infraštruktúry jednotlivých oblastí Slovenska. V konečnom dôsledku sa východisko spoločne podarilo nájsť, hoci so značným oneskorením. V 30. rokoch zaznamenala tarifná politika voči Slovensku podstatné zmeny. Vedenie železníc poskytovalo špeciálne zľavy na tratiach na Slovensku, najmä v súvislosti s prekonávaním dosahov hospodárskej krízy a s podporou exportu. Prebiehali aj prípravy tzv. veľkej tarifnej reformy, ktorá mala znížiť náklady na dopravu tovaru medzi okrajovými časťami štátu, ktoré vyplývali z transverzálne pretiahnutého geografického tvaru ČSR.[9]

Po konsolidácii pomerov na železniciach Slovenska v priebehu roka 1919 mohli vládne a zákonodarné orgány pristúpiť k prijatiu a realizácii výhľadových programov na prispôsobenie železničnej dopravy novým štátoprávnym a hospodárskym podmienkam. Už na začiatku roka 1920 bol prijatý jeden z najvýznamnejších programov rozvoja infraštruktúry v medzivojnovej ČSR. Išlo o finančne nákladný projekt dostavby chýbajúcich úsekov tratí, ktoré mali umožniť transverzálne prepojenie celej krajiny a obnovenie niektorých železničných spojení, ktoré prerušila nová štátna hranica s Maďarskom. Tento projekt schválený vo forme zákona č. 235 z 30 marca 1920 počítal s výstavbou 17 úsekov tratí, ako aj s rekonštrukciou a technickou modernizáciou železníc s celkovými nákladmi 6,5 mld. Kč (asi 200 mil. USD). Nové trate mali dosiahnuť dĺžku 556 km, z čoho 113 km by sa vybudovalo na Podkarpatskej Rusi, 385 km priamo na Slovensku a 58 km na Morave s cieľom napojiť Slovensko na železničné siete českých krajín. Z uvedeného vyplývalo, že plán slúžil takmer výlučne na rozvoj železníc vo východnej časti ČSR. Mal sa realizovať do piatich rokov. Už počas jeho schvaľovania prebiehali práce na dvoch úsekoch tratí, nevyhnutných na spojenie Bratislavy s českými krajinami a Podkarpatskej Rusi s ostatnými časťami nového štátu. Organizáciou stavebných prác bol poverený nový orgán Ústredná stavebná správa pri ministerstve železníc v Prahe. Na stavbách našlo uplatnenie množstvo legionárov, ktorí mali s takýmto druhom práce skúsenosti ako zajatci na ruskom fronte a mali to šťastie, že prežili.[10] Počas prvej svetovej vojny sa vo viac ako 3-tisícoch zajateckých táborov Ruska ocitlo 2,4 mil. vojakov, z nich až 1 mil. pracovalo v poľnohospodárstve, baniach, závodoch,

9 STODOLA, Kornel. *Tarifná politika na Slovensku*. Bratislava : Grafia, 1922, s. 3 – 12.

10 Národní archiv České republiky (ďalej NA ČR) Praha, fond (ďalej f.) Ministerstvo železníc. I. Praha (ďalej MŽ), kartón (ďalej k.) 2215, Výstavba železníc na Slovensku.

ale hlavne na železnici. Časť z nich tvorili aj Česi a Slováci, z ktorých sa stali schopní technickí odborníci. V nasledujúcich rokoch však vedenie stavebnej správy zistilo, že plánované termíny boli z hľadiska technickej a finančnej náročnosti nereálne. Do cieľového roku plánu 1925 sa podarilo ukončiť len dva spomínané úseky a jednu trať na strednom Slovensku v dĺžke 34 km. Organizátori plánu nedokázali zaostávanie prekonať ani v druhej polovici 20. rokov.[11]

Výstavbu, paradoxne, urýchlili až dosahy veľkej hospodárskej krízy, lebo štátom kontrolované železničné stavby v zaostalých regiónoch Slovenska mohli prispieť k zníženiu nezamestnanosti. Ústredná stavebná správa s podporou vládnych orgánov prednostne koncentrovala finančné zdroje a technické prostriedky na dostavbu tratí. Napriek tomu sa realizácia hlavných zámerov plánu z roku 1920 pretiahla až do konca 30. rokov. Medzivojnový režim vybudoval zo svojho pôvodného programu deväť kľúčových úsekov železníc v dĺžke 336 km a rozostaval ďalšiu neplánovanú trať. Finančné náklady iba na stavby dosiahli 1,3 mld. Kč, z čoho bola 1,1 mld. preinvestovaná na Slovensku a 200 mil. v českých krajinách. Za hlavnú príčinu zaostávania za plánom výstavby možno označiť technickú a v závislosti od toho aj finančnú náročnosť jednotlivých tratí. Boli totiž budované v mimoriadne zložitých geologických podmienkach. Na desiatich úsekoch železníc museli stavebné firmy vybudovať celkom 42 tunelov s dĺžkou 24 km a 671 mostov. Niektoré z tunelov sa zaradili medzi najdlhšie v Európe. Výstavba novej trate mohla začať až po dokončení predošlého úseku a po následnom presune techniky a technických odborníkov na novú stavbu. Na druhej strane, dlhodobo chýbajúce úseky železníc znamenali pre hospodársku sféru Slovenska vážne ťažkosti, najmä neúmerné predlžovanie dopravných vzdialeností, a tým aj zvyšovanie dopravných nákladov. Podniky z niektorých regiónov museli pred dokončením chýbajúcich tratí využívať dlhé obchádzky, napríklad aj cez Maďarsko.

Pomalý postup výstavby tratí sa preto už v prvej polovici 20. rokov dostal do ohňa kritiky predstaviteľov hospodárskeho a politického života Slovenska. Terčom najväčšej kritiky sa stal prípad technicky náročného, ale iba 19 km dlhého úseku na strednom Slovensku, ktorého absencia bránila podnikom viacerých regiónov hospodárne využiť jediný väčší zdroj uhlia na Slovensku pri meste Handlová. Tieto podniky dovážali uhlie zo vzdialených českých revírov s nižšími nákladmi než z geograficky blízkeho revíru v Handlovej. Mnohí zástupcovia podnikateľskej sféry a politici Slovenska videli v odsúvaní výstavby práve uvedeného hospodársky životne dôležitého železničného úseku spoločný zámer vládnych hospodárskych kruhov v Prahe a vedenia železníc uprednostniť české uhoľné baníctvo pred jediným významným hnedouhoľným podnikom Slovenska a zruinovať veľkú časť slovenských podnikov. Kritika dopadla aj na samotný projekt výstavby železníc z roku 1920, lebo obsahoval hospodársky a dopravne menej dôležité úseky, zatiaľ čo na niektoré hospodársky mimoriadne významné trate zostavovatelia plánu zabudli. Napriek tomu sa pri rekapitulácii investícií do železníc v roku 1937 senátor Kornel Stodola vyjadril „*...nemajú pravdu tí, ktorí*

11 Tamže; BENKO, Juraj. Vojnová socializácia mužov v armáde, zajatí a v légiách (1914 – 1921). In *Forum Historiae*, 2009, roč. 3, č. 1, s. 4, 7 [online]. Dostupné na internete: http://forumhistoriae.sk/documents/10180/39170/benko.pdf

neustále hovorili a hovoria, že Slovensko je v každom ohľade ožobračované. Investície do výstavby železníc hovoria o niečom inom ...“ [12]

Úlohu poštátnenia súkromných železníc začali vládne a zákonodarné orgány plniť už v prvých mesiacoch existencie ČSR. Parlament s podporou väčšiny politických strán deklaroval zámer poštátniť všetky významnejšie trate, ktorý legislatívne zakotvil v zákonoch č. 373 a č. 539 z júna a októbra 1919. Vzťah štátu a súkromných železníc do poštátnenia upravoval zákon č. 690 z decembra 1920. Týkal sa najmä podmienok prevádzky trate štátom na účet vlastníka. Umožňoval aj investície štátu na účet vlastníka bez ohľadu na postoj akcionárov. Predstupňom poštátňovania bol proces tzv. nostrifikácie na podklade zákona č. 12 ex 20 z decembra 1919. Zákon nariaďoval všetkým podnikom zahraničného kapitálu, aby premiestnili svoju centrálu na územie ČSR, čo platilo aj pre súkromné železnice. Nostrifikáciu spoločností ovládajúcich súkromné železnice Slovenska, v ktorých prevažoval práve zahraničný kapitál, riešila osobitná tzv. slovenská úprava z 5. júla 1922. Nariadenie o preložení centrály do ČSR rešpektovala väčšina z 21 spoločností s výnimkou piatich. Medzi nimi však bola aj spoločnosť najvýznamnejšej transverzálnej trate – spomínanej KBŽ. Prevádzku tejto železnice prevzal štát, ale centrála spoločnosti ostala v Budapešti.

Vlastný proces poštátňovania oficiálne začal na podklade vládneho uznesenia z mája 1924. Poštátňovanie malo prebehnúť v troch etapách do roku 1927. Do prvej etapy boli zaradené súkromné železnice s garanciou štátu v českých krajinách, v druhej etape súkromné železnice Slovenska a v tretej etape zostávajúce súkromné trate západnej časti ČSR. Správa štátnych železníc využívala pri odkupovaní súkromných tratí legislatívne opatrenia, ako aj neoficiálne ekonomické nástroje. Štátom garantované súkromné železnice českých krajín odpredali svoje účastiny pod hrozbou odňatia garancií. V rokovaniach so súkromnými železnicami Slovenska zvolil štát mechanizmy iného druhu. Náklady na prevádzku preniesol v plnom rozsahu na súkromné spoločnosti, ktoré potom vykazovali každoročne vysoké straty. Uhrádzanie strát prevzalo ministerstvo financií cez štátny rozpočet, čím im de facto poskytovalo dotácie. Narastajúce straty však znižovali hodnotu prioritných akcií železničných spoločností. Tieto v obavách z ďalšieho vývoja účastiny odpredali štátu pod nominálnou hodnotou. Uvedeným spôsobom získal štát v rokoch 1925 – 1927 za 34 mil. Kč prioritné akcie 13 miestnych železníc Slovenska v nominálnej hodnote 45 mil. Kč. Odkúpenie prioritných akcií hlavných železníc, predovšetkým KBŽ, sa však podarilo zrealizovať až na konci 20. rokov. Hlavnou príčinou boli zdĺhavé rokovania o nostrifikácii medzi ČSR a Maďarskom. Sporné strany podpísali dohodu až v roku 1927. Dohoda potom otvorila cestu k nostrifikácii a kapitálovému ovládnutiu kľúčových železníc. KBŽ premiestnila svoju centrálu na Slovensko. Štát emitoval na zakúpenie jej prioritných akcií a účastín dvoch českých tratí dlhopisy v nominálnej hodnote 45 mil. Kč. Nostrifikácia sa ukončila až roku 1935 a preberanie prioritných akcií menších súkromných tratí pokračovalo do konca 30. rokov. Ovládnutie prioritných účastín znamenalo pritom iba čiastočný podiel štátu na kapitále súkromných železníc. Zdĺhavý proces poštátňovania kulminujúci až na konci 20. rokov priniesol do hospodárskeho života Slovenska ďalší hendikep, lebo jedným

12 STODOLA, Kornel. *Ešte nemáme pomník českého brata na Slovensku.* Bratislava : Novina, 1937, s. 7.

z jeho následkov bolo dlhodobé pretrvávanie tarifných rozdielov na štátnych a súkromných železniciach.[13]

Medzivojnové obdobie poznačil na železnici aj veľký nedostatok základnej železničnej techniky osobných a nákladných vozňov i parných rušňov. Osobné aj nákladné vozne pre ČSD dodávali čs. vagónky Ringhoffer Praha-Smíchov, Tatra Kopřivnice, Královopolská strojírna v Brne, Moravskoslezská vagónka v Studénke, Továrna na vozy Kolín a Bohemia, továrna na stroje a vagóny v Českej Lípe. Od druhej polovice 30. rokov začala vyrábať vozne i vagónka v Poprade. Hlavnými dodávateľmi parných rušňov pre ČSD v tomto období boli predovšetkým lokomotívka Škoda Plzeň a První Českomoravská továrna na stroje v Prahe, ktorá v roku 1924 fúzovala so závodom Ing. Emil Kolben Praha-Vysočany a v roku 1928 i s podnikom Breitfeld-Daněk v Slanom, ktorý tiež vyrábal rušne – spoločne vytvorili podnik Českomoravská-Kolben-Daněk so značkou ČKD. V období hospodárskej krízy na prelome 20. a 30. rokov boli dodávky nových rušňov z ekonomických dôvodov obmedzené, naproti tomu sa väčšia pozornosť venovala rekonštrukcii starších a menej hospodárnych rušňov. V oboch spomenutých prípadoch boli prestavby veľmi úspešné. Vykonávali ich železničné dielne v Českej Třebovej a lokomotívka ČKD. Za promptnejšie dodavky techniky pre železnice na Slovensku pravidelne loboval aj Vavro Šrobár, ktorý bol členom dozornej rady ČKD a Škodových závodov.[14]

Nová železničná sieť Slovenska vznikla pretváraním už existujúceho systému, jeho dopĺňaním a najrozličnejším opravovaním. Na Slovensku sa následkom toho nachádzalo veľké množstvo rôznych typov povrchových stavieb, vyše sto rozmanitých výhybkových systémov, všemožné zabezpečovacie a signalizačné spôsoby atď. Túto rôznorodosť sa za dvadsať rokov prvej republiky podarilo iba čiastočné odstrániť napriek tomu, že stavby a úpravy pohltili obrovskú sumu 1,6 mld. Kč, čo tvorilo väčšiu časť z celoštátnych investícií do železníc. Podobne to vyzeralo i s vozňovým parkom, najmä s lokomotívami, ktorý bol nielen rôznorodý, ale aj prestarnutý. V roku 1927 premávalo napríklad na tratiach v ČSR 41 % lokomotív starších viac ako 25 rokov, zatiaľ čo v Nemecku bol tento podiel 7,8 %. Celkovú zastaranosť vybavenia čs. železníc rušňami a inými zariadeniami v medzivojnovom období sa podarilo iba čiastočne zmierniť, a to ani nie tak vyraďovaním zastaraných strojov, ale najmä rozširovaním parku novými typmi. Od konca 20. rokov to boli aj nové typy motorových koľajových autobusov a motorových rýchlikov i nové typy veľkopriestorových a špeciálnych vozňov. Najznámejším motorovým rýchlikom bola „Slovenská strela", ktorá spájala Bratislavu s Prahou. Do prevádzky ju uviedli v roku 1936

13 NA ČR, f. MŽ, k. 2215, Výstavba železníc na Slovensku.

14 NA ČR, f. MD I., k. 343, Dodavky osobných a nákladných vagónov do Bratislavy; DOUBEK, Milan – KUBÁČEK, Jiří. Železničná technika. In KUBÁČEK, Jiří. *Dejiny železníc na území Slovenska*. Bratislava : ŽSR, 2007, s. 143 – 149; HANULA, Matej. *Za roľníka pôdu a republiku. Slovenskí agrárnici v prvom polčase 1. ČSR*. Bratislava : Prodama, 2011, s. 143; Pozri bližšie: STŘÍTESKÝ, Hynek (ed.). *Fenomén ČKD. Příspěvek k dějinám pražského strojírenského koncernu Českomoravská-Kolben-Daněk*. Praha : Mladá fronta, Národní technické muzeum, 2014, s. 327; JELÍNEK, Jaroslav. *ČKD kontra(kt) Škoda. ČKD v konkurečním boji se Škodovými závody v letech 1928 – 1932*. Praha : Narodní technické muzeum, 2013, s. 104.

a pri rýchlosti 92 km/h zvládla spomínanú trať za 5 hodín, čo bolo o 2 hodiny menej ako pri bežných medzinárodných rýchlikoch s parnou trakciou.[15]

Na území Slovenska boli v medzivojnovom období otvorené ďalšie nové trate:

Bánovce nad Ondavou – Vojany (otvorená 20. októbra 1921)
Zvolen – Krupina (otvorená 15. januára 1925)
Nové Mesto nad Váhom – Veselí na Morave (otvorená 1. septembra 1928)
Handlová – Horná Štubňa (otvorená 20. decembra 1931)
Červená Skala – Margecany (otvorená 26. júla 1936)
Púchov – Horní Lideč (otvorená 2. mája 1937)
Zbehy – Zlaté Moravce (otvorená 15. mája 1938)[16]

Vývoj cestnej dopravy na Slovensku pred rokom 1918 v porovnaní s rozvojom železníc značne zaostával. Uvedený stav, zapríčinený najmä prednostným financovaním výstavby železničnej siete zo strany štátu, bol charakteristický aj pre iné krajiny. V podmienkach Slovenska však vývoj dvoch hlavných zložiek dopravného systému vykazoval podstatne väčší fázový posun. Dosiahnutá úroveň železničnej siete Slovenska mala porovnateľné kritériá s úrovňou v susedných českých krajinách, zatiaľ čo rozdiely v cestnej doprave boli podstatne hlbšie, a to najmä po kvalitatívnej stránke. Dĺžka cestnej siete českých krajín v prepočte na 100 km² predstavovala roku 1918 približne dvojnásobok dĺžky ciest na Slovensku, čiže podobne ako v prípade železníc. Na Slovensku pripadalo na 100 km² 28,4 km cestných komunikácií a v českých krajinách 58,9 km. Hustota cestnej siete v obdivoch častiach republiky mala korene ešte pred vznikom ČSR. Štatistiky z roku 1910 uvádzajú:

Rakúsko pri rozlohe 300 005 km² a počtom obyvateľov 28 571 934 malo 16 107 km štátnych ciest, teda na 100 km² pripadalo asi 5,4 km štátnej cesty, na 1 km dĺžky štátnej cesty pripadalo 1 774 obyvateľov.

Uhorsko[17] pri rozlohe 282 900 km² a počte obyvateľov 18 264 533 malo 8 948 km štátnych ciest, teda na 100 km² pripadalo asi 3,1 km štátnej cesty, na 1 km dĺžky štátnej cesty pripadalo 2 041 obyvateľov.[18]

Z týchto údajov je vidieť, že budovanie štátnej cestnej siete v Zalitavsku – Uhorsku zaostávalo. Okrem väčšej hustoty cestnej siete zdedili české krajiny po Predlitavsku – Rakúsku aj výraznejšiu kvalitu vozoviek, tá dospela na Morave, ale hlavne v Čechách podstatne ďalej než na Slovensku. Kvalita cestnej siete závisela od formy vlastníctva, respektíve správy komunikácií. Najvyššiu kvalitu dosahovali cesty spravované štátom. V Uhorsku boli kľúčové cestné ťahy poštátnené a ich výstavba prešla do kompetencie štátnych stavebných úradov. Roku 1890 prijal uhorský parlament cestný zákon, ktorý sústavu

15 Dopravná a tarifová politika. In *Slovenský priemysel roku 1930*. Martin : ÚSSP, 1931, s. 96; FALTUS – PRŮCHA, *Prehľad hospodárskeho vývoja*, c. d., s. 81 – 83, ŠTĚPÁN, Miloslav. *Přehledné dějiny československých železnic 1824 – 1948*. Praha : Dopravní nakladatelství, 1958, s. 204.

16 HAIDMANN, Martin. Vývoj železníc na Slovensku. In *Ročenka štátnych súkromných železníc Slovenskej republiky pre rok 1942/1943*. Bratislava : Slovenská ľudová kníhtlačiareň, 1943, s. 540.

17 Bez Chorvátska.

18 IMRE, Gejza. O pripravovanom cestnom zákone. In KŘIVANEC, Karel. *Skúsenosti pri stavaní ciest na Slovensku*. Bratislava : Edícia Technika, 1943, s. 64.

cestných komunikácií rozdelil na: *štátne* – udržiavané z príspevkov štátu, *župné* – udržiavané zo župných rozpočtov, *vicinálne* – spravované miestnou samosprávou a udržiavané zo združených finančných prostriedkov obcí a zainteresovaných podnikov, *obecné* – náklady na výstavbu a udržiavanie si hradili obce, *príjazdové cesty k staniciam* – náklady na ich udržiavanie sa delili na tretiny medzi štát, župy a vlastníka železnice, *verejné cesty* – postavené a udržiavané súkromnými osobami, resp. spoločenstvami (napr. vlastníci lesov).

Najvyššiu kvalitu mali štátne cesty. Náklady na ich stavbu a údržbu sa hradili zo štátneho rozpočtu. Ich podiel na celkovej dĺžke cestnej siete Slovenska 13 910 km v roku 1918 však predstavoval iba 14 %. V prípade župných ciest bola zavedená okrem dôchodkovej dane ešte 10 % prirážka k priamym daniam. Ostatné cesty sa udržiavali verejnou prácou. Spôsob údržby a budovania cestnej siete verejnou prácou (t. j. bezplatnou prácou „poddaných") bol v Uhorsku uplatňovaný ešte i v 19. storočí, keď cestné siete v zahraničí bežne budovali a udržiavali profesionálne inštitúcie.[19] V českých krajinách mali cesty väčšiu rozlohu a kvalitnejší povrch. Na 100 km^2 tu pripadlo 7,4 km štátnych ciest, kým na Slovensku 4,1 km. Pevný povrch mala na Slovensku iba polovica štátnych ciest. Bežne sa stávalo, že niektoré cestné ťahy spájajúce veľké mestá boli nezjazdné, napr. v polovici 30. rokov bola na niekoľko mesiacov zastavená autobusová doprava medzi Vranovom a Humenným, lebo spod vozovky prerazila hlina, ktorá v niekoľko stometrových úsekoch rozbahnila cestu. Tá sa stala absolútne nezjazdnou.[20]

Ešte hlbšie kvalitatívne rozdiely vykazovali pozemné komunikácie českých krajín a Slovenska spravované regionálnymi a miestnymi samosprávami. V podmienkach súdobého Slovenska išlo o cestné siete financované uhorskými regionálnymi územno-právnymi celkami, tzv. župami a komunikácie v správe miestnych tzv. „vicinálnych" výborov. Tieto orgány pozostávali z predstaviteľov obcí, ako aj zo zástupcov miestneho hospodárskeho a spoločenského života. Finančné zdroje žúp, pochádzajúce z prirážok k daniam a menovite vicinálnych výborov, ktoré patrili k príspevkovým organizáciám, boli značne obmedzené. Finančným pomerom zodpovedal aj technický stav tzv. župných a vicinálnych ciest. V rámci jednotlivých regiónov tvorili systémy župných a vicinálnych ciest samostatné celky budované bez vzájomnej koordinácie a bez spoločného výhľadového plánu. Predmetná časť komunikácií sa pritom roku 1918 podieľala na celkovej rozlohe cestnej siete Slovenska, dosahujúcej 13 910 km až 86 %. V českých krajinách sa popri systéme štátnych pozemných komunikácií budovala predovšetkým pomerne rozvinutá sústava okresných ciest, financovaných a spravovaných politickými okresmi. Okresné cesty mali v porovnaní so župnými a najmä vicinálnymi cestami na Slovensku kvalitnejší technický stav. V záujme ďalšieho kvantitatívneho a najmä kvalitatívneho rozvoja siete pozemných komunikácií Slovenska bolo po vzniku ČSR potrebné predovšetkým zvýšiť podiel štátnych ciest, a to jednak ich

19 ĎURECHOVÁ, Mária. *Vývoj dopravy na Slovensku v medzivojnovom období 1918 – 1938* (dizertačná práca). Bratislava : Historický ústav SAV, 1993, s. 18 – 21, 61 – 62 ; KAZIMÍR, Štefan. Doprava, tovarovo-výmenné vzťahy, ceny a mzdy. In KOHÚTOVÁ, Mária – VOZÁR, Jozef (eds.). *Hospodárske dejiny Slovenska 1526 – 1848*. Bratislava : VEDA, 2006, s. 132; KUBÁČEK, Jiři. *Dejiny železníc na území Slovenska*. Bratislava : ŽSR, 2007, s. 15.

20 KŘIVANEC, Karel. *Slovensko v československom silničnom pláne*. Praha : Československá graficka unie, 1937, s. 3 – 4; KUBŮ, Eduard – PÁTEK, Jaroslav (eds.). *Mýtus a realita hospodářské vyspělosti Československa mezi světovými válkami*. Praha : Karolinum, 2000, s. 137 – 143.

výstavbou, ako aj prechodom župných ciest do správy štátu. Technický stav zaostalej sústavy vicinálnych ciest sa mohol zlepšiť ich postupným preberaním z rúk vicinálnych výborov do správy politických okresov. Úlohy rozvoja cestnej siete sa vznikom ČSR rozšírili aj o nevyhnutné štrukturálne zmeny v podobnom duchu ako v prípade reštrukturalizácie železníc. Hlavné cestné komunikácie, konkrétne najkvalitnejšie štátne cesty budované do roku 1918 predovšetkým v smere severo-južnom, bolo treba preorientovať na východo-západný rovnobežkový smer v zmysle hospodárskych potrieb nového štátu.[21] Stav cestnej siete na Slovensku po vzniku ČSR v roku 1918 charakterizoval český národohospodár Otto Kapp takto: *„ Silniční síť jest tedy v historických zemích skoro 4 krát tak hustá, a přitom jsou slovenské silnice ve stavu daleko horším, v prvé řadě vicinální které jsou více polními cestami než silnicemi".*[22]

Budovanie cestnej siete riadilo ministerstvo verejných prác. Už v roku 1920 predložilo optimistický program výstavby a rekonštrukcie pozemných komunikácií. Celkove išlo o 12 úsekov v celkovej dĺžke 1 675 km. Podľa jeho obsahu mali v roku 1927 pretínať Slovensko štyri transverzálne cestné magistrály. Program vyžadoval výstavbu nových cestných úsekov s dĺžkou 248 km a rekonštrukciu 2 580 km ciest pri celkových nákladoch 650 mil. Kč. Do roku 1922 mali byť dokončené 3 úseky, do roku 1923 ďalšie 3. Nič z toho sa však neuskutočnilo. Reálnym výsledkom do roku 1927 však bola výstavba 53 km a rekonštrukcia 57 km ciest s nákladom 50 mil. Kč. Obrat nastal po roku 1927 založením tzv. cestného fondu dotovaného pôžičkou 1 mld. Kč od verejnoprávnej sociálnej poisťovne, ako aj výnosom z daní, dávok, cla a poplatkov súvisiacich s cestnou dopravou, ktoré zaťažovali motoristov. Z cestného fondu sa peniaze rozdeľovali na stavbu nových ciest. Celkové príjmy fondu od jeho vzniku v roku 1927 až do roku 1933 predstavovali sumu 2,42 mld. Kč. Z týchto príjmov išlo (okrem časti určenej na zúročenie a úmor pôžičiek) 2/3 na štátne cesty a 1/3 financií smerovala k samosprávnym zväzkom na zlepšenie neštátnych ciest. V predmetnom období bola v českých krajinách celková dĺžka štátnych ciest 5 939 km, na Slovensku 2 083 km a na Podkarpatskej Rusi 561 km. Keďže nepomer medzi dĺžkou štátnych ciest na Slovensku a v českých krajinách bol značný, Slovensko na príspevkoch tratilo. Z fondových príspevkov pripadlo percentuálne z celkovej sumy na:

České krajiny	83,5 %
Slovensko	13,1 %
Podkarpatskú Rus	3,4 %

Napriek pomernej riedkosti slovenských štátnych ciest v celoštátnom pomere z celkovej dĺžky pripadlo Slovensku 24 %. Na jej zlepšenie sa venovalo z cestného fondu len 13,1 %. Nemohlo tomu byť ani inak, pretože hlavnou myšlienkou rozdeľovacieho kľúča bol kľúč príjmový. Väčšina príjmov z dane z motorových vozidiel, poplatkov za dovoz minerálnych olejov, cla z olejov a pneumatík pochádzala z českých krajín, preto zástupcovia tejto časti republiky trvali na tom, aby tam aj boli zainvestované. Išlo však o začarovaný kruh, keďže cesty v českých krajinách sa rýchlo zlepšovali a obnovovali, rýchlejšie tam rástol počet

21 ĎURECHOVÁ, *Vývoj dopravy*, c. d., s. 24 – 59; KUBŮ – PÁTEK, *Mýtus a realita*, c. d., s. 137 – 143; MAREK, František. Vývoj západného Slovenska na poli komunikačnom a jeho možnosti v budúcnosti. In *Západné Slovensko, hospodársky, kultúrny a sociálny vývoj za prvých 20 rokov štátnej samostatnosti*. Trnava : Národohospodárska župa západoslovenská, 1938, s. 36 – 40.

22 KAPP, *O hospodářských poměrech*, c. d., s. 38.

motorových vozidiel, a tým aj príjmy od motoristov. Na Slovenku ostávali tieto príjmy skromné, a preto neboli cesty dostatočne zjazdné. Ani prerozdeľovací kľúč na neštátne cesty nebol k Slovensku ústretovejší. V českých krajinách bolo 30 862 km neštátnych ciest, na Slovensku 12 272 km a na Podkarpatskej Rusi 1 774 km. Percentuálne sa rozdelili príspevky z fondu v takomto pomere: 84,1 % – české krajiny, 14, 64 % – Slovensko, 1, 26 % – Podkarpatská Rus. Problémom bol aj fakt, že v českých krajinách poznali len okresné cesty a na Slovensku len vicinálne (udržiavané obcami aj súkromníkmi), na ktoré na rozdiel od okresných ciest v Čechách a na Morave zákon o cestnom fonde pozabudol. Preto Slovensko na vicinálne cesty do 6. mája 1931, keď bola prijatá novela zákona, nedostalo ani halier. Samozrejme, takýto kľúč sa nepozdával slovenským, ale ani českým národohospodárom (K. Stodola, I. Karvaš, O. Kapp), ktorí poukazovali na nespravodlivé prerozdeľovanie, a tým aj na dopravnú stagnáciu Slovenska, ktorá sa prejavila v celkovom stave jeho hospodárstva. Z politických predstaviteľov sa hospodárskym otázkam najviac venovala Slovenská národná strana (SNS), ktorá prostredníctvom Michala Ursínyho a predsedu Martina Rázusa kritizovala čerpanie financií z cestného fondu. Jedinú možnosť videli v tzv. inkamerácii neštátnych ciest, teda v ich prevzatí štátom.[23]

V rokoch 1927 – 1936 bolo nákladom približne 2 mld. Kč upravených 5 300 km štátnych ciest. V roku 1929 vznikol nový program budovania cestných komunikácií, ktorý sa začal postupne plniť. Do konca roka 1938 vyplatil cestný fond na Slovensku 304 mil. Kč, čo predstavovalo zhruba 15 % s celkovej sumy. Táto suma sa úplne nevyčerpala. Roku 1930 malo byť vybudovaných 248 km komunikácií. Do prevádzky sa dalo len 53 km. Hlavný problém bol v nedostatku kvalifikovaných pracovníkoch. Ani 10 rokov po vzniku ČSR nebol vypracovaný základný projekt budúcej slovenskej siete štátnych ciest. V Čechách sa začiatkom 30. rokov bežne kládol betónový povrch pri budovaní nových ciest, na Slovensku sa cesty stavali starým spôsobom valcovania drviny a živice. Z plánov z roku 1920, podľa ktorých sa malo postaviť 1 675 km cestnej siete, do konca roku 1931 reálne stálo 198 km, čo predstavovalo 9 % z plánu. Rozvoj cestnej siete sa urýchlil po roku 1933 v rámci opatrení na zníženie nezamestnanosti, ako aj na posilnenie obranyschopnosti krajiny v prípade možného vojnového konfliktu. Vláda motivovala budovanie ciest mimoriadnymi čiastkami zo štátneho rozpočtu. Na podporu cestnej dopravy vznikla korporácia Československá cestná spoločnosť. Na jej pôde pracovala osobitná slovenská investičná komisia, ktorá vypracovala v roku 1937 plán ďalšej etapy výstavby ciest rozčlenený na dve päťročnice (1938 – 1942, 1943 – 1947). V rokoch 1918 – 1938 sa na Slovensku postavilo 396,7 km štátnych ciest, čo ani zďaleka nenapĺňalo plány z roku 1920.[24]

V druhej polovici 30. rokoch sa objavilo niekoľko projektov na výstavbu diaľnic. Prvou úvahou bol celoštátny cestný plán, ktorého finálna fáza bola predložená v roku 1936. Návrh

23 KARVAŠ, *Sjednocení výrobních podmínek*, c. d., s. 91; ROGUĽOVÁ, Jaroslava. *Slovenská národná strana 1918 – 1938*. Bratislava : Kaligram, 2013, s. 130; ROUBÍK, František. *Silnice v Čechách a jejích vývoj*. Praha : Státni tiskárna, 1938, s. 49; KAPP, *O hospodářských poměrech*, c. d., s. 39; KAPP, Otto. *O možnostech a předpokladech hospodářského plánu se zvlášním zřetelem na Slovensko*. Praha : Prometheus, 1933, s. 43.

24 Tamže; *Hospodářské problemy Slovenska*. Praha : Prometheus, 1934, s. 25; *Od starobylých zemských stezek k novodobým vozovkám v zemích Českých a na Slovensku*. Praha : Ministerstvo techniky, 1948, s. 14.

Silničního subkomitétu celoštátnej hospodárskej konferencie národohospodárskych zborov krajových v roku 1935 bol založený na myšlienke vybudovať jedinú, hlavnú a dokonalú cestnú tepnu, nazvanú *„národnou silnicou"* alebo *„dopravnou chrbtovou kosťou"* štátu. Navrhnutá trasa v dĺžke 700 km mala spájať Plzeň – Příbram – Humpolec – Blansko – Zlín – Trenčianske Teplice – Podbrezovú – Dobšinú – Košice. Cesta bola navrhnutá s dvoma protismernými vozovkami rozdelenými uprostred 3 m širokým pásom, z nich každá bola dvojpruhová, široká 7 m. Celková šírka koruny cesty, vrátane krajnice mala byť 20 m. Druhý návrh predložený architektmi a urbanistami B. Fuchsom a J. Kumpoštom vznikol z riešenia brnenského regiónu, pri ktorom si autori uvedomili, že otázky dopravnej problematiky sa nedajú riešiť čiastkovými spôsobmi bez základnej celoštátnej koncepcie. Ich návrh predpokladal vybudovanie dvoch cestných ťahov, ktoré nazvali *„magistrálnymi traťami"* alebo *„dopravnými nervami"*. Severná trať spájala Cheb – Karlove Vary – Prahu – Hradec Králove – Olomouc – Kroměříž – Žilinu – Poprad – Košice – Užhorod – Mukačevo – Chust. Išlo o tzv. obchodno-priemyselnú cestu. Južná trať vychádzala z Chebu a pokračovala cez Plzeň – Tábor – Jindřichův Hradec – Telč – Brno – Hodonín – Trnavu – Zvolen – Košice a predstavovala cestu hospodárskej rekonštrukcie. Dĺžka týchto tratí bola 2-tisíc km. Objavil sa aj prvý projekt diaľnice zo západu na východ ČSR (Cheb – Veľký Bočkov), ktorý propagoval podnikateľ Jan Antonín Baťa. Celý projekt mal stáť 2 mld. Kč.

Návrh plánu výstavby diaľnic vyvolal vo verejnosti živú odozvu, na druhej strane však aj negatívnu kritiku. Charakteristický je aj záver jednej diskusie o tejto problematike: *„Oháňame sa stále demokraciou a miesto toho, aby sme najprv vybudovali riadne siete už existujúcich ciest, aby väčšina občanov sa mohla dostať aspoň po štátnych a okresných cestách do vytúžených miest a obcí hladko a bezpečne – budujeme jednu luxusnú diaľnicu."* Vtedajšia vláda a štátne úrady myšlienku vybudovania diaľnice zamietli. Technici a inžinieri vedeli, že k výstavbe autostrád v ČSR musí napokon dôjsť, pretože skúsenosti s výstavbou diaľnic zo zahraničia ukázali, že prinášajú oživenie hospodárskeho života, zlepšenie dopravnej situácie a majú aj strategický význam. Vtedajší predseda Československej silničnej spoločnosti, cestný stavebný inžinier S. Bechyně, pri každej príležitosti výstavbu autostrád na území ČSR propagoval. Konečné rozhodnutie o výstavbe čs. diaľnice padlo až po mníchovských udalostiach, keď sa stala požiadavka automobilového spojenia západu republiky s východom naliehavou. Vláda vydala nariadenie zo dňa 23. decembra 1938 o vybudovaní prvej čs. diaľnice Praha – Brno – Zlín – Ružomberok – Prešov – Chust až po rumunskú hranicu, odkiaľ mala cesta viesť až k Čiernemu moru. Z tohto dôvodu vzniklo aj Veliteľstvo stavby diaľkových silníc (VSDS, ako samostatný odbor ministerstva verejných prác. Generálny projekt diaľnice bol predložený vláde, ktorá ho v januári 1939 schválila. Zároveň povolila spustiť stavebné práce na trati Praha (Chodov) – Humpolec. Podľa výpočtov bola trasa naplánovaná v smere Praha – Brno – slovenská hranica – Bratislava. Pôvodné plány z roku 1939 počítali s najvyššou povolenou rýchlosťou 120 km/h a šírkou komunikácie 7 m s celkovou dĺžkou 393 km. Počas Protektorátu Nemci plány navýšili, naprojektovali najvyššiu povolenú rýchlosť na 140 až 160 km/h a šírku komunikácie na 7,5 m. Vojna však stavebnú aktivitu obmedzovala a nakoniec v roku 1942 prerušila.[25]

25 BAŤA, Jan Antonín. *Budujeme stát pro 40 000 000 lidí.* Zlín : Československá grafická unie, 1937, s. 31 – 33; MUSIL F. Jiří. *Po stezkách k dálnicím.* Praha : NADAS, 1987, s. 186 – 190;

V medzivojnových rokoch sa podarilo dokončiť celkom 320 km ciest, z toho asi tretinu betónových a 77 železobetónových mostov. Technickú novinku prinieslo asfaltovanie ciest prírodným, neskôr synteticky vyrábaným asfaltom. V Bratislave na tieto účely vznikla *Spoločnosť pre asfaltovanie a stavanie silníc*. Náklady na cestné stavby spolu s rekonštrukciami a úpravami pozemných komunikácií dosiahli v medzivojnových rokoch 1,250 mld. Kč.[26]

PRÁŠIL, Michal. *Dálnice 1967 – 2007*. Praha : Zvon, 2007, s. 6.

26 *Deset let Československé republiky,* sv. II. Praha : Státní tiskárna, 1928, s. 660 – 661; HALLON, Hospodársky vývin, c. d., s. 328; MAREK, *Vývoj západného Slovenska*, c. d., s. 36 – 40; KUBŮ – PÁTEK, *Mýtus a realita*, c. d., s. 147.

ŤAŽKÉ VOJNOVÉ ROKY

„A věrní ne-zůstali..." Operačná činnosť parašutistov a konfidentov gestapa Viliama Gerika a Karla Čurdu

Martin Posch

„Můj úkol tkví v zásadě v tom, že společně s dvěma jinými příslušníky československé armády budu odeslán do vlasti, abych zde pomohl navázati technické spojení s čsl. ústředím ve Velké Britanii a vyhledal na základě konkretních údajů styk s naší domácí organisací, které budu v její zodpovědné práci nápomocen. Učiním podle mého nejlepšího vědomí a svědomí vše, abych tento úkol, k jehož provedení jsem se dobrovolně přihlásil, úspěšně splnil."[1]

Dokument tohto znenia s menšími obmenami podpisovali všetci vojaci, ktorí sa zúčastnili špeciálnych operácií, ktoré počas druhej svetovej vojny organizovalo II. oddelenie Ministerstva národnej obrany pod velením plukovníka Františka Moravca. Mnohí z parašutistov pri snahe konať svoju povinnosť *„podľa svojho najlepšieho vedomia a svedomia"* zaplatili svojím životom, niektorých sa podarilo gestapu chytiť živých, no iba dvaja parašutisti sa prihlásili bezpečnostným orgánom dobrovoľne, za čo ich po ukončení konfliktu odsúdili na trest smrti. Ide o účastníka operácie Zinc Viliama Gerika a Karla Čurdu-Jerhota z výsadku Out Distance. Akým spôsobom boli prepletené osudy týchto dvoch mužov, ktorí sa stali synonymom zlyhania diverzných operácií na území Československa a pre mnohých aj synonymom vojenskej zrady? Je možné nájsť rozdiely medzi ich prihlásením sa či podobnosť informácií, ktoré poskytli nacistom? Akým spôsobom sa stavali ku kolaborácii a následnej konfidentskej činnosti namierenej proti ich bývalým spolubojovníkom? Pokúšali sa kontaktovať odbojárov, či už doma alebo v zahraničí, a varovať ich pred hrozbou, ktorú parašutisti-konfidenti predstavovali pre organizovaný odboj?[2]

Napriek tomu, že text sa zaoberá osudom spomínaných parašutistov po ich prihlásení sa na gestape, resp. polícii, je nutné stručne spomenúť ich osudy pred nasadením. Obaja emigrovali ešte pred vypuknutím konfliktu a z dosiaľ preskúmaných prameňov je možné konštatovať, že s altruistickým cieľom bojovať za obnovu Československa. Bojov vo Francúzsku sa však napriek prítomnosti aktívne nezúčastnili, pretože ich pridelili k jednotkám, ktoré neboli do priamych bojov nasadené. Vo Veľkej Británii ostali u pechoty a rovnako ako všetci neskorší účastníci diverzných operácií sa dobrovoľne prihlásili na parašutistický výcvik. Je pravdepodobné, že Gerik sa s Čurdom stretol už počas výcviku, resp. najneskôr

1 Vojenský ústřední archiv-Vojenský historický archiv (ďalej VÚA-VHA) Praha, fond 37 (ďalej f.), spis 37-351-3.

2 V úlohe konfidentov-parašutistov neboli len Gerik a Čurda-Jerhot, ktorí sa dobrovoľne prihlásili, ale aj parašutisti, ktorí boli chytení živí pri rozbíjaní odbojovej siete. Nakoľko sa mnohí parašutisti poznali z dlhodobého pobytu v exile a zo špecializovaných výcvikov, parašutisti-konfidenti poskytovali pre gestapo veľkú výhodu pri infiltrácii domácich odbojových štruktúr, v ktorých boli činní aj neskoršie vysadení parašutisti.

na „čakacej stanici" pred odletom, skupiny Zinc a Out Distance mali byť totiž vysadené počas jedného letu nad strednou Európou. Stratégia vysádzania viacerých parašutistických skupín vychádzala z náročnosti letu a taktiež nedostatku možností Zvláštneho oddelenia D zabezpečiť väčší počet letov, resp. lietadiel. Zároveň však predstavovala bezpečnostné riziko v prípade chytenia, resp. prihlásenia sa parašutistov a ich následnej dobrovoľnej alebo vynútenej spolupráce s gestapom. Poznali totiž nielen okruh odbojárov svojej skupiny, ale mohli poskytnúť informácie o zvyšných parašutistoch, a dokonca aj o tých, ktorí ešte nemuseli byť vysadení.

Skupiny, v ktorých sa nachádzali Gerik s Čurdom, boli vysadené na druhý pokus 28. marca 1942. Po rozlúčke kývnutím hlavy a zdvihnutím palca sa Gerik s Čurdom najbližšie videli až v Petschkovom paláci, pražskej centrále gestapa. Ich osud sa po zoskoku odvíjal rozdielne. Operácia Zinc, rovnako ako operácia Out Distance, boli už niekoľkokrát v literatúre spracované, ako aj osudy ich veliteľov. V textoch sa často vyskytuje veľmi negatívne hodnotenie vojakov Čurdu a Gerika, dokonca aj spochybňovanie ich psychického zdravia.[3] Tento fakt je často podmienený emóciami, ktoré osudy dvoch parašutistov, z ktorých sa stali konfidenti, vyvolávajú, a to hlavne pri porovnaní s osudmi ich spolubojovníkov.[4]

Viliam Gerik sa v bezvýchodiskovej situácii, ktorá preňho vznikla po rozpade jeho skupiny, rozhodol prihlásiť na protektorátnej polícii. V nej sa ocitol potom, ako sa veliteľ operácie Zinc[5] Oldřich Pechal rozhodol zostať vo svojom rodnom meste a sledovať osud rodičov, ktorí boli priamo ohrození gestapom. Po faktickom rozpustení skupiny sa Gerik s jej ďalším členom Mikšom rozhodli pokračovať do Brna, kde sa rozdelili s prísľubom, že sa stretnú v Prahe na adrese, ktorú mal Gerik ešte z Anglicka od slobodníka Žežulu. Na

3 Napríklad Jiří Šolc uvádza o konfidentoch: *„Z velké části to byli lidé zapojení zpočátku do odbojové činnosti, kteří po zatčení vykupovali svůj život spoluprácí s gestapem. Řada z nich patřila k jedincům mentálně narušeným, psychicky nevyváženým, trpícím pocitem méněcennosti a nenaplněných představ o svých schopnostech, které nyní mohli prokázat. Hon na lidi, odhalovaní a využívaní jejich slabostí jim poskytoval pocit uspokojení a hlubokého zadostučinění, v němž se ztrácelo vědomí vlastní viny, špatnosti a ničemnosti."* In ŠOLC, Jiří. *Bylo málo mužů.* Praha: Merkur, 1991, s. 173. Tento postoj je značne ahistorický, nakoľko ignoruje ostatné dokumenty, napríklad z obdobia výcviku parašutistov. V hodnotení Viliama Gerika zo Special training school 25, nachádzame poznámku veliteľa: *„Tento študent, v niektorých veciach primladý, je veľmi inteligentný, svižný a nadšený. Viedol si výnimočne dobre vo všetkých odvetviach kurzu."* Pozri: VÚA-VHA, f. 37, spis 37-351-3 Training history sheet.

4 Gerikov veliteľ Oldřich Pechal sa stal symbolom nezlomnosti parašutistov, nakoľko napriek obrovskej snahe pracovníkov gestapa totiž podľa legendy nemal prezradiť žiadne informácie. Mnohí publicisti a historici hovoria o absolútnom mlčaní, to však zahmlieva skutočnosť. Pechal v skutočnosti vypovedal, avšak skutočne poskytol informácie, o ktorých vedel, že ich gestapo pozná, a to vďaka ich predošlej hre v súčinnosti s konfidentom Ryšánkom. Pozri: Archiv bezpečnostních složek (ďalej ABS) Praha, f. Hlavní správa Vojenské kontrarozvědky (ďalej f. 302), spis 302-81-5.

5 Skupina Zinc bola neúspešná už od začiatku operácie. Bola vysadená namiesto Moravy pri Gbeloch na Slovensku, preto sa vojaci museli pokúsiť ilegálne prejsť protektorátne hranice. Pri tomto pokuse sa Mikšovi a Gerikovi podarilo prejsť. Oldřich Pechal bol síce zadržaný, no v nestráženej chvíli sa mu podarilo ujsť. Pri úteku zabil pohraničníkov, no v zhone zanechal na mieste svoju legitimáciu. Tá bola okrem zmeneného mena totožná s Pechalovými personáliami, čo priamo ohrozilo jeho rodinu. Tá bola neskôr rovnako ako aj samotný Pechal popravená. Bližšie o Pechalovi: BŘEČKA, Jan. Dopadení npor. Oldřicha Pechala. Tajemství jedné chaty. In *Historie a vojenství*, 2006, roč. 55, č. 4, s. 49 – 58.

adrese však nikto s takým menom nebýval. Zároveň zlyhala druhá adresa (rodina Tomanová v Dejviciach), ktorú si Gerik pamätal z exilu. Keď zistil, že sa mu u Tomanovcov nepodarí získať nocľah, pokúsil sa aspoň nechať u nich operačné peniaze a zbraň, ale aj to mu bolo zamietnuté. Od domáceho dostal potravinové lístky s radou, aby sa šiel dobrovoľne prihlásiť. Gerik, ktorý ešte stále dúfal, že sa mu podarí stretnúť s Mikšom na dohodnutej adrese, sa rozhodol ubytovať v hoteli. Vzhľadom na nekvalitné doklady, ktorými boli vojaci vybavení, išlo o riziko. Potom ako Mikš neprišiel, už Gerik nevidel východisko a rozhodol sa prihlásiť na protektorátnej polícii. Prihlásenie sa na polícii je v kontraste s priamym prihlásením sa Karla Čurdu na gestape zaujímavé. Po vojne ho Gerik prezentoval ako poslednú nádej dostať sa zo zlej situácie bez toho, aby bol nútený zradiť. Spoliehal sa totiž na to, že v danej medzinárodnej situácii bol maďarským štátnym občanom a dúfal v repatriáciu do domovskej obce.[6] Plán sa mu nepodaril, a potom ako mu odobrali zbraň, doklady a peniaze za ním na protektorátnu políciu prišiel komisár Oskar Fleischer, ktorý ho následne odviedol na gestapo. Prihlásenie na polícii chápem v týchto súvislostiach nie ako akt plánovanej zrady, ale skôr ako kritické rozhodnutie v situácii bez možnosti kontaktovať domáci odboj alebo už vysadených parašutistov. Toto fatálne rozhodnutie spravil, pretože bol podľa vlastnej mienky v situácii, keď nezískal žiadnu pomoc od domáceho obyvateľstva. Keďže išlo o Slováka z Palárikova, ktorý nikdy nebol v Prahe a nemal tam preto ani predvojnové kontakty, nie je to prekvapujúce. K problémom s nadviazaním kontaktov sa pridali aj nedostatočné znalosti reálií Protektorátu Čechy a Morava, ktoré boli zanedbané už pri ich výcviku a materiálnej príprave. Vo svojej záverečnej reči pred Mimoriadnym ľudovým súdom spomenul aj tieto nedostatky: *„...Gerik strhnul svým jasným hlasem a ostrostí řečí soud i veřejnost do značné pozornosti. Vyzdvihl hlavně to, že byl poslán do země, do Čech, kterou neznal, že v Praze nikdy nebyl, že se mu v Londýně říkalo, že Česi jsou zborovští hrdinové, že všude nalezne rychlou a vydatnou pomoc a zatím nasledovalo zklámaní.“*[7]

Výsadok Out Distance, ktorého členom bol Karel Čurda, mal taktiež problematickú východiskovú situáciu. Zoskok při Ořechove v blízkosti Telča bol spozorovaný a na výskyt parašutistov bolo upozornené brnenské gestapo. To pri prehliadke okolia našlo zásobník so zakopaným operačným materiálom a doklady, ktoré stratil pri vysadení desiatnik Ivan Kolařík.[8] Ten nechtiac pomohol gestapu pri jeho pátraní po parašutistoch, pretože mal v dokumentoch fotografie svojej priateľky Milady Hrušákovej aj s venovaním. Vďaka tomuto závažnému porušeniu konšpiračných pravidiel vedeli nemecké bezpečnostné zložky i to, ktorých ľudí majú sledovať. Veliteľ výsadku nadporučík Adolf Opálka sa v tejto situácii rozhodol pre dočasné rozdelenie skupiny s tým, že sa stretnú vďaka dohodnutému heslu v novinovej inzercii. Čurdovi sa podarilo presunúť na prvú záchytnú adresu v Lázních Bělohradě, kde mu poskytli pomoc a následne ho nasmerovali na veliteľa skupiny Silver A Alfréda Bartoša, ktorému bola skupina Out Distance podriadená. Vďaka úspechu záchytnej

6 ABS, f. Stíhání nacistických válečných zločinců (ďalej f. 325), spis 325-106-5. List Viliama Gerika Mimoriadnemu ľudovému súdu v Prahe zo 16. 4 .1947.

7 ABS, f. 325, spis 325-106-4. Poznámky k soudnímu řízení proti Čurdovi a Gerikovi.

8 Kolařík sa pod vplyvom okolností rozhodol chrániť svojich blízkych a spáchal samovraždu. Jeho rodina, tak ako aj rodina Milady Hrušákovej, ktorá mu medzičasom poskytla pomoc, však bola aj tak popravená. Správa o poprave Kolaříkovej rodiny mala podľa povojnovej Čurdovej výpovede napomôcť k jeho prihláseniu sa na gestape.

adresy sa mu na rozdiel od Viliama Gerika podarilo dostať do štruktúr odboja a aktívne sa spolupodieľať na jeho akciách. Okrem iného sa zúčastnil operácie Canonbury, teda navádzania spojeneckých lietadiel pri bombardovaní Škodových závodov v Plzni.[9]

Významným medzníkom v odbojovej činnosti v Protektoráte bol atentát na Reinharda Heydricha a následné vyhlásenie stanného práva. Karel Čurda sa v deň atentátu nachádzal v Kolíne, išiel si k sestre vyzdvihnúť svoje oblečenie.[10] Následne sa od nej dozvedel o útoku na Heydricha a rozhodol sa vrátiť do Prahy k rodine Baucových, ktorá ho v tom čase prechovávala. Podľa jeho povojnovej výpovede mu *„sdělili nová policejní opatření a vybídli mně abych si našel nějaké místo nebo nouzový východ. Příští den časně ráno mně* [oslovila M.P.] *pí. Baucová s tím, že je něm. kontrola v domě, to již byla kontrola ve druhém poschodí. Zalezl jsem do světlíku, kde jsme vysel do 6 hod. do rána. Ráno, když mě vytáhli, tak mě vyzvali, abych opustil dům, s podotknutím, že nebudou žíti ve strachu.“*[11] Táto reakcia na pátraciu akciu, ktorá sa odohrala v Prahe v noci z 27. na 28. mája je jedným z mála úspechov, ktoré zaznamenala. Všetkým parašutistom sa totiž podarilo úspešne schovať a zotrvať v Prahe vďaka rozsiahlej podpornej sieti domáceho odboja. Čurda sa vo svojich výpovediach snažil prenechať iniciatívu prevažne ľuďom, ktorí sa už nemohli vyjadriť, resp. otvorene fabuloval. Napríklad v prípade odchodu do rodičovského domu sa snažil váhu rozhodnutia ponechať na rodine Baucových, snažil sa ich postaviť do pozície arbitra rozhodujúceho o jeho ďalšom kroku. Pritom mohol ísť aj na ostatné adresy, ktoré poznal a na ktorých bol aj v deň, keď sa išiel prihlásiť na gestapo, napr. k rodine Svatošových. V jeho odchode z Prahy, samozrejme, nie je ešte možné vidieť kroky budúceho konfidenta gestapa, ale skôr oslabenie jeho odbojovej morálky a odhodlania. Vo svojich povojnových výpovediach okrem prenechávania iniciatívy iným, zväčša mŕtvym odbojárom, aj otvorene klamal. Pri podávaní informácií o jeho „ocitnutí“ sa na gestape tvrdil, že ho navigoval Svatoš *„že musím čekat na témž místě jako dříve, tam že na mně bude čekat někdo, kdo mně pozná. Tam čekala jedna dáma, která navštěvovala rodinu p. Bauce, a mne znala. Šli jsme do Jindřišské ulice a jedné ulice, jejíž jméno neznám. Tam na rohu jsem byl zatčen civil. pol. orgánem podle řeči Polákem. Byl jsem odveden do Pečkárny.“*[12] Čurda sa v dobe písania tejto správy evidentne snažil vyhnúť zatknutiu za vojenskú zradu. V snahe vyhnúť sa trestu bol ochotný vymyslieť si príbeh, do ktorého zatiahol aj rodinu Svatošovu, teda ľudí, ktorí boli zatknutí a neskoršie popravení priamo v spojitosti s informáciami, ktoré Čurda poskytol gestapu.

Po prihlásení sa čakali oboch parašutistov výsluchy, kde mali podať informácie o domácom aj zahraničnom odboji. Gestapo okrem brutálneho vypočúvania vedelo používať aj iné spôsoby. Išlo napríklad o nenápadný nátlak na parašutistu, aby povedal všetko, čo vie, lebo gestapo už vie o ňom aj tak všetko. Tento spôsob sa zdokonaľoval počas celého konfliktu, jeho počiatok však vidím vo výpovedi Viliama Gerika. Ten napriek tomu, že neposkytol isté

9 Operácie Canonbury sa zúčastnili viacerí parašutisti, v tej dobe už vysadení v Protektoráte. Išlo o členov skupiny Anthropoid Jozefa Gabčíka a Jana Kubiša, zo skupiny Out Distance sa jej zúčastnili Adolf Opálka a Karel Čurda a skupinu Silver A zastupoval Josef Valčík. Všetci okrem Čurdu zomreli v boji v chráme na Resslovej ulici v Prahe, dňa 18. 6. 1942.

10 ABS, f. 325, spis 325-106-4. Protokol o výslechu obviněného Karla Čurdy z 15. 6. 1945.

11 ABS, f. 325, spis 325-106-4. Protokol o výslechu obviněného Karla Čurdy z 15. 6. 1945.

12 ABS, f. 325, spis 325-106-4. Prohlášení o činnosti Karla Čurdy.

dôležité informácie, ako napríklad šifrovací kľúč od rádiovysielacej stanice,[13] vypovedal dostatočne na to, aby nevedomky sťažil priestor na „zahmlievanie" ďalším parašutistom. Tento fakt spomína aj Karel Čurda pri spomienke na vypočúvanie, ktoré datuje do obdobia po útoku na chrám v Resslovej ulici: *„Byly mně též předloženy plány, zároveň s mapou, zda poznám, co to je; já to nepoznal, až když ukázali na mapu, kde bylo zakresleno kolečkem CARAMOUR a CAMMASDARACH. Pak jsem poznal, že to byla budova výcvikové stanice ve Skotsku. Potom jsem dostal, abych ten plán též nakreslil. Nakreslil jsem jej a mezitím přišel ke mně Görick s nějakým pánem a Görick mně řekl, že to tak není, abych se podíval na jeho náčrtek."*[14] Pri povojnových výpovediach Karla Čurdu treba postupovať opatrne, pretože mal viacero verzií, citovaný text však poukazuje na skutočné obmedzenie priestoru na výpovede neskôr chytených parašutistov. Čurdov príbeh potvrdzuje aj zachovaný prepis Gerikovho výsluchu z 22. mája 1942,[15] teda niekoľko dní pred atentátom na Heydricha. Tento dokument predstavuje zaujímavú sondu do oblastí, ktoré v danej dobe zaujímali gestapo v Protektoráte Čechy a Morava. Gerik vo svojej výpovedi poskytol informácie, ktoré podliehali vojenskému tajomstvu. Uviedol podrobnosti nielen o výcviku parašutistov, ale aj o ich nadriadených, pracovnú adresu plukovníka Moravca či umiestnenie už spomínaných výcvikových stredísk v Škótsku. Značná pozornosť bola venovaná problematike trhavín a ich použitiu. Viliam Gerik zostal jediným parašutistom, ktorý sa rozhodol vypovedať až do 16. júna 1942, keď sa Karel Čurda dobrovoľne prihlásil v Petschkovom paláci. Už niekoľko dní predtým poslal Čurda anonymný udavačský list, ten však nevzbudil pozornosť príslušných orgánov. Následne sa vďaka jeho informáciám rozpútala vlna masového zatýkania v odbojových kruhoch. Čurda síce nevedel presnú lokáciu úkrytu parašutistov, ale ním poskytnuté informácie viedli k zatknutiu ľudí, ktorí pod tlakom psychického a fyzického násilia miesto prezradili. Po vojne Čurda obhajoval tento čin strachom o svoju rodinu a o to, aby sa z jeho rodnej obce nestali druhé Lidice. Zároveň však tvrdil, že si neuvedomoval, čo sa stane s odbojármi a že bol ubezpečený, že sa ich rodinám nič nestane.[16] Prvou akciou, na ktorú gestapo použilo oboch parašutistov, bola identifikácia mŕtvych v chráme v Resslovej ulici. Za pomoc pri identifikácii a v Čurdovom prípade aj za dôležité informácie dostali každý po piatich miliónoch protektorátnych korún. Obaja parašutisti sa k získanej sume postavili rozdielne. Gerik mal k 18. aprílu 1945 na účte 4 906 816 korún, čiže okrem sumy venovanej nemeckému Červenému krížu, ktorú ho podľa jeho tvrdenia prinútil dať komisár Oskar Fleischer, bol účet nedotknutý.[17] Na rozdiel od Gerika si Čurda peniaze užíval, i keď

13 Napriek tomu, že neposkytol šifrovací kľúč, poskytol značné informácie o fungovaní komunikácie medzi radistami v Londýne a parašutistami v teréne. Pozri: VÚA-VHA, f. 37, spis 37-351-3. Napriek informáciám, ktoré poskytol, je najdôležitejšie utajenie šifrovacieho kľúču. Gestapo tak nemohlo rozohrať rádiovú protihru voči Vojenskej rádiovej ústredni v Spojenom kráľovstve. Pre informácie o fungovaní vysielacích staníc a neskorších rádiových protihrách pozri: HANÁK, Vítězslav. *Muži a radiostanice tajné války*. Dvůr Králové nad Labem : Elli print, 2002, 191 s.

14 ABS, f. 325, spis 325-106-4. Prohlášení o činnosti Karla Čurdy.

15 VÚA-VHA, f. 37, spis 37-351-3 sa okrem výpovede z 22. 5. 1942 nachádza aj „Výpis z protokolu gestapa v Praze a v Brně sepsaného s Gerikem dne 4,7,8, 17. Dubna 1942". Tento výpis neobsahuje autentickú výpoveď, ale prehľad informácií, ktoré Gerik Gestapu poskytol.

16 ABS, f. 325, spis 325-106-4. Výslech obviněného Karla Čurdu z 15. června 1945.

17 Státní oblastní archív (ďalej SOA) Praha, f. Mimořádní lidový soud (ďalej MLS), spis Čurda-Gerik, dokument Rückzahlung vom Sparkonto z 18. 4. 1945. Teda z obdobia, keď sa Gerik už

ich, ako uvádza, dostával na prídel: *„Pobíral jsem od Gestapa měsíčně 20. až 30.000 K. Tyto obnosy mi vyplácel Diabo, který měl onu vkladní knížku na 5.000.000 K u sebe. Z těchto peněz hradil jsem svoje osobní výdaje a později výdaje mé rodiny.“*[18] Identifikáciou mŕtvych parašutistov pred kostolom na Resslovej ulici sa Čurdova spolupráca s gestapom iba začala. V prípade obidvoch vojakov môžeme zhodnotiť, že v roku 1942 išlo o konfidentov, avšak s rozličnou mierou úspešnosti. Karel Čurda sa svojej novej úlohy zhostil poctivo a poskytoval informácie o domácom odboji. Svoju činnosť rozvinul proti nasadeným parašutistom z druhej operačnej vlny, napríklad skupine Antimony a Bivouac. V prípade Antimony malo gestapo podozrenie o výsadku vďaka zvláštnemu správaniu sa osamoteného spojeneckého lietadla pri prelete nad Mladou Boleslavou. Preto sa rozhodlo vyslať konfidentov na záchytné adresy, ktoré boli známe z predchádzajúcich akcií zahraničného odboja. Tento postup bol dobrým odhadnutím miery informovanosti československých (čs.) predstaviteľov v Londýne o situácii a zmenách v štruktúrach odboja v Protektoráte. Tí boli totiž stále v domnienke, že Václav Morávek a skupina Silver A stále pracujú v ilegalite, a preto im aj bolo venované posolstvo prezidenta Edvarda Beneša, ktoré priniesli parašutisti z Antimony. Vojaci ho mali doručiť spomínanému Morávkovi, Alfrédovi Bartošovi zo Silver A a doc. Vladimírovi Krajinovi, ktorý bol ako jediný ešte na žive, avšak v danej dobe už tiež mimo aktívnej odbojovej činnosti. Karel Čurda bol vyslaný na adresu v Studenci k rodine Hákovej, kde sa predstavil svojím pravým menom[19] a nechal odkaz parašutistom. Tí sa vtedy v dome nachádzali, avšak situáciu sledovali s nedôverou. Miloslav Hák uvažoval o tom, že Čurdu udá na četníckej stanici, avšak jeden z parašutistov ho prehovoril, aby tak nerobil s poznámkou, že ho pozná z Anglicka.[20] Dva týždne po Čurdovej návšteve dostal Hák list, v ktorom ho Čurda žiadal o pomoc a prístrešie, nakoľko sa *„jeho situácia stala veľmi zložitou“*.[21] Následne sa domáci obrátil na troch parašutistov, ktorí uňho ešte boli ubytovaní, a tí následne zistili v Prahe o Čurdovi informácie. Varovali Háka s tým, že bývalý parašutista má zlú reputáciu a je nedôveryhodný. Tri týždne po odchode parašutistov (nadporučíka Františka Závorku, čatára Stanislava Srazila a slobodníka Lubomíra Jasínka) navštívil domáceho „predstaviteľ domáceho odboja“, v skutočnosti agent gestapa Jaroslav Nachtmann, ktorý ho prosil o poskytnutie pomoci Čurdovi. Miloslav Hák sa napriek informáciám od parašutistov z Antimony rozhodol poskytnúť pomoc. Samotný Čurda sa počas svojho pobytu v „úkryte“ choval zvláštne a vzbudzoval podozrenie, či naozaj ide o parašutistu. Okrem iného aj tým, že neustále naliehal, aby ho spojili s parašutistami a mohol s nimi spolupracovať. Vďaka úspešnému infiltrovaniu konfidenta Čurdu medzi odbojárov a následnej vlne zatýkania sa podarilo vypátrať úkryt parašutistov v Rovensku pod Troskami. Tam sa Jasínek a Závorka vzdali gestapu, no ešte predtým prehltli kyanidovú kapsulu, ktorou sa otrávili. Tretieho člena Stanislava Srazila sa za pomoci Karla Čurdu podarilo chytiť živého v Hornej Kalnej.[22] Na jar 1943 nasadili Karla Čurdu spoločne s Jaroslavom Nachtmanom proti poslednému

dlhší čas nachádzal v koncentračnom tábore v Dachau.

18 ABS, f. 325, spis 325-106-4. Výslech obviněného Karla Čurdu z 15. června 1945.

19 Krycie meno Karla Čurdu bolo Karel Vrbas, neskoršie po prijatí nemeckého štátneho občianstva si ho zmenil na Karel Jerhot.

20 ABS, f. 325, spis 325-106-4. Svědecký protokol s Miloslavom Hákom zo 17. srpna 1945.

21 ABS, f. 325, spis 325-106-4. Svědecký protokol s Miloslavom Hákom zo 17. srpna 1945.

22 ŠOLC, *Bylo málo*, c. d., s. 119.

členovi skupiny Bivouac na slobode, Františkovi Pospíšilovi. Tentoraz nešlo iba o získavanie informácií, ale o priamu zradu parašutistu, ktorého poznal ešte z čias výcviku. Ako sám uviedol po doručení príkazu: *„Jel sem do Brna Pospíšila jem našel a řekl jsem mu, že spolu máme jet do Prahy k Šárovi. On se na nic neptal a jel se mnou k Šárovi do Prahy. Ten nás přijal, nechal Pospíšila spát v krámě, kdežto já šel do svého bytu. Druhého dne ráno jsem opět šel do obchodu Šáry, kde jdem Pospíšila zase našel. Žádal jsem ho, aby šel se mnou na Václavské náměstí k por. Šulcovi recte Nachtmanovi a vedl jsem ho do pasáže Luxor nebo Avion, kde nás čekal podle úmluvy se mnou učiněnou Nachtman, který Pospíšila zatkl.“*[23] Františka Pospíšila následne väznili na Pankráci a v Terezíne. Tam bol napokon aj bez súdu popravený. Gestapo postupne prestalo Karla Čurdu používať pri konfidentskej činnosti, je pravdepodobné, že to súviselo s jeho narastajúcou spotrebou alkoholu, následkom čoho sa stával nespoľahlivým.

Rovnako ako Čurdu nasadili ako konfidenta aj Viliama Gerika. Ten sa podľa prameňov zúčastnil štyroch operácií. Počas svojej prvej operácie sa mal Gerik pokúsiť zistiť umiestnenie parašutistov, ktorí boli zhodení na Krivoklátsku a následne sa ukryli u rodiny Svobodových v Slanom. Josef Svoboda naozaj istú dobu ukrýval parašutistov zo skupiny Bioscop, ale v danej dobe nemal informácie o tom, kde sa nachádzajú. Podľa Gerikovej výpovede pred súdom ho mala Svobodova dcéra poslať za istým nemenovaným advokátom, ktorý mal mať bližšie informácie.[24] To však Gerik podľa vlastných slov neurobil a vrátil sa na gestapo, kde informoval svojho predstaveného Oskara Fleischera iba o obsahu rozhovoru s Josefom Svobodom. Pretože Gerika vyslali priamo na adresu s informáciou o prechovávaní parašutistov u rodiny Svobodových, je zrejmé, že gestapo už vedelo o ich pomoci odboju. Napriek tomu bola po vojne poprava ich rodiny súčasťou obžaloby voči Viliamovi Gerikovi, obvinenie však bolo stiahnuté v záverečnom rozsudku.[25] S Bioscopom súvisí aj ďalšia Gerikova činnosť, keď spoločne s Fleischerom išiel identifikovať mŕtvolu veliteľa spomínanej skupiny rotmajstra Bohuslava Koubu, ktorý sa pri zatknutí na četníckej stanici v Kutnej Hore otrávil.[26] Následne v snahe získať čo najviac informácií o výsadku Gerika opätovne vyslali do Kutnej Hory, kde mal ako agent-provokatér kontaktovať doktora Bydžovského. Správal sa však tak podozrivo, že doktor Bydžovský sa rozhodol nielen odmietnuť mu pomoc, ale okamžite po Gerikovom odchode zamieril na četnícku stanicu, aby prípad nahlásil. To či sa tak predtým dohodol s Gerikom alebo nie, bolo predmetom diskusie na súde, ale vzhľadom na reálnu situáciu v danej dobe nemalo toto obvinenie relevantný význam. Gerik sa evidentne gestapu ako konfident neosvedčil a z dostupných dokumentov je možné zhodnotiť, že identifikácia mŕtvych parašutistov bola poslednou akciou, pri ktorej ho gestapo použilo ako informátora. Bol mu zrušený príkaz pravidelne sa hlásiť

23 ABS, f. 325, spis 325-106-4. Výslech obviněného Karla Čurdu z 15. června 1945.

24 Alžbeta Pužmanová rod. Svobodová napriek tejto informácii tvrdila, že Gerikovi nedôverovala. Bol vraj veľmi sebaistý na rozdiel od parašutistov, ktorí sa u nich schovávali, tí boli väčšinou neistí. SOA, f. MLS, spis Čurda-Gerik, Svedecký protokol s Alžbětou Pužmanovou.

25 ABS, f. 325, spis 325-106-5. Rozsudek nad obžalovanými Karlem Čurdou a Viliamem Gerikem.

26 Nešlo o prvú identifikáciu mŕtveho parašutistu, ešte predtým bol opäť spoločne s Fleischerorm v Křivoklátskom lese, kde identifikoval mŕtvolu svojho kolegu z výsadku Arnošta Mikša. Ten zomrel v prestrelke pri snahe vyzdvihnúť ukrytý operačný materiál. Nanešťastie mal pri sebe zápisník s informáciami, ktoré priamo naviedli Gestapo na stopu výsadku Bioscope. Pozri: VÚA-VHA, f. 37, spis 37-314-1.

na gestape, pravdepodobne sa však zblížil s rodinou Oskara Fleischera, ten ho totiž pozýval na obedy a zveroval mu svoju 9-ročnú dcéru. Medzičasom sa Gerik bližšie zoznámil aj so svojou domácou, pani Lebduškovou, s ktorou počúval zahraničný rozhlas. Tá ho cez svoju neter skontaktovala s Václavom Krumlovským, ktorý tvrdil, že má kontakt na predstaviteľov domáceho odboja. Krumlovský Gerikovi povedal, že o ňom vedia a nemá vyvíjať aktivitu, keď ho budú potrebovať, tak ho kontaktujú. Pravdepodobne v auguste 1942 prišiel do bytu, kde Gerik býval, asi 35-ročný muž, ktorý sa predstavil ako Bedřich Novák a povedal, že ho posiela pán plukovník s tým, že potrebujú jeho pomoc, pretože majú pokazenú vysielačku a mechanik je zatknutý. Gerik v domnienke, že ide o agenta od spomínaného plukovníka Vlčka, ponuku neznámeho muža prijal. Navštívil ho však pravdepodobne agent gestapa Jaroslav Nachtman, ktorému sa úspešne darilo infiltrovať do radov domáceho odboja. Po istej dobe sa chcel Novák/Nachtman zoznámiť s Krumlovským osobne a Gerik im zariadil stretnutie. Pri odchode zo stretnutia si Gerik všimol, že ho sledujú a pri snahe varovať Nováka/Nachtmanna s Krumlovským bol zatknutý. Pri následnej konfrontácii v Petschkovom paláci sa Gerik dozvedel, že plukovníka Vlčka si Václav Krumlovský z neznámych dôvodov vymyslel, takisto ako aj jeho údajné kontakty s domácim odbojom. Gerik v rozčúlení Krumlovského udrel, čo ten neskoršie prezentoval ako dôkaz toho, že zatknutie bolo vopred pripravené aj samotným Gerikom.[27] To však vyvracia následný Gerikov osud. Uväznili ho totiž na Pankráci a následne v Malej pevnosti Terezín. Po troch mesiacoch ho deportovali do koncentračného tábora v Dachau, kde sa opätovne zapojil do odbojových štruktúr a vytvoril ilegálnu vysielačku pre potreby väzňov v tábore. Okrem toho rozširoval správy, čím riskoval takisto ako ostatní väzni v tábore. Podľa výpovede spoluväzňa sa k nemu pristupovalo rovnako ako k ostatným väzňom v tábore.[28] Gerik sa po oslobodení tábora rozhodol vrátiť do Československa, aby poskytol informácie o osude skupiny Zinc a svojej činnosti od jej faktického rozpadu. Prihlásil sa v kancelárií plukovníka Palečka v Dejviciach, kde ho zatkli. Opätovne skončil v Pankráckej väznici, odkiaľ sa mu podarilo utiecť. Bol však zadržaný v smere na Nepomuk, teda pri miestach, kde sa v tom čase nachádzala čs. obrnená brigáda, v ktorej slúžili aj vojaci, ktorí Gerika poznali ešte z Veľkej Británie. Či bol tento útek skrat alebo snaha o netradičné získanie pozitívnych svedectiev o Gerikovej osobe, už dnes nie je možné zistiť. Rovnako ako Gerika uväznili aj Karla Čurdu. Hlavné pojednávanie bolo ustanovené na 28. a 29. apríla 1947. Ústredné body obžaloby pozostávali z obvinení z vojenskej zrady, podpory nacistického hnutia a zavinenia straty slobody, resp. života občanov Československej republiky. V prípade oboch obvinených je zaujímavé ich správanie a výpovede počas procesu. Gerikove tvrdenia sú z veľkej časti konzistentné a niekoľkokrát sa v nich priznal, že si nepamätá detaily, ale je možné, že dotyčné informácie prezradil. Pravdepodobne nejde o amnéziu tradičnú pre povojnové výpovede, ale o nepredstieranú neschopnosť spomenúť si na všetky detaily spred piatich rokov. Na druhej strane, Karel Čurda vo výpovediach často uvádza veľmi detailné podrobnosti, ale samotné výpovede sa v niektorých aspektoch od seba líšia, či dokonca si protirečia. V prípade konfrontácie so svedkami, resp. informáciami niekoľkokrát zmenil

27 SOA, f. MLS, spis Čurda-Gerik. Výpoveď Václava Krumlovského z 11. novembra 1947.
28 ABS f. 325, spis 325-106-4. Výpoveď Vladimíra Pochmana. In Protokol o hlavním líčení proti Čurdovi a Gerikovi, s. 10.

svoje tvrdenia. Viliam Gerik práve naopak konfrontoval svedkov, pokiaľ zavádzali, resp. si nevedeli spomenúť, napríklad v prípade Karla Tomana bol dokonca aj úspešný a obvinenie, že zavinil stratu jeho slobody, bolo z obžaloby proti Gerikovi stiahnuté.

Napriek rozličnej aktivite v období činnosti pre gestapo a v prípade Gerika reálnemu nedokázaniu zavinenia smrti rodiny Svobodových boli obaja parašutisti-konfidenti odsúdení na trest smrti obesením. Tento nevojenský spôsob popravy bol vykonaný 29. apríla 1947 o 11.30 hod., teda presne dve hodiny po vynesení rozsudku. Dodnes je však otázne, či samotným parašutistom nepriťažila najviac okolnosť, že boli regrutovaní z radov čs. armády vo Veľkej Británii. Podobným spôsobom boli predsa nasadzovaní aj parašutisti z Východu a tí rovnako ako mnohí iní agenti, resp. vojaci v bojoch druhej svetovej vojny zlyhávali. Ako príklad môžu slúžiť tzv. „Zajatci od Sokolova" teda vojaci, ktorí padli do zajatia po bitke pri Sokolove a použili ich v Protektoráte Čechy a Morava na propagačné činnosti V prípadoch priamych zlyhaní parašutistov nasadených z východného frontu sa proces riešil v tichosti vojenskými súdmi a neinformoval o nich ani rozhlas alebo tlač.[29] Opačný prístup sa uplatňoval v prípade zlyhaní parašutistov zo Západu, ktoré sa odohrávali pred Mimoriadnymi ľudovými súdmi v Čechách, ktoré štatisticky vychádzajú ako najkrvavejšie retribučné súdy po ukončení konfliktu v Európe.[30] Čurda a Gerik sú dodnes symbolmi zrady svojich spolubojovníkov a často predmetmi tendenčných hodnotení. Pri výskume dostupných prameňov sa však aj medzi nimi objavujú značné rozdiely a v prípade jedného z nich aj snaha, aby *„věrný zůstal"*.

29 Pre bližšie informácie pozri: PLACHÝ, Jiří. *Horší než doba války: Osudy parašutistů z Velké Británie v poúnorovem Československu.* Cheb : Svět Křídel, 2014, 370 s.

30 Celkový počet odsúdených na trest smrti bol 723 a z toho popravených 686. Teda 94,9 % odsúdených bolo aj popravených. In FROMMER, Benjamin. *Retribution against Nazi Collaborators in Postwar Czechoslovakia.* New York : Cambridge University Press, 2005, s. 91.

André Mazon alebo zmarená francúzska slavistika (1940 – 1945)

Antoine Marès

„Občas to vyzerá tak, že všetko, vedecký život, knihy a výskumy patria do minulosti a neostáva nič iné než odporná tlač. Napriek tomu ľudia, ktorí prichádzajú z Paríža, hovoria, že knižnice sú otvorené a plné ľudí; a že odboj voči hitlerizmu je možno väčší ako v slobodnej zóne, že sa nestráca nádej. Daj Bog! Historické analógie sú zradné. Hoci keď pomyslíme na Napoleonove cisárstvo."

List Alexandra Koyrého Andréovi Mazonovi (Aix-en-Provence, bez dátumu, 1940?)

André Mazon bol osobnosťou, ktorá z inštitucionálneho hľadiska ovládala francúzsku slavistiku v prvej polovici 20. storočia spolu so svojím starším kolegom Paulom Boyerom, s ktorým si bol vždy veľmi blízky a spoločne „vládli" svetu francúzskych slavistov. Počet štúdií, ktoré sú mu zasvätené, sa neustále rozrastá, venujú sa v prvom rade jeho vedeckému prínosu a úlohe mediátora medzi slovanským svetom a Francúzskom.[1] Záujem o aktivity Andrého Mazona počas druhej svetovej vojny nás zavedie najprv k osobnosti, ktorú sa pokúsime charakterizovať, a potom k Ústavu slovanských štúdií (Institut d'études slaves, ďalej ÚSŠ) – inštitúcii, ktorá bolo v Paríži centrom vytvárania vedomostí o slovanskom svete v medzivojnovom období, a až následne sa zameriame na komplexný vzťah medzi vedou a mocou počas druhej svetovej vojny berúc do úvahy konflikt v Európe a jej delenie.

Životná cesta

Filológ a gramatik André Mazon (1881 – 1967) patril medzi tie osobnosti, ktoré vytvárali a riadili francúzsku slavistiku počas viacerých desaťročí, no nie iba svojou impozantnou – a niekedy kontroverznou – tvorbou, ale tiež ako prednášateľ, tajomník knižnice Štátnej školy východných jazykov (École nationale des langues orientales), neúnavný spiritus movens Ústavu slovanských štúdií, profesor Štrasburskej univerzity (1919 – 1924) neskôr Collège de France (1924 – 1961), člen Académie des Inscriptions et Belles-Lettres (zvolený roku 1941), a človek blízky francúzskej administratíve, kde mal ako poradca významné postavenie.

Pochádzal z republikánskej rodiny z departmentu Ardèche a mal zaujímavý životný osud. Hoci v roku 1914 bol oslobodený od vojenskej služby, v januári nasledujúceho roku začal slúžiť ako „komisár prekladateľ" námorníctva. V roku 1916 ho pridelili na generálny

[1] Pozri najmä tematické číslo *Revue des études slaves*, zväzok 82, 2011, č. 1, ktoré sa mu venuje. V predkladanej knihe na počesť mojej kolegyne Bohumily Ferenčuhovej som sa rozhodol zaoberať sa osobnosťou, ktorá zavŕšila činnosť Ernesta Denisa, univerzitného priekopníka francúzsko-česko-slovenských vzťahov vo Francúzsku, ktorému zasvätila mnoho strán.

štáb Východnej armády generála Sarraila, neskôr sa pridal k francúzskej vojenskej misii v Rusku a napokon k tej, ktorú poslali do novovzniknutého Česko-Slovenska vo februári 1919. Určite treba spomenúť, že ho v roku 1918 poverilo ministerstvo verejného školstva zhromažďovaním tlačených dokumentov týkajúcich sa vojny vo východnej Európe a ruskej revolúcie pre Knižnicu a Múzeum vojny – zohral teda úlohu pri vytváraní bohatých zbierok dnešnej Knižnice súčasnej medzinárodnej dokumentácie (Bibliothèque de documentation internationale contemporaine).[2] Počas tejto misie ho predstavitelia novej moci zatkli, a tak strávil päť mesiacov v sovietskych žalároch.

Napriek tejto bolestnej epizóde, o ktorej písal v tlači[3] a ktorá predstavuje výnimku v jeho autobiografickej zdržanlivosti, André Mazon nezaujal protisovietsky postoj. Hoci v rokoch 1918 – 1919 inklinoval k socialistickým revolucionárom a menševikom[4] bez toho, aby sa na rozdiel od iných, hlavne Pierra Pascala, odborníka na Rusko, prihlásil k sovietskemu modelu, nefascinovalo ho pravoslávie a ruská sedliacka solidarita, no prijal „*náboženstvo*" vedeckých vzťahov. Koniec občianskej vojny a prijatie Novej ekonomickej politiky (NEP) umožnili nielen ekonomickú, ale aj intelektuálnu spoluprácu s novými štruktúrami ako VOKS (Всесоюзное óбщество культýрной свя́зи с заграницей – Celozväzová spoločnosť pre kultúrne vzťahy so zahraničím) vytvorenou v auguste 1925.[5] André Mazon bol spolu s Paulom Langevinom a Sylvianom Lévym iniciátorom založenia ustanovujúceho komitétu s cieľom vytvoriť Francúzsky výbor vedeckých vzťahov s Ruskom, ktorý vznikol v roku 1925 a začiatkom roku 1927 združoval dve stovky francúzskych vedcov. Tento tropizmus nadvlády vedeckých vzťahov nad všetkými ostatnými zreteľmi už viac profesora na Collège de France neopustil. Išlo o jednu z motivácií jeho činnosti: v jeho očiach veda zbližovala vedcov celého sveta naprieč ideologickými a politickými rozdielmi. Mimochodom, udržiaval stále čulejšiu korešpondenciu so všetkými slavistami medzivojnového obdobia.[6] Z tohto hľadiska je pochopiteľné, že sa v mene tejto solidarity v septembri 1938 bezvýhradne angažoval v prospech Čechoslovákov. Jeho protimníchovské pozície sa v nasledujúcich desaťročiach nezmenili a nadobudli veľmi osobný charakter.[7] Mníchovský šok tak celkom isto vysvetľuje Mazonove ďalšie rozhodnutia. Jeho náklonnosť k slovanskému svetu bola už v počiatku reakciou na germánsky svet (Mazon patril ku generácii poznačenej francúzsko-ruským spojenectvom); tento postoj nepochybne posilnil vzostup nacizmu a zásadná úloha, ktorú hral ZSSR pri porážke hitlerovského Nemecka.

2 Umiestnená v univerzitnom mestečku Nanterre. Pozri Archives du service slave de la Bibliothèque de documentation internationale contemporaine (ďalej DBIC), zložka č. 18 Mazon, s jeho správami z 15. februára a 20. augusta 1918.

3 In *Revue de Paris*, 15. 6., 1. 7. 1919 a In *L'Europe nouvelle*, máj a júl, s. 683 – 705, 107 – 133.

4 Pierre Pascal mu vyčítal tiež jeho náklonnosť ku kadetom (CŒURÉ, Sophie. *Pierre Pascal. La Russie entre christianisme et communisme.* Lausanne : Éditions Noir sur Blanc, 2014, s. 278) a jeho príslušnosť ku „klanu profesorov".

5 FAYET, Jean-François. *VOKS. Le laboratoire helvétique, Histoire de la diplomatie culturelle soviétique dans l'entre-deux-guerres.* Genève : Georg Editeur, 2014.

6 Jeho rozsiahla korešpondencia deponovaná v Institut d'études slaves to dokazuje (fond Mazon, ďalej IES, FM).

7 Nebudeme spomínať jeho vytrvalú snahu v prospech demokratickej Prahy. O jeho dcéru Jacqueline (1918 – 2008), ktorá sa stala medzi iným odborníčkou na češtinu, sa starala istá mladá Češka.

Ústav slovanských štúdií

Hlavnou ustanovizňou, o ktorej je tu reč, bol Ústav slovanských štúdií,[8] ktorý zapustil svoje inštitucionálne korene počas Veľkej vojny; jeho prvá schôdza sa uskutočnila 13. januára 1916 na Sorbonne z iniciatívy historika Ernesta Denisa, jeho intelektuálny pôvod však siaha do obdobia postupného objavovania slovanského sveta, ktoré nasledovalo po porážke Francúzska bismarckovským Nemeckom v roku 1870, čo malo za následok uvedenie slovanského sveta do francúzskeho univerzitného a politického priestoru. V tomto kontexte hrala vojna úlohu katalyzátora.[9] Program ÚSŠ upresňoval, že po zmiznutí švédskej a otomanskej protiváhy sa Francúzsko začalo prikláňať k podpore slovanských národov (Rusov, Poliakov, Čecho-Slovákov, Srbo-Chorvátov ale tiež sa zmieňuje o Rumunsku) s cieľom schladiť *„bezočivú opovážlivosť"* Nemecka.[10] Oficiálne otvorenie ÚSŠ sa napriek tomu uskutočnilo až neskôr ako výsledok mnohých iniciatív lingvistov, historikov a politikov odohrávajúcich sa v dvoch časových dimenziách: v prvom rade medzi novembrom 1919 a marcom 1920 s prijatím jeho stanov a potom v októbri 1923, v čase jeho otvorenia československým (čs.) prezidentom Tomášaom Garrigueom Masarykom v Paríži. V novembri 1919 navrhoval Denis stanovy Ústavu *„čisto vedeckého charakteru"* (bez vylúčenia *„propagandistického zámeru"*), spočiatku výlučne francúzskeho s cieľom *„stať sa veľkým žiariacim centrom práce a výskumu"*. Skrátka, v ústave sa snažili organizovať a koordinovať, aby mohli účinne *lobovať* v prospech rozvoja vzťahov pre organizáciu, ktorá mala k dispozícii miestnosť na stretnutia a na konferencie, knižnicu, ktorá sa stala centrom prijatia študentov, vydávala špecializovaný časopis a publikácie. Väzby s Prahou a Belehradom už boli rozhodujúce a práve dotácie z týchto dvoch krajín umožnili kúpu budovy, ktorá sa nachádza na Micheletovej ulici.

Zakladajúce valné zhromaždenie ÚSŠ sa uskutočnilo 9. marca 1920. Pozvánka naň dobre charakterizovala jeho dvojité poslanie, protirečivo totiž tvrdila, že na jednej strane *„pomôže lepšie spoznať Francúzsko Slovanom, ktorých spojenectvo bolo nevyhnutné pre ich spoločné blaho a pre svetový mier, v slovanskom svete sa zase postaví nemeckému vplyvu a nahradí ho francúzskym."* Na druhej strane, že *„to bude čisto vedecká ustanovizeň. Práve prostredníctvom vedy chcela slúžiť vlasti* [...] *Ústav pôjde vedeckými metódami za národným cieľom."*[11] Pôvodný zoznam členov výboru jasne poukazuje na prepojenie vedy, politiky a médií. Slávnostné otvorenie ÚSŠ sa uskutočnilo 17. októbra 1923 po jeho pričlenení k Parížskej univerzite dekrétom z 30. júna 1920 a dohodou zo 14. marca 1922. Status organizácie verejného záujmu ÚSŠ napokon priznali 22. novembra 1925 (*Journal Officiel*).

V medzivojnovom období si zasluhuje pozornosť niekoľko hlavných smerov rozvoja inštitúcie.

8 FICHELLE, Alfred. Origines et développement de l'Institut d'études slaves (1919 – 1949). In *Revue des études slaves*, zväzok 27, 1951. Mélanges André Mazon, s. 91 – 103; MARÈS, Antoine. L'Institut d'études slaves comme lieu de mémoire. In HLAVAČKA, Milan – MARÈS, Antoine – POKORNÁ, Magdaléna (eds.). *Paměť míst, událostí a osobností: historie jako identita a manipulace.* Praha : Historický ústav AV ČR, 2011, s. 50 – 70.

9 Institut d'études slaves. Paris, centre de la slavistique à l'étranger, Paris, Questions contemporaines č. 25, Union des universitaires serbo-croato-slovènes, plaquette publiée en 1919, 32 s.

10 Pozri úvod prvého čísla: Notre programme, s. 3 – 18, podpísaný Ernestom Denisom a Robertom de Caixom.

11 In *Journal Officiel*, 27. 3. 1920, s. 4920. Cieľ spoločnosti: *„podporovať slovanské štúdiá"*.

- V prvom rade jej geografické rozšírenie, čiastočne paralelné so Školou východných jazykov.[12] Poľské oddelenie otvorili v októbri 1923. Francúzska vláda poverila ÚSŠ všetkým, čo sa týkalo vyučovania ruštiny, údelu emigrovaných profesorov a študentov do Francúzska; belehradská vláda vytvorila cenu Ernesta Denisa. Začlenili do nej tiež bulharský odbor.
- ÚSŠ predstavoval prostredníctvom svojej knižnice, ktorej spiritus movens bol slavista André Mazon, prostredníctvom svojej *Revue des études slaves*, založenej v roku 1921, a mnohých publikácií (vedecké štúdie, gramatiky a pedagogické pomôcky, preklady) hlavné parížske centrum dokumentárnych a editorských zdrojov o slovanskej oblasti.
- Stal sa tiež miestom prednášok pre študentov (Škola východných jazykov), ako aj prednášok prominentných vedcov prechádzajúcich cez Paríž.
- ÚSŠ sa stal miestom stretnutí a činnosti slovanských študentov v Paríži prostredníctvom spolkov, ktoré ich združovali a ktoré v ňom sídlili.
- Koordinoval styk a výmeny medzi Francúzskom a slovanskými krajinami, či už išlo o študentov, vyučujúcich, alebo francúzske ustanovizne založené v stredo-východnej Európe.
- Nemožno opomenúť jeho úlohu vedeckej spoločnosti združujúcej lingvistov, literátov, historikov, geografov, ktorí sa špecializovali na slovanský svet. Ústav slovanských štúdií tak hral, podľa želania svojich zakladateľov, úlohu združovateľa a hýbateľa slovanských štúdií vo Francúzsku.

V organizovaní tejto činnosti hrali rozhodujúcu úlohu traja muži idúci v šľapajach Ernesta Denisa. Boli to Antoine Meillet, lingvista, predseda od 1921 do 1937; Louis Eisenmann, muž zákulisia a stykov, generálny tajomník inštitúcie; a najmä André Mazon, tajomník *Revue*, duša knižnice (od roku 1924 bol profesorom Collège de France), ktorý nahradil Meilleta na čele ÚSŠ.

Ako pripomenul Jean Breuillard,[13] osud chcel, aby „nadvláda" Mazona prebiehala v mimoriadne ťažkých časoch. V prvom rade kríza, ktorá vyvrcholila podpisom Mníchovskej dohody (september 1938), proti ktorej predseda Ústavu slovanských štúdií protestoval s najväčším nasadením pripomínajúc zmätenej francúzskej verejnej mienke záväzky, ktoré Francúzsko prijalo a jej tradičné putá so slovanskými štátmi,[14] potom vojna, ktorá nútene odrezala Ústav od slovanských krajín a zdalo sa, že mu odňala jeho raison d'être.

Mazon a ÚSŠ vo vojne

Zmätok, ktorý nasledoval po Mníchovskej dohode z 29. septembra 1938 a následná francúzska porážka z júna 1940 však nemali za následok nečinnosť slavistov a obzvlášť Andrého Mazona. Naopak, v situácii extrémneho vypätia (tu je zbytočné vracať sa k vojenskému a diplomatickému postupu Berlína v strednej Európe od marca 1936) bola nadchádzajúca úloha strednej a východnej Európy v politike Francúzska najaktuálnejšou otázkou.

12 O dejinách rozvoja Školy je táto publikácia obzvlášť prínosná: LABROUSSE, Pierre (ed.). *Deux siècles d'histoire de l'École des langues orientales*. Paris : Éditions Hervas, 1995, s. 117 – 199.

13 BREUILLARD, Jean. Bref historique des études slaves en France. In *Revue du Centre européen d'études slaves - Études slaves en France et en Europe,* č. 1, 2012. Dostupné na internete : http://etudesslaves.edel.univ-poitiers.fr/index.php?id=100

14 Entretien d'André Mazon avec Georges Bonnet, 11 mars 1940. In *Revue des études slaves*, zväzok 52, 1979, s. 14 – 19.

Vzniklo niekoľko pracovných skupín, ktoré oslovovali slavistov, či už išlo o Centrum štúdií zahraničnej politiky (Centre d'études politiques étrangères) riadené Henri Bonnetom,[15] tiež takzvané Bureau Chauvel[16] alebo neformálne študijné skupiny ako tá, ktorá vznikla v rámci Ligy ľudských a občianskych práv riadená Victorom Baschom, kde si Mazon tiež našiel svoje miesto. André Mazon v *Správe o francúzskom výskume v slovanských krajinách*[17] spresnil, že vyhliadky francúzskej činnosti sa zmenšili ako šagrénová koža a iba Juhoslávia a Bulharsko ešte ostávali priestorom možného vplyvu, no pravdupovediac aj ten už bol veľmi obmedzený. Od decembra 1938 jedna (neidentifikovaná) skupina z Prahy navrhovala Mazonovi zriadiť pri ÚSŠ Vedecké študijné centrum slovanských otázok, ktoré však zjavne nevzniklo.[18]

Francúzske prostriedky a štruktúry utrpeli veľkú ujmu. Kultúrne vzťahy zo ZSSR sa od roku 1936 zhoršovali a nemecko-sovietsky pakt z augusta 1939 im uštedril ranu z milosti. Nasledoval hon na čarodejnice proti komunistom, ktorý začal od decembra toho istého roku. Pre Mazona, ktorý vždy rozlišoval medzi politickou situáciou a nutnosťou udržiavať vedecké vzťahy, nemohol byť tento vývoj iný než bolestný. Bolo to vždy rovnako aj pri rozbrojoch medzi Slovanmi, ktoré rozdeľovali jeho študijné pole: napriek jeho nepopierateľnému rusofilskému a čechofilskému tropizmu nebol totiž necitlivý ani voči južným Slovanom či Poliakom. Postupné invázie do Rakúska, Československa a Poľska (túto poslednú napokon pripravili spoločne Berlín s Moskvou) mali v týchto krajinách za následok zánik väčšiny inštitúcií, ktoré hrali úlohu spojky s Francúzskom, najmä francúzske inštitúty. Tradičné spojenia medzi Mazonovými korešpondentmi a ÚSŠ sa teda významne oslabili.

Aby sme vysvetlili úpadok slavistiky, treba tiež podčiarknuť dezorganizáciu francúzskeho vysokoškolského prostredia a otrasy, ktoré utrpelo. Vojna a porážka mali za následok presuny, či už dobrovoľné alebo nie, ktoré rozvrátili pomery z medzivojnového obdobia: po exode sa niektorí ocitli na opačných stranách demarkačnej línie a mali problém znovu nadviazať vzťahy (prípad Čecha Georgesa Straku v Lyone, potom v Clermonte, Alexandra Koyrého, takmer úplne strateného v Aix-en-Provence,[19] Poliaka Zygmunta Lubicz-Zaleskiho v Limoges a potom vo Villard de Lans, alebo ešte Huberta Beuve-Méryho, bývalej dôležitej postavy Ústavu Ernesta Denisa v Prahe, ktorý sa utiahol do Horného Savojska, skupiny intelektuálov vytvorenej v českom hlavnom meste predstavujúcej homogénne a stále jadro korešpondentov profesora Collège de France, ako napríklad páter František Dvorník v Londýne). Sám André Mazon opustil Paríž, aby sa utiahol na vidiek a v Lyone žil (ulica Juilette Récamier 49) od leta 1940 do leta 1941, teda až do návratu do hlavného mesta. Medzi Vichy, Parížom, Lyonom, Hautes-Alpes, ba dokonca Ardèche, kde sa tiež zdržiaval, bol každodenný život veľmi zložitý a plánované stretnutia často nemohol uskutočniť. Kontakt so svojimi tradičnými korešpondentmi však napriek tomu nikdy úplne neprerušil.

15 Institut de France, fond Mazon, č. 6784 (pozri tiež: CASSIN, René. *Les Hommes partis de rien.* b. m. : Plon, 1974).
16 http://www.diplomatie.gouv.fr/fr/IMG/pdf/chauvel.pdf
17 IES, FM, zložka 1940 – 1955.
18 IES, FM, Tchécoslovaquie, 1938 – 1945, poznámka z 11. decembra.
19 IES, FM, korešpondencia 1940 – 1949.

Niekoľkí významní korešpondenti mu ostali: Alfred Fichelle, bývalý zástupca riaditeľa Ústavu Ernesta Denisa v Prahe, ktorý mal v Clermont-Ferrand na starosti kontakty so slovanskými študentmi vo Francúzsku (predovšetkým s československými), alebo André Vaillant, „brat“ gramatik, či Boris Unbegaun a samozrejme Paul Boyer, večný komplic. Medzi nich môžeme zaradiť aj Pierra Pascala.[20] Nie celá komunita špecialistov na slovanský svet však bola jednotná vo veci odboja: napríklad René Martel (brat brilantného Antoina Martela zosnulého v 33-och rokoch v 1932?) po návrate z Haliče rečnil o boľševizme v Berlíne.[21]

Druhé francúzske centrum slavistiky (po Paríži) sa v medzivojnovom období nachádzalo v Štrasburgu. No počas druhej svetovej vojny Alsasko znova obsadili Nemci. V Štrasburgu vznikla nacifikovaná univerzita a fakulty teológie boli zrušené. Študenti medicíny našli útočisko v Clairvivre (v departmente Dordogne), ďalší v Clermont-Ferrand, kde sa niektorí od roku 1942 pridali k odboju: v novembri 1939 viac než 1500 študentov a 150 profesorov a administratívnych pracovníkov Štrasburskej univerzity utieklo z Alsaska a usadili sa v priestoroch univerzity v Clermont-Ferrand. Alsaskí študenti a profesori mohli pod ochranou obyvateľov regiónu Auvergne pracovať a organizovať odbojové hnutie, až kým časť z nich 25. novembra 1943 v priestoroch clermontskej univerzity na avenue Carnot nezatkli. Išlo o najväčšiu policajnú raziu, akú zažilo vysokoškolské prostredie v tomto období s viac ako 500 zatknutými a 130 deportovanými, medzi nimi boli aj slavisti.[22] Profesor ruštiny na Štrasburskej univerzite Boris Unbegaun[23] sa stal tiež obeťou deportácie do Buchenwaldu, kde bol oslobodený a napokon pokračoval vo svojej medzinárodnej kariére až do Spojených štátov.[24]

Je zaujímavé pripomenúť, že výučba a výskum sa v skutočnosti neprerušili a z Mazonovej korešpondencie vyplýva, že vyučovanie slavistiky pokračovalo (v Clermont-Ferrand, v Lyone s Marcelle Ehrhardovou[25] a hlavne na Škole východných jazykov) a že sa objavili nové osobnosti, ktoré v povojnovej slavistike pracovali vo veľmi rôznorodých oblastiach: Georges Luciani, Yves Millet, Ambroise Jobert... André Mazon zostal počas vojnových rokov konzultantom množstva mladých vedcov, zdrojom informácií pre široké spektrum francúzskych, či dokonca európskych záujemcov. Napriek niekedy ťažkému prístupu k zdrojom – v niektorých prípadoch úplnému zákazu – študenti taktiež písali dizertačné práce, odborníci zase vedecké diela a učebnice. Dokazuje to intenzívna osobná a odborná korešpondencia medzi André Mazonom a André Vaillantom. V tom čase totiž aktívne spolupracoval s *Revue des études slaves* a pripravoval jednu vedeckú prácu. Cez vojnu však nastala aj generačná zmena. Zomreli Émil Haumant (zať Alfreda Rambauda), Jules Legras

20 CŒURÉ, *Pierre Pascal*, c. d. s. 332 – 345.

21 In *Paris-Soir* z 21. septembra 1943.

22 http://www.univ-bpclermont.fr/article2432.html; https://www.unistra.fr/fileadmin/upload/unistra/documentation/historique_uds.pdf; http://www.clermont-ferrand.fr/L-Universite-de-Strasbourg-a.html

23 IES, FM, korešpondencia 1940 – 1949.

24 DRAGE, C. L. – PENNINGTON, Anne E. Boris Ottokar Unbegaun (1898 – 1973). In *The Slavonic and East European Review*, 1973, roč. 51, č. 124, s. 448 – 451.

25 Jedna z úplne prvých slavistiek vo Francúzsku, odborníčka na ruský preromantizmus.

a Jules Patouillete, ktorí sa vo francúzskom univerzitnom prostredí v Paríži, v Lille alebo v Lyone zaslúžili o vznik slovanských štúdií.

Aj v prípade Andrého Mazona je ťažké určiť jeho pozíciu na vtedajšej politickej šachovnici, ktorú dával najavo v niektorých záležitostiach iba prostredníctvom svojej činnosti (občas príliš kontrastnej). Dokumentácia, ktorú zachovala jeho rodina a uložila v ÚSŠ, však ukazuje, že svedomito zbieral propagandistické aj protipropagandistické letáky týkajúce sa komunizmu a ZSSR. Dostával dokonca materiály od českej emigrácie zo Spojených štátov. A môžeme sa iba pousmiať pri čítaní správy zaslanej mu edíciou Ferdinand Enke Stuttgart, v ktorej sa požadovalo 5. júna 1941 vrátenie diela *Rassenkunde der Altslawen* (1938) od antropológa Ilse Schwidetzkyho, lebo chýbalo medzi recenzovanými publikáciami. Zároveň však prináša recenziu belgického diela Elieho Denissova venovanú Maximovi Grekovi...

Z listov adresovaných Matonom Paulovi Boyerovi je zjavné, že najmä od roku 1942 obaja dúfali v koniec vojny výhodný pre spojencov.[26] Táto nádej však mala svoje vrcholy aj pády. Z jeho česko-francúzskych kontaktov sa dá vyčítať, že tiež zotrval na svojich protimníchovských pozíciách, čo ho a priori mohlo napriek jeho oficiálnemu postaveniu iba vzdialiť od kolaborantstva: ako profesor Collège de France a člen Académie des inscriptions et belles-lettres (IBL) sa nachádzal na vrchole bezchybného republikánskeho *cursus honorum*. Ak dnes skúmame jeho vojnovú korešpondenciu (napríklad zložku blahoprajných listov po jeho zvolení do IBL), narazíme na viacero nejasností, čo je pri vtedajších verejných činiteľoch bežné. Historik, ktorý hodnotí toto obdobie, je vždy v rozpakoch. Medzi ozbrojeným odbojom, ktorý jediný sa nedá spochybniť, a otvorenou kolaboráciou sa nachádza rozsiahla „sivá zóna". Ak sa Mazon nachádzal v nej, mohol mať skutočne protifašistické presvedčenie, no tiež sa mohol zmieriť s realitou. André Mazon tak patril do sveta významných osobností profitujúcich zo svojho postavenia, aby pomohli všetkým svojim blízkym, ktorí boli potenciálnymi obeťami okupantov a aktívnych kolaborantov. Kontakty s Vichy mimochodom pokračovali, najmä s Národným úradom univerzít funkčne prepojeným na ÚSŠ a predstava o absolútnom rozdelení Francúzska na dve nezlučiteľné časti tak dnes vyzerá anachronicky. Vo vychistickej administratíve preto minimálne do roku 1942 často pracovali „odbojári" proti kolaborácii a pomáhali vedeniu ÚSŠ ochraňovať slovanských vysťahovalcov vo Francúzsku.

Mazonova dobová korešpondencia nám nepochybne umožňuje konštatovať, že jeho angažovanosť sa prejavovala v pomoci akademikom ohrozeným pre ich názory, pôvod a činnosť. Jeho listy s Marcom Blochom sú veľmi dojímavé. Dobre ukazujú, ako jeho kolega historik neustále odďaľoval svoj odchod do Spojených štátov (kde mu intervencie jeho známych zabezpečili miesto vedúceho katedry), čo odôvodňoval starosťou o svoje deti a neskôr o chorú manželku. Tieto odklady sa mu stali osudnými.[27] Rovnaký nádych má korešpondencia s Gustavom Cohenom, ktorého odchod sa Mazon podujal zjednodušiť. Záležitosť s Michelom Gorlinom bola ešte osobnejšia; tento brilantný mladý ruský akademik prišiel z Berlína do Paríža na začiatku tridsiatych rokov z dôvodu antisemitských nariadení, ktoré prijalo vtedajšie nacistické Nemecko. Mazon ho v tom čase

26 IES, FM, korešpondencia, zložka 1942, hlavne list Boyera z 20. augusta 1942.

27 GRACEFFA, Agnès. De l'entraide universitaire sous l'Occupation : la correspondance de Marc Bloch avec André Mazon. In *Revue historique*, 2015, č. 2, s. 383 – 412.

prichýlil v ÚSŠ a ponúkol mu miesto knihovníka. Zadržali ho počas prvých parížskych policajných razií a odvliekli do tábora v Pithiviers. Potom, ako Mazonovi, ktorého práve zvolili do l'Académie des inscriptions et belles-lettres, adresovala 25. mája 1941 jeho manželka srdcervúci list, okamžite poslal prefektovi departmentu Loiret žiadosť o jeho oslobodenie. Ten mu 7. októbra 1941 odpovedal, že na jeho prepustenie neexistuje nijaký dôvod a že *„nespadá do žiadnej z kategórie internovaných, pre ktorých by mohla byť podaná žiadosť o oslobodenie"*. Gorlina zaradili do prvého transportu do Osvienčimu a jeho manželka Raïssa ho nasledovala o rok neskôr, ich dieťa to neprežilo.[28] Andrého Mazona tento príbeh mátal ešte aj v predvečer jeho smrti. Neprestal intervenovať v prospech zadržaných, obzvlášť Československákov. Správal sa pritom odvážne. Veľmi sa zasadzoval aj za zvolenie Maurica Halbwachsa do Collège de France. Pri príležitosti „prvého kola" volieb v marci 1943 Halbwachs prejavoval svoju spokojnosť s „dignus est intrare", ktoré mu doručili, no súčasne relativizoval svoju situáciu, keď sa zveril Mazonovi: *„Čo sa stane s našimi deťmi? A s Francúzskom a so svetom? A so všetkými hodnotami, ku ktorým sme pripútaní? Nachádzame sa, cítime to, v predvečer rozuzlenia."* O niekoľko mesiacov neskôr ho zvolili do Collège, no Halbwachs svoju inauguračnú prednášku nikdy nepredniesol: v júli 1944 bol spolu s Henrim Masperom jedným z posledných deportovaných do Buchenwaldu, odkiaľ sa nevrátil.

Aké boli teda počas vojny konkrétne kontakty Andrého Mazona so zahraničím? Jediné ako-tak živé styky mal s Ľubľanou (s Jeanom Lacroixom[29]) a v menšej miere so Záhrebom a Sofiou (Georges Hateau v rokoch 1943 a 1944 prostredníctvom Oddelenia umeleckých záležitostí ministerstva zahraničných vecí). Je jasné, že (provizórne) pripojenie Juhoslávie k Osi a potom jej zničenie boli šokom pre slavofilov, čo dokazuje jeho spolupracovníčka Gabriella Moussetová (bola to ona, ktorá prepisovala na stroji Mazonove rukopisy).[30] Mal tiež kontakty s Anglickom a Spojenými štátmi, trochu menšie s Rumunskom. Občas prenikli niektoré správy z Prahy bez toho, aby bolo možné zistiť použité kanály.[31]

V roku 1940 mu ostávali ešte bulharskí korešpondenti (P. Stainov), ktorí ho ubezpečovali, že Bulharsko ostane neutrálne. Páter František Dvorník, ktorý hral úlohu prostredníka medzi Francúzskom a Čechmi, mu napísal z Londýna (december 1939); fínsky jazykovedec Jooseppi Julius Mikkola, účastník krutej zimnej vojny, sa pýtal na účelnosť odstránenia cisára Viliama II. vo svetle nástupu Hitlera. Mazonove styky ostali relatívne bohaté. Nielenže udržiaval spojenie s mnohými svojimi korešpondentmi z predvojnového obdobia, aj keď nie počas celej vojny, nielenže ostal v kontakte so špecialistami na slovanský svet, ale pridal k nim aj svojich bývalých študentov, roztrúsených po celom svete: Raymond Warnier, riaditeľ Francúzskeho inštitútu v Lisabone, ktorý bol vo funkcii v Juhoslávii, mu takto 22. júna

28 GRACEFFA, Agnès. Raïssa Bloch-Gorlin (1898 – 1943). Parcours d'une historienne du Moyen Âge à travers l'Europe des années noires. In *Петербургский исторический журнал*, 2014, č. 3, s. 220 – 223.

29 STANIC, Veljko. Les instituts français dans la Yougoslavie de l'entre-deux-guerres. In *Études danubiennes*, zväzok 28, 2012, č. 1 – 2, s. 73 – 95.

30 Po tom, ako bola sekretárkou Ligy juhoslovanských vysokoškolských vyučujúcich počas vojny, bola jedným z pilierov ÚSŠ od augusta 1919. V máji roku 1940 bola pridelená k ministerstvu informácií no pokračovala v práci „na úlohu" pre Andrého Mazona a ÚSŠ (zložka o zamestnancoch, archív IES).

31 IES, FM, zložka o zamestnancoch, list od Madeleine Vokoun-Davidovej zo 7. júna 1942.

1941 sľúbil, že urobí všetko, čo bude v jeho silách, aby pomohol Gustavovi Cohenovi počas jeho prejazdu do Spojených štátov, kde mal prednášať na Yale. Dokumentácia z Chicaga a od amerických Čechov mu prichádzala ešte aj koncom roka 1941.

Diskontinuita rokov 1941 – 1944 je predsa len veľmi citeľná: bolo to až na jeseň 1944, keď sa niektoré kontakty znovu ako-tak plynulo obnovili: v októbri 1944 Mazon znovu nadviazal styky s čs. exilovou vládou v Londýne prostredníctvom Prokopa Maxu, priateľa z ruských čias, ktorý predsedal Zákonodarnému zhromaždeniu vytvorenému v Londýne. Odpoveď Huberta Ripku, jednej z dobových kľúčových postáv v tejto vláde, ženatého s Francúzkou, bola charakteristická pre novú čs. žiadosť: *„Väčšina mojich osobných a politických priateľov už nie je medzi živými. My ostatní, čo sme prežili, sme sa rozhodli energicky sa vrhnúť do prác na obnove /.../. Nedá sa pochybovať, že francúzsko-československá spolupráca sa opäť obnoví a bude pokračovať ako predtým. Predsa len sa zdá, že je želateľná účinnejšia organizácia práce a lepší výber osôb a rozhodne rátam s Vašou pomocou v tomto smere.“*[32] Toto vyhlásenie bolo v predstihu s vôľou odstrániť z francúzsko-československých vzťahov všetkých, čo sa „skompromitovali“ tým, že nebojovali proti Mníchovskej dohode alebo ju schvaľovali.

Pri bilancovaní ÚSŠ konštatujeme, že sa podarilo zabezpečiť ochranu knižnice a archívov. Prijímanie študentov presunuli do Clermont-Ferrand, hodiny ruštiny, ako aj voľne prístupný kurz ukrajinčiny sa uskutočňovali v priestoroch Ústavu, ktorého knižnica fungovala počas celého obdobia vojny. Zväzky XX a XXI *Revue des études slaves* mohli vyjsť v roku 1942 a 1944: bol to teda život v spomalenom tempe, ktorý pokračoval dielami poznačenými prevahou jazykovedy.[33] Mimochodom, „edícia“ sa rozrástla o rôzne vedecké práce veľkej hodnoty (gramatika poľštiny Henriho Grappina, gramatika ruštiny od Mazona, nehovoriac o prácach Andrého Vaillanta o starých Slovanoch a bogomiloch). André Fichelle, ktorému pomáhal v Clermont-Ferrand Marcel Aymoin, udržiaval styk počas celej vojny po administratívnej stránke, plnil tak svoju úlohu voči slovanským štipendistom a zachoval určitú kontinuitu s bývalými inštitútmi v strednej a východnej Európe, ktoré prežili. Keď Pierre Pascal syntetizoval vojnovú činnosť a produkciu v slovanskej histórii vo Francúzsku, spomenul tiež geografa Jascquesa Ancela ako vedúceho katedry histórie a civilizácie Slovanov na Sorbonne (s Michelom Lhéritierom ako nástupcom v roku 1940), dizertácie Ambroise Joberta o Poľsku publikované v roku 1941 a zväzok III diela *La Pologne en France* od Jana Lorentowicza.[34]

Avšak vojna znamenala v dejinách ÚSŠ aj zlom: jeho poslanie na polceste medzi vedou a politikou, ktoré jednoznačne dostal do vienka už pri svojom vzniku, sa stalo neudržateľným. Boris Unbegaun napísal 9. apríla 1941 Mazonovi: *„Je pohoršujúce, že Ústav je vystavený pravidelným návštevám okupanta. Po vojne ho bude treba zreorganizovať a urobiť z neho výlučne univerzitnú inštitúciu chránenú pred snahou o manipuláciu a akékoľvek politické zasahovanie, niečo na spôsob Inštitútu vo Varšave. Miešanie činnosti, ako sa to robilo*

32 IES, FM, zložka 1944.

33 Skutočnosť, že jej zasvätil „bibliografickú kroniku“, veľkú tradíciu *Revue*, vykresľuje problémy vedeckej komunikácie. *Revue* sa obnovila v roku 1946.

34 BDIC, fond Pierre Pascal, F Δ res 883(10-2), L'histoire de la Russie et des pays slaves en France de 1939 à 1949, dokument spomínaný CŒURÉ, *Pierre Pascal.*, c. d., s. 349, ktorej ďakujem za jeho poskytnutie.

doposiaľ, bude vždy zdrojom nepríjemností a bude škodiť jeho prestíži."[35] Po skončení vojny sa rozsah kompetencií skutočne zásadne zmenil v prospech ministerstva zahraničných vecí a CNRS (Centre national de la recherche scientifique – Národného centra vedeckého výskumu), ktoré vtedy v oblasti výskumu nadobúdalo väčšiu dôležitosť.

Čo sa týka Andrého Mazona, po vojne získal omnoho silnejšiu inštitucionálnu legitimitu, ako mal v roku 1940: keď v novembri roku 1944 organizoval riaditeľ Slobodnej školy politických štúdií študijnú skupinu o súdobom Rusku, tak ho samozrejme požiadal o spoluprácu, čo Mazon akceptoval.[36] Keď chcel generál de Gaulle ukázať, že si želá demonštratívne skoncovať s Mníchovom, poslal pri príležitosti 14. júla roku v 1945 do Prahy generála Leclerca, ktorého sprevádzal André Mazon. A keď si na Sorbonne pripomínali 90. výročie smrti veľkého poľského básnika Adama Mickiewicza, bol to Mazon, kto mal 15. novembra 1945 príhovor ako prvý. Požiadali ho aj, aby sa stal členom riadiaceho výboru Asociácie Francúzsko – ZSSR, vytvorenej v januári 1945.[37] Obnovili sa aj styky s novou Juhosláviou prostredníctvom geografa Jeana Mousseta, ktorý sa stal generálnym tajomníkom spolku „Francúzsko – Juhoslávia" a ktorý bude prechodne vedúcim katedry histórie Slovanov na Sorbonne v rokoch 1945 – 1946.[38] Samozrejme vo vzduchu visela tiež pomsta a vyrovnávanie si účtov, čo dokazujú niektoré listy.[39] Koniec vojny bol príležitosťou konečne znovu oživiť projekt agregácie z ruštiny a jej zavedenie na stredné školy v roku 1947: politický kontext bol priaznivý. Keď bolo treba hovoriť o Rusku v RTF (Radiodiffusion-télévision française – Francúzske rádio a televízia), ministerstvo národného školstva tým poverilo Mazona. A v októbri 1945 historik Lucien Febvre, zakladateľ školy *Annales*, ho *„žiadal, aby sa zaradil do ochranného výboru omladených* Annales*"*, a to v čase keď plánoval prepustiť miesto Fernandovi Braudelovi a Charlesovi Morazé.

Na záver možno konštatovať, že dejiny slovanských štúdií, na ktoré bol André Mazon tak úzko naviazaný, sa vo Francúzsku delia na tri obdobia značne podmienené možnosťou kontaktu s krajinami ich záujmu: prvá bola poznačená otrasmi sovietskej revolúcie, ktorá mala za následok sústredenie sa na kontakty so stredo-východnou Európou (hlavne s Poľskom, Československom a Juhosláviou, ktoré nahradili málo prístupný rusko-sovietsky svet[40]); druhá bola ešte radikálnejšia s takmer nepreniknuteľným múrom, ktorý provizórne predstavovalo nacistické Nemecko medzi Francúzskom a slovanským svetom (až na niekoľko výnimiek, ako sme videli); tretie obdobie sa začalo sľubnými perspektívami nasledujúcimi po spojeneckom víťazstve, ktoré však zanikli spolu s nástupom studenej

35 IES, FM, korešpondencia 1940 – 1949.
36 IES, FM, list z 24. novembra 1944.
37 Prispel tiež na 10 000 frankov pre občianske združenie nehnuteľnosti vytvorené Asociáciou Francúzsko – ZSSR na 29, rue d´Anjou (IES, FM, zložka Libération).
38 FICHELLE, Alfred. Jean Mousset. In *Politique étrangère*, zväzok 11, 1946, č. 3, s. 317 – 319.
39 IES, FM, zložka 1944, list Georgesa Lucianiho ohľadom vzťahov s Jérômom Carcopinom, 28. septembra 1944.
40 Pre obhájené dizertačné práce vo Francúzsku o Rusku a o stredovýchodnej Európe máme pomer 33 % pre Rusko pred rokom 1914 (62/136), 18,5 % pre obdobie, ktoré ide až do 1945, 51 % (109/99) medzi 1946 a 1960. MAREŠ, Antoine. La perception de l'Europe centrale en France et la recherche historique au XXe siècle. In *Prace komisji srodkowoeeuropskiej PAU* (Cracovie), zväzok 22, 2014, s. 91 – 104.

vojny. André Mazon vo Varšave v októbri 1948 smutne konštatoval: Francúzsko charakterizovalo po skončení vojny obrovská túžba po Rusku, no obnovenie vzťahov s Východom postupne ochabovalo.[41] Po obrovskej nádeji nasledovala hlboká dezilúzia, ktorej intenzita sa bude vyvíjať v rytme francúzsko-sovietskych vzťahov až po koniec osemdesiatych rokov dvadsiateho storočia.

(z francúzštiny preložil Michal Kšiňan)

41 MARÈS, Antoine. André Mazon, un slaviste dans le siècle : profil politique d'un savant. In *Revue des études slaves*, zväzok 82, 2011, č. 1, s. 89.

Medzi rečou... Udalosti a osobnosti v zrkadle recesistickej rubriky časopisu *Elán*[*]

Ivan Kamenec

Vari pred dvadsiatimi piatimi rokmi som sa opýtal historika Ľubomíra Liptáka, či by sa raz nepodujal napísať trochu odľahčené, takpovediac „veselé dejiny“ novodobého Slovenska alebo aspoň prerozprávať ich zaujímavé a kuriózne udalosti v humornom, resp. ironizujúcom tóne. Veď (nielen) slovenská minulosť, nevraviac už o prítomnosti, je veľmi bohatá na udalosti, javy a osobnosti, ktoré poskytujú vďačný materiál na takýto „kacírsky“ prístup k poznaniu histórie. Bol som presvedčený, že práve Ľ. Lipták svojím skeptickým nadhľadom, nezabudnuteľným pútavým rozprávačským štýlom a schopnosťou príťažlivej fabulácie mal predpoklady na naplnenie tohto kuriózneho želania. Neviem, či sa mojím provokatívnym návrhom niekedy vážnejšie zaoberal (asi nie). Avšak z viacerých rozhovorov s ním i z jeho mnohých publikovaných textov a mediálnych vystúpení sa dalo vycítiť, že vtipná, recesistická alebo sarkasticko-ironizujúca interpretácia histórie mu bola vždy blízka. S jeho nevyčerpateľnou invenciou sa však až do konca svojej aktívnej práce venoval štandardným výskumným témam a vážnejším projektom. Niektoré z nich ostali, žiaľ, nedokončené.[1] Jeho predčasný odchod asi nadlho (alebo navždy?) pretrhol aj úvahy a reálne nádeje na napísanie recesistických, „veselých“ dejín Slovenska.

Je dosť pravdepodobné, že v našich podmienkach prinajmenšom nezvyčajný nápad by mohol vyvolávať nedôveru alebo pobúriť úzkostlivých strážcov, v podstate dogmatických mýtotvorcov nepoškvrneného, hrdinského či martýrskeho obrazu slovenskej minulosti. Podľa niektorých publikovaných požiadaviek slovenské dejiny sa musia u nás skúmať a osvetľovať len z vážnych národných pozícií. Mimochodom, zo skúseností vieme, že satira, irónia, sebairónia a humor vôbec vždy narážali na nevôľu a následné administratívno-mocenské zásahy politickej moci, čo sa prejavovalo hlavne v podmienkach totalitných režimov.

Napriek tomu sa domnievam, že zdravá skepsa, sarkazmus, irónia, sebairónia a humor zohrávajú pri interpretovaní a vnímaní národných, štátnych či všeobecných dejín vôbec originálnu poznávaciu, neraz vari aj sebaoslobodzujúcu úlohu. V našej historickej literatúre práce s podobným zameraním buď celkom absentujú, alebo sú skôr vzácnou výnimkou. Škoda, lebo dá sa predpokladať, že takýmto nevšedným a netradičným prístupom (aj keď ho nemožno preceňovať) majú väčšiu šancu osloviť čitateľa, poslucháča, resp. diváka. Vedia

* Štúdia vznikla v rámci projektu VEGA č. 2/0043167 Vzostup a pád hospodárskeho vývoja Slovenska 1942-1945.

1 Mám tu na mysli hlavne torzo Liptákovho textu o dejinách vojnovej Slovenskej republiky s pracovným názvom 2217 dní v rozsahu necelých deväťdesiat normovaných rukopisných strán. Tento nedokončený projekt bol zaradený do súboru viacerých jeho štúdií, ktoré vydalo vydavateľstvo Kalligram pod názvom *2217 dní. Slovensko v čase druhej svetovej vojny*. Bratislava, 2011.

prebúdzať jeho záujem o poznanie vlastnej minulosti. Svedčí o tom napríklad aj ohlas originálnej knihy publicistu Igora Otčenáša.[2]

Text môjho príspevku do zborníka venovaného významnému životnému jubileu kolegyne Bohumily Ferenčuhovej však nemá a ani nemôže mať takéto ambície. Pokúsim sa v ňom na základe netradičného a asi aj nie veľmi spoľahlivého či ľahko spochybniteľného prameňa[3] glosovať udalosti a postoje osobností k politicko-spoločenskému, no predovšetkým ku kultúrnemu životu Slovenska. Veď v priebehu jedného, na dramatické udalosti neobyčajne bohatého desaťročia (1937 – 1947), sa u nás vystriedali tri štátoprávne podoby a tri politické režimy. Vo svojom príspevku vychádzam v podstate iba z jedného zdroja: Z recesistickej, viac-menej pravidelnej rubriky časopisu *Elán* s názvom Medzi rečou. Uvedomujem si pritom, že tento netradičný prameň, ktorého autorom a neraz i fabulátorom bol sám redaktor *Elánu* Ján Smrek, nie je veľmi spoľahlivý a smerodajný. Pri jeho využívaní som si preto neraz pomáhal aj s trochu naivnými hypotézami, ktoré môžu zvádzať k viacerých omylom a zjednodušeniam.

Netreba azda opakovať všeobecne známy fakt, že *Elán*, ktorý vychádzal s dvoma kratšími prestávkami v rokoch 1931 – 1947, vždy pod redaktorstvom Jána Smreka, bol vari najoriginálnejším, dodnes v mnohých smeroch neprekonaným širokospektrálnym kultúrnym časopisom.[4] Vyznačoval sa tematickou pestrosťou, vysokou obsahovou i formálnou kvalitou a neprehliadnuteľnou noblesou. Svedčí o tom – okrem iného – skutočnosť, že aj keď *Elán* vychádzal v troch rozdielnych, navzájom sa negujúcich politických systémoch, vždy si zachoval primeranú mieru objektivity a tolerancie. Svojou otvorenosťou a nezávislosťou (až na niektoré vynútené výnimky) odolal aj tlaku hnedej ľudáckej totality, čo sa mu však už nepodarilo o tri roky neskôr. Pod tlakom k absolútnej moci sa prebíjajúcej červenej totality bol na jar roku 1947 definitívne umlčaný. Hlasy volajúce po jeho likvidácii bolo počuť už počas vojny. Gardistický časopis *Náš boj* požadoval *„zastaviť Elán, ktorý zámerným podporovaním deštruktivizmu narobil veľa škôd a má ostatne aj iné veci na rováši"*.[5]

Tolerancia, objektivita, otvorenosť a viditeľná apolitickosť *Elánu* však neznamenali jeho úplnú izoláciu či odtrhnutosť od verejného života a jeho viacerých prejavov. Zainteresovanosť časopisu na spoločenskom dianí bola na jeho stránkach vždy prítomná, avšak nie prvoplánovo deklarovaná. Niekedy ju možno hľadať a objavovať skôr v náznakoch, „medzi riadkami". Túto metódu som použil aj pri čítaní a hlavne interpretovaní textov zo spomínanej rubriky Medzi rečou. Prvý raz sa táto rubrika objavuje až v ôsmom ročníku

2 OTČENÁŠ, Igor. *KEBY. Rýchle dejiny budúcnosti Slovenska. Spomienkami na budúcnosť k veselšej minulosti.* Levice : Vydavateľstvo L.C.A. Levice, 1998. Ku knihe pripojil originálny doslov spisovateľ Peter Pišťanek.

3 Takýto netradičný prameň použil český historik Jiři Pernes vo svojej popularizačnej monografii *Dějiny Československa očima Dikobrazu 1945 – 1990.* Brno : Barrister & Principal, 2003.

4 Každý, kto sa seriózne zaoberá kultúrnymi dejinami Slovenska v prvej polovici 20. storočia, musí rešpektovať jeho úlohu a prínos. Na zaradenie *Elánu* do politicko-spoločenského vývoja na Slovensku, v ostatnom čase veľmi presvedčivo poukázala Vlasta Jaksicsová vo svojej monografii *Kultúra v dejinách. Dejiny v Kultúre. Moderna a slovenský intelektuál v siločiarach prvej polovice 20. storočia.* Bratislava : Veda, 2012

5 In *Náš boj*, ročník (ďalej r.) II, číslo (ďalej č.) 21, 15. júl 1943.

časopisu v roku 1937.[6] Odvtedy bola, až na niekoľko málo výnimiek, pravidelnou súčasťou každého čísla *Elánu*. Všetky jej texty som prešiel, až na niektoré z prvej polovice roku 1939, a nemal som k dispozícii ani posledné čísla časopisu z jesene 1946, resp. z prvých dvoch mesiacov roku 1947. Ak som konštatoval, že *Elán* bol „apolitický", tak to dvojnásobne platí na skúmaný materiál spomínanej rubriky. Napriek tomu som v ňom hľadal a sporadicky i nachádzal (alebo chcel nachádzať?) nejaké priame či nepriame narážky na dobovú situáciu a udalosti v slovenskom verejnom živote, ktoré sa vždy netýkali iba literárnej, umeleckej a kultúrnej sféry, ale aj oblastí širšieho verejného života v Československu a na Slovenku zvlášť. Komentáre k všeobecne politickým a spoločenským udalostiam boli však skôr humorné, ironizujúce a zľahčujúce. Ich autor J. Smrek v nich používal obsahovú i štylistickú ekvilibristiku, no predovšetkým slovné hračky a dvojzmysly. S odstupom času týmto zväčša vtipným textom môžeme právom či neprávom vyčítať aj istú naivitu, nevšímavosť či lacnú popularitu, alebo aj ignoranciu až necitlivosť voči aktuálnym domácim vážnym, niekedy až tragickým udalostiam, ktoré boli len tak okrajovo naznačované často opakujúcimi sa všeobecnými ironickými konštatovaniami *o živote v ťažkých časoch, v komplikovanej dobe*[7] a pod. Laco Novomeský na adresu poslanca, neúnavného organizátora kultúrneho života, redaktora *Tvorby,* básnika Emila B. Lukáča ironicky a asi nechtiac priam prorocky poznamenal: *„Ty si vlastne zápasník. Zápasíš so slovom. Si zápasník mušej váhy. Ale počkaj, budeš ešte aj zápasníkom ťažkej váhy, až budeš zápasiť s nedostatkom."*[8] V sledovanej rubrike však zďaleka nemôžeme hľadať nejakú cielenú kritiku na adresu existujúceho režimu, ani opozičné postoje voči nemu. Išlo iba o odľahčené komentovanie existujúcich pomerov, ktoré sa v období druhej svetovej vojny najviac a stále citeľnejšie dotýkali zásobovacích pomerov, hoci táto stránka života bola na Slovensku, oproti väčšine krajín priamo zapojených do vojny, relatívne stabilizovaná.

Rubrika Medzi rečou pozostávala v každom čísle z niekoľkých stručných príbehov či anekdot, ktorých hlavnými hrdinami boli známi, ale aj začínajúci slovenskí spisovatelia a výtvarníci, v menšej miere vedeckí pracovníci, herci a hudobníci patriaci k vtedajším bratislavským i mimobratislavským kultúrnym elitám. Text jednotlivých celkom vymyslených, polopravdivých a niekedy vari aj pravdivých príbehov mal charakter jemnej satiry a láskavého, no občas aj ironizujúceho i trochu zlomyseľného kolegiálneho humoru. Dotýkal sa nielen umeleckej či odbornej práce konkrétnych „účinkujúcich" osôb, ale neraz aj ich súkromného života. Podľa spomienok jedného zo zainteresovaných svedkov[9] a priamych účastníkov udalostí, básnika Štefana Žáryho, texty do rubriky *„vymýšľal, prispôsoboval a vešiaval hypotetickými postavami"* redaktor *Elánu* J. Smrek. Zdá sa, že toto konštatovanie nie je celkom presné, hoci je pravdou, že autorom rubriky Medzi rečou bol od jej začiatku až po koniec vždy J. Smrek, ktorý však okrem vymýšľania príhod, založených najmä na slovných hračkách a bonmotoch, využíval a fabuloval aj skutočné situácie, príhody a slovné preká-

6 In *Elán*, r. VIII, č. 2, október 1937. Akýmsi predchodcom sledovanej rubriky bol fejtón Valentína Beniaka, *Múza na kongrese* ktorý v humornom tóne komentoval priebeh Kongresu slovenských spisovateľov v Trenčianskych Tepliciach, In *Elán*, r. VI, č. 10, jún 1936.

7 In *Elán*, r. IX, november 1938; In *Elán*, r. XIV, č. 7, marec 1944.

8 In *Elán*, r. XII, č.7, apríl 1942.

9 ŽÁRY, Štefan. *Spanilej múzy osídla a vnady alebo Malé literárne múzeum*. Bratislava : Q111, 2001, s. 59.

račky. Tie sa rodili hlavne v kaviarňach, vinárňach, viechach, na vernisážach výstav a kníh, na rokovaniach Spolku slovenských spisovateľov alebo pri bežných rozhovoroch. V tomto prostredí sa vyskytovali spontánne podnety a nápady, ktoré Smrek potom vtipne alebo menej vtipne dotváral, rozvíjal a fabuloval. Nie všetky (možno práve tie najautentickejšie) príbehy sa dostali do sledovanej rubriky, lebo svojím drsnejším slovníkom neboli vhodné na uverejnenie.[10] Ako vo svojich spomienkach konštatoval Š. Žáry: *„Básnici* (a platí to na umelcov vôbec- I.K.) *boli od nepamäti ihraví, a nielen v pubertálnom veku. S výnimkou tých zamračených a bradatých skôr i neskôr radi vhupli do pásma neviazanosti, kde sa stretávali s chápavými druhmi širokého konzumentstva."*[11] Vcelku možno povedať, že rubrika Medzi rečou zväčša prinášala humorné a kuriózne historky najmä zo života bratislavskej bohémy. Aj preto si získala popularitu čitateľskej verejnosti i v kruhoch umelcov. Asi aj v tomto prípade platí bonmot, že dejiny začínajú zaujímať ľudí až vtedy, keď sa menia na klebety. Ako J. Smrek ironicky poznamenal, čitatelia boli znepokojení, keď rubrika v čísle chýbala, lebo vraj *Elán* sa číta predovšetkým kvôli textom Medzi rečou.[12] V inej historke si zas básnik L. Novomeský pochvaľoval: *„Už som všeličo napísal, ale predtým si ma nik nevšimol. Teraz mi každý gratuluje. Som prekvapený, čo tie dva vtipy zo mňa urobili."*[13]

Ako som už konštatoval, rubrika sa objavila v *Eláne* až koncom tridsiatych rokov, keď sa pociťovalo všeobecné ohrozenie samostatnosti a územnej celistvosti Československej republiky. Jej texty to komentovali zľahčujúcim spôsobom: *„Tak ten Hitler vraj nedá pokoj a stále chce nejaké kolónie. Bolo by dobre poradiť Jankovi Alexymu, aby s ním vstúpil do styku. On sa chce zbaviť svojej kolónie* (združenie výtvarníkov –I.K.) *v Piešťanoch. Čo, ak by Hitler prejavil o ňu záujem?"*[14] O rok neskôr, na jeseň 1938, keď po mníchovskom diktáte beckovské Poľsko ultimatívne vystúpilo s požiadavkami na anexiu časti slovenského územia, sa objavila „anekdota": *„Už ste počuli, že Martin Benka je ohrozený? Chcú si ho vziať Poliaci, lebo vraj on je vlastne Poliak. – Aký Poliak?– No Kiripoliak."*[15] Do tejto kategórie patrí aj komentovanie faktu, že Emil Rusko sa stal riaditeľom Slovenského rozhlasu. Bol to vraj logický dôsledok nadviazania diplomatických stykov Slovenskej republiky s Ruskom (so Sovietskym zväzom) na jeseň roku 1939.[16]

Pozornosti a mierne ironizujúcim poznámkam rubriky Medzi rečou neušlo ani angažovanie sa viacerých spisovateľov (týkalo sa to najmä obdobia vojnového slovenského štátu) v aktívnom politickom živote v službách režimu: Tido J. Gašpar bol poslancom, diplomatom a šéfom Úradu propagandy, Emil B. Lukáč zastával poslaneckú funkciu, Andrej Šubík – Žarnov bol členom Štátnej rady, Valentín Beniak bol vysokým úradníkom najprv v prezidentskej kancelárii a potom na ministerstve vnútra, Milo Urban vykonával funkciu

10 Tamže, s. 53
11 Tamže, s. 58
12 In *Elán*, r. XIV, č. 9, máj 1943. Chcem upozorniť, že z priestorových dôvodov necitujem doslovne všetky uvádzané príbehy, ale iba ich jadro, aby čitateľ mohol pochopiť ich pointu, resp. niekde iba stručne naznačím ich obsah.
13 In *Elán*, r. X, č. 8, marec 1940.
14 In *Elán*, r. VIII, č. 2, október 1937.
15 In *Elán*, r. IX, č. 1 – 2, september – október 1938. Naráža sa tu na Benkovo rodisko Kiripolec (dnes Kostolište v okrese Malacky).
16 In *Elán*, r. X, č. 5, január 1940.

šéfredaktora denníka *Gardista*.[17] Mnohých kultúrnych pracovníkov v nových politických pomeroch priťahovala možnosť lukratívneho členstva v správnych radách veľkých finančných, resp. priemyselných podnikoch a združení. Niektorí dokonca nevedeli odolať ani príležitosti získať arizačný dekrét.[18] Viaceré spomínané i ďalšie postavy sa v tejto súvislosti stali v sledovanej rubrike vďačným objektom skutočných, polopravdivých alebo vymyslených príhod, v ktorých sa navzájom preplietala ich umelecká a politická činnosť: *„Tak veru, časy sa menia a heslá s nimi. Napríklad Tido Gašpar so svojím slávnym heslom „Dajme sa dokopy"[19] už zvíťazil. Musel teraz chytro hľadať nové heslo. – A už ho našiel? – Isteže. Bolo treba zmeniť len dve litery: „Dajme sa dokopať"*[20] S politickými funkciami T. Gašpara je spojená aj ďalšia príhoda: V kaviarni mu hral „do uška" cigánsky muzikant, ktorý sa chválil: *„Ja som starý Cigán. Ja viem, čo sú dobré pesničky a dobré časy. Ja som hrával pánu Gašparovi, ešte keď boli len spisovateľ."*[21] Na inom mieste sa ironicky prezentuje táto príhoda: *„Hlásil sa vraj jeden bývalý poslanec do Spolku slovenských spisovateľov za člena. Tam sa ho pýtajú: A čo ste napísali? – Nič, ja som len prekladal. – A čo ste preložili? – Krížom slamy."*[22]

Očakávania umelcov, že sa v nových pomeroch zlepší ich materiálne postavenie, komentovala anekdota: *„Už ste počuli, že každý slovenský maliar a spisovateľ dostane správnu radu? – A aké to budú správne rady?– No, každý dostane správnu radu, aby nejedol a nepil."*[23] Redaktor časopisu vedel ironicky „rypnúť" aj do svojich básnických kolegov. Na jeseň 1939 publikoval *Elán* báseň Jána Poničana, ktorý sám seba v predchádzajúcich rokoch pasoval za neohrozeného komunistického bojovníka či proletárskeho básnika: *„Čím, že si mi bola bledá balerína?/ Broskyňou či hroznom? Lesklá kvapka vína?/ Prameň, tlmič smädu, či jed proti jedu? /Čím, že si mi bola bledá balerína?/."* V tom istom čísle časopisu J. Smrek Poničana parodoval: *„Čím že si mi bol, rudý boľševíku?/ Biedny Donkichot, čo zlámanú mal píku?./ Púhy knihomol, čo sa nezmohol?/ Čím, že si mi bol rudý boľševíku?/"*[24]

Vzájomné prekáračky boli trvalou súčasťou stĺpčeka Medzi rečou. Naznačovali sa v nich skutočné či vymyslené charakteristické črty „účinkujúcich" postáv, akými boli napríklad Lukáčova šetrnosť, Beniakovo, Mrázovo, Bartekovo či Novákovo puntičkárstvo, Poničanova domýšľavosť, Novomeského pohotovosť briskne a vtipne reagovať na situácie, ktoré vznikali zo vzájomných rozhovorov atď. Po udeľovaní štátnych cien s dotáciou 15-tisíc korún sa ktosi z umelcov sťažoval, že nedostal túto, ani žiadnu inú cenu. T. Gašpar

17 Zvláštnemu postaveniu slovenských spisovateľov a osudom ich tvorby v čase vojnovej Slovenskej republiky sa venovala Mária Bátorová vo svojej monografii *Roky úzkosti a vzopätia*. Bratislava, 1992.

18 Najznámejším prípadom v tomto smere sa stal Ľudo Mistrík – Ondrejov, ktorý bol častým „účinkujúcim" v rubrike Medzi rečou: *„Aké najlepšie zamestnanie by sa hodilo pre Ondrejova? Je vysoký a vysoko dočiahne. Mohol by byť šéfom stenografovej propagandy. Tá sa píše po stenách."* In *Elán*, r. X, č. 5, január 1940.

19 Tento slogan sa objavil v kontexte prípravy Kongresu slovenských spisovateľov v máji roku 1936.

20 In *Elán*, r. IX, č. 4, december 1938.

21 In *Elán*, r. XII, č. 6, február 1942.

22 In *Elán*, r. X, č. 5, január 1940.

23 In *Elán*, r. X, č. 4, december 1940.

24 In *Elán*, r. X, č. 1 – 2, september – október 1939.

ho utešoval a vraj mu radil: *„Choď na hospodársku výstavu, ktorá je práve vo Viedni. Tam určite nejakú cenu dostaneš.“*[25]

Pri pozornejšom čítaní stĺpčeka Medzi rečou sa dajú občas nájsť narážky na životne dôležité udalosti, s ktorými bola konfrontovaná slovenská spoločnosť: Rastúce zásobovacie ťažkosti, drastické obmedzenie voľného cestovania do zahraničia, pretrvávajúce napätie medzi katolíkmi a protestantmi, kampaň za poslovenčovanie priezvisk,[26] latentná nedôvera voči tunajším obyvateľom českej národnosti, perzekúcia židovských občanov atď. Aj tieto zjavy boli v rubrike glosované v zľahčujúcom žartovnom tóne, ktorý však pri dodatočnom poznaní skutočnosti bol vari niekedy až na hranici vkusu: V jednej bratislavskej vinárni sa spisovateľ Ferdinand Gabaj prítomnej spoločnosti pýta: *„Uhádnite, čo by sa stalo, keby sa sem odrazu zatúlali Kohn a Stern? No? Celá spoločnosť by bola konšternovaná.“*[27] Inak je zaujímavé, že *Elán* sa vo svojich vojnových i povojnových číslach problematiky tzv. riešenia židovskej otázky nikde, ani okrajovo či náznakom nedotkol, hoci to už zďaleka nebol iba problém politický, ale predovšetkým morálny. Nemožno tu však moralizovať, ale iba hľadať hypotetické odpovede na nepoložené otázky.

Iná situácia bola v kontinuálnom reflektovaní českej literatúry a umenia i v sledovaní neistých osudov českých ľudí na Slovensku, čo sa tiež prejavilo v stĺpčeku Medzi rečou: Na jar v roku 1940 bol riaditeľom Bratislavského umeleckého kabinetu, kde sa usporadúvali výstavy výtvarníkov, Čech Miroslav Švanda. Na spoločenskom posedení po jednej z výstav mu vraví L. Novomeský: *„Dobre, že ste tu v Bratislave. Lebo kým ste tu, tunajší Česi ešte vždy majú švandu.“*[28] V nadľahčenom tóne vyznieva aj anekdota, v ktorej sa novinár Emo Bohúň pokúša v kaviarni potešiť skormúteného (nemenovaného) „čechoslovakistu“: *„Jožo, chceš, aby som Ti dnes na celý večer spravil radosť a rozveselil Ťa? – Chcem.– Bohúň zdvihne pohár a štrngne. No tak: Nazdar!“*[29]

Pri sledovaní rubriky Medzi rečou je prekvapujúce, že sa v nej ani raz nespomenuli niektoré udalosti, ktoré sa bezprostredne dotýkali problematiky kultúrneho života na Slovensku. Mám na mysli napríklad utvorenie a polročné neúspešné fungovanie Kultúrnej rady pri predsedníctve vlády, ako aj rokovanie časti popredných slovenských kultúrnych činiteľov v Tatranskej Lomnici v auguste 1940, kde bol prijatý a vzápätí hojne propagovaný programový dokument, tzv. Lomnický manifest požadujúci usmernenie celého slovenského kultúrneho života do ideologického rámca nacionálneho socializmu.[30] Obe udalosti pritom ponúkali veľa materiálu na ich ironizovanie a kritické komentovanie nielen v sledovanej rubrike, ale v časopise *Elán* vôbec. Bola to zámerne alebo náhodne premárnená príležitosť? Možno tu hral úlohu aj fakt, že *Elán* bol orgánom Spolku slovenských spisovateľov a jeho

25 In *Elán*, r. X, č. 8, apríl 1940.

26 Na zmenu mena údajne nahovárali aj hudobného skladateľa Mikuláša Schneidra Trnavského. Ten to odmietol argumentom, že ak by si meno poslovenčil, tak Trnavčania by si ako k známej osobe chodili k nemu šiť a opravovať šaty. In *Elán*, r. X, č. 10, jún 1940.

27 In *Elán*, r. XI, č. 7, marec 1941. V tom čase už židia mali zakázaný prístup do kaviarní alebo na iné verejné miesta.

28 In *Elán*, r. X, č. 6, február 1940.

29 In *Elán*, r. XI, č. 7, marec 1940.

30 Bližšie pozri KAMENEC, Ivan. Od Kultúrnej rady po Lomnický manifest. In IVANIČKOVÁ, Edita a kol. *Kapitoly z histórie stredoeurópskeho priestoru v 19. a 20. storočí. Pocta k 70-ročnému jubileu Dušana Kováča*. Bratislava : Pro Historia, 2011, s. 355 – 370.

redaktor bol štátnym úradníkom – zamestnancom Úradu propagandy. Často sa pohyboval na neistej hranici ešte prípustného a už nedovoleného, čo asi platilo aj pre sledovanú rubriku.

V stĺpčeku Medzi rečou sa priamo neobjavuje ani problematika prebiehajúceho a stále aktuálnejšieho vojnového konfliktu, do ktorého sa zapojil aj slovenský štát a jeho armáda. Pravdaže, rubrika bola ladená humorne a sám fenomén vojny je tragický, čo asi spôsobilo jeho absenciu na stránkach časopisu. Povestnou „výnimkou, ktorá potvrdzuje pravidlo" bolo, keď sa v jednej súvislosti spomínalo potopenie anglickej vojnovej lode Hood.[31] Potom sa vojnové udalosti – opäť iba v odľahčenom tóne – reflektujú už iba narážkami na organizáciu Civilnej protileteckej obrany a na stále častejšie letecké poplachy (zatiaľ bez skúsenosti s bombardovaním) nad Bratislavou.[32] Bol to zrejme zámer J. Smreka, ktorý odmietal pripustiť tému vojny do optimistického obsahového profilu časopisu. Svoj názor zakomponoval aj do jedného vlastného príbehu v sledovanom stĺpčeku: *„Na Štrbskom Plese bol redaktor Elánu. Keďže nemá rád smútok a hrobové ticho, snažil sa každý večer zladiť nejakú spoločnosť. Tamojší doktor Pullman* (manžel poetky Máši Haľamovej – I. K.) *mu vraví: Ty si tu žiješ mondénne. – Ako mondénne? Nie ste radi, že vám tu každý večer kriesim ten váš‚Symbolický cintorín'"?*[33] Neskôr Smrek sebaironicky komentoval aj výčitku Henricha Barteka, že voľakedy boli v *Eláne* uverejňované lepšie vtipy: *„Boli časy, boli. Dnes nieto kedy chodiť za vtipami, musí sa chodiť za sviniami."*[34]

Zahraničnopolitické a vojenské udalosti vyvolávajúce alebo prehlbujúce morálnu krízu ľudáckeho režimu boli v slovenskej verejnosti sprevádzané prinajmenšom od roku 1943 nárastom jednak opozičných (nie odbojových!) nálad, jednak a hlavne prejavmi defetizmu a alibizmu. Reagovala na to aj sledovaná rubrika: *„Hladina verejného života sa stále vlní, nové osobnosti sa vynárajú, iné sa zas uťahujú do Nirvány. Jedna z tých posledných prišla práve v debate na pretras. Ozaj, a čo robí teraz ten Dr. D?, spytuje sa neinformovaný literát. – Je v Spoločnosti pre...onô... – No dobre, a čo tam robí? – On tam prosto je. – Ako ho ja poznám, dodá najlepšie informovaný, on tam aj je, aj pije."*[35]

Posledné číslo *Elánu* z obdobia vojnovej Slovenskej republiky vyšlo v lete 1944. Nasledujúce politické a vojnové udalosti neumožnili pokračovať vo vydávaní časopisu, ktorý sa opäť predstavil slovenskej kultúrnej verejnosti až v roku 1946. Bolo v tom čosi nechcene symbolické, že v poslednom „vojnovom" čísle *Elánu* jeho redaktor a autor rubriky Medzi rečou uverejnil báseň pod symptomatickým názvom Epilóg. V ňom akoby mimovoľne charakterizoval profil predchádzajúcich piatich ročníkov časopisu: *„Nič nepovedali sme/, všetko je nadýchnuté./ Sú iba kvety na obločných sklách./ A svitne ráno/ a vtáctvo bude spievať/ a život vzbúri sa, a umrie strach.*[36]

Vo februári roku 1946 vyšlo prvé dvojčíslo obnoveného *Elánu*. Znova sa v ňom objavila aj obľúbená rubrika Medzi rečou, ktorá pokračovala vo svojom predchádzajúcom obsahovom i formálnom zameraní. Udržala si svoj láskavo kritický, resp. ironizujúci tón. Čiastočne sa obmenili osoby, ktoré v nej vystupovali. Niektoré sa už neobjavili, lebo boli v exile či

31 In *Elán*, r. XI, č. 9, máj 1941.
32 In *Elán*, r. XIII, č. 4, december 1943 a In *Elán*, r. XIV, č. 9, máj 1944.
33 In *Elán*, r. XII, č. 1 – 2, september 1941.
34 In *Elán*, r. XIV, č. 3, november 1943.
35 In *Elán*, r. XIII, č. 5, január 1943.
36 In *Elán*, r. XIV, č. 10, jún 1944.

dokonca vo väzení, v „lepšom" prípade v nemilosti nových vládnucich elít. Aj po roku 1945 pretrvával jav, že mnohí literáti vstupovali do aktívnej politiky: Laco Novomeský, Ivan Horváth, Michal Chorváth boli povereníkmi a vďaka svojim funkciám sa určite zaslúžili o obnovenie *Elánu*. Sami účinkovali v sledovanej rubrike, kam sa príležitostne dostali aj profesionálni politici: Vladimír Clementis, Gustáv Husák, Jozef Styk. Hoci povojnové obdobie „ľudovej demokracie" malo dosť ďaleko k plnohodnotnej parlamentnej demokracii, bolo v porovnaní s predchádzajúcim totalitným ľudáckym režimom predsa len jednoznačne pozitívnym krokom vpred, čo sa odrazilo aj v stĺpčeku Medzi rečou. Objavovali sa v ňom „medzi riadkami" mierne kritické alebo ironizujúce narážky – vždy však v nadľahčenom humornom tóne – na prebiehajúce politické a spoločenské udalosti. Niektoré z nich, nechtiac, akoby predvídali alebo signalizovali približujúce sa udalosti, ktoré nastali na Slovensku po roku 1948 a ktoré tragicky postihli aj mnohých slovenských spisovateľov vrátane spolupracovníkov *Elánu*.

Na jar roku 1946 početná oficiálna delegácia slovenských spisovateľov navštívila Prahu. V rámci tamojšieho bohatého programu ich českí kolegovia pozvali na návštevu zámku Dobříš, kde mali svoj „spisovateľský domov". Slovenskí návštevníci sa medzi sebou rozprávali, či aj oni raz dostanú vtedy už sľubovaný zámok v Budmericiach. L. Novomeský ich ubezpečoval: *„Áno, dostaneme. Zámok na hubu."*[37] Umelci boli chtiac-nechtiac, priamo alebo nepriamo zatiahnutí aj do kampane pred voľbami v máji 1946. Pri tejto príležitosti sa spytovali Rudolfa Fábryho, do akej z dvoch hlavných strán patrí: K Demokratickej strane alebo ku Komunistickej strane Slovenska? Básnik odpovedal: *„Ale dajte mi pokoj, čo ja viem? – Ty nevieš, čo si? – Ja som slobodomyseľný komunista."*[38] Básnik Štefan Žáry sa zas sťažoval, že sa cíti v nových časoch degradovaný a vysvetlil to takto: *„Voľakedy ma volali majster Žáry, teraz som už len tovariš Žáry."*[39] Do podobnej skupiny anekdot sa zaraďuje aj replika Ľuda Ondrejova na debatu vo vedení Umeleckej a vedeckej rady o sociálnom zaistení umeleckých a vedeckých pracovníkov: *„Treba to dať polícii, tá ich zaistí."*[40] Na inom mieste sledovanej rubriky sa trochu dvojzmyselne konštatovalo: *„Azbuku sa už u nás učí skoro každý, ale chýba nám ešte prax, aby sme jej rozumeli."*[41] Táto narážka bola odľahčená údajnou príhodou, keď povereník Jozef Styk bol na služobnej ceste v Moskve a svoje meno prepísané do azbuky čítal ako *Cmuk*.

Podobne ako v predvojnovom, resp. vojnovom čase sledovaná rubrika svojím typickým ironizujúcim spôsobom spomenula aj niektoré súdobé udalosti. Medzi nimi boli tiež politické previerky vysokoškolských pedagógov, ktoré pre mnohých mohli znamenať stratu zamestnania a následné existenčné problémy. Na Filozofickej fakulte Univerzity Komenského sa na základe previerok určovalo, kto bude riadny a kto mimoriadny profesor.

37 In *Elán*, r. XV, č. 3 – 4, marec – apríl 1946. Zámok v Budmericiach sa stal „domovom" domácich literátov, bol aj miestom prijímania zahraničných, hlavne českých spisovateľov. Hojne sa tam debatovalo, polemizovalo, no aj popíjalo. Takáto atmosféra bola priam ideálnym prostredím, kde sa odohrávali mnohé vymyslené i polopravdivé príbehy, vznikali anekdoty, ktoré sa v upravenej podobe vzápätí objavili v rubrike Medzi rečou.

38 In *Elán*, r. XV, č. 1 – 2, január – február 1946.

39 Tamže.

40 Tamže.

41 Tamže.

Rektor Univerzity Anton Štefánek ironizujúco napomínal preverovateľov i preverovaných: *„Nehádajte sa, veď riadni profesori neurobili nič mimoriadne a mimoriadni profesori neurobili nič riadne.“*[42] Jeden z profesorov, historik Daniel Rapant, údajne vyčítal slovenským spisovateľom , že *„majú málo ducha“*. Na kritiku mu Jozef Felix odpovedal: *„UNRA ešte ducha nedodala.“*[43]

Povojnová spoločenská atmosféra bola zatiaľ uvoľnená a nedala sa ani porovnať s pomermi, ktoré nastali po februári 1948. Nejestvovali ešte presne a prísne „vykolíkované“ témy, udalosti a ani osobnosti, o ktorých nebolo radno žartovať alebo ich ironizovať. Pri prvom výročí oslobodenia Bratislavy 4. apríla 1946 prebehlo v meste viacero slávnostných udalostí politického i kultúrneho charakteru. Po ich skončení, ako sa na slovenskú tradíciu patrilo, oslavy neoficiálne pokračovali vo viechach a kaviarňach, a skončili až neskoro v noci. Vtedy sa údajne básnik Ján Kostra vyštveral na Hviezdoslavov pomník, aby si ešte dodatočne zarečnil a prednášal tam aj svoje verše. Príslušníci Zboru národnej bezpečnosti to považovali za provokáciu a za rušenie nočného pokoja. Chceli rečníka odviesť na vyšetrovanie. Kostra odmietol ísť s nimi a ešte ich obvinil : *„Ste ako Hlinkovi gardisti, aj tí potláčali slobodu prejavu.“*[44]

V tom čase sa však už stále zreteľnejšie začali prejavovať príznaky zostrujúceho sa mocensko-politického zápasu v republike a na Slovensku s jeho špecifikami zvlášť. Táto atmosféra už veľmi nepriala humornému, nadľahčenému tónu pri komentovaní jednotlivých udalostí verejného života. Odrazilo sa to aj v posledných stĺpčekoch rubriky Medzi rečou. Jej obsah úplne rezignoval na nejaké humorné či ironizujúce narážky okrajovo glosujúce súdobé spoločenské udalosti. Tie sa už nedajú nájsť dokonca ani „medzi riadkami“ obľúbeného stĺpčeka *Elánu*. Vtedy však časopis už „spieval svoju labutiu pieseň“ a vo februári 1947, teda ešte rok pred nastolením novej, tentoraz „červenej“ totality, definitívne zanikol.

Je trochu prekvapujúce, že po roku 1989 nedošlo ani k pokusu o jeho obnovenie. Možno to vyznieva paradoxne, ale domnievam sa, že nezáujem o revitalizáciu časopisu zachránil zvyšky jeho žijúcich spolutvorcov, prívržencov a čitateľov pred novými sklamaniami. *Elán* bol pupočnou šnúrou zviazaný s osobou Jána Smreka. Časopis a jeho redaktor (zomrel v roku 1982) sa nemohli uplatniť ani v štyridsaťročnej komunistickej totalite, ale ani po roku 1989. Nadviazať na originalitu a neopakovateľný charakter pätnástich ročníkov Elánu v nových, úplne zmenených politických a spoločenských, no najmä skomercionalizovaných kultúrnych podmienkach, by sa asi neskončilo dobre. Svedčia o tom aj dva neúspešné „ponovembrové“ pokusy o obnovenie týždenníka *Kultúrny život*. Skutočne tu asi platí antická poučka, že dvakrát sa nedá vstúpiť do tej istej rieky.

42 Tamže.
43 Tamže.
44 In *Elán*, r. XV, č. 3 – 4, marec – apríl 1946.

SLOVENSKO V TOTALITNOM KOMUNISTICKOM ČESKOSLOVENSKU

Komunistický režim v Československu, „vnútorný nepriateľ" a Štátna bezpečnosť*

Jan Pešek

Komunistická strana Československa (KSČ) prevratom vo februári 1948 uchopila moc v Československu a nastúpila cestu presadzovania a uplatňovania totalitného systému sovietskeho typu. Sama seba vyhlásila za vedúcu silu spoločnosti. Údajnú legitimitu svojho nového postavenia zdôvodňovala tým, že zvrhla kapitalistický spoločenský poriadok a je povolaná postaviť sa na čelo budovania novej spoločnosti. „Vedúca úloha strany" sa uplatňovala už od februárového prevratu, hoci nebola zakotvená v žiadnom zákone. Nehovorila o nej ani Ústava 9. mája z roku 1948, no v praxi sa prelínala celým politickým, ekonomickým a spoločenským životom, bola nespochybniteľným atribútom všetkého diania. Formálne ju zakotvila až Ústava Československej socialistickej republiky, schválená 11. júla 1960 Národným zhromaždením. Argumentovalo sa tým, že pod vedením KSČ bolo vybudované nové spoločenské zriadenie a *„socializmus v našej vlasti zvíťazil"*. Článok 4 prvej hlavy ústavy uvádzal: *„Vedúcou silou v spoločnosti i v štáte je predvoj robotníckej triedy, Komunistická strana Československa, dobrovoľný bojový zväzok najaktívnejších a najuvedomelejších občanov z radov robotníkov, roľníkov a inteligencie."*[1]

Vedúcou silou však nebola komunistická strana preto, že sa za ňu vyhlásila, ale preto, že ovládla štát, zmenila ho na „socialistický štát", určovala jeho zahraničnopolitickú orientáciu a koncentrovala vo svojich rukách všetky nástroje moci. Členovia komunistickej strany vykonávali najdôležitejšie štátne funkcie, v praxi sa uplatňovala všeobecná personálna únia strany a štátu. Komunistická strana si vytvorila aj systém prevodových pák v podobe „obrodeného" Národného frontu, kam patrili odbory, jednotné celonárodné organizácie, satelitné politické strany atď., všetky „dobrovoľne" uznávajúce „vedúcu úlohu KSČ" a realizujúce jej politickú líniu. Hovorilo sa o vedúcej úlohe strany, v skutočnosti však šlo o jej mocenský monopol, o uplatňovanie totalitnej moci. Bol to diktát strany a jej vedúcich funkcionárov, ktorí vnucovali „vôľu strany" všetkým občanom republiky.

Spoločnosti bol nanútený základný princíp fungovania komunistickej strany, tzv. demokratický centralizmus. Dobovo sa to interpretovalo tak, že *„uplatňovaním vedúcej úlohy marxisticko-leninskej strany sa princíp demokratického centralizmu prenáša a uplatňuje v celom socialistickom politickom systéme a v jeho jednotlivých článkoch. Demokratický centralizmus je najdôležitejším princípom riadenia socialistickej spoločnosti ako celku, prihliadajúc na špecifiká riadiaceho procesu v jeho jednotlivých článkoch v jednotlivých oblastiach spoločenského života."*[2] Reálne išlo o prísny centralizmus, ktorý nemal nijaké alebo takmer nijaké atribúty demokracie. „Hore", t. j. vo vedení komunistickej strany sa

* Štúdia bola vypracovaná v rámci projektu APVV-15-0349 Indivíduum a spoločnosť – ich vzájomná reflexia v historickom procese. Zodpovedný riešiteľ: PhDr. Slavomír Michálek, DrSc.

1 *Zbierka zákonov Československej socialistickej republiky*, roč. 1960. Ústavný zákon č. 100 z 11. júna 1960 Ústava Československej socialistickej republiky. Bratislava, s. 293.

2 *Encyklopédia Slovenska*. I. Bratislava : Veda, 1977, s. 496.

rozhodovalo a všetky nižšie zložky, stranícke i nestranícke, tzn. štátne, hospodárske a spoločenské, boli povinné stranícke rozhodnutia rešpektovať a realizovať. Tento prístup sa uplatňoval nielen v rámci centra, ale obdobným spôsobom aj v krajoch, okresoch, obciach, organizáciách, inštitúciách a pod.

Uplatňovanie vedúcej úlohy strany v praxi negovalo deľbu moci na zákonodarnú, výkonnú (vládnu) a súdnu, čo je rozhodujúci predpoklad existencie demokratického právneho štátu. Formálne síce táto deľba moci zostala zachovaná, v skutočnosti však zanikla. Keďže všetky mocenské a riadiace štruktúry ovládla komunistická strana, vytvorila sa neoficiálna, ale skutočne fungujúca deľba moci, a to medzi straníckymi orgánmi a jednotlivými článkami mocenského mechanizmu. V týchto štruktúrach sa reálne vládlo, tam sa moc prakticky uskutočňovala. Komunistická strana ako akási „štátostrana" mala dominantné postavenie v spoločnosti, ktorého sa nebola ochotná a schopná zrieknuť. Uvedomovala si, že by to narušilo a znefunkčnilo celý systém, na ktorom bola jej vláda postavená. Bola rozhodnutá svoju moc udržať, ubrániť ju proti tým, ktorých považovala za svojich nepriateľov, a to vonkajších i vnútorných.

Pozícia vonkajšieho nepriateľa vyplývala z bipolárne rozdeleného sveta, keď v konfrontácii totalitného Východu a demokratického Západu tvorilo Československo súčasť sovietskeho bloku. Celá jeho zahraničná politika, ekonomické smerovanie (budovanie ťažkého a zbrojného priemyslu a pod.), výstavba armády a mnohé ďalšie aspekty vrátane pôsobenia výzvedných služieb smerovali k posilneniu „obranyschopnosti socialistického spoločenstva", propaganda vyzývala k boji za „svetový mier" atď. Komunistický režim sa však v určitom zmysle necítil priamo ohrozený, pretože jeho bezpečnosť veľmocensky garantoval Sovietsky zväz, napokon aj Západ v zásade rešpektoval povojnové usporiadanie v Európe. Pocit ohrozenia sa spájal skôr s tým, že by sa vonkajší nepriateľ mohol spojiť s vnútorným nepriateľom, či už priamo, prostredníctvom „ideologickej diverzie", alebo iným spôsobom.

Bezprostredne ohrozený sa komunistický režim cítil byť tými, ktorých považoval za vnútorných nepriateľov. Celý systém vládnutia, tzn. uplatňovanie „vedúcej úlohy strany", ovládnutie štátu, fungovanie mechanizmu prevodových pák a využívanie ďalších prostriedkov preto sprevádzali systematické perzekúcie.[3] Tie predstavovali súčasť oficiálnej politiky, respektíve viac ako len súčasť. Boli trvalým sprievodným znakom fungovania komunistického režimu, súčasťou mechanizmu vládnutia, podmienkou mocenského monopolu, ktorý komunistická strana tvrdo presadzovala. Slúžili na ovládanie spoločnosti, boli nástrojom politiky, podieľali sa na tom, čo tvorilo jednu z charakteristických čŕt režimu, t. j na vytváraní všeobecnej atmosféry strachu. Strachu boli vystavení, vedome alebo nevedome, všetci občania. Štyridsať rokov komunistického režimu v Československu prežili dve generácie

3 O perzekučnom pôsobení komunistického režimu v Československu už bolo napísaných veľa prác, pričom najprínosnejšími sú nepochybne početné práce Karla Kaplana. Ďalej možno spomenúť prácu GEBAUER, František – KAPLAN, Karel – KOUDELKA, František – VYHNÁLEK, Rudolf. *Soudní perzekuce politické povahy v Československu 1948 – 1989. Statistický přehled.* Praha, ÚSD AV ČR, Sešity ÚSD AV ČR, sv. 12. Praha ČR, 1993. K problematike perzekúcií na Slovensku napr. PEŠEK, Jan. *Odvrátená tvár totality. Politické perzekúcie na Slovensku v rokoch 1948 – 1953.* Bratislava : Historický ústav SAV, Nadácia Milana Šimečku, 1998, ďalej PEŠEK, Jan – LETZ, Róbert. *Štruktúry moci na Slovensku 1948 : 1989.* Prešov : Vydavateľstvo Michala Vaška, 2004.

dospelých občanov, presnejšie dve generácie rodín. Z nich len malá skupina nebola niektorou z foriem politickej perzekúcie postihnutá priamo alebo neboli postihnutí ich najbližší príbuzní.

Atmosféra strachu sa vznášala nad celou spoločnosťou, prenikala do každodenného života a spoluvytvárala podmienky, ktorým sa ľudia prispôsobovali; intenzita strachu sa pochopiteľne vyvíjala, iná bola napr. v 50. rokoch a iná v 80. rokoch. Predstavitelia režimu i vykonávatelia perzekúcií s psychologickým účinkom strachu počítali a využívali ho ako stabilizačný faktor režimu. Na psychológii strachu, hoci v rôznej intenzite, bol postavený mocenský monopol. Strach pochopiteľne nebol jediným pilierom, na ktorom stál mocenský monopol, ale v každom prípade bol jedným z veľmi podstatných a dôležitých. Keď sa spoločnosť tohto strachu zbavovala alebo jeho dosah bol oslabený, vždy to znamenalo oslabenie stability. Vedenie režimu preto reagovalo, pokiaľ toho bolo schopné a situácia to umožňovala, zosilnením perzekúcie. Keď toho schopné nebolo alebo situácia to neumožňovala, napr. z medzinárodnopolitických dôvodov, hrozila destabilizácia alebo dokonca pád režimu tak, ako sa to stalo koncom roka 1989.

Politické perzekúcie sa používali na postih celej spoločnosti a spoluvytvárali tak politické základy režimu, zároveň však aj na cielený a účelový postih sociálnych vrstiev, politických skupín a jednotlivcov, vychádzajúci z momentálne aktuálnych záujmov moci. Pri perzekučnom postihu celej spoločnosti išlo predovšetkým o likvidáciu alebo obmedzenie základných politických a občianskych práv a slobôd, t. j. slobody tlače, pohybu, politického a náboženského vyznania a myslenia, zhromažďovacieho a spolkového práva, odborových a robotníckych práv, práv národnostných menšín, ochrany súkromného vlastníctva, nezávislého súdnictva či práva slobodných volieb a pod. Intenzita potláčania a obmedzovania základných politických a občianskych práv a slobôd sa pritom menila, niekedy bola výraznejšia a, naopak, prichádzali obdobia uvoľňovania. Toto uvoľňovanie však signalizovalo narastajúcu krízu režimu, respektíve bolo prejavom tejto krízy, a preto periodicky prichádzalo „pritvrdenie“. Komunistický režim nemohol rezignovať na potláčanie a obmedzovanie práv a slobôd občanov, pretože by tým poprel sám seba a otriasol základmi, na ktorých bol vybudovaný a zotrvanie ktorých bolo podmienkou jeho existencie.

Cielená a účelová perzekúcia konkrétnych sociálnych vrstiev, politických skupín a jednotlivcov zohrávala rozhodujúcu úlohu predovšetkým vtedy, keď sa zavádzal nový, cudzí a neorganický spoločenský systém, odporujúci dovtedajšiemu vývoju a spôsobu života. Podobný význam mala aj v situácii, keď sa systém už dotvoril a začali sa objavovať problémy, ktoré ohrozovali jeho existenciu, prípadne sa systém dostal do krízy a bolo treba „obnoviť poriadok“. Politické perzekúcie postihovali priamo určité sociálne vrstvy, politické a zamestnanecké skupiny, ale aj rodiny a jednotlivcov. Boli namierené proti všetkým, ktorí odporovali komunistickej moci a tiež proti tým, o ktorých si predstavitelia režimu mysleli, že by odporovať mohli, napr. pre svoj pôvod, sociálne postavenie, výchovu, vierovyznanie atď. Patrili do kategórie „vnútorného nepriateľa“, boli „nebezpeční“ a podľa toho sa voči nim postupovalo.

***

Náplň kategórie „vnútorného nepriateľa“ sa vyvíjala. Pôvodným nepriateľom boli politickí protivníci, s ktorými komunistická strana zápasila o politickú moc do februára 1948,

t. j. s demokratickými stranami, ich vedeniami, stúpencami alebo zoskupeniami, ktoré tieto strany zastupovali. Do pozície politického protivníka sa viac-menej dostali v priebehu roka 1947 (hoci oficiálne spolupracovali v rámci Národného frontu), keď sa komunistická strana orientovala na uchopenie moci, čomu sa demokratické sily usilovali čeliť. Mali svoj politický a ideový program, vystupovali ako odporcovia komunistov a dávali najavo svoj nesúhlas s ich postupom. Vo februári 1948 sa komunisti chopili moci a tieto sily najrôznejším spôsobom zdecimovali; prostredníctvom čistiek, ktoré robili akčné výbory, zatýkaním, zlikvidovaním inštitútu slobodných volieb a pod. Od jesene 1948 nastupoval „ostrý kurz proti reakcii" s cieľom presadiť mocenský monopol do všetkých oblastí života spoločnosti. Prenasledovanými sa stali „triedni nepriatelia", čo bola veľmi voľne a účelovo vymedzená sociálna skupina, napr. predstavitelia bývalých politických strán, pokiaľ neemigrovali, bývalí vyšší štátni úradníci, tzv. buržoázna inteligencia, majitelia podnikov či väčšieho poľnohospodárskeho majetku, tzv. kulaci, príslušníci slobodných povolaní, funkcionári rôznych spolkov a združení atď. Postihovala ich široká škála perzekúcií s rôznou formou tvrdosti, od „bežných" až po tie najtvrdšie (väzenie, no aj tresty smrti).

Do pozície „vnútorného nepriateľa" sa dostávali tí, ktorí z ideových dôvodov nemohli súhlasiť s ateistickým komunistickým režimom. Veriaci občania, duchovní i laici, sa nechceli dostať do pozície politického protivníka, no režim ich do tejto pozície doslova zatlačil. Najtvrdšie perzekučné údery doliehali na katolícku cirkev, lebo bola najväčšia, s veľkým vplyvom na obyvateľstvo a pevne medzinárodnopoliticky zakotvená; pozornosť sa sústredila na „reakčnú" hierarchiu, „agentov Vatikánu", mužské a ženské rády a rehole a ďalších. Postihnuté však boli všetky cirkvi a náboženské spoločnosti bez rozdielu. Niektoré boli dokonca zakázané, napr. gréckokatolícka cirkev, baptisti a pod. Režimu išlo nielen o likvidáciu ideového protivníka, ale aj o celkovú ateizáciu spoločnosti a presadenie „vedeckého svetového názoru", t. j. komunistickej ideológie.

Komunistický režim svojím praktickým postupom, tzn. orientáciou na totálnu prestavbu spoločnosti podľa sovietskeho vzoru (kolektivizácia, industrializácia, kultúrna revolúcia) vytváral ďalších a ďalších nepriateľov. Medzi nich sa dostávali aj tie vrstvy, ktoré pôvodne v tejto pozícii nevystupovali. Keď sa súperilo o politickú moc, necítili sa byť ohrozené, zostávali pasívne, neuvedomovali si, čo je podstatou dobových udalostí. Predstavitelia komunistickej strany vtedy vyhlasovali, že sú jej spojencami a sociálnou oporou. Išlo o živnostníkov, remeselníkov a maloobchodníkov, majiteľov malých a stredných poľnohospodárskych podnikov. Teraz však reprezentovali súkromné podnikanie a súkromné vlastníctvo, čo bolo v priamom rozpore s totalitnou ideológiou socialistického hospodárstva a socialistického vlastníctva. Preto z nich vyrobili „vnútorného nepriateľa" bez ohľadu na to, či sa zapojili do odporu alebo dávali len najavo svoj nesúhlas s určitými opatreniami režimu, poprípade jeho predstavitelia len predpokladali, že by sa tak mohli prejaviť. K nim pridávali aj ďalších, ktorých sa komunistický režim obával, napr. odbojárov a zahraničných vojakov z obdobia 2. svetovej vojny, či už preto, že boli skutočne proti režimu a aj vyvíjali odbojovú činnosť, alebo pôsobila obava, že by ju vyvíjať mohli. Celá táto sociálna skupina bola preto podozrivá a aj „preventívne" postihovaná.

Komunistický režim mal aj ďalšiu špecifickú kategóriu „vnútorného nepriateľa", ktorým bol „nepriateľ so straníckou legitimáciou", tzn. samotní členovia a funkcionári strany. Išlo v zásade o imaginárneho nepriateľa, ktorý v podstate neexistoval, no o to viac boli najmä koncom 40. a začiatkom 50. rokov predstavitelia režimu presvedčení, že reálne existuje; viacerých do takejto kategórie aj zaradili a brutálne postihli. Bol to dôsledok uplatňovania stalinskej teórie o zostrovaní triedneho boja, čo vraj vedie k tomu, že svetový imperializmus mobilizuje poslednú a pritom najnebezpečnejšie garnitúru svojich stúpencov, a to priamo v radoch komunistickej strany. Viedlo to ku konštruovaniu rôznych „centier" a „protištátnych skupín", „odhaľovaniu" údajných sionistov, sociálnych demokratov, buržoáznych nacionalistov, trockistov a ďalších. Postihnutí boli nielen oni, ale aj ich rodiny, príbuzní a priaznivci. Medzi takýchto nepriateľov sa dostávali aj tí, ktorí sa so stranou rozišli alebo z nej boli vylúčení pri previerkach a z iných dôvodov, napr. pre tzv. politické kolísanie, triednu neuvedomelosť, podliehanie nepriateľským názorom atď.[4]

Vyššie uvedených „nepriateľov", s výnimkou vykonštruovaných „nepriateľov so straníckou legitimáciou", možno charakterizovať ako „pôvodných vnútorných nepriateľov". Boli to tí, s ktorými pred februárom 1948 súperila komunistická strana v zápase o politickú moc, vo februári 1948 ich porazila a následne zdecimovala. K nim sa pripájajú tí, ktorí sa postavili proti pofebruárovému režimu, či už priamou formou odporu alebo viac-menej pasívnym nesúhlasom, spolu s tými, ktorých režim „vyrobil", „vyprodukoval" v dôsledku svojho praktického postupu pri totálnej prestavbe spoločnosti podľa sovietskeho vzoru. Voči týmto „pôvodným vnútorným nepriateľom" smerovala veľká vlna masovej perzekúcie v rokoch 1948 – 1954, najbrutálnejšia a doslova najkrvavejšia. Po určitom „odmäku" prišla ďalšia vlna koncom 50. a začiatkom 60. rokov, aj keď už nemala také drastické formy ako predchádzajúca. Existencia „pôvodného vnútorného nepriateľa" sa spája s prvou polovicou fungovania komunistického režimu, s prvými dvadsiatimi rokmi „éry komunizmu", hoci nie s celými. Na začiatku 60. rokov, najmä od roku 1963 sa tento „vnútorný nepriateľ" určitým spôsobom strácal, akoby len „dožíval" a ustupoval, viac-menej bol len vecou minulosti. Súviselo to s predstavami vedenia režimu, že „socializmus v Československu zvíťazil", ale aj realitou, že odpor proti režimu slabol, respektíve nadobúdal iné, menej zreteľné prejavy.

Pokus o spoločenskú reformu po januári 1968, augustová okupácia a následná normalizácia priniesli z hľadiska pohľadu na „vnútorného nepriateľa" dva zásadné momenty. Prvým bolo spätné „objavenie" jeho existencie v 60. rokoch najmä v podobe prejavov revizionizmu a oportunizmu. Druhý moment je imanentne spojený s vývojom po januári 1968, keď podľa normalizátorov naplno vystúpil akýsi „nový vnútorný nepriateľ". Vyrástol „zvnútra" komunistického režimu a štruktúr „socialistickej" spoločnosti, respektíve bol produktom „ideologickej diverzie" na rozdiel od „pôvodného vnútorného nepriateľa". Ten sa spájal s vývojom pred februárovým prevratom 1948 a následnou totálnou prestavbou spoločnosti v 50. rokoch. Bol akoby zakotvený v minulosti a smeroval do minulosti, predstavoval jej prežívanie a dozvuky. „Nový vnútorný nepriateľ" bol produktom roku 1968,

4 Ku kampani proti „nepriateľom so straníckou legitimáciou" bolo už napísaných veľa prác, preto nie je potrebné sa touto tematikou podrobnejšie zaoberať. Porovnaj napr. KAPLAN, Karel. *Nebezpečná bezpečnost. Státní bezpečnost 1948 – 1956*. Brno : Doplněk, 1999; *Potlačená zpráva. (Zpráva komise ÚV KSČ o politických procesech a rehabilitacích v Československu 1949 – 68.)* Wien : Europa, 1970; PEŠEK, Jan. Nepriateľ so straníckou legitimáciou. Proces s tzv. slovenskými buržoáznymi nacionalistami. In BYSTRICKÝ, Valerián – ROGUĽOVÁ, Jaroslava (eds.). *Storočie procesov. Súdy, politika a spoločnosť v moderných dejinách Slovenska*. Bratislava : Veda, 2013, s. 210 – 226.

respektíve nadväzoval na to, čo mu predchádzalo. Vývoj po januári 1968, v ponímaní normalizátorov pokus o likvidáciu socializmu, dal silný podnet „pravicovým oportunistom a revizionistom“ vnútri KSČ i mimo ňu, posilnil a zaktivizoval tie sily, ktoré tu najmä v 60. rokoch pôsobili, viac-menej skryte alebo nenápadne, napr. cirkvi, nekomunistické intelektuálne kruhy, občianski aktivisti atď.

„Pôvodný vnútorný nepriateľ“ pritom pretrval, pochopiteľne s tým, že dvadsať rokov existencie komunistického režimu preriedilo (z vekových i ďalších dôvodov) jeho rady. Hlavným nebezpečenstvom bol však teraz „nový vnútorný nepriateľ“, t. j. tí, ktorých pri straníckych čistkách na prelome 60. a 70. rokov vylúčili z KSČ, respektíve sa v roku 1968 prejavili ako „protisocialistické“ a „protikomunistické“ sily. Pridávali sa k nim aj ďalší, napr. tí, ktorí sa z vekových dôvodov nemohli politicky prejaviť počas roku 1968. Pôsobenie takýchto síl umocňovala skutočnosť, že ľudia už nemali taký strach, ako napr. v 50. rokoch, tým skôr, že komunistický režim si už nemohol dovoliť také brutálne formy represie ako kedysi (helsinský proces, ľudské práva a občianske slobody). Medzinárodnopolitický rámec 70. a 80. rokov sa podstatným spôsobom odlišoval od 50. a čiastočne aj 60. rokov. Komunistický režim predovšetkým s týmto „novým vnútorným nepriateľom“ zápasil počas celej druhej polovice svojej existencie, druhých dvadsať rokov, až do konca roku 1989, keď sa systém zrútil.

***

Komunistický režim disponoval v boji proti „vnútornému nepriateľovi“ celou škálou perzekučných nástrojov. Ovládal štát, a preto mohol používať na obranu svojich záujmov všetky jeho zložky. Tým „najostrejším“ nástrojom nepochybne bola Štátna bezpečnosť (ŠtB), nazývaná aj „mečom, očami a ušami“ komunistickej strany. Jej úlohou bolo chrániť režim, stála pri jeho zrode (v čase februárového prevratu, respektíve už na ceste k nemu) a sprevádzala ho až do jeho zrútenia koncom roka 1989. De facto bola politickou políciou, čo platí predovšetkým o jej kontrarozvedných zložkách. Tie pôsobili proti „vonkajšiemu nepriateľovi“ (proti činnosti zahraničných rozviedok a ich spolupracovníkom na území Československa), „vnútornému nepriateľovi“, t. j. odporcom a oponentom komunistického režimu, a pri „ochrane“ socialistickej ekonomiky (ekonomická kontrarozviedka). Vojenská kontrarozviedka bola zameraná na „ochranu“ armády. K „politickej polícii“ však treba priradiť aj rozviedku, vykonávajúcu v „nepriateľskom“ zahraničí politickú, hospodársku a vedeckotechnickú špionáž a tiež diskreditačnú a dezinformačnú činnosť. Využívala svoje možnosti aj na získavanie správ o domácej opozícii, respektíve o tom, kto udržuje kontakty so zahraničím.

Pohľad ŠtB na „vnútorného nepriateľa“ v počiatočnom období fungovania komunistického režimu, respektíve v prvej polovici jeho existencie najvýraznejšie vyjadrovalo označenie „bývalí ľudia“. Tento pojem sa od roku 1948 v bezpečnostnej terminológii používal podľa sovietskeho vzoru pre charakteristiku osôb, ktoré svojím hospodárskym alebo politickým postavením patrili k oporám predchádzajúcich režimov. Išlo o tzv. vykorisťovateľov, ich rodinných príslušníkov a spolupracovníkov, vysokých štátnych a súkromných úradníkov, bývalých funkcionárov nekomunistických politických strán, rozličných politických exponentov a ďalších predpokladaných odporcov komunistického režimu. Pojem „bývalí ľudia“ jednoznačne vyjadroval názor, že príslušná skupina ľudí patrí do minulosti, je s ňou spojená a nemá právo na existenciu ako bežní občania štátu v rámci existujúceho systému, ktorý mal predstavovať budúcnosť ľudstva.

Proti „bývalým ľuďom“ smerovalo od konca štyridsiatych rokov veľa represívnych akcií. Postihli ich už bezprostredne pofebruárové čistky roku 1948, keď ich prepúšťali zo zamestnania a vyraďovali z verejného i politického života. Nasledovala „očista“ veľkých miest, „bývalých ľudí“ a ich rodinných príslušníkov zaraďovali do Táborov nútených prác alebo do armádnych Pomocných technických práporov. Deti z takýchto rodín nemohli študovať na stredných a vysokých školách. Z dedín vysťahovávali rodiny tzv. dedinských boháčov (kulakov). Za bývalých ľudí považovali aj „reakčných“ duchovných, ku ktorým patrili všetci alebo takmer všetci príslušníci mužských a ženských rádov a reholí. „Bývalí ľudia“ sa často stávali obeťami najbrutálnejšej formy perzekúcie, a to vykonštruovaných politických procesov. Realizácia širokej škály represívnych akcií si vyžadovala znalosti, proti komu majú smerovať, preto ŠtB spolu so straníckymi orgánmi vypracovávala rôzne zoznamy nepriateľov. Určité zmiernenie represívneho tlaku v polovici päťdesiatych rokov redukciu týchto zoznamov neprinieslo. Príslušníci ŠtB intenzívne rozpracovávali „podozrivé osoby“, hľadali ich, hoci poznatkov o ich „nepriateľskom pôsobení bolo málo, napriek tomu ich nachádzali. Na otázku ministra vnútra Rudolfa Baráka na porade vedúcich pracovníkov III. správy ministerstva vnútra (problematiku „bývalých ľudí“ mal v svojej kompetencii 2. odbor III. správy) v januári 1956 „koľko je v republike bývalých ľudí“, odpovedal príslušný náčelník, že *„podľa poslednej štatistiky vychádza to okolo jedného milióna“.*[5]

Vyhodnocovanie vývoja po XX. zjazde Komunistickej strany Sovietskeho zväzu vo februári 1956 viedlo vedenie ministerstva vnútra k záveru, že „najnebezpečnejšie živly“ sa regrutujú z radov „bývalých ľudí“. Problém „bývalých ľudí“ sa stal veľmi aktuálnym v súvislosti s politickou kampaňou proti „starej buržoáznej inteligencii“, „triedne cudzím silám“ a kolísajúcim „so straníckou legitimáciou“, ktorá vyústila do previerky triednej a politickej spoľahlivosti začiatkom roka 1958. Na kolégiu MV v novembri 1958 boli „bývalí ľudia“ stotožnení s „domácimi reakčnými silami“, pričom vraj predstavujú „jedinú nádej medzinárodnej reakcie na vyvolanie nepokojov“ vnútri Československa.[6] ŠtB však o nich nemala dostatočný prehľad, a preto začiatkom januára 1959 vydal R. Barák rozkaz (č. 1/1958 z 3. 1. 1959) s názvom Rozpracovanie, pozorovanie a evidovanie „bývalých ľudí“. Na základe toho bolo do celoštátnej štátnobezpečnostnej evidencie zaradených asi 100-tisíc ľudí.[7] Prevažne sa tak stalo len na základe ich triedneho pôvodu alebo predchádzajúcej politickej činnosti bez ohľadu na to, že u väčšiny z nich dlhý čas neexistovali nijaké poznatky o nepriateľskej činnosti alebo postojoch a plnili si svoje občianske povinnosti.

„Bývalí ľudia“ boli podľa RMV č. 1/1959 evidovaní v 16 kategóriách; kategorizácia sa začínala príslušníkmi veľkoburžoázie, nasledovali kulaci, bývalí „prisluhovači“ buržoázie (riaditelia bánk, tovární a pod., buržoázni odborníci), na Slovensku funkcionári a aktívni členovia HSĽS a jej organizácií, predstavitelia cirkví atď. až po bývalých odsúdených a „iné osoby nebezpečné ľudovodemokratickému zriadeniu“. Orgány ŠtB o nich informo-

5 BATELKA, Jan. Informace o vývoji organizační struktury a zaměření Státní bezpečnosti na úseku tzv. „vnitřních problematik“ v období 1945 – 1967. Praha, 1968, strojopis, s. 84 (materiál je uložený v archíve Ústavu pro soudobé dějiny AV ČR Praha, v. v. i. - J. P.).

6 Tamže, s. 91.

7 Tamže, s. 97.

vali vedúcich predstaviteľov režimu svojím typickým dehonestujúcim štýlom, kde sa to len hemžilo výrazmi „starý známy trockista“, „vyakčnený dôstojník“, „starý ľudák“, „zarytý kulak“ atď., ich údajná „nepriateľská činnosť“ sa však napriek všetkému špicľovaniu väčšinou nedala kvalifikovať inak ako „verbálne prejavy“. Ako charakteristický prípad možno spomenúť správu, ktorú v decembri 1959 podával náčelník Krajskej správy Ministerstva vnútra v Bratislave tajomníkovi Ústredného výboru Komunistickej strany Slovenska (KSS) Pavlovi Davidovi. Hovorí sa v nej o *„bývalom človekovi – krajčírovi, v Bratislave, ktorý v okruhu osôb, čo s ním prichádzajú do styku, otvorene agituje, že bude vytvorená Stredoeurópska federácia v rámci rakúsko-uhorskej ríše“*. Ďalší sledovaný, *„bývalý major čs. armády, vyakčnený a prepustený, grupuje okolo seba skupinu vyakčnených dôstojníkov, profesorov a ľudákov, kde rozširuje správy, že zakrátko príde k zvratu pomerov v ČSR, že to bude urobené zo strany západného Nemecka vojenským napadnutím“* atď.[8]

Asi zo 100-tisíc osôb celoštátne zaradených do evidencie „bývalých ľudí“ (podľa RMV č. 1/1959) pochádzalo k 1. 10. 1960 celkovo 18 217 osôb zo Slovenska; v Západoslovenskom kraji ich evidovali 8 050, v Stredoslovenskom kraji 5 726 a vo Východoslovenskom kraji 4 441. Bolo to výrazne menej ako v českých krajinách, čo malo svoje korene v existencii pražského centra a stupni politicko-ekonomického vývoja v minulosti. ŠtB na Slovensku aktívne rozpracovávala celkom 1 693 „bývalých ľudí“, z toho v Západoslovenskom kraji 841, v Stredoslovenskom kraji 456 a vo Východoslovenskom kraji 386 osôb. Z radov „bývalých ľudí“ sa ŠtB podarilo rôznymi spôsobmi získať aj svojich tajných spolupracovníkov; na Slovensku ich v tom čase mala 1 203, z toho v Západoslovenskom kraji 305, v Stredoslovenskom kraji 344 a vo Východoslovenskom kraji 374.[9]

Od začiatku šesťdesiatych rokov počet evidovaných „bývalých ľudí“ mierne klesal. Koncom roka 1963 ich bolo celoštátne evidovaných 74 408, z toho na Slovensku 9 619; v Západoslovenskom kraji evidovala ŠtB 3 233, v Stredoslovenskom kraji 3 381 a vo Východoslovenskom kraji 3 005 „bývalých ľudí“.[10] Bolo to síce menej ako v roku 1960, keď ich ŠtB evidovala najviac, aj tak však bola mimoriadne široko poňatá evidencia „bývalých ľudí“ neúnosná z hľadiska politickej línie KSČ, najmä vtedy, keď nastupovala určitá liberalizácia režimu. Dňa 17. 2. 1964 bol preto vydaný rozkaz MV č. 10/1964, ktorý nahradil dovtedy platný rozkaz MV č. 1/1959 o evidovaní a rozpracovaní „bývalých ľudí“. Tento termín bol nahradený termínom „nepriateľské osoby“, pričom v podstate išlo o tých istých ľudí, len v podstatne zredukovanom rozsahu. „Nepriateľské osoby“ boli teraz zaradené do ôsmich kategórií. Kategorizácia sa začínala významnými osobnosťami z bývalých „vykorisťovateľských tried“, nasledovali predstavitelia bývalých politických strán a buržoázneho odboja, predstavitelia cirkví atď. Do konca roku 1964 bolo z celoštátne evidovaných „bývalých ľudí“ (74 408 ku koncu roka 1963) preradených do novovytvorenej evidencie

8 Slovenský národný archív (ďalej SNA) Bratislava, fond (ďalej f.) ÚV KSS, Pavol David, kartón (ďalej k.) 2251. Správa o prejavoch časti bývalých ľudí v Bratislavskom kraji a formách a metódach reakčne nepriateľských činností.

9 Archív Ústavu pamäti národa (ďalej A ÚPN) Bratislava, f. A 2/1, a. i. 187. Bezpečnostná situácia v agentúrnom a operatívnom rozpracovaní u krajských správ ministerstva vnútra na Slovensku z hľadiska I. zvláštneho odboru MV.

10 Archiv bezpečnostních složek, Ústav pro studium totalitních režimů (ďalej ABS, ÚSTR) Praha, f. A 31, a. i. 265. Plnenie R MV č. 10/1964 o evidovaní nepriateľských osôb.

„nepriateľských osôb" 6 197 ľudí, na Slovensku sa počet 9 619 osôb (koncom roka 1963) zredukoval na 1 507 ľudí.[11]

ŠtB sledovala „nepriateľské osoby" a snažila sa „odhaliť" ich trestné činy, bola však nútená priznať neexistenciu „organizovanej kontrarevolučnej činnosti". Zistená „trestná činnosť" mala väčšinou verbálny charakter; ŠtB ju klasifikovala ako trestné činy poburovania, hanobenia republiky a jej predstaviteľov a propagácie fašizmu. Liberalizácia pomerov viedla k tomu, že počet takýchto trestných činov, ale aj rozširovania anonymných listov a letákov sa zväčšoval. Pri skupine „nepriateľských osôb", zaradených do kategórie bývalých buržoáznych predstaviteľov, zaznamenávala ŠtB skôr poznatky informačného charakteru, ktoré odovzdávala vedúcim komunistickým predstaviteľom. Všetky krajské správy ŠtB vyjadrovali v takýchto hláseniach v podstate totožný názor, že *„...časť nepriateľských osôb žije v presvedčení, že dôjde u nás k zmene spoločenského poriadku v prospech kapitalizmu. Prevláda medzi nimi názor, že je potrebné udržovať kontakty, morálne sa podporovať a byť pripravený, keď nastanú vhodné podmienky."*[12] Klasifikovať to ako trestnú činnosť však nemohla ani ŠtB.

***

Pokus o spoločenskú reformu po januári 1968 výrazne zasiahol celú sféru pôsobnosti ŠtB a spochybnil samotnú podstatu jej existencie. Nový minister vnútra Josef Pavel (vymenovaný 8. apríla 1968) zrušil už 12. mája 1968 platnosť niektorých smerníc pre prácu ŠtB vrátane Rozkazu MV č. 10/1964 o evidovaní nepriateľských osôb. Zakázal aj používanie tzv. operatívnej techniky (odpočúvanie telefónu, sledovanie korešpondencie, tajné prehliadky budov a pod.) proti občanom v prípade, že ich činnosť nesúvisela s cudzími tajnými službami. Svojím rozkazom z 8. júla 1968 previedol do pôsobnosti Verejnej bezpečnosti všetky trestné činy, ktoré neboli spojené „s cudzou mocou alebo cudzím činiteľom". Zrušili sa útvary pracujúce na tzv. vnútorných poblematikách, tzn. v oblasti vedy, kultúry, „nepriateľských osôb", cirkví a pod. Zostalo však len pri plánoch a predstavách, pretože realizáciu rozkazu MV v samom začiatku zmarila okupácia Československa vojskami piatich štátov Varšavskej zmluvy v auguste 1968.[13]

Napriek zmenám v oficiálnej línii rezortu vnútra ŠtB v celom pojanuárovom období de facto nikdy neprerušila svoju „tradičnú činnosť", t. j sledovanie a zisťovanie informácií o „podozrivých ľuďoch a zoskupeniach". Názorným potvrdením zotrvačnosti v pôsobení ŠtB „po línii vnútorných báz" môže byť správa o „reakčných tendenciách" v Západoslovenskom kraji, ktorú koncom mája 1968 poslal náčelník Krajskej správy Zboru národnej bezpečnosti v Bratislave Gustávovi Husákovi, vtedajšiemu podpredsedovi vlády ČSSR. Informoval ho v nej o získaných poznatkoch o novovzniknutom Zväze na ochranu ľudských práv, jeho predsedovi Emilovi Vidrovi i ďalších aktivistoch a tiež o organizácii

11 Tamže.

12 A ÚPN, f. A 9, a. i. 68. Správa o vývoji bezpečnostnej situácie, plnení základných úloh a stave v zaisťovaní služby v súčinnosti zložiek ZNB v Západoslovenskom kraji (1967).

13 Podrobnejšie o formovaní a obsahu koncepčných predstáv o budúcom fungovaní zložiek MV porovnaj *Ministerstvo vnitra a bezpečnostní aparát v období pražského jara 1968 (leden – srpen 1968). Prameny k dějinám československé krize v letech 1967 – 1970. 7.* Ed.: KOUDELKA, František, SUK, Jiří. Brno : Doplněk 1996, s. 15 – 20.

katolíckych laikov, predovšetkým o pôsobení Vladimíra Jukla a Silvestra Krčméryho, ako aj o ich stykoch s oficiálnou cirkevnou hierarchiou.[14]

ŠtB pokračovala v získavaní informácií o osobách, ktoré pokladala za „nepriateľské", aj po augustovej okupácii Československa, a to napriek tomu, že bol zrušený Rozkaz MV č. 10/1964 o evidencii a rozpracovaní nepriateľských osôb a nijaké interné predpisy pre pôsobenie v tejto sfére oficiálne neexistovali. Obraz „nepriateľa" sa zatiaľ nijako nelíšil od tradičných schém – cirkvi, spojenie s emigráciou, „nepriateľské osoby", oblasť kultúry a vedy, študenti. Ešte v decembri 1968 vydal náčelník Hlavnej správy ŠtB rozkaz, že *„je celkom neprípustné zisťovať politické názory a postoje členov a funkcionárov strany, štátnych a spoločenských organizácií"*. Neskôr ŠtB tieto „zábrany" stratila a zamerala sa aj na „nepriateľov" v rámci komunistickej strany. Politická situácia bola však ešte taká, že zatiaľ nedovoľovala využiť získané informácie na trestné stíhanie; vtedy, keď sa pomery zmenili, mohli byť a boli využívané i týmto spôsobom.[15]

Po zmenách vo vedúcich orgánoch režimu na jar 1969 a nástupe tvrdej normalizácie sa už smerovanie ŠtB urýchlene vracalo do otvorene predjanuárových koľají. Rozhodujúcim medzníkom v tomto zmysle bol august 1969, keď prejavy nesúhlasu občanov pri príležitosti prvého výročia okupácie (na Slovensku mali podstatne slabšiu intenzitu ako v českých krajinách) boli brutálne potlačené mocenskými zložkami režimu, pričom sa aktívne angažovala aj ŠtB. Vtedy sa definitívne skončili ilúzie o možnosti pokračovania reforiem v Československu. Časový záber jedného roka, vymedzený augustovou okupáciou a potlačením demonštrácií v auguste 1969, bol obdobím príprav na normalizáciu, hľadaním použiteľných metód, čistiek v bezpečnostnom aparáte, ale aj v armáde, úprav právnych predpisov a celej série ďalších krokov. Vyvrcholilo to „zmietnutím kontrarevolučných antisocialistických síl z ulíc" v auguste 1969 a následným nástupom tvrdej normalizácie.

Aktivizáciu ŠtB možno dokumentovať porovnaním počtu trestne stíhaných osôb po jej „línii" v rokoch 1968 a 1969. Zatiaľ čo roku 1968 to bolo 568 osôb (najviac pre prípravu a pokus opustenia republiky), tak roku 1969 to už bolo 859 osôb, a to nielen pre prípravu a pokus opustenia republiky, ale predovšetkým za hanobenie republiky alebo štátov svetovej socialistickej sústavy.[16] Spojenie s nástupom normalizácie názorne vyjadrovala skutočnosť, že ešte v prvej polovici roka 1969 bol počet stíhaných v podstate na úrovni roka 1968,

14 Náčelník KS ZNB v liste uvádzal: *„V súvislosti s prebiehajúcim demokratizačným procesom vytvorili sa v Bratislave viaceré nelegálne zoskupenia (nepovolené podľa platných zákonov). Medzi nimi predstavujú najširšiu bázu najmä dve organizácie: Zväz na ochranu ľudských práv a Organizácia katolíckych laikov. Obe tieto zoskupenia majú konkrétne organizačné formy a vyvíjajú i konkrétnu aktivitu. Vzhľadom na osoby vo vedení týchto organizácií nie je záruka ich zneužitia proti Komunistickej strane a proti podstate socialistického spoločenského zriadenia. Získané a preverené poznatky túto okolnosť plne potvrdzujú."* Nasledujú podrobné informácie o jednotlivých osobách, programových dokumentoch, spoločenských stykoch a v prípade laického zoskupenia aj mená osôb, ktoré ich „reakčnú činnosť" potvrdzujú. A ÚPN, f. R 012, a. i. 450. Správa o niektorých reakčných tendenciách prejavujúcich sa v Západoslovenskom kraji (29. 5. 1968).

15 CUHRA, Jiří. *Trestní represe odpůrců režimu v letech 1969 – 1972*. Praha : ÚSD AV ČR, 1997, Sešity ÚSD AV ČR č. 29, s. 15 – 16.

16 ÚSD AV ČR, Sbírka komise vlády ČSFR pro analýzu událostí let 1967 – 1970, dok. D 1/463. Správa o trestnom postihu v rokoch 1968 – 1969 v odbore pôsobnosti Štátnej bezpečnosti.

v druhej polovici roka 1969 však prišiel podstatný vzostup; súviselo to najmä s aplikáciou zákonného opatrenia Predsedníctva Federálneho zhromaždenia č. 99/1969 Zb. z 22. augusta 1969 (o niektorých prechodných opatreniach potrebných na upevnenie a ochranu verejného poriadku). Trestne stíhaných osôb „po línii ŠtB" bolo na Slovensku síce podstatne menej ako v Českej republike (tam ŠtB roku 1969 trestne stíhala 2 480 osôb a roku 1969 2 954 osôb), no aj tak bolo prípadov dosť a trend bol v tomto zmysle jednoznačne vzostupný.[17]

V priebehu roku 1970 sa v zameraní postupu ŠtB voči „vnútornému nepriateľovi" stal novým, dovtedy neexistujúcim prvkom, boj proti „pravicovému oportunizmu". Súviselo to s čistkami v radoch KSČ (KSS) počas tohto roka a s vlnou existenčnej perzekúcie. Federálny minister vnútra Radko Kaska vydal 30. septembra 1970 rozkaz č. 44 o evidovaní a rozpracovaní nepriateľských osôb. Účelom evidencie bolo získať prehľad o „pravicových a reakčných silách", ktoré vraj pod vedením zahraničných centier „*...organizujú sústavnú nepriateľskú propagandu a ovplyvňujú čs. občanov v duchu nepriateľských ideológií. Útočia predovšetkým proti marx-leninským princípom politiky komunistickej strany a organizujú rôzne formy činnosti proti politike strany a štátu.*"[18] Rozkaz tak vypĺňal „medzeru", ktorá vznikla na jar 1968 zrušením Rozkazu MV č. 10/1964 o evidencii a rozpracovaní nepriateľských osôb.

Súčasťou rozkazu ministra vnútra ČSSR č. 44/1970 bola Smernica o evidovaní a rozpracovaní nepriateľských osôb, ktorá vymedzovala osem kategórií osôb podliehajúcich evidencii. Do prvých štyroch zaraďoval „podozrivých ľudí" podľa ich činnosti v rokoch 1968 – 1969. Okrem „antisocialistických síl" tu boli aj „pravicoví oportunisti", a to v takomto poradí: a/ predstavitelia a aktívni členovia reakčných nepovolených alebo zakázaných politických strán, predstavitelia pravicového oportunizmu a sionistického hnutia; b/ organizátori a mimoriadne aktívni účastníci masových akcií a demonštrácií; c/ organizátori a šíritelia nepriateľských letákových akcií, psychického a fyzického teroru; d/ aktívni činitelia K-231, SONOĽP (Slovenská organizácia na ochranu ľudských práv) a osoby, ktoré spáchali trestné činy podľa I. hlavy trestného zákona (vlastizrada, teror, diverzia, sabotáž, vyzvedačstvo a pod.). Zaradenie do ďalších štyroch kategórií bol už viac-menej tradičné; patrili sem „reakční" predstavitelia cirkevnej hierarchie, koncilového hnutia, tajných rádov a laického hnutia, organizátori z radov antisocialistických síl vo vede, kultúre, školstve a pod. a tzv. bývalí ľudia, neskôr (podľa smerníc z roku 1964) charakterizovaní ako „nepriateľské osoby".[19] Pre aktivizujúcu sa ŠtB bolo charakteristické, že takýto rozkaz sa prijal ešte skôr, ako Predsedníctvo ÚV KSČ v januári 1971 rozhodlo o evidovaní týchto „nepriateľských kategórií osôb".[20]

17 Tamže.

18 A ÚPN, f. Rozkazy ministra vnútra ČSSR. Rozkaz MV ČSSR č. 44 z 30. 9. 1970. Evidovanie a rozpracovanie nepriateľských osôb.

19 Tamže. Smernice o evidovaní a rozpracovaní nepriateľských osôb.

20 Směrnice ÚV KSČ k založení a vedení jednotné centrální evidence představitelů, exponentů a nositelů pravicového oportunismu, organizátorů protistranických, protisocialistických a protisovětských kampaní a akcí v kádrové evidenci ÚV KSČ, schválená předsednictvem ÚV KSČ. 9. 1. 1971. In HRADECKÁ, Vladimíra – KOUDELKA, František. *Kádrová politika a nomenklatúra KSČ 1969 – 1974*. Praha : ÚSD AV ČR, 1998, Sešity ÚSD AV ČR, sv. 31, s. 221 – 224.

V praxi vyzeralo zameranie pozornosti ŠtB tak, že v popredí jednoznačne stáli „pravicovooportunistické živly". Prejavovalo sa to aj v štruktúre správ o činnosti, ktoré podávali jednotlivé orgány ŠtB nadriadeným zložkám; po „línii boja proti vnútorným nepriateľským silám" sa vždy na prvom mieste uvádzali práve „pravicovo-oportunistické sily". ŠtB disponovala prehľadmi o bývalých členoch a funkcionároch KSČ, vylúčených za „protistranícku činnosť", z ktorých vyberala „bázy" tých, ktorí vyvíjajú alebo mohli by vyvíjať „nepriateľskú činnosť". Spravodajsky ich kontrolovala a z hľadiska názorov, postojov a činnosti zaraďovala viac-menej do troch skupín (niekedy sa druhá a tretia skupina spájala do jednej), ako to názorne ukazuje hlásenie o situácii v Západoslovenskom kraji ku koncu roka 1974: *„Prvá skupina a prevažná časť sa utiahla do pozadia, politicky sa otvorene neprejavuje a jej snaha je upevňovať si pozície v zamestnaniach. Vyhlasujú, že s daným stavom sa treba vyrovnať a vytvárať predpoklady na uplatnenie svojich detí. Druhá časť, hlavne exponenti a predstavitelia pravice tvrdia, že od XV. zjazdu KSČ nemožno pre vylúčených nič dobré očakávať a zotrvávajú na svojich protimarxistických názoroch a stanoviskách, pričom je snaha udržať si zdroj informácií z centrálnych orgánov a inštitúcií. Dôsledne sledujú politický vývoj v ČSSR a ZSSR a iniciatívne píšu dokumenty na svoju obhajobu. ... Tretia skupina pravice stojí na platforme politickej odplaty tzv. revanšu v prípade, že by nastala pre nich vhodná doba a príležitosť."*[21]

ŠtB sa z pochopiteľných dôvodov „venovala" predovšetkým druhej a tretej skupine. Tých najaktívnejších rozpracúvala (a viedla o nich rôzne typy operatívnych zväzkov) a ďalší boli pod operatívnou kontrolou, a to za pomoci agentúry a siete dôverníkov. Evidovala ich v celkom štyroch kategóriách (1. – 4.), pričom „najnebezpečnejší" patrili do 1. kategórie a „najmenej nebezpeční" do 4. kategórie.[22] Zaradených sledoval príslušný odbor ŠtB v rámci kraja v tej sfére, v ktorej pôsobil, tzn. veda, školstvo a kultúra, zdravotníctvo, štátna správa, doprava a pod. Najviac evidovaných bolo pochopiteľne v Západoslovenskom kraji, respektíve v Bratislave, kde koncom roka 1974 evidovali a kontrolovali 350 osôb, ale dosť ich bolo aj v ďalších krajoch. V Stredoslovenskom kraji evidovali v jednotlivých kategóriách 177 osôb, z toho v 1. kategórii 28, v 2. kategórii 77, v 3. kategórii 66 a v 4. kategórii 6. Vo Východoslovenskom kraji mali v tom istom čase 108 evidovaných osôb, z toho v 1.

---

21 A ÚPN, f. A 2/3. i. j. 26. Správa o plnení základných úloh KS ZNB Bratislava, vyplývajúcich zo záverov XIV. zjazdu KSČ za r. 1971 – 1974.

22 Kategórie „nepriateľských osôb" sa rozlišovali nasledovne: 1. Zvlášť nebezpeční, aktívni činitelia, organizátori a konšpirátori protisocialistických síl a nepriateľskej činnosti (spravidla ide o osoby rozpracúvané v príslušných operatívnych zväzkoch); 2. Nebezpečné, nepriateľsky zamerané osoby, ktoré využívajú svoje postavenie a udržujú spojenie s ďalšími reakčnými živlami doma alebo v cudzine a do aktívnej nepriateľskej činnosti sa zapájajú len pri mimoriadnych udalostiach (spravidla ide o osoby pozorované v príslušných pozorovacích zväzkoch); 3. Reakčne zamerané osoby, ktoré sa svojimi nepriateľskými postojmi verejne neprejavujú, združujú sa v skupinách alebo udržujú styky s cudzincami; 4. Ostatné nepriateľské osoby, ktoré svojím charakterom nezodpovedajú predchádzajúcim kategóriám, ďalej osoby, ktoré zodpovedajú zaradeniu do kategórií 1. – 3., sú však vážne nemocné, a preto sa do nepriateľskej činnosti nezapájajú, alebo dosiahli vysokého fyzického veku apod. A ÚPN, f. Rozkazy ministra vnútra ČSSR. Rozkaz MV ČSSR č. 44 z 30. 9. 1970. Smernice o evidovaní a rozpracovaní nepriateľských osôb.

kategórii 11, v 2. kategórii 56, v 3. kategórii 23 a v 4. kategórii 18 osôb.[23] Špecifickú pozornosť pochopiteľne ŠtB „venovala" Alexandrovi Dubčekovi ako symbolu Pražskej jari.

Prevažujúci záujem ŠtB o „pravicových oportunistov" pretrvával i po vzniku Charty 77 začiatkom roka 1977. Jednoznačne to stanovovali nové Smernice pre evidenciu osôb ohrozujúcich vnútorný poriadok a bezpečnosť štátu (nahradili RMV č. 44/1970), ktoré vstúpili do platnosti 1. februára 1979; na prvom mieste sa v nich opäť uvádzali „predstavitelia a aktívni činitelia pravicového oportunizmu". Z názvu nových smerníc bol síce vypustený termín „nepriateľské osoby" a nahradený bol relatívne miernejším pojmom „osoby ohrozujúce poriadok a bezpečnosť", no ich obsah zostal de facto totožný. Správy o štátnobezpečnostnej situácii na Slovensku, ktoré predkladal minister vnútra ČSSR vedúcim orgánom KSS (prerokúvali ich na zasadaniach Predsedníctva ÚV KSS), sa vo sfére „vnútorného nepriateľa" naďalej sústreďovali na A. Dubčeka a ďalších „pravicových oportunistov" z radov politických a štátnych činiteľov, akademických funkcionárov a ďalších, ktorých „zmietli" čistky na samom počiatku 70. rokov. Napr. podľa správy o štátnobezpečnostnej situácii na Slovensku za rok 1982 *„protispoločenská činnosť týchto predstaviteľov a exponentov pravice spočíva hlavne v ohováraní vnútropolitických pomerov v ČSSR, spochybňovaní opatrení prijímaných ústrednými straníckymi a štátnymi orgánmi a v snahe o diskreditáciu riadiacich orgánov na jednotlivých úsekoch nášho vnútropolitického života a podobne."*[24]

ŠtB pochopiteľne nemala záujem len o „pravicových oportunistov", ale aj o mnohých ďalších, hoci rady slovenského disentu a odporcov režimu všeobecne boli slabšie ako v českom prostredí. Na jar 1971 napr. ŠtB zatkla prekladateľa a publicistu Pavla Ličku a obvinila ho z udržiavania nežiaducich kontaktov so zahraničnými novinármi, údajného *„hrubého hanobenia Dr. Husáka"* a z vystúpenia v relácii britskej BBC venovanej ruskému spisovateľovi a disidentovi Alexandrovi Solženicinovi; odsúdili ho na 18 mesiacov väzenia. Normalizačná aktivita ŠtB, vrcholiaca v českých krajinách „rokom procesov" (rok 1972), zasiahla na Slovensku humoristu Ladislava Jána Kalinu, ktorý tiež skončil vo väzení. Najmä od začiatku 80. rokov venovala ŠtB veľkú pozornosť tzv. aktívnej opozícii. Išlo predovšetkým o Miroslava Kusého („bývalý vedúci ideologického oddelenia ÚV KSS"), Milana Šimečku („bývalý docent Vysokej školy múzických umení"), Jozefa Jablonického („bývalý pracovník Historického ústavu SAV") a Hanu Ponickú („bývalá spisovateľka"), ktorých spájali s činnosťou Charty 77. ŠtB už „tradične" venovala pozornosť cirkvám a náboženským spoločnostiam, novým momentom sa stalo prostredie maďarskej národnostnej menšiny atď.[25] V týchto intenciách pôsobila ŠtB proti „vnútornému nepriateľovi" až do zrútenia režimu koncom roka 1989.

---

23 A ÚPN, f. A 2/3, i. j. 262. Správa o plnení základných úloh KS ZNB Bratislava, vyplývajúcich zo záverov XIV. zjazdu KSČ za r. 1971 – 1974. Tamže, i. j. 261. Správa o plnení základných úloh KS ZNB Banská Bystrica, vyplývajúcich zo záverov XIV. zjazdu KSČ za r. 1971 – 1974. Tamže, i. j. 263. Správa o plnení základných úloh KS ZNB Košice, vyplývajúcich zo záverov XIV. zjazdu KSČ za r. 1971 – 1974.

24 SNA, f. ÚV KSS, k. 1469. Predsedníctvo ÚV KSS 18. 12. 1982. Správa o štátnobezpečnotnej situácii v Slovenskej socialistickej republike za rok 1982.

25 K aktivitám ŠtB ako opory normalizačného režimu pozri napr. PEŠEK – LETZ, *Štuktúry moci*, c. d., s. 225 – 253.

Vojenská intervencia krajín Varšavskej zmluvy v Československu v auguste 1968 na stránkach publikovaných francúzskych diplomatických dokumentov*[1]

Pavol Petruf

Táto štúdia sa zaoberá iba niektorými stránkami a udalosťami súvisiacimi s vojenským zásahom piatich krajín Varšavskej zmluvy proti Československu v auguste 1968. Keďže príslušný zväzok publikovaných francúzskych diplomatických dokumentov[2] obsahuje značné množstvo dokladov svedčiacich tak o vývoji vo vtedajšej ČSSR po vojenskom zákroku „piatich", ako aj o jeho odraze na medzinárodnej scéne, autor tohto príspevku sa vzhľadom na jeho požadovaný rozsah rozhodol priblížiť čitateľovi iba obsah tých vybraných dokumentov, ktoré vznikli počas prvých piatich dní vojenskej intervencie, t. j. od 21. do 25. augusta 1968. Čitateľovi by to malo umožniť vytvoriť si aspoň rámcovú predstavu o tom, ktorým stránkam vývoja tesne po vojenskom zásahu venovali prvoradú pozornosť pracovníci príslušného odboru francúzskeho ministerstva zahraničných vecí i francúzski diplomati pôsobiaci predovšetkým na diplomatických postoch v Moskve a v Prahe.

Ak vychádzame z publikovaných francúzskych diplomatických dokumentov vzťahujúcich sa k vývoju v Československej socialistickej republike r. 1968, môžeme konštatovať, že prvou zmienkou o možnom vojenskom zásahu ZSSR a jeho najbližších spojencov do vývoja v Československu je dokument, ktorý svedčí o tom, že francúzsky veľvyslanec v Moskve Olivier Wormser[3] si jasne uvedomoval narastanie napätia vo vzťahoch medzi Moskvou a Prahou, a v telegrame odoslanom ministrovi zahraničných vecí Couve de Murvilleovi[4] 17. mája upozornil, že tieto vzťahy sa dostali do štádia, keď je potrebné položiť si otázku, či existujúce problémy môžu dospieť až do bodu, v ktorom by sa ZSSR rozhodol do vývoja v Československu vojensky zasiahnuť buď sám, alebo by príkaz na zásah dal svojim spojencom. Konštatoval, že uvedený zásah by, prirodzene, uľahčila žiadosť o pomoc, ktorá by mohla pochádzať buď od legitímnej, či nelegitímnej československej vlády.[5] Wormser správne predpokladal, že polemika, ktorá sa v tom čase rozvíjala medzi

* Štúdia vznikla na základe riešenia grantového projektu Ministerstva školstva, vedy, výskumu a športu SR VEGA 1/0687/15 *Západné veľmoci (Francúzsko a Spojené štáty americké) a Československo v 1. polovici 20. storočia,* ako aj Grantového projektu HÚ SAV č. 2/0154/14 *Studená vojna a stredovýchodná Európa: niektoré aspekty jej vývoja v čase a priestore.*

1 *Documents diplomatiques français. 1968.* Tome II (2 janvier – 31 décembre). Bruxelles : Peter Lang S.A., 2010. (Odteraz DDF, 1968, II.).

2 (DDF, 1968, II.)

3 Olivier Wormser (29. 5. 1913 – 19. 4. 1985) bol francúzskym veľvyslancom v ZSSR v rokoch 1966 – 1968.

4 Maurice Couve de Murville (24.1.1907 – 24. 12. 1999) bol francúzskym ministrom zahraničných vecí od 1. 6. 1958 do 31. 5. 1968).

5 *Documents diplomatiques français. 1968.* Tome I (1er janvier – 29 juin). Bruxelles: Peter Lang S.A., 2009. Dok. 301, s. 808. (DDF,1968, I.).

Prahou a Moskvou, môže byť buď substitúciou, alebo predzvesťou silového riešenia, o ktorom možno povedať len to, že Moskva by sa pre takýto krok *„dnes práve tak ako včera"* rozhodla len nerada a až na poslednú chvíľu, lebo si bola vedomá vážnych následkov takejto operácie. V jej neprospech hovorilo podľa Wormsera aj to, že i keď bolo Československo bezpochyby dôležité pre sovietske politické a vojenské záujmy, v tomto súkolesí predsa len nezaujímalo také dôležité miesto ako Poľsko, *„a tak neverím"* – uviedol veľvyslanec –, že by sme mali byť svedkami takéhoto riešenia.[6]

Keď sa vojenská intervencia „piatich" stala v rozpore s uvedeným presvedčením približne po troch mesiacoch skutočnosťou,[7] francúzsky chargé d' affaires v Prahe Jacques Plihon v telegrame[8] určenom ministrovi zahraničných vecí Michelovi Debrému[9] oznámil, že približne o piatej hodine ráno 21. augusta sa pod zvučkou „Tu rozhlasová stanica *Vltava*" začalo na stredných vlnách (210 m) vysielanie *„novej stanice československého rozhlasu"*. Podľa menovaného diplomata stanica vysielala v priemernej češtine a slovenčine. Úlohou novej rozhlasovej stanice bolo propagandisticky „spracovávať" československú verejnosť a získavať ju pre myšlienku realizovaného vojenského riešenia.

Dňa 21. augusta poslal chargé d' affaires Plihon ministrovi zahraničných vecí Debrému ešte jeden (publikovaný) telegram. Informoval v ňom, že Rádio Praha ukončilo vysielanie o 7.47 hod., pričom vo svojej poslednej správe informovalo, že o 7.20 hod. dostala redakcia odkaz od súdruha Dubčeka, ktorý obyvateľstvo žiadal, aby vzniknutú situáciu znášalo statočne, zachovalo si dôveru a vyčkalo na rozhodnutia legitímnych predstaviteľov krajiny.[10] Krátko na to sa v okolí rozhlasu začala ozývať streľba a jeho pracovníci vyzvali občanov, ktorí sa zhromaždili v blízkom okolí, aby sa rozišli. Výstrely pred budovou rozhlasu sa však zmnožovali. Vieme, že nám ostáva málo času, hlásili pracovníci rozhlasu, pričom do éteru zaznela krátko nato varovná výzva: Občania, súdruhovia dozvedáme sa, že v hornej časti Václavského námestia súdruhovia budujú barikády, nerobte to, neprovokujte. Nato bolo počuť hluk v štúdiu, zaznela národná hymna a po nej oznámenie, že vysielanie je rušené, ale ešte môže pokračovať, že pred budovou rozhlasu sú sovietski vojaci, ktorí sa rozprávajú s dôstojníkmi, ale pôsobia rozpačitým dojmom. Zazneli ešte ďalšie pokyny, ale o 7.47 hod. hlásateľ síce ešte čosi hovoril, bolo mu však ťažko rozumieť, v polovici vety bol prerušený, opäť bolo počuť národné hymny, po ktorých nastalo ticho. O hodinu neskôr však vysielanie pokračovalo v štúdiu v Plzni čítaním množstva rezolúcií požadujúcich zvolanie Bezpečnostnej rady OSN a prinášajúcich informácie o Dubčekovi; vysielal sa jeden prejav prezidenta Svobodu, po ktorom nasledovalo čítanie odkazov vyjadrujúcich podporu prezidentovi republiky a tajomníkovi[11] Komunistickej strany Československa (KSČ). Ozvala

---

6 DDF, 1968, I., dok. 301, s. 808.

7 Podľa dokumentov vydaných v Českej republike bol prvou správou o vojenskej invázii do ČSSR telefonát, ktorým *„anonymný hlas"* oznámil 20. augusta o piatej popoludní spravodajcovi ČTK v Budapešti, že *„dnes o polnoci začne obsadzovanie ČSSR."* VONDROVÁ, Jitka – NAVRÁTIL, Jaromír. *Mezinárodní souvislosti československé krize 1967 – 1970. Červenec – srpen 1968.* Praha – Brno : Ústav pro soudobé dějiny AV ČR v nakladatelství DOPLNĚK, 1996. Dok.140, s. 119.

8 DDF, 1968, II., dok. 95, s. 201.

9 Michel Debré (15. 1. 1912 – 2. 8. 1996) zastával post francúzskeho ministra zahraničných vecí od 31. 5. 1968 do 20. 6. 1969.

10 DDF, 1968, II., dok. 95, s. 202 – 203.

11 Správne má zrejme byť prvému tajomníkovi ÚV KSČ [Alexandrovi Dubčekovi].

sa výzva zachovať pokoj, po ktorej nasledovala výzva k mládeži, ktorá sa zhromaždila v blízkosti obrnených vozidiel na Námestí republiky v Plzni, aby sa rozišla a nepúšťala sa do neuvážených činov. Prvý deň vojenskej okupácie Československa armádami piatich krajín Varšavskej zmluvy bol (nielen v Prahe) plný napätia, výziev k pokoju, ale i otvorenej či utajovanej konfrontácie s okupantmi. A podobne tomu bolo i na ďalší deň (22. augusta), keď sa situáciu v pražských uliciach vybral preskúmať vojenský atašé francúzskeho veľvyslanectva v Prahe podplukovník Guichard. Počas obchôdzky Prahou dospel k záveru, že situácia sa v porovnaní s predchádzajúcim dňom nijako nezmenila. Pražský hrad, sídlo vlády a väčšina ministerstiev boli zo všetkých strán obkľúčené obrnenými vozidlami, budovu Ústredného výboru KSČ obkolesoval súvislý pás tankov a obrnených vozidiel stojacich miestami až v dvoch radoch. Neuniklo mu, že obsadené boli aj banky. V uliciach boli veľké davy ľudí, čo súviselo s tým, že mestská hromadná doprava nefungovala alebo fungovala len čiastočne. V uliciach hliadkovali početné malé obrnené vojenské oddiely so „zavretými poklopmi“, na výjazdoch z mesta, na Letenskej pláni, pri ministerstve národnej obrany boli početné zoskupenia tankov a obrnených vozidiel zaujímajúcich vyčkávacie postavenie. Guichard nadobudol dojem, že celkove boli ruskí vojaci v dôsledku únavy a nervového vypätia nervóznejší než v prvý deň okupácie.[12] Guichard bol na pochôdzke aj na ďalší deň.

Večer v tretí deň okupácie mu Praha i jej predmestia pripadali veľmi pokojné. Obrnené sovietske jednotky v centre mesta síce naďalej pozorne kontrolovali väčšinu dôležitých bodov – administratívne, stranícke a vládne budovy, veľké križovatky a mosty, ale ich počet bol menší než deň predtým. Na predmestiach bol rozmiestnený len veľmi malý počet vojakov a chodec mohol prejsť celé kilometre bez toho, aby sa s nimi stretol. Určitý počet jednotiek bol rozmiestnený na malých námestiach a v parkoch. Niekoľko vojenských hliadok zložených z troch alebo štyroch obrnených vozidiel sa neustále pohybovalo po uliciach, ale ich počet bol malý. Ruskí dôstojníci a vojaci všade zachovávali pokoj a miestami debatovali s obyvateľmi. Nikde nebolo vidieť zátarasy, nestretol sa ani s kontrolou totožnosti. Naproti tomu pri vstupe a výjazde z Prahy sovietski vojaci kontrolovali všetky vozidlá, aby sa presvedčili, že sa v nich nenachádzajú ilegálne rozhlasové vysielače.

Pouličný dav pôsobil zvyčajným dojmom. V dôsledku toho, že väčšina električkových a autobusových liniek bola v priebehu dňa opätovne uvedená do prevádzky, chodcov bolo oveľa menej než v predchádzajúcich dňoch. Dlhé rady pred obchodmi ostali, ale zásobovanie bolo všade zabezpečené a obchody boli dobre zásobené. Benzín sa dal kúpiť prakticky bez problémov.

V centrálnych štvrtiach mesta pribudli plagáty, rozličné letáky, fotografie generála Ludvíka Svobodu a Dubčeka – na múroch a vo výkladoch obchodov ich bolo toľko, že fakticky tvorili súvislý pás. Na oknách poschodí boli rozvinuté transparenty a rozličné vývesky. Na múroch budov, ale i na vozovkách boli nápisy kriedou, ale aj farbou. Politické heslá hlásané týmto spôsobom boli rozličné a zhodovali sa s tými, ktoré videl už v predchádzajúci deň: „Ruskí vojaci vypadnite“ – „To je naša vec“ – „Uznávajte iba legitímnu vládu“ – „Nespolupracujte s okupantmi“ – „Ruskí nacisti“ – „Svoboda, Dubček, Černík“ – „Pozor na zradcov“. Na mnohých týchto nápisoch bolo možné čítať: „Žiadame neutralitu“. Túto pestrú mozaiku apelácií dopĺňali ešte ďalšie nápisy a výzvy.

12 DDF, 1968, II., dok. 118, s. 233.

Automobilová doprava bola veľmi obmedzená, ale medzi automobilmi a kamiónmi, ktoré jazdili, bolo mnoho takých, na ktorých boli vyvesené štátne zástavy. V meste sa rozdávali nespočetné propagačné letáky a malé zástavky, ktoré sa dali zasunúť do gombíkovej dierky. Plihon si všimol, že dva či tri kamióny prevážali veľmi mladých ľudí, ktorí gestikulovali so zástavkami v rukách a brázdili mesto krížom-krážom; chodci na nich mlčky hľadeli.

Na miestach, kde sa zvyčajne konali manifestácie, bolo menej ľudí než po iné dni. Naproti tomu mnohí zvedavci smerovali k budove rozhlasu, kde v prvý deň okupácie došlo k mnohým incidentom a kde ešte bolo vidieť stopy po požiari, ako aj niekoľko vrakov spálených motorových vozidiel. Svoje dojmy z obchôdzky mestom v tretí deň okupácie zhrnul Plihon do nasledujúcej formulácie: *„Slovom: prostredie svedčiace o pasívnej rezistencii, záblesk národného cítenia, rozpútanie ‚papierovej vojny' a kriedou písané politické heslá."*[13] Dodajme, že veľká väčšina českých i slovenských miest pôsobila v oných dňoch podobným dojmom.

Z poznatkov, ktoré francúzsky vojenský atašé v Prahe získal pozorovaním situácie v hlavnom meste republiky, jasne vyplývalo, že československá (čs.) verejnosť pokladala vojenskú intervenciu „piatich" za nelegálny čin, ktorý bol v zjavnom rozpore so zásadami medzinárodného práva. Túto skutočnosť si uvedomovali aj interventi, ktorí sa ju snažili zahmliť (a ospravedlniť) tým, že nimi vytvorená rozhlasová stanica *Vltava* odvysielala už 21. augusta v skorých ranných hodinách vyhlásenie určené všetkým príslušníkom čs. armády. Vo vyhlásení sa tvrdilo, že *„vedúci funkcionári československej vlády a strany oddaní veci socializmu a záujmom svojho národa nás pozvali, aby sme im v dôsledku činnosti kontrarevolučných síl prišli na pomoc. Tejto žiadosti sme vyhoveli a prichádzame k vám, aby sme vám poskytli bratskú pomoc a verne pomohli československému ľudu. Naše krajiny plnia záväzok zmluvne stanovený v bratislavskom vyhlásení. V súlade s týmto vyhlásením je ochrana socialistických výdobytkov v každej krajine vecou všetkých socialistických krajín. Výdobytky socializmu v Československu sú ohrozené. Pod rúškom lživých fráz sa nepriateľské sily usilujú zbaviť moci československých pracujúcich, zničiť ich predvoj, stranu, a oddeliť Československo od socialistického spoločenstva. To vytvára nebezpečenstvo aj pre ostatné socialistické krajiny, pre mier a bezpečnosť v Európe. Nijaký čestný vojak nemôže ostať ľahostajný, keď jeho socialistickú vlasť ohrozuje takéto nebezpečenstvo. Ak ide o odpor proti kontrarevolúcii, nemožno váhať ani minútu. Nemožno dovoliť, aby nepriateľ pošliapaval výdobytky ľudu. Nemožno dovoliť, aby boli ohrozované životné záujmy socialistického spoločenstva a podkopávaný mier v Európe. Buďte ostražití, nedajte sa zmiasť provokatérmi, ktorí sa budú usilovať zasiať zmätok do radov obrancov socializmu. Naši vojaci budú z Československa stiahnutí okamžite po tom, čo pominie nebezpečenstvo hroziace Československu. Velenie vás vyzýva na dodržiavanie zákonnosti v krajine, na ochranu socializmu. Ochraňujte vaše hranice proti každému útoku imperializmu, proti jeho agentom, za nezávislosť Československa. Sme vaši bratia. Naša spoločná vec je nedotknuteľná. Vedenie piatich spojeneckých krajín."*[14]

---

13 DDF, 1968, II., dok. 130, s. 253 – 254. Kurzíva autor príspevku.

14 DDF, 1968, II., dok. 95, s. 201 – 202. Citované francúzske diplomatické dokumenty predstavujú iba určité myšlienky či výňatky z bratislavského vyhlásenia (deklarácie). Základné

Francúzsky veľvyslanec v Moskve Wormser v telegrame odoslanom ministrovi zahraničných vecí Debrému dva dni po citovanom vyhlásení rozhlasovej stanice *Vltava* (t. j. 23. augusta) uviedol: „*Podľa niektorých faktov sa zdá, že vedúci sovietski činitelia sa snažia dať intervencii v Československu zdanie legality i právnej opodstatnenosti.*“[15] Podstatu tohto úsilia videl v tom, že zatiaľ čo v oznámení, ktoré sovietsky veľvyslanec v Paríži Valerian Zorin[16] odovzdal generálnemu tajomníkovi Úradu prezidenta republiky Bernardovi Tricotovi[17] v prvú rannú hodinu 21. augusta, ako aj vo vyrozumení, ktoré americkému prezidentovi Lyndonovi Johnsonovi odovzdal sovietsky veľvyslanec v USA Anatolij Dobrynin[18] 20. augusta krátko po 21. hodine miestneho času, „*sovietska vláda pokladala za možné [či z politického hľadiska za žiaduce] tvrdiť, že so žiadosťou o intervenciu sa na ňu obrátila ‚československá vláda' či ‚úradné orgány'*“, v texte prvého vyhlásenia tlačovej agentúry TASS uverejneného v skorých ranných hodinách 21. augusta sovietske úradné orgány už verejne neopakovali podobné tvrdenie, ale použili neurčité vyjadrenie, z ktorého však vyplývalo, že pôvodcom žiadosti nebola ani čs. vláda ako taká, ani ústredný výbor strany či jeho predsedníctvo.[19] Tento posun vo vyjadrovaní bol podľa Wormsera signálom úsilia Moskvy viac prihliadať na právnu stránku celej akcie, čo sa v závere citovaného vyhlásenia tlačovej agentúry TASS prejavilo vo formulácii, že armády piatich krajín Varšavskej zmluvy budú z ČSSR stiahnuté „*ihneď po tom, čo legálne orgány usúdia, že ich prítomnosť už nie je nevyhnutná*“.[20] Wormser však zároveň správne upozornil, že otázkou ostáva, aký obsah pripisovala Moskva výrazu „legálne orgány“ („zákonné moci“), t. j. či v jej ponímaní išlo o orgány jestvujúce vo chvíli okupácie, alebo o orgány, s vytvorením ktorých sa počítalo až po začatí vojenskej intervencie 21. augusta. V tomto kontexte mohol hrať určitú úlohu aj fakt, že Moskva, ako sa zdá, brala prinajmenšom v posledných dvoch dňoch ohľad na generála Svobodu[21] ako prezidenta republiky a najvyššieho veliteľa ozbrojených síl.

informácie o bratislavskej porade pozri In BYSTRICKÝ, Valerián a kol. *Rok 1968 na Slovensku a v Československu.* Bratislava : Historický ústav SAV, 2008, s. 171 – 173.

15 DDF, 1968, II., dok. 121, s. 236.

16 Valerian A. Zorin (1.1 1902 – 14. 1. 1986) bol sovietsky politik a diplomat. V rokoch 1945 – 1947 bol sovietskym veľvyslancom v ČSR. Vo funkcii veľvyslanca vo Francúzsku pôsobil v rokoch 1965 – 1971.

17 Bernard Tricot (17. 6. 1920 – 8. 6. 2000) zastával viaceré významné štátne funkcie. V rokoch 1967 – 1969 bol generálnym tajomníkom Úradu prezidenta republiky.

18 Anatolij F. Dobrynin (16. 11. 1919 – 6. 4. 2010) bol sovietsky diplomat a politik. V rokoch 1962 – 1986 pôsobil vo funkcii veľvyslanca ZSSR v USA.

19 Por. DDF, 1968, II., dok. 121, s. 236 – 237.V prvom odseku vyhlásenia tlačovej agentúry TASS uverejneného v sovietskych novinách *Pravda* krátko po piatej hodine ráno 21. augusta sa hovorilo, že TASS je splnomocnená vyhlásiť, že „*stranícki a vládni činitelia Československej socialistickej republiky sa obrátili na Sovietsky zväz a ostatné spojenecké štáty so žiadosťou o poskytnutie bezodkladnej pomoci bratskému československému ľudu vrátane ozbrojených síl*“. (Cit. podľa: VONDROVÁ, Jitka – NAVRÁTIL, Jaromír. *Mezinárodní souvislosti československé krize 1967 – 1970. Červenec – srpen 1968.* Dok. č. 143, s. 223).

20 Por. DDF, 1968, II., dok. 121, s. 237. Vo vyššie citovaných českých dokumentoch znie uvedená pasáž nasledovne: „*Sovietske vojenské jednotky spolu s jednotkami menovaných krajín... Budú okamžite odvolané z ČSSR, len čo zákonné moci zistia, že naďalej nie je nevyhnutný pobyt týchto vojenských jednotiek* [v ČSSR].“ Dok. č. 143, s. 224.

21 „Ohľad“ na gen. Svobodu zrejme súvisel s tým, že prezident Svoboda so sprievodom priletel krátko pred jednou hodinou miestneho času do Moskvy na dôležité rokovania s vedúcimi sovietskymi

Na druhej strane – pokračuje Wormser – ak analyzujeme zdôvodnenia, ktoré ZSSR predložil v oficiálnych dokumentoch od stredy [t. j. od prvého dňa vojenského zásahu proti Československu], môžeme konštatovať, že okrem priameho a celkom zrejmého odvolávania sa na „životné záujmy“ ZSSR, na jeho „bezpečnosť“ a na bezpečnosť socialistického spoločenstva, sa Moskva dovolávala i určitých právnych noriem, ktoré upravovali vzťahy medzi socialistickými krajinami tak po stránke právnej, ako i politickej. A tak napríklad – podotýka Wormser – prvé vyhlásenie tlačovej agentúry *TASS* pripomenulo *„záväzky vyplývajúce z podpísaných dohôd“* a deklarovalo, že rozhodnutie o intervencii *„je v plnom súlade s právom na individuálnu a kolektívnu sebaobranu predpokladanú v spojeneckých zmluvách uzavretých medzi bratskými socialistickými krajinami“.*[22]

Ak sa prvé vyhlásenie agentúry TASS o Varšavskej zmluve priamo nezmienilo, rozsiahly článok publikovaný v sovietskych novinách *Pravda* vo štvrtok 22. augusta sa výslovne odvolával nielen na Varšavskú zmluvu, ale aj na bilaterálnu sovietsko-československú zmluvu. *Pravda* pripomínala, že touto zmluvou sa obe krajiny zaviazali spojiť svoje úsilie s cieľom zabezpečiť svoju bezpečnosť i bezpečnosť ostatných krajín socialistického spoločenstva. Tieto záväzky vytvárajú spolu so záväzkami, ktoré na seba vzali ostatné socialistické štáty dvojstrannými zmluvami i Varšavskou zmluvou, pevný základ pre bezpečnosť každého z nich. Smerujú k obrane výdobytkov socializmu, hraníc a mieru v Európe. Záväzky týkajúce sa týchto jednotlivých bodov, hovorí článok, však niektorí vedúci čs. predstavitelia spochybnili tak svojimi revizionistickými tendenciami, ako aj tým, že dôsledne nerešpektovali *„svoje spojenecké povinnosti“*. Tým *„boli západné hranice Československa fakticky otvorené“*. Za tejto situácie, dedukovala sovietska argumentácia, keďže bezpečnosť každého je záležitosťou všetkých, lebo proletársky internacionalizmus je medzi socialistickými štátmi najväčšou povinnosťou, ako to ostatne uznali samotní vedúci čs. predstavitelia vo vyhlásení, ktoré podpísali v Bratislave, *„signatári Varšavskej zmluvy nemohli z toho nevyvodiť príslušné závery“.*[23]

Tento postoj, prenesený do roviny OSN, bol jasne vyjadrený vo vyhlásení publikovanom tlačovou agentúrou TASS 21. 8. večer: *„Otázky týkajúce sa vzájomných vzťahov medzi Československom a* [ostatnými] *socialistickými štátmi v rámci socialistického spoločenstva si riešia samotné tieto štáty.“*[24]

Rýchlosť, s akou Moskva súhlasila s prijatím prezidenta ČSSR generála Svobodu po neúspechu jeho rokovaní so sovietskym veľvyslancom v Československu Stepanom V. Červonenkom, bol pre francúzskeho veľvyslanca v Prahe Rogera Lalouettea jasným svedectvom, že okupačné orgány mali vážne ťažkosti s vytvorením čo i len dočasnej vlády. V telegrame zaslanom ministrovi zahraničných vecí Debrému 23. augusta vyslovil názor, že podobne ako na konferencii v Čiernej nad Tisou zrejme precenili akčné možnosti „konzervatívneho klanu“, pre ktorý sa pasívny odpor obyvateľstva, jeho pokojné, ale veľavravné demonštrácie stali delikátnym problémom tak pre sovietske veľvyslanectvo v Prahe, ako i pre čs. osobnosti získané pre kolaboráciu s okupantom. Lalouette uviedol, že pokiaľ

---

predstaviteľmi. Základné informácie o moskovských rokovaniach pozri In BYSTRICKÝ, Valerián a kol. *Rok 1968 na Slovensku a v Československu*, c. d., s. 198 – 211.

22 Por. DDF, 1968, II., dok. 121, s. 237.

23 DDF, 1968, II., dok. 121, s. 238.

24 Tamže.

možno veriť niektorým tvrdeniam, skupinu stúpencov bezvýhradnej spolupráce so sovietskymi okupačnými orgánmi tvoria hlavne Alois Indra, Drahomír Kolder, Oldřich Švestka, Jan Piller a Karel Hoffman.[25]

Lalouette ďalej uviedol, že dovtedajší postoj čs. ústredných orgánov k vojenskej okupácii krajiny prakticky znemožňoval zinscenovať čosi, čo by vyvolávalo dojem legality, a čo by Moskve umožnilo aspoň do určitej miery podporiť predstavu, ktorú sa jej vláda snaží urobiť akceptovateľnou pre vládne orgány, medzinárodné spoločenstvo a Organizáciu spojených národov (OSN).[26] V tejto korelácii veľvyslanec pripomenul, že ráno 23. augusta zasadala čs. vláda pod predsedníctvom Lubomíra Štrougala. Zasadania sa zúčastnilo 22 jej členov. Kabinet mal možnosť nadviazať spojenie s prezidentom republiky, ktorý ho oboznámil o svojom rozhodnutí navštíviť Moskvu, pričom požiadal, aby vymenoval ministrov, ktorí ho budú sprevádzať. Vymenovaný bol i Oldřich Černík (napriek tomu, že bol zatknutý), generál Martin Dzúr a minister spravodlivosti Bohuslav Kučera. Rozhlasová stanica Slobodné Československo spresnila, že ostatné osoby, ktoré tvoria súčasť prezidentovho sprievodu,[27] neboli vybraní vládou. Tá o. i. rozhodla, že bude zasadať nepretržite, vyčká na návrat generála Svobodu a nové rozhodnutia prijme až po jeho návrate do Československa.

Vo svojej správe Parížu veľvyslanec ďalej informoval, že nový ústredný výbor KSČ, ktorý deň predtým zvolil zjazd strany, odhlasoval návrh na vyslovenie dôvery prezidentovi republiky a členom vlády, ktorí s ním odcestovali do Moskvy. Čo sa týka ostatných účastníkov prezidentovej cesty do Moskvy, vedúci orgán KSČ sa obmedzil na konštatovanie, že budú posudzovaní *„podľa ich skutkov"*.

Lalouette podčiarkol, že príkaz na štrajk, ktorý 22. augusta vydal mimoriadny zjazd strany, bol v Prahe vo veľmi veľkej miere dodržaný. Od 12. do 13. hodiny obyvateľstvo v súlade s výzvou vyprázdnilo ulice; svoju správu ministrovi zahraničných vecí ukončil konštatovaním, že vo chvíli, keď píše svoj telegram, sa zdá, že všetko závisí od výsledkov rozhovorov generála Svobodu s vedúcimi sovietskymi predstaviteľmi. Počet okupačných jednotiek sa znížil, ale posilnila sa ich kontrola v oblasti verejnej správy. Medzinárodná telefonická centrála v Prahe a vysielacie stanice v Žiline a v Českých Budějoviciach sa dostali do ich rúk. V najbližšom čase má dôjsť k rozsiahlym zatýkaniam. Rozhlasová stanica Slobodné Československo vyzvala obyvateľov, aby z ulíc odstránili tabuľky s ich názvami a číslami domov, a tak zabránili vykonaniu uvedených opatrení.[28] Situácia v Prahe teda ostávala napätá.

---

25 DDF, 1968, II., dok. 129, s. 251.

26 Por.: Tamže, s. 252.

27 Rokovaní prezidenta Svobodu so sovietskymi predstaviteľmi sa v deň príletu do Moskvy 23. augusta zúčastnili Vasiľ Biľak, Martin Dzúr, Gustáv Husák, Alois Indra, Jan Piller a Vladimír Koucký.

28 DDF, 1968, II., dok. 129, s.252.V súvislosti s citovaným Lalouetteovým telegramom sa žiada dodať, že ešte pred jeho odoslaním poslal francúzsky chargé ď affaires v Prahe Plihon ministrovi zahraničných vecí Debrému iný telegram, v ktorom sa hovorilo: *„Rozhlasová stanica Československo 1 práve odvysielala nasledujúcu správu: Sovietsky vojenský veliteľ vydal ultimátum, podľa ktorého musí byť do 24 hodín vytvorená vláda zložená z osôb verných socializmu. Československá vláda okamžite odpovedala kontra-ultimátom požadujúcim stiahnutie okupačných vojsk a pripomínajúcim, že je jedinou legálnou vládou."* (DDF, 1968, II., dok. 128, s. 250).

V čase, keď riešenie krízovej situácie v Československu spôsobenej vojenským zásahom piatich krajín Varšavskej zmluvy proti obrodnému procesu bolo v nedohľadne, prijal generálny tajomník francúzskeho ministerstva zahraničných vecí Hervé Alphand 24. augusta krátko pred ôsmou hodinou večer sovietskeho veľvyslanca v Paríži Valeriana Zorina a ústne ho oboznámil s vyrozumením, s ktorým minister zahraničných vecí Debré krátko nato oboznámil francúzskeho veľvyslanca v Moskve Wormsera s tým, že o uvedenom vyrozumení je povinný informovať v pondelok 26. augusta sovietskeho ministra zahraničných vecí Andreja Gromyka.[29] V informácii určenej Wormserovi Debré zdôraznil, že zasadanie vlády, ktoré sa konalo dnes večer,[30] rozhodlo, že nepredvídateľný vývoj moskovských rokovaní si vyžaduje neodkladať odovzdanie tohto oznámenia. Wormser dostal pokyn, aby sa ním inšpiroval počas rozhovoru s ministrom zahraničných vecí Gromykom, pričom mal vziať do úvahy udalosti, ku ktorým medzičasom dôjde.[31]

Hlavné myšlienky vyrozumenia, ktoré mal Wormser tlmočiť Gromykovi, boli nasledujúce:

Sovietska vláda musela byť oboznámená s komuniké, ktoré Úrad prezidenta republiky publikoval 21. augusta. Toto komuniké vyjadrilo nesúhlas Francúzska a vážne znepokojenie, ktoré vo Francúzsku vyvoláva vojenská intervencia Sovietskeho zväzu v Československu.

Na ospravedlnenie tohto činu sa sovietska vláda zjavne dovoláva žiadosti, ktorú jej mala predložiť československá vláda. Toto tvrdenie vyvoláva tým väčšie pochybnosti, že na tribúne Organizácie Spojených národov a v demarši čs. chargé d' affaires v Paríži Kříža dala vláda Československej socialistickej republiky na vedomie svoj protest proti sovietskej intervencii.[32]

Od tohto momentu je preto francúzska vláda nútená pokladať akciu, ktorá ohrozuje princípy nezávislosti štátov a nezasahovania do vnútorných vecí, za odporujúcu medzinárodnému právu. Francúzska vláda pokladá za svoju povinnosť pripomenúť, že Francúzsko a Sovietsky zväz tieto princípy slávnostne vyhlásili vo svojej spoločnej deklarácii z 30. júna 1966.

Sovietska vláda vyhlasuje, že bola nútená konať na základe solidarity východoeurópskych socialistických krajín. Avšak toto vyhlásenie obsahuje predstavu, ktorú Francúzsko neprestalo a neprestáva odmietať. Táto predstava spočíva v tom, že pod pláštikom ideológie sa opiera o existenciu blokov, v rámci ktorých mocnosť vnucuje ostatným politiku, ekonomický systém a vojenskú organizáciu na úkor ich suverenity a, v prípade potreby, i ľudských práv.

Francúzsko ukázalo, že... táto politika blokov vedie k nedoceňovaniu práva národov na sebaurčenie a vytvára vo svete napätie, ktoré je hrozbou pre mier.

Pri rozličných príležitostiach a obzvlášť počas návštevy prezidenta Francúzskej republiky v Sovietskom zväze alebo v určitých správach vyhotovených na základe spoločnej dohody oboch vlád v Organizácii Spojených národov, bola načrtnutá iná politika, politika uvoľnenia, dohody a európskej spolupráce, ktorú by pri zachovaní plnej nezávislosti usku-

29 Andrej Gromyko (18. 7. 1909 – 2. 7. 1989) zastával funkciu ministra zahraničných vecí ZSSR od 14. 2. 1957 do 2. 7. 1985.

30 T. j. 24. augusta 1968.

31 DDF, 1968, II., dok. 135, s. 260.

32 DDF, 1968, II., dok. 135, s. 260 – 261.

točňovali národy nášho kontinentu. Francúzsko sa ňou cíti byť naďalej viazané. Želá si, aby Sovietsky zväz zvolil tú istú cestu a stiahnutím svojich vojsk z územia Československa prinavrátil jeho ľudu možnosť uplatniť právo na sebaurčenie. Želá si to tým väčšmi, že vývoj priateľských vzťahov a spolupráce s Ruskom zodpovedá tak jeho vlastným náhľadom, ako aj fundamentálnemu záujmu celej Európy i mieru.[33]

V ten istý deň – 24. augusta 1968 – keď francúzsky minister zahraničných vecí Debré vydal inštrukciu francúzskemu veľvyslancovi v Moskve Wormserovi, aby sovietskeho ministra zahraničných vecí Gromyka informoval o nesúhlase Francúzska s vojenskou intervenciou ZSSR a jeho štyroch spojencov v Československu, sa šéf francúzskej diplomacie písomne obrátil aj na francúzskych diplomatických zástupcov v ďalších štátoch. Informoval ich o obsahu demaršu, s ktorým Wormser oboznámi prostredníctvom ministra zahraničných vecí Gromyka sovietske vedenie, a vydal im inštrukciu, aby sa v rozhovoroch s partnermi, s ktorými sú zvyčajne v kontakte, inšpirovali nasledujúcimi zreteľmi:

1. Československo je napriek rozdielnosti politických režimov oboch krajín národom, s ktorým má Francúzsko priateľské vzťahy. Francúzsko sa preto nemôže nezaujímať o osud európskej krajiny, s ktorou ho spájajú tradičné putá. Nastolenie nových pomerov v Európe by umožnilo nadviazať s Prahou spoluprácu zodpovedajúcu európskej politike, ako ju vymedzila francúzsko-sovietska deklarácia z 30. júna 1966,[34] vydaná počas návštevy prezidenta republiky Charlesa de Gaullea v ZSSR.[35]

Na rozdiel od toho, čo uvádza sovietska vláda, ani legálna pražská vláda ani orgány Komunistickej strany Československa nepožiadali o pomoc vojenské sily socialistických krajín. Intervencia Ruska je teda v rozpore s medzinárodným právom, lebo ohrozuje princípy nezávislosti štátov a nezasahovania jednej mocnosti do vnútorných vecí inej mocnosti.

2. Sovietsky čin – uskutočnený pod rúškom „solidarity socialistických krajín" – vychádza z koncepcie medzinárodného života, ktorú Francúzsko nikdy neprestalo odmietať a v súlade s ktorou existujú bloky, v rámci ktorých najsilnejšia veľmoc vnucuje ostatným ideológiu, politický systém, vojenskú organizáciu, to všetko na úkor ich suverenity a v prípade potreby i ľudských práv.

Francúzsko vždy odmietalo iniciatívy inšpirované touto koncepciou bez ohľadu na to, kde by sa realizovali...

3. Napokon zdôraznite fakt, že Francúzsko zo svojej strany túži po politike uvoľňovania, dohody a spolupráce. Táto politika bola definovaná a potvrdená pri rozličných príležitostiach a osobitne počas návštevy prezidenta republiky de Gaullea v Sovietskom zväze. Čin ZSSR a jeho štyroch spojencov ohrozuje ďalší vývoj. Francúzsko si želá, aby Sovietsky zväz stiahnutím svojich vojsk z územia Československa umožnil jeho ľudu, aby sám rozhodoval o svojom osude a pokračoval v ceste, ktorú si zvolil. Pre francúzsku vládu je to

33 Tamže, s. 261.

34 DDF, 1968, II., dok. 135, s. 262. V spoločnej deklarácii Sovietskeho zväzu a Francúzska sa v súvislosti s európskymi otázkami osobitne zdôrazňovalo, že *„Sovietsky zväz i Francúzsko pokladajú v tejto súvislosti za najnaliehavejšie najskôr normalizovať a potom postupne rozvíjať styky medzi všetkými európskymi krajinami pri rešpektovaní ich nezávislosti a pri nezasahovaní do ich vnútorných záležitostí. Táto činnosť sa má rozvíjať na všetkých úsekoch: v hospodárstve, kultúre, technike a samozrejme i politike."* (*Rudé právo*, 1. 7. 1966, s. 5)

35 Francúzsky prezident Ch. De Gaulle bol na návšteve v ZSSR od 20. júna do 1. júla 1966.

totiž jediná cesta, ktorá Európe umožní vyriešiť svoje problémy a zabezpečiť medzinárodný mier.[36]

V súvislosti s prejavovanou príčinlivosťou francúzskych diplomatických kruhov angažovať sa v záležitosti vojenskej intervencie piatich krajín Varšavskej zmluvy v Československu je potrebné – ak máme na zreteli, že tento článok sa zaoberá iba prvými piatimi dňami vojenského zásahu ZSSR, BĽR, MĽR, NDR a PĽR proti ČSSR – osobitne sa zmieniť o nóte nazvanej *O československej kríze*, ktorú pracovníci Odboru východnej Európy francúzskeho ministerstva zahraničných vecí vyhotovili dňa 24. augusta 1968. Dokument sa skladal zo štyroch častí. V prvej z nich, nazvanej *Príčiny sovietskej intervencie*, sa hovorilo, že tento násilný čin bol prekvapením, lebo po tom, čo začiatkom leta ZSSR a štyri krajiny, ktoré ho podporovali, vyvinuli na Československo obrovský nátlak spojený s vojenským zastrašovaním, rokovania v Čiernej nad Tisou a v Bratislave[37] sa skončili (dodajme, že aspoň zdanlivo – P.P.) kompromismi spočívajúcimi v rozhodnutí ponechať pri moci vládnucu garnitúru, stiahnuť sovietske jednotky, ktoré sa zúčastnili manévrov na československom území, a schváliť bratislavskú deklaráciu, ktorá obsahovala určité čs. ústupky v oblasti ideológie a zahraničnej politiky.

Nik si síce nemyslel, že sa tým vyriešil problém, ktorý pre sovietsky tábor predstavoval vývoj v Československu. Avšak medzi kompromisom dosiahnutým v Bratislave a inváziou do Československa v noci z 20. na 21. augusta sa zmena postoja ZSSR zdá byť natoľko zrejmá, že ju možno vysvetliť iba tromi spôsobmi:

a) Nedorozumením. Spočívalo v tom, že Rusi naozaj verili, že po stretnutí v Bratislave Dubček obmedzí slobodu prejavu a bude postupovať tak, že zjazd strany určený na september neschváli úplnú elimináciu konzervatívnej frakcie ústredného výboru.

b) Ľsťou. Tá by tkvela v tom, že o invázii sa v skutočnosti rozhodlo už pred rokovaním v Čiernej nad Tisou, ale Sovieti z obavy pred silou odporu, ktorú v národe podnietil ich tlak, odložili operáciu s tým, že ju uskutočnia o čosi neskôr, chladnokrvne a za pomoci prekvapenia.[38]

c) Novým faktom. Na čs. strane sa po stretnutí v Bratislave vyskytlo len málo takých udalostí, ktoré mohli spôsobiť nárast sovietskych obáv. Politické kruhy i obyvateľstvo sa vyhýbali každej provokácii. Podľa niektorých názorov však celkom nedávna čistka prosovietskych elementov na ministerstve vnútra mohla znepokojiť Moskvu. Pokiaľ ide o vnútornú politiku Prahy, aj návšteva juhoslovanského prezidenta Josipa Broza-Tita (9. – 11. augusta) mohla byť Sovietom nepríjemná. A popudiť ich mohla zrejme aj návšteva Nicolae Ceauşesca v ČSSR v dňoch 15. – 17. augusta. Vylúčiť nemožno ani to, že aj na sovietskej strane došlo k zmene v rovnováhe síl v kolektívnom vedení. Neverifikovateľné, ale nie nepravdepodobné šumy hovoria, že viacerí vedúci sovietski činitelia vrátane A. Kosygina boli proti intervencii. Je možné, že v júli sa im podarilo dosiahnuť odklad operácie, ale neskôr politbyro prestalo zohľadňovať ich názor. Zdá sa, že plénum Ústredného výboru Komunistickej strany Sovietskeho zväzu, ktoré 19. a 20. augusta schválilo rozhodnutie

36 DDF, 1968, II., dok. 135, s. 263.

37 Rokovania delegácií KSČ a KSSZ v Čiernej nad Tisou sa konali v dňoch 29. júla – 1. augusta 1968; porada vedúcich predstaviteľov komunistických a robotníckych strán šiestich socialistických krajín (BĽR, ČSSR, MĽR, NDR, PĽR a ZSSR) sa konala v Bratislave 3. augusta 1968.

38 DDF, 1968, II., dok. 138, s. 265.

o intervencii, bolo zvolané narýchlo. Existujú však aj indície, že invázia sa na vojenskej úrovni pripravovala od 13. augusta. Určitú úlohu mohla zohrať aj cesta Waltera Ulbrichta do Karlových Varov (12. augusta), odkiaľ si odniesol pesimistický názor na smerovanie KSČ, čo sa mohlo pre podaktorých stať podnetom na konečné rozhodnutie.[39]

Autori spomínanej nóty Odboru východnej Európy francúzskeho ministerstva zahraničných vecí konštatovali, že uvedené interpretácie sa celkom nevylučujú. Možno si totiž predstaviť, že sovietske vedenie bolo rozdelené a nemalo jednotný názor na ďalší postup; v zásade už v júli prijalo rozhodnutie použiť silu v prípade, že politické sily v Československu prekročia určité hranice, v Čiernej nad Tisou však súhlasilo s tým, aby Dubčekovi bola daná ešte posledná šanca, ale následne svoj postoj pritvrdilo v dôsledku tak vnútorných, ako aj vonkajších faktorov.

Druhá časť nóty má názov *Uskutočnenie násilného aktu* a skladá sa z troch odsekov. Prvý z nich má podtitul Prezentácia a ospravedlnenie, a jeho autori konštatujú, že podobne ako tomu bolo v roku 1956 v Maďarsku, cieľom vojenskej intervencie bolo zosadiť vedúcich predstaviteľov, ktorých politiku pokladalo sovietske vedenie[40] za nebezpečnú pre budúcnosť režimu a – prostredníctvom nákazy – aj pre komunistickú moc v susedných štátoch. Podobne ako v roku 1956 v Maďarsku Moskva ospravedlňovala svoj čin v dvoch rovinách: – odvolávaním sa na solidaritu východoeurópskych socialistických krajín, ktorá im dáva právo zasiahnuť do vnútorných vecí spojenca hneď, ako sa zdá, že jeho politika môže spôsobiť škodu ostatným. V tomto ohľade sa dovolávala rezolúcií, ktoré čs. predstavitelia akceptovali v Bratislave a podľa ktorých sa vývoj socializmu v jednej členskej krajine socialistického tábora týka všetkých ostatných socialistických krajín. Okrem toho operovala tvrdením, že okupácia krajiny bola odpoveďou na výzvy čs. úradných orgánov. Takýto apel bol v Moskve publikovaný, ale Sovieti nedokázali pomenovať jeho autorov, a to buď preto, že niekoľkí členovia vedenia KSČ, ktorí akceptovali intervenciu, sa ešte neodvážili v tomto smere (verejne) angažovať, alebo preto, že počet a postavenie autorov apelu (v štruktúre mocenských síl – P. P.) sa moskovskej vláde zdali byť neadekvátne.[41]

V druhom odseku nazvanom Vojenský zásah autori nóty konštatujú, že vojenská operácia bola vykonaná rýchlo s nasadením značných prostriedkov a bez veľkého krviprelievania, lebo čs. armáda dostala od prezidenta Svobodu rozkaz, aby interventom nekládla odpor, a tým zas bola predložená požiadavka, aby sa nepokúsili odzbrojiť ju.

Tretí odsek nesie názov Politická realizácia a autori nóty v ňom konštatujú, že v politickej rovine bola záležitosť oveľa menej úspešná. Sovieti sa totiž domnievali, že po vstupe vojsk interventov sa objavia kandidáti novej vládnej garnitúry, ktorá nahradí svoju predchodkyňu. Tento cieľ sa však nepodarilo dosiahnuť ani na štvrtý deň okupácie, a to predovšetkým v dôsledku rozhodného a disciplinovaného postoja čs. obyvateľstva, ale aj prejavenej prekvapujúcej schopnosti (riadiacich štruktúr štátu – P. P.) zabezpečiť napriek okupácii krajiny a zatknutiu jej hlavných vedúcich predstaviteľov prinajmenšom symbolické fungovanie svojich zákonodarných a štátnych orgánov. A tak:

39 Por: DDF, 1968, II., dok. 138, s. 265 – 266.
40 Dodajme, že i vedenia ostatných štyroch interventov.
41 DDF, 1968, II., dok. 138, s. 266 – 267.

- Národné zhromaždenie zasadalo a prijalo vyhlásenie požadujúce päť vlád, aby stiahli svoje jednotky;
- vláda sa zišla napriek zatknutiu svojho predsedu a viacerých svojich členov, pričom vydala vyhlásenie požadujúce stiahnutie vojenských jednotiek a prepustenie zatknutých vedúcich činiteľov;
- v Prahe sa zišiel zjazd strany pred pôvodne predpokladaným dátumom a zvolil nové predsedníctvo, ktoré Dubčeka (a iných vedúcich ústavných činiteľov) potvrdilo vo funkciách a vylúčilo tých vedúcich predstaviteľov, ktorí kolaborovali s okupantmi.

Túto spola legálnu politickú aktivitu umožňovala tak jednoznačná podpora obyvateľstva legálnym štátnym predstaviteľom, ako aj existencia slobodných rozhlasových vysielačov, ktoré vysielali – zdá sa, že s podporou armády – aké stanoviská je potrebné zaujímať, ale i rozličné príkazy. Udržiavanie týchto aktivít a podpora, ktorú im poskytovala krajina, komplikovali úsilie Sovietov, ktorí by si želali, aby vedúci činitelia, ktorí majú nahradiť terajšie riadiace kádre, nepochádzali výlučne z novotnovského krídla strany; usilovali sa získať spoluprácu osobností známych svojimi liberálnymi postojmi v minulosti (akou bol [v Maďarsku] Kádár), ako aj záruku prezidenta republiky L. Svobodu, ktorého vysoký vek, mimoriadne priaznivý vzťah k priateľstvu so ZSSR, ako i postoj, ktorému občas chýba pevnosť, u nich občas navodzujú myšlienku, že svojou ústavnou autoritou by mohol zabezpečiť politické riešenie, ktoré hľadajú. Preto s ním zaobchádzali šetrne i v čase, keď zatýkali Dubčeka i iných významných predstaviteľov liberálneho krídla.[42]

Keďže pražské rozhovory, ktoré sa z čs. strany týkali evakuácie vojsk a zo sovietskej strany vytvorenia novej vlády, nesľubovali úspešné zakončenie, generál Svoboda v sprievode delegácie, v ktorej boli dvaja konzervatívci, dvaja liberáli a dvaja umiernení, odletel do Moskvy.[43] Pokiaľ išlo o prezidenta Svobodu, autori citovanej nóty zastávali názor, že *„podľa toho, čo o p. Svobodovi vieme, nemožno s istotou povedať, či sa nepricloní ku kompromisu výhodnému pre Sovietov."* Za nový a veľmi dôležitý prvok pokladali autori nóty informácie, ktoré hovorili o prítomnosti A. Dubčeka a O. Černíka pri prezidentovi Svobodovi v Moskve.[44]

Tretia časť nóty má názov Reakcia vo svete. Konštatuje sa v nej, že reakcie boli živé v celom svete, pričom v komunistickom hnutí môže byť prekvapujúcim rázny postoj Juhoslovanov a v ešte väčšej miere Rumunov, ale aj Číny, pre ktorú sa udalosti v Československu stali príležitosťou na prudký výpad proti *„sovietskemu kolonializmu v strednej Európe"*; za prekvapujúcu možno pokladať aj výčitku vyslovenú Francúzskou komunistickou stranou, hoci názorovo pravdepodobne rozdelený ústredný výbor o čosi zmiernil tón tejto výčitky. Autori nóty konštatovali, že vcelku bolo možné vo svetovej verejnej mienke pozorovať prekvapenie a rozhorčenie s výnimkou väčšiny arabských krajín. Mnoho malých krajín schválilo a prevzalo stanovisko Francúzska, pričom čs. záležitosť spájalo s trvaním politiky blokov.

Návrh rezolúcie Bezpečnostnej rady, ktorý predložilo sedem delegácií vrátane Francúzska a ktorý odsúdil sovietsky postup, získal podporu 10 hlasov (z toho dvoch afrických a dvoch

42 DDF, 1968, II., dok. 138, s. 267 – 268.
43 Členmi delegácie prezidenta Svobodu boli V. Biľak, M. Dzúr, G. Husák, A. Indra, J. Piller a V. Koucký.
44 Dubček a Černík sa do moskovských rokovaní zapojili v priebehu 23. augusta 1968.

latinsko-amerických) proti dvom (ZSSR a Maďarska), pričom zástupcovia Indie, Pakistanu a Alžírska sa zdržali hlasovania a ZSSR ho vetoval.

Záverečná (štvrtá) časť nóty má názov *Dôsledky* a v súlade so svojím názvom sa zaoberá dôsledkami vojenského zásahu „piatich". Konštatuje sa v nej, že budú značné, ale je príliš skoro na to, aby ich bolo možné komplexne zhodnotiť. Je však zrejmé, že:

a) Okamžitým dôsledkom vojenského vpádu je náhle zvýšenie napätia v Európe, ktoré by sa mohlo ďalej vystupňovať v prípade, že ďalším objektom podobného riešenia by bolo Rumunsko. Vedúci činitelia v Bukurešti vysielajú od 21. augusta signály vážneho znepokojenia. Aktuálna situácia vytvorila pre Sovietov prinajmenšom príležitosť vystaviť Rumunsko väčšiemu tlaku.

b) V Nemecku môže čs. kríza okrem iného posilniť pozíciu tendencií stojacich proti politike uvoľnenia v Európe...

c) Určitý počet vlád ďalších štátov bude môcť viac váhať s podpísaním zmluvy o nešírení jadrových zbraní. Signály v tomto zmysle už vyslal Rím, Japonsko a ďalšie štáty by mohli reagovať rovnakým spôsobom.

d) Dôsledky na americko-sovietske vzťahy nie sú jasné. Americká administratíva rázne odsudzuje to, čo sa udialo v Československu, ale vysiela signály, že si želá, aby posledné udalosti v Československu neohrozili perspektívy dialógu s Moskvou. V krajine sa posilnili tendencie nepriateľské politickému riešeniu vietnamskej krízy. (...)

Okrem okamžitých účinkov bude čs. záležitosť aj popudom na otázku o zmysle sovietskej politiky a vývojových perspektívach komunizmu vo východnej Európe. Po pražských udalostiach si možno položiť otázku, či v krajinách východnej Európy sa dá uskutočniť liberálna evolúcia, po ktorej jasne volali ašpirácie jej obyvateľov a ktorú si vynucovali ich schopnosti a ich tradície, a to prinajmenšom do tých čias, kým k určitému pohybu nedôjde v samotnom ZSSR. Aktuálna situácia nám však prinavracia obraz Sovietskeho zväzu, ktorý – ako sa zdá – prináleží k najtemnejšej stalinskej minulosti. Pravdou však ostáva, že v rovine technickej, kultúrnej a sociologickej sa v Rusku v posledných pätnástich rokoch uskutočnili obrovské zmeny. Iba politická štruktúra štátu ostala prakticky nezmenená.

Existuje teda narastajúce protirečenie medzi sovietskou spoločnosťou a sovietskym politickým životom. A toto protirečenie sa z dlhodobého hľadiska nevyhnutne prejaví vnútornou diferenciáciou samotných riadiacich elít Sovietskeho zväzu. Odteraz už nemožno vylúčiť, že anachronické a neočakávané rozhodnutie brutálne potlačiť čs. liberalizáciu, ktoré nemôže neohromiť najkultivovanejšie elementy sovietskej politickej triedy a osobitne tých, ktorí prináležia k mladej generácii, vytvára príležitosť práve na to, *aby tieto rozdielnosti vyšli najavo*.[45]

Na konci tohto krátkeho pohľadu na niektoré udalosti súvisiace s vojenskou intervenciou piatich štátov Varšavskej zmluvy proti čs. reformnému procesu na začiatku 3. augustovej dekády roku 1968 sa ešte v krátkosti vráťme k dvom publikovaným francúzskym diplomatickým dokumentom z 25. augusta 1968. Prvý reprodukuje rozhovor sovietskeho veľvyslanca v Paríži Zorina s generálnym tajomníkom francúzskeho ministerstva zahraničných vecí Alphandom. Z rozhovoru vyplýva, že sovietsky veľvyslanec vo Francúzsku trval

45 DDF, 1968, II., dok. 138, s. 270. Citovaná nóta bola v slovenskom preklade mierne skrátená. Kurzíva autor príspevku.

na názore, že vojenské jednotky ZSSR a jeho štyroch spojencov vstúpili do Československa na žiadosť *„vedúcich československých predstaviteľov"*, a že táto akcia plne zapadá do rámca spojenectva socialistických krajín a nie je namierená proti nijakému štátu a obzvlášť nie proti Francúzsku.[46]

V druhej poznámke sovietsky veľvyslanec odmietol akúkoľvek zodpovednosť svojej krajiny za vytvorenie politických a vojenských blokov. Tieto bloky vznikli na základe iniciatívy Spojených štátov, ktoré vytvorili Severoatlantický pakt za pomoci Veľkej Británie a Francúzska. Iba táto hrozba viedla štáty východnej Európy k tomu, aby sa vytvorením Varšavskej zmluvy tiež zoskupili.

Napokon, pokiaľ ide o stiahnutie vojsk piatich štátov z Československa, Zorin uviedol, že je oprávnený potvrdiť, že k stiahnutiu vojsk dôjde ihneď po tom, čo bude zaručená bezpečnosť čs. štátu a socialistického režimu a legitímni predstavitelia štátnej moci to budú pokladať za potrebné.

Táto otázka sa vyjasní po skončení moskovských rozhovorov prezidenta ČSSR s vedúcimi sovietskymi predstaviteľmi.

Pokiaľ išlo o prvú Zorinovu poznámku, Alphand najprv konštatoval, že sovietska vláda nedala odpoveď na otázku, ktorú 21. augusta, v deň vojenskej intervencie do Československa nastolil B. Tricot, a síce, ktorí čs. štátni predstavitelia požiadali o vojenskú intervenciu. Zdôraznil, že pražská vláda dala naopak najavo svoj nesúhlas s uvedeným činom.[47] Alphand následne pripomenul politiku Francúzska v otázke blokov, ktoré majú svoj pôvod v dohodách schválených na konferencii v Jalte,[48] ktorej sa Francúzsko nezúčastnilo. Francúzsko sa aj preto vymanilo z podobného systému. Želá si pokračovať v udržiavaní priateľských vzťahov a spolupráce so ZSSR, ale praje si, aby sa ZSSR zriekol intervencie a stiahol svoje vojská.

Sovietsky veľvyslanec vyzdvihol tieto slová, ale zdôraznil, že Francúzsko síce opustilo vojenské štruktúry organizácie NATO, čo Sovietsky zväz privítal, ale naďalej ostalo súčasťou politickej organizácie spojenej so Severoatlantickým paktom.

Keďže Zorin prejavil na záver debaty potešenie z toho, že Francúzsko hodlá pokračovať v politike priateľstva a spolupráce so ZSSR, Alphand spresnil, že síce všetko je vskutku preniknuté touto túžbou, ale Francúzsko sa domnieva, že intervencia v Československu mohla tejto politike uškodiť. Zorinovi pritom opätovne pripomenul, že Francúzsko ešte stále nedostalo odpoveď na otázku, ktorí čs. činitelia pozvali sovietske vojská, na čo sovietsky diplomat – vedomý si vtedajšieho postavenia ZSSR v štruktúre mocenských pomerov vo svete – odpovedal, že *„táto otázka sa týka iba vlády, ktorá žiadosť predložila, a vlády, ktorej bola žiadosť adresovaná."* [49] Tým jasne naznačil, že o otázkach súvisiacich s vojenskou intervenciou „piatich" v ČSSR sa bude rokovať výlučne medzi Prahou a Moskvou.

46 DDF, 1968, II., dok. 140, s. 273.

47 Tamže.

48 Konferencia v Jalte sa konala v dňoch 4. – 11. februára 1945. Zúčastnili sa jej vedúci predstavitelia troch hlavných mocností protihitlerovskej koalície – ZSSR, USA a Veľkej Británie (J. V. Stalin, F. D. Roosevelt a W. S. Chruchill), ktorých sprevádzali početné štáby spolupracovníkov. Konferencia položila základy povojnového medzinárodného systému, ktorý existoval až do prelomu 80. a 90. rokov minulého storočia.

49 DDF, 1968, II., dok. 140, s. 274.

Alphandovi však v súlade s diplomatickými zvyklosťami prisľúbil, že o rozhovore s ním bude svoju vládu informovať.[50]

V deň Zorinovho rozhovoru s Alphandom francúzsky veľvyslanec v Prahe Lalouette Paríž informoval: *„Uprostred množstvá rozličných správ, ktoré sa šíria v Prahe a zoči-voči množstvu informácií často neistého pôvodu je ťažké vytvoriť si celkový obraz o situácii."*[51]

Sovietska armáda sa síce ani v piaty deň vojenskej okupácie neodvážila znefunkčniť fungovanie verejnej moci, ale narúšala jej činnosť tým, že okupovala napríklad ďalšie ministerstvá a zintenzívnila sledovanie „ilegálnych" rozhlasových staníc, ktoré boli spolu s roznášanými letákmi jediným spojivom medzi čs. úradmi a obyvateľstvom. Zhadzovaním letákov z helikoptér a kontrolou televízneho vysielania sa zintenzívnila aj kontra-propaganda okupantov.[52] Predsedníctvo ústredného výboru strany však podľa všetkého zasadá, ... veľká väčšina jeho členov ostala verná Dubčekovi... a vláda udržiava úzke styky s Národným zhromaždením, pričom obidva tieto orgány zasadajú nepretržite. Došlo k niekoľkým odvolaniam z vládnych funkcií, ale aj z vrcholných orgánov Štátnej bezpečnosti v Prahe či ministerstva národnej obrany... Národné zhromaždenie ... zdôraznilo, že *„nijaký ústavný orgán nepožiadal o zahraničnú pomoc"*, ale naopak *„vláda, parlament a Národný front jednoznačne odsúdili okupáciu a žiadali okamžité stiahnutie vojsk"*.[53]

Zatiaľ čo rozhovory čs. predstaviteľov v Moskve sa predlžujú, pokračoval Lalouette, sovietske velenie prejavuje určitú vôľu pritvrdiť a vyvoláva dojem, že chce problémy rozvášniť. Podľa agentúry ČTK vydalo čs. armáde príslušnú výstrahu a nariadenie spolupracovať s jednotkami piatich socialistických krajín na základe ustanovení Varšavského paktu. Okupačné armády urobili významné zmeny aj v rámci svojich vlastných jednotiek. Dôvody neboli čisto vojenského rázu. Brali do úvahy aj určité zhoršenie ich morálneho stavu spôsobené odporom civilného obyvateľstva a odmietnutím čs. armády spolupracovať [s interventmi]. V radoch obyvateľstva zároveň vzrastala nervozita a nepokoj spôsobené jednak obavami, že okupanti chcú vyprovokovať incidenty, ale aj príchodom sovietskych posíl. Povrávalo sa – a tajnými rozhlasovými vysielačmi sa tieto správy šírili – že v Československu je 500 000 vojakov intervenčných armád. Za tejto situácie, pokračoval Lalouette, vyvoláva predlžovanie moskovských rokovaní viac obáv než upokojenia, a to tým väčšmi, že tu nik neverí v možnosť prijateľného kompromisu. Nedôvera voči Sovietskemu zväzu je taká, že si možno položiť otázku, či záruka generála Svobodu a Dubčeka bude stačiť na prijatie rozhodnutí, ktoré sa nevyhnutne dotknú národnej hrdosti i túžby Československa po slobode.[54]

Ako sme v tejto stati naznačili, publikované francúzske diplomatické dokumenty obsahujú početné doklady o postoji Francúzska k vojenskej intervencii piatich krajín Varšavskej zmluvy v Československu v auguste 1968, ktorá ukončila necelých osem mesiacov trvajúci demokratizačný (obrodný) proces v niekdajšej Československej socialistickej republike. V tejto stati sme z priestorových dôvodov využili *iba časť* tých publikovaných diplomatických dokumentov, ktoré zachytávajú rozličné stránky vývoja v Československu v prvých

50 Tamže.
51 DDF, 1968, II., dok. 141, s. 274.
52 Tamže.
53 Tamže, s. 275 – 276.
54 DDF, 1968, II., dok. 141, s. 276. Citovaný dokument bol mierne krátený.

piatich dňoch po vojenskej intervencii piatich krajín Varšavskej zmluvy. Z použitých dokumentov vyplýva, že francúzska diplomacia i vládne orgány v širšom zmysle slova venovali vývoju v ČSSR značnú pozornosť. Paríž však, prirodzene, nemohol pri určovaní svojho postoja k vojenskej okupácii Československa prihliadať výlučne na záujmy jeho ľudu a predstaviteľov demokratizačného procesu, ale musel nevyhnutne brať do úvahy široké spektrum faktorov determinujúcich vtedajší medzinárodný vývoj a tým samým predurčujúcich jeho podobu v bližšej i vzdialenejšej budúcnosti.[55]

Príloha[56]

Praha 23. augusta 1968

Pán prezident generál de Gaulle,

My, jedenásti zamestnanci jedného závodu, Vám píšeme a prosíme Vás, aby ste ospravedlnili, že tento list nepodpisujeme. Sme tretí deň okupovaní a vieme už, že sa zatýka.

Domnievame sa, že len málo ľudí napadne napísať Vám, že tu len málo ľudí hovorí po francúzsky, že málo ľudí verí, že listy adresované Francúzskemu veľvyslanectvu nebudú skonfiškované.

Preto Vám píšeme a píšeme Vám aj napriek tomu.

Vážený pán prezident, prosíme Vás – tentoraz aj v mene 99,9 % obyvateľov našej krajiny, aby ste podnikli všetky kroky potrebné na dosiahnutie odchodu okupačných armád.

Vážený pán prezident, nezabudnite prosím, že Francúzsko už raz – v roku 1938 – pred takmer presne tridsiatimi rokmi zradilo našu krajinu. Avšak Lebrunovo[57] Francúzsko zaiste nie je de Gaulleovým Francúzskom!

V mene našej spoločnej kultúry, v mene humánnej idey, v mene európskej idey, ku ktorej jednako prináležíme, podniknite teda nevyhnutné kroky!

Nenechajte nás v smrteľnom objatí Sovietskeho zväzu!

Prerušte všetky politické, hospodárske, kultúrne atď. vzťahy s uchvatiteľskými krajinami. Francúzsko tým nemôže stratiť viac než Československo. Našu úrodu zničili tanky, v baniach a továrňach sa prestáva pracovať, lebo uzurpátori prerušili spoje.

Vážený pán prezident, teraz máte príležitosť ukázať Vaše schopnosti, Vaše znalosti a Vašu statočnosť.

---

55 Podrobnejšie o tom pozri: MARÈS, Antoine: „Naším hlavním cílem zůstává uvolnění napětí“. Francie – Československo 1961 – 1968. In *Soudobé dějiny*, 1998, roč. 5, č. 4 s. 471 – 484.

56 Tento záhadne znejúci a v existujúcej podobe fakticky neidentifikovateľný dokument sa vyznačuje viacerými zvláštnosťami. Jednou z nich je to že 11 (!) zamestnancov „istého závodu“ sa na francúzskeho prezidenta obracia v mene 99,9 % obyvateľov vtedajšej ČSSR; inou je to, že autori listu žiadajú od francúzskeho prezidenta, aby podnikol všetky kroky potrebné na dosiahnutie odchodu okupačných armád, čo, prirodzene, vôbec nebolo v jeho silách; ďalšou je to, že od francúzskeho prezidenta požadujú, aby prerušil všetky politické, hospodárske, kultúrne i iné vzťahy *„s uchvatiteľskými krajinami“*. Atď, atď.

57 Ide o narážku na francúzskeho prezidenta Alberta F. Lebruna (29. 8. 1871 – 6. 3. 1950), ktorý zastával funkciu hlavy štátu od 10. mája 1932 do 11. júla 1940. Zmienka o tom, že Francúzsko už raz zradilo Československú republiku zrejme súvisí s podpísaním Mníchovskej dohody v noci z 29. na 30. septembra 1938. Týmto aktom sa začal proces rozpadu medzivojnovej Československej republiky.

Naostatok Vám ďakujeme a čakáme. Nenechajte nás, prosím, čakať dlho, verte, vážený pán prezident, že každá hodina by mohla byť rozhodujúca a kritická.

Prijmite, vážený pán prezident, výraz našej hlbokej úcty.

„Palček“[58] (v mene ostatných)

58 Rozprávková postava.

Gustáv Husák na čele KSČ*

Stanislav Sikora

Gustáv Husák patril k najvýraznejším slovenským i československým (čs.) politikom našich moderných dejín. Významný slovenský spisovateľ a pamätník tých čias Vladimír Mináč ho dokonca označil za najenergickejšieho slovenského politika minulého storočia, ktorý *„bol vždy rád tam, kde sa čosi robilo so slovenskými a nielen slovenskými dejinami, ... buď sám hýbal dejinami, alebo sa dejiny konali s ním“*.[1] K tomu treba ešte dodať, že dejiny, resp. historické udalosti ho zároveň tvárnili, vynášali na najvyšší piedestál i ponárali do hlbín a prepadlísk. V tejto stati sa však nechceme vracať k peripetiám jeho života v 40. a 50. rokoch 20. storočia, tie sú vari už aj dostatočne zhodnotené,[2] nazrime do udalostí, ktoré ho vyzdvihli na najvyšší post nielen v Komunistickej strane Československa (KSČ), ale aj v celom politickom systéme vtedajšej ČSSR.

Už po svojej dvojnásobnej rehabilitácii v roku 1963 sa Husák pokúšal nadviazať kontakt so sférou politiky a začal okolo seba sústreďovať svojich stúpencov. V marci 1964 sa na bratislavskej mestskej konferencii Komunistickej strany Slovenska (KSS) dokonca pokúsil aj o akúsi sondu svojich možností v tejto oblasti, no výsledky zatiaľ neboli povzbudzujúce.[3] V roku 1968 sa potom nechal viezť na zdvihnutej vlne demokratizácie, ktorú aj sám všetkými prostriedkami podporoval, až sa napokon stal akýmsi neformálnym vodcom reformných komunistov na Slovensku. Začiatkom apríla 1968 sa stal aj podpredsedom vlády ČSSR.

No po okupácii ČSSR vojskami Varšavskej zmluvy v auguste 1968, na moskovských rokovaniach, už dal sovietskym predstaviteľom dostatočne najavo, že je dostatočne pragmatickým politikom, aby náležitým spôsobom pochopil aj sovietske záujmy. V tejto súvislosti tu aj s Ludvíkom Svobodom založili krídlo „realistov“, ktoré zohralo mimoriadne významnú úlohu pri neskoršej „normalizácii“ čs. spoločnosti. Sympatie sovietskych vedúcich predstaviteľov voči Husákovi azda najlepšie dokazujú slová predsedu rady ministrov vlády ZSSR Alexeja Kosygina: *„Súdruh Husák je schopný súdruh a výborný komunista. My sme ho osobne nepoznali, ale veľmi dobre tu na nás zapôsobil.“*[4]

Na mimoriadnom zjazde KSS, ktorý sa konal 26. – 28. augusta 1968, preukázal G. Husák svoje vysoké kvality ako stranícky tribún, demagóg i reálny politik, ktorý dokáže nájsť východisko z akejkoľvek situácie. Predovšetkým však presvedčil vedúcich predstaviteľov Sovietskeho zväzu, že on je tým mužom, ktorý nielen sľubuje, ale svoje sľuby plní na vynikajúcej úrovni. Veď už predtým Alexander Dubček osem mesiacov sľuboval zaviesť

* Štúdia bola vypracovaná v rámci projektu APVV-15-0349 Indivíduum a spoločnosť – ich vzájomná reflexia v historickom procese. Zodpovedný riešiteľ: PhDr. Slavomír Michálek, DrSc.

1 PEŠEK, Jan a kol. *Aktéri jednej éry na Slovensku 1948 – 1969.* Prešov : Vydavateľstvo Michala Vaška, 2003, s. 139.

2 Pozri napr. MICHÁLEK, Slavomír – LONDÁK, Miroslav a kol. *Gustáv Husák, moc politiky, politik moci.* Bratislava : Veda, 2013.

3 Pozri bližšie LONDÁK, Miroslav – SIKORA, Stanislav – LONDÁKOVÁ, Elena. *Predjarie. Politický, ekonomický a kultúrny vývoj na Slovensku v rokoch 1960 – 1967.* Bratislava : Veda, 2002, s. 58 – 73.

4 MLYNÁŘ, Zdeněk. *Mráz přichází z Kremlu.* Praha : Mladá fronta, 1990, s. 240.

v ČSSR poriadok, no zámerne tieto sľuby neplnil. Svoje sľuby nesplnila ani prosovietska „piata kolóna“ vo vedení KSČ vedená Aloisom Indrom, Drahomírom Kolderom a Vasilom Biľakom. Tí zasa sľubovali, že sovietskym predstaviteľom výdatne pomôžu pri politickom zabezpečovaní výsledkov vojenskej okupácie, ale zlyhali na celej čiare. Ale Husákovi sa podarilo odmietnuť XIV. (vysočiansky) zjazd KSČ a jeho dokumenty, prijať zásady Moskovského protokolu a „navrúbľovať“ tak do čs. politického systému základné princípy neskoršej normalizácie.

***

Po mimoriadnom zjazde KSS to v jej vedení ešte stále vyzeralo nádejne. V *Rezolúcii zjazdu Komunistickej strany Slovenska k súčasnej situácii na Slovensku* sa v bojovnom duchu uvádza: *„Hlásime sa k Akčnému programu našej strany, v jeho plnení realizujeme svoju činorodosť... Z cesty programu demokratického socializmu neustúpime.“*[5] Avšak o niečo neskôr, hneď po prvých ústupkoch straníckeho vedenia v duchu Moskovského protokolu, nastalo medzi členskými masami i nižším funkcionárskym aktívom vytriezvenie, ktorého následkom boli vyčkávacie postoje a napokon pasivita. Tá sa následne začala zmocňovať aj vysokých štátnych a straníckych funkcionárov, o čom svedčí *Vyhlásenie študentov – komunistov*, ktorí sa koncom septembra 1968 zišli v Borinke pri Stupave: *„Máme nové stranícke vedenie, čo by malo nasvedčovať, že je všetko v poriadku. Znepokojuje nás však pasivita niektorých členov predsedníctva SNR, povereníkov a iných čelných funkcionárov... Nepoznáme ich politické postoje, ba nepočujeme ani hlas členov nového ÚV KSS, do ktorých naša strana a verejnosť vkladá veľké nádeje.“*[6]

V tejto situácii bolo nevyhnutné prijať politickú líniu, ktorá by zabezpečila jednotu strany, nadviazala na pojanuárový vývoj (čo očakávala väčšina členov strany i bezpartajných občanov) a zároveň uspokojila aj sovietskych predstaviteľov, ktorí veľmi pozorne sledovali politický vývoj v ČSSR. Bola to nesmierne náročná úloha a reformné vedenie KSČ vyvinulo maximálne úsilie, aby ju splnilo čo najlepšie.

K prijatiu takejto politickej línie malo dôjsť na zasadaní ÚV KSČ 14. – 17. novembra 1968. Reformné vedenie strany sa usilovalo nadviazať na výsledky zasadania ÚV KSČ 29. mája – 1. júna toho istého roku, na ktorom prijali líniu boja „na dvoch frontoch“ – proti pravicovému i dogmaticko-konzervatívnemu nebezpečenstvu.[7] Aby si zabezpečili podporu sovietskych predstaviteľov a zároveň vzali vietor z plachiet konzervatívcom, Dubček, Oldřich Černík a Husák dokonca navštívili Leonida Iljiča Brežneva vo Varšave, kde sa vtedy zdržiaval na zjazde Poľskej zjednotenej robotníckej strany. Návrh rezolúcie ÚV KSČ, ktorú mu predložili, Brežnev v zásade schválil, no vynútil si jej doplnenie o tézu o trvalom boji predovšetkým proti pravicovému nebezpečenstvu, čím sa vlastne boj proti konzervatív-

5 ŠTEFANSKÝ, Michal. *Slovensko v rokoch 1967 – 1970. Výber dokumentov.* Bratislava : Politologický kabinet SAV, 1992, s. 295 – 296.

6 Slovenský národný archív (ďalej SNA) Bratislava, fond (ďalej f.) ÚV KSS, zasadanie P ÚV KSS 14. 10. 1968. Informatívna správa o priebehu stretnutia študentov – komunistov vysokých škôl na Slovensku v dňoch 25. – 26. 9. 1968, kartón (k.) 1214.

7 Pozri bližšie SIKORA, Stanislav. *Rok 1968 a politický vývoj na Slovensku.* Bratislava : Pro Historia, 2008, s. 122 – 125.

com a dogmatikom stal len sekundárnym.[8] Z hľadiska Husákovho zápasu o funkciu prvého tajomníka ÚV KSČ, ktorý sa už vtedy rozbiehal, je symptomatické, že to bol práve on, kto Brežneva upozornil na absenciu tejto tézy v návrhu spomínanej rezolúcie. Konal pritom bez predchádzajúcej dohody s ostatnými členmi čs. straníckej delegácie.[9]

Tak sa rezolúcia ÚV KSČ prijatá na jeho zasadaní v novembri 1968 stala vnútorne rozpornou. Obsahovala síce väčšinu prvkov reformného programu spred augusta 1968, ale všetko to, čo neskôr napomáhalo dogmaticko-sektárskemu krídlu v KSČ presadzovať svoje záujmy, v nej bolo mimoriadne zdôraznené.[10]

Oveľa väčší vplyv na ďalší politický vývoj v Československu však mali organizačné zmeny vo vedúcich orgánoch KSČ. Na zasadaní ÚV KSČ 14. – 17. novembra 1968 zriadili 8-členný výkonný výbor predsedníctva ÚV KSČ, ktorý prevzal väčšinu agendy predsedníctva. Zo skutočných reformných komunistov v ňom zostali už len Dubček a Josef Smrkovský. Zároveň bolo zriadené *Byro pre riadenie straníckej práce v českých krajoch*, ktoré malo rovnaké právomoci ako ÚV KSS. Na jeho čele stál bývalý umiernený reformista Lubomír Štrougal, ktorý však už v tom čase rozšíril rady tzv. realistov, ochotných vychádzať v ústrety sovietskym požiadavkám. Na základe týchto zmien prišiel Dubček o značnú časť svojich právomocí a z hľadiska reálnej moci sa stal politikom druhoradého významu. Dominantnú moc získala trojica „realistov" Černík, Husák a Štrougal.

Politická situácia v Československu a ani na Slovensku však neustrnula v tomto bode vývoja. Tlak „spojencov" na čele so Sovietskym zväzom spolu s ich domácimi pomáhačmi, ako aj nevyvážené a „gumené" ustanovenia spomínanej rezolúcie spôsobili vo vedení strany i v jej členstve široký diferenciačný proces, ktorý, ako uvidíme, do značnej miery zmenil politickú situáciu v KSČ i KSS, ako ju poznáme z konca augusta roku 1968. Osobnosťou, ktorá sa najviac zaslúžila o smer, spôsob a tempo politickej diferenciácie v KSS po auguste 1968, bol bez sporu Husák. Prebiehala nielen podľa jeho predstáv, ale hlavne v smere jeho politických záujmov.

Husákovým politickým krédom sa stalo priam rigorózne dodržiavanie zásad Moskovského protokolu. Nestrpel nijaké politické lavírovanie s cieľom zachovať aspoň niektoré zásady predchádzajúcej demokratickej reformy. Už na zasadaní ÚV KSS 5. septembra 1968 vyhlásil, že splnenie záväzkov vyplývajúcich z Moskovského protokolu *„nie je možné dajakou chytristikou alebo dajakým podfukom"*.[11] To však vôbec neznamená, že by sa aj Husák aspoň navonok neangažoval za spomínaný „boj na dvoch frontoch" a za zachovanie kontinuity s predaugustovým demokratizačným vývojom.[12] Jeho konkrétne činy však – a o to sa veľmi usiloval – vždy vyznievali v súlade s Moskovským protokolom a záujmami vedúcich predstaviteľov Sovietskeho zväzu. Napokon, aj niekdajší apologéti

---

8 DOSKOČIL, Zdeněk. *Duben 1969. Anatomie jednoho mocenského zvratu.* Brno : Doplněk, 2006, s. 35.

9 DUBČEK, Alexander. *Nádej zomiera posledná.* Bratislava : Nová Práca, 1993, s. 234 – 235.

10 Pozri VONDROVÁ, Jitka – NAVRÁTIL, Jaromír. *Komunistická strana Československa. Prameny k dějinám československé krize v letech 1967 – 1970, sv. 9/3.* Brno : Doplněk, 2001, s. 585 – 602.

11 SNA, f. ÚV KSS, zasadanie ÚV KSS 5. 9. 1968. Referát prvého tajomníka ÚV KSS G. Husáka, k. 1881.

12 Pozri bližšie jeho diskusné vystúpenia na zasadaniach ÚV KSČ 31. augusta a 16. novembra 1968. VONDROVÁ – NAVRÁTIL, *Komunistická strana Československa*, c. d., s. 248 – 252, 576 – 580.

Husáka si povšimli, že od jesene 1968 sa v jeho politickom profile začal prejavovať *„prehlbujúci sa rozpor medzi tým čo hovoril, a tým, ako konal"*.[13]

Zjednotením slovenskej časti ÚV KSČ okolo seba a okolo ideí politického „realizmu" vytvoril G. Husák silný blok, bez ktorého potom nebolo možné vo vysokej čs. politike takmer nič presadiť.[14] Z hľadiska politickej diferenciácie vo vedení KSS, ako aj posunu krídla slovenských „realistov" v celkovom politickom spektre KSČ je symptomatické, že za Petra Colotku ako predsedu Federálneho zhromaždenia ČSSR sa v „kauze Smrkovský", o ktorej ešte budeme hovoriť, postavila celá konzervatívna časť členov ÚV KSČ na čele s Kolderom, Indrom, Biľakom, O. Rytířom, Antonínom Kapkom a pod. Spolu s týmto straníckym krídlom, i keď z iných príčin, hlasovala aj celá slovenská reprezentácia v tomto najvyššom straníckom orgáne.[15] Takto sa slovenskí „realisti" čoraz viac vzďaľovali pôvodným reformným zámerom KSČ. Tu niekde sa rodili aj počiatky politickej spolupráce medzi realistami a konzervatívcami, ktorá sa neskôr naplno rozvinula počas ostrej normalizácie v roku 1970.

Na svoju realistickú platformu čoskoro získal Husák aj väčšinu zo 107-členného ÚV KSS, ktorý tvorili hlavne príslušníci novej generácie štyridsiatnikov, bývalých pracovníkov vedy, školstva, masmédií a pod. Tí nemali nič spoločného s 50. rokmi, boli morálne bezúhonní, no chýbali im väčšie politické skúsenosti, aby dokázali odolať argumentácii takého skúseného politického manipulátora.

***

Výstup Gustáva Husáka na „stranícky Olymp" v podobe funkcie prvého tajomníka ÚV KSČ nebol jednoduchý. Napriek tomu, že v očiach vedúcich sovietskych predstaviteľov získal nesporné zásluhy už počas moskovských rokovaní 23. – 26. augusta 1968 a na následnom mimoriadnom zjazde KSS, v zjednodušenej sovietskej optike bol do poslednej chvíle považovaný nielen za pravicového oportunistu a Biľakovho konkurenta v zápase o funkciu prvého tajomníka ÚV KSS, ale aj za buržoázneho nacionalistu, ktorý počas vojnovej Slovenskej republiky spolupracoval s nemeckými fašistami.[16]

Úsilie Husáka odčiniť tento „kádrový hendikep" však bolo pomerne rýchlo úspešné. V uznesení schôdze politbyra ÚV Komunistickej strany Sovietskeho zväzu (KSSZ) k bodu *O informácii pre bratské strany o súčasnej situácii v Československu* z 19. októbra 1968 sa vysoko oceňuje jeho rozhlasový prejav z 28. septembra toho istého roku, v ktorom sa kritickým okom pozeral na vývoj po januári a ospravedlňoval normalizačné opatrenia v oblasti masmédií, ktoré zároveň zlepšovali vzťahy medzi ČSSR a jeho spojencami.[17] Na poslednom zasadaní „varšavskej päťky" v Moskve 27. septembra 1968 zasa nešetril slovami chvály generálny tajomník ÚV KSSZ Brežnev. Hodnotiac záverečné slovo Husáka

13 PLEVZA, Viliam. *Vzostupy a pády. Gustáv Husák prehovoril.* Bratislava : Tatrapress, 1991, s. 117.

14 DOSKOČIL, *Duben 1969*, c. d., s. 65.

15 ŠTEFANSKÝ, Michal. Invázia, okupácia a jej dôsledky. In *Slovenská spoločnosť v krízových rokoch 1967 – 1970*, zv. III. Bratislava : Politologický kabinet SAV, 1992, s. 144 – 145.

16 VONDROVÁ, Jitka – NAVRÁTIL, Jaromír. Mezinárodní souvislosti československé krize 1967 – 1970. *Prameny k dějinám československé krize v letech 1967 – 1970 , sv. 4/3*. Brno : Doplněk, 1997, s. 14, 236. Takto podľa vtedajšieho predsedu KGB J. Andropova figuroval G. Husák v jej zoznamoch ešte pred 21. augustom 1968.

17 VONDROVÁ, Jitka. *Mezinárodní souvislosti československé krize 1967 – 1970 . Prameny k dějinám československé krize v letech 1967 – 1970, sv. 4/4.* Brno : Doplněk, 2011, s. 309.

ešte na mimoriadnom zjazde KSS koncom augusta toho istého roku uviedol: *„Je to zatiaľ najprincipiálnejšie a najotvorenejšie vystúpenie zo všetkých vyhlásení československých vedúcich predstaviteľov.“*[18]

Už od spomínaných moskovských rokovaní koncom augusta 1968 bol významným podporovateľom Husákových mocensko-politických ambícií prezident ČSSR Ludvík Svoboda, ktorého sovietske vedenie považovalo za jednu z najväčších opôr pri presadzovaní svojich záujmov v Československu. Prvý námestník ministra zahraničných vecí ZSSR V. Kuznecov o tom informoval sovietskeho veľvyslanca v ČSSR Stepana Červonenka vo svojej depeši zo 7. septembra 1968. Uviedol, že Svoboda v rozhovore s ním prezradil úmysel dosiahnuť, aby sa Husák vrátil do Prahy, ale nie do vlády, ale do ÚV KSČ. Konkrétne povedal, že *„Husáka potrebujeme v strane. Husák sa na Slovensku teší všeobecnej podpore. Nech to tam dá do poriadku. Na Slovensku bude možné ponechať v budúcnosti Sádovského, Husáka však bude treba vziať do Prahy, na ÚV KSČ“.*[19] Mimochodom, presne tak sa to neskôr aj udialo... Zvyšujúca sa dôvera v Husákovu politickú polarizáciu zo strany vedenia KSSZ sa prejavila aj v tom, že sa stal členom čs. delegácie, ktorá v Moskve 3. – 4. októbra 1968 rokovala o plnení záväzkov plynúcich z Moskovských protokolov. Aj tu potvrdil svoju ústretovosť voči sovietskej kritike politickej situácie v Československu, ktorá sa podľa neho ešte stále neuberala cestou plnenia záverov tohto dokumentu. Súhlasil s názorom sovietskej strany, že sú to práve masmédiá, ktoré treba bezpodmienečne podriadiť straníckemu vedeniu. Nezabudol sa tiež pochváliť, že na Slovensku, kde je najvyšším politickým predstaviteľom práve on, *„niekoľko ľudí bolo potrebné vylúčiť zo strany a ostatným otvorene povedať: ak budete aj naďalej písať ako doposiaľ, nemôžete v týchto novinách pracovať“.*[20] Husáka na toto rokovanie evidentne pozvali namiesto Smrkovského, voči ktorému malo vedenie KSSZ dlhodobé výhrady. Z nasledujúceho vývoja možno jednoznačne vybadať, že si to veľmi dobre uvedomoval a pochopil, že práve týmto smerom – proti Smrkovskému, by mal zamerať politické úsilie zacielené na ďalší postup v mocenskej hierarchii KSČ a ČSSR.

Husák sa zúčastnil aj ďalšieho sovietsko-československého stretnutia, ktoré sa konalo v Kyjeve 7. – 8. decembra 1968. Okrem neho tam boli už len traja „muži januára“ – Svoboda, Dubček a Černík; Smrkovský znova chýbal. Zato pribudol ďalší významný „realista“: Štrougal. Vedúci sovietsky predstaviteľ Brežnev sa opäť venoval svojej obľúbenej agende, v ktorej kritizoval vedenie KSČ, že nedostatočne plní ustanovenia Moskovského protokolu. Aj menej bystrému pozorovateľovi však nemohli uniknúť dve v danej situácii dôležité myšlienky, ktoré vyslovil. Jedna sa týkala priamo predsedu Národného zhromaždenia ČSSR Smrkovského: *„Netajíme sa tým, že nás poburuje činnosť Smrkovského, nikto z vás sa však neodhodlal volať ho na zodpovednosť.“*[21] A potom, akoby očistom, venoval pozornosť budovaniu federálnych orgánov od 1. januára 1969: *„Je veľmi dôležité, aby ste sa pri riešení kádrových otázok nedopustili chýb..., pretože ak by ste sa ich dopustili teraz, budete ich potom omnoho ťažšie napravovať.“*[22] Je nesporné, že tieto vety významne predznamenali ďalší postup G. Husáka a politický osud J. Smrkovského.

18 VONDROVÁ – NAVRÁTIL, *Mezinárodní souvislosti, sv. 4/3,* c. d., s. 78.
19 Tamže, s. 33.
20 Tamže, s. 144.
21 Tamže, s. 217.
22 Tamže, s. 219.

Na zasadaní ÚV KSS 21. – 22. decembra 1968 Husák upozornil, že všetky najvyššie štátne funkcie: prezident republiky, predseda vlády ČSSR a predseda Národného zhromaždenia ČSSR sú v českých rukách. A svojím nenapodobniteľným spôsobom zdôraznil, že *„zákon o federácii podpísali... traja činitelia českej národnosti; my sme tam robili akúsi národnú kulisu“*.[23] Preto žiadal, aby sa táto nerovnováha riešila. Voľba padla celkom prirodzene na Smrkovského. Bol to práve on, kto mal odstúpiť zo svojej funkcie, aby sa zlepšilo postavenie Slovenska v ČSSR a predsedom Federálneho zhromaždenia[24] sa stal Slovák. Vo svojom záverečnom slove na tomto zasadaní ÚV KSS však Husák napokon otvorene priznal, že boj proti Smrkovskému bol hlavne politickým a nie národným bojom: *„Ja poviem otvorene, a povedal som to aj v Prahe, nerobili by sme z tejto veci prestížnu otázku, keby išlo o takého súdruha ako je napríklad súdruh Svoboda, alebo niekto iný.“*[25] Dubček to neskôr komentoval slovami: *„Husákovo bodnutie do chrbta znamenalo najhoršiu zo všetkých zrád v období medzi augustom 1968 a aprílom 1969.“*[26] Politický vývoj má totiž vždy svoju hierarchiu hodnôt a v tejto konkrétnej politickej situácii stála otázka obrany reformy vyššie ako národná otázka. Smrkovský napokon tomuto nátlaku začiatkom roku 1969 neodolal a na svoju funkciu rezignoval. Novým predsedom, tentokrát už federálneho parlamentu, sa stal Colotka.

Husákovi sa teda opäť podarilo presvedčiť vedúcich sovietskych predstaviteľov, že je to práve on, kto dokáže okamžite plniť ich priania a predstavy týkajúce sa vnútropolitického vývoja v ČSSR. Že je schopný akýchkoľvek utilitaristických politických zásahov vedúcich k cieľu, v tomto prípade k odstráneniu Smrkovského z funkcie predsedu Federálneho zhromaždenia ČSSR. Už po tomto politickom víťazstve sa prvý tajomník ÚV KSS stal jedným z popredných kandidátov na funkciu prvého tajomníka ÚV KSČ.

A naozaj, práve od januára 1969 sa sovietske vedenie začalo zameriavať na hľadanie nového muža, schopného nahradiť Dubčeka. Do Moskvy začali pozývať množstvo rôznych čs. politických činiteľov, aby získali prehľad o ich politických názoroch a o vhodnom kandidátovi na post prvého tajomníka ÚV KSČ. Postupne tam boli predseda Národného frontu ČSSR Evžen Erban, tajomníci ÚV KSČ Josef Kempný, Jarolím Hetteš a Alois Indra, podpredseda federálnej vlády František Hamouz, predseda ÚRO Karel Poláček, minister zahraničných vecí Ján Marko a i.[27] Predseda federálnej vlády Černík navštívil z tohto dôvodu Moskvu 13. marca 1969. Túto funkciu Brežnev ponúkol aj jemu. Černík ju však napriek tomu odmietol, pretože nedokázal prijať tvrdé normalizačné opatrenia, ktoré podľa sovietskych predstaviteľov musel vykonať budúci prvý tajomník ÚV KSČ. Na Brežnevovu otázku, koho odporúča do tejto funkcie predseda federálnej vlády odpovedal, že najlepším variantom je Husák.[28]

---

23 SNA, f. ÚV KSS. Hlavný referát G. Husáka Realizácia ústavného zákona o československej federácii na Slovensku, k. 1883.

24 Od 1. januára 1969, v súlade s ústavným zákonom 143/1968 Zb. o československej federácii, už nešlo o Národné zhromaždenie ale o Federálne zhromaždenie.

25 SNA, f. ÚV KSS, zas. ÚV KSS 21. – 22. 12. 1968. Záverečné slovo G. Husáka, k. 1883.

26 DUBČEK, *Nádej zomiera posledná*, c. d., s. 239.

27 DOSKOČIL, *Duben 1969*, c. d., s. 91 – 92.

28 O. Černík to uviedol v rozhovore pre Komisiu vlády ČSFR pre analýzu udalostí v rokoch 1967 – 1970 (tzv. Menclová komisia) 19. januára 1990. Pozri DOSKOČIL, *Duben 1969*, c. d., s. 162.

Pri odstraňovaní Dubčeka z funkcie prvého tajomníka ÚV KSČ sa s vysokou pravdepodobnosťou počítalo aj s krízovými situáciami, ktorých nebolo v Československu v uplynulých mesiacoch málo. A naozaj, aj v tomto prípade sovietskemu vedeniu významnou mierou napomohla náhoda: 29. marca 1969 zvíťazilo mužstvo ČSSR na majstrovstvách sveta v ľadovom hokeji vo Švédsku nad ZSSR 4:3, čo bolo už druhé víťazstvo čs. hokejistov nad sovietskymi na tomto šampionáte.[29] Najmä po tomto druhom víťazstve zachvátilo nielen športových priaznivcov, ale aj celú čs. občiansku spoločnosť obrovské nadšenie: športové víťazstvo, kde proti sebe nastúpil rovnaký počet mužov na oboch stranách, pričom rozhodlo väčšie športové majstrovstvo a nie množstvo po zuby ozbrojených vojakov, mnohí občania pochopili ako akúsi náplasť na vojenskou okupáciou ponížené národné sebavedomie. V Prahe, Bratislave a vo všetkých väčších mestách Československa vyšli do ulíc státisíce občanov, ktorí vyjadrili nielen svoju radosť zo športového víťazstva, ale mohutne protestovali aj proti účasti sovietskych okupačných vojsk v krajine a proti ústupu od pojanuárového demokratizačného procesu.

Náznaky podobných reakcií po prvom zápase čs. a sovietskych hokejistov boli pre sovietske vedenie a domácich realistov i konzervatívcov určite impulzom k úvahám, ako využiť prípadné druhé víťazstvo mužstva ČSSR pre zvrat politických pomerov v Československu. Sovietska tlač, ktorá predtým nikdy nezabudla využiť ani najmenšiu zámienku na útok proti čs. reformnému hnutiu zrazu mlčala, zásahové jednotky Verejnej bezpečnosti neboli v českých krajoch uvedené do pohotovosti a aj jej hliadková služba bola na niekoľko dní zrušená. A rovno pred kanceláriou sovietskeho Aeroflotu v Prahe bola, kto vie prečo, zložená fúra dlažobných kociek: len ich hodiť do výkladu, čo sa pochopiteľne aj stalo.[30] Je naozaj obdivuhodné, ako po celé stáročia fungujú podobné primitívne provokácie tajných služieb...

Dubčekovo vedenie KSČ, verné svojej demokratickej predstave o deľbe právomocí, prenechalo túto kauzu vláde Českej socialistickej republiky. Tá vydala 29. marca 1969 stanovisko, že chápe nadšenie občanov oslavujúcich vynikajúci športový výkon našich hokejistov, ale to nie je dôvod na vandalstvo, ku ktorému došlo na niektorých miestach. Po dohode medzi Černíkom, Svobodom a Martinom Dzúrom bola v ten istý deň vyhlásená bojová pohotovosť vojenských útvarov v okolí Prahy, Brna a Bratislavy pre prípad ďalších nepokojov. Čs. predstavitelia sa napokon uspokojili s ospravedlnením sa sovietskemu vedeniu, ktoré odovzdal 31. marca podpredseda federálnej vlády Hamouz sovietskemu veľvyslancovi v ČSSR Červonenkovi.[31]

To, prirodzene, vonkoncom nestačilo. Politické byro ÚV KSSZ, ktoré túžobne čakalo na takýto dar osudu, sa 30. marca 1969 zišlo na mimoriadnej schôdzi, aby prerokovalo situáciu v Československu. Na druhý deň zverejnilo *Vyhlásenie ÚV KSSZ a vlády ZSSR*, ktoré výtržnosti kontrarevolučných síl v Prahe, Bratislave, Olomouci, Hradci Králové, Ústi nad Labe, Banskej Bystrici a iných mestách v ČSSR ostro odsúdilo. Najdôležitejšie však bolo, že zaútočilo priamo proti čs. straníckemu a štátnemu vedeniu, ktoré je zodpovedné

29 21. marca zvíťazilo mužstvo ČSSR nad sovietskymi hokejistami 2:0.
30 BÁRTA, Miloš – FELCMAN, Ondřej – BELDA, Josef – MENCL, Vojtěch. *Československo roku 1968. 2. díl: počátky normalizace.* Praha : Parta, 1993, s. 52.
31 DOSKOČIL, *Duben 1969*, c. d., s. 105.

za to, že *„kontrarevolučné živly využívajú ovzdušie beztrestnosti a stávajú sa každým dňom opovážlivejšími“.*[32]

Kvôli razantnej podpore sovietskych požiadaviek pricestoval 31. marca 1969 do ČSSR minister obrany ZSSR maršal Andrej Grečko, sprevádzaný námestníkom ministra zahraničných vecí V. Semionovom. Oficiálne preto, aby zabránil akýmkoľvek ďalším protisovietskym manifestáciám a provokáciám zo strany „kontrarevolučných síl“, neoficiálne hlavne preto, aby sa v radoch najvyšších straníckych a štátnych funkcionárov vytvoril protidubčekovský front, ktorý by spôsobil zásadnú zmenu vo funkcii najvyššieho činiteľa v KSČ.

Maršal Grečko zavítal 4. apríla 1969 aj na oficiálnu návštevu Bratislavy, sprevádzaný ministrom národnej obrany ČSSR armádnym generálom Dzúrom. Rokoval s väčšinou popredných politických predstaviteľov Slovenska a s najväčšou pravdepodobnosťou aj s Husákom medzi štyrmi očami. Dospel k záveru, že Slovensko je na rozdiel od ostatných častí republiky pripravené na zásadné zmeny, Husák tu úplne ovláda situáciu a rozdiely medzi slovenskými a sovietskymi názormi na politickú situáciu v ČSSR sú nepodstatné. S najväčšou pravdepodobnosťou Grečko Husákovi naznačil, že sa mu otvára veľká šanca zaujať miesto po Dubčekovi.[33]

Husák intenzívne pracoval na svojom cieli aj 8. až 10. apríla 1969, keď prezident ČSSR a najvyšší veliteľ ČSĽA Svoboda podnikol inšpekčnú cestu po posádkach Východného vojenského okruhu na území Slovenska, aby si overil ich spoľahlivosť pre prípad, že by sa nástup realistov a konzervatívcov k moci skomplikoval. Dňa 9. apríla navštívil v Bratislave aj Husáka. Ten si bol veľmi dobre vedomý, že cestu hlavy štátu sovietske vedenie podrobne sleduje a vyhodnocuje, a preto musí opäť okázalo demonštrovať, že na Slovensku je pokoj a on úplne ovláda politickú situáciu. Zorganizoval sériu stretnutí prezidenta republiky s významnými osobnosťami slovenského spoločenského a kultúrneho života a zabezpečil, aby sa jeho návšteva stala stredobodom pozornosti slovenských masmédií. Aj prostredníctvom tlače, rozhlasu a televízie sa snažil vytvoriť dojem „jednoty strany a ľudu“ na Slovensku, ktorá môže byť východiskom konsolidácie politickej situácie v celom Československu. Bol presvedčený, že to pozitívne zapôsobí nielen na sovietskych predstaviteľov, ale aj na domácich dogmatikov, ktorých podporu na uskutočnenie svojich ambícii potreboval.[34]

Ďalším zlomovým dňom v tejto kauze bol 11. apríl 1969. Dubček oznámil svojim dvom osobným tajomníkom J. Gajdošovi a O. Jarošovi svoje rozhodnutie rezignovať. Nazdával sa, že ak by to neurobil, sovietske vedenie by pripravilo ďalšiu provokáciu, ktorá by opäť viedla k narušeniu verejného poriadku a možno i ku krviprelievaniu.[35] Ďalšou významnou udalosťou toho dňa bol prejav Husáka v Nitre na aktíve jednotných roľníckych družstiev. Tu už otvorene zaútočil na Dubčeka, kritizujúc jeho slabosť, keď odmietol tvrdo mocensky potlačiť kontrarevolučné živly. Zároveň napadol radikálnych reformných komunistov v KSČ tvrdením, že sloboda tlače musí mať svoje hranice a tými sú základné koncepcie straníckeho a štátneho vedenia. Nakoniec to „zaklincoval“ výrokom: *„Nepriateľské anti-*

32 VONDROVÁ – NAVRÁTIL, *Mezinárodní souvislosti, sv. 4/3*, c. d., s. 288.

33 Pozri bližšie BÁRTA et al., *Československo roku 1968 2. díl*, c. d., s. 58 – 59; DOSKOČIL, *Duben 1969*, c. d., s. 154 – 156.

34 DOSKOČIL, *Duben 1969*, c. d., s. 164 – 165.

35 DUBČEK, *Nádej zomiera posledná*, c. d., s. 243.

socialistické sily je treba poraziť a z verejného života odstrániť"![36] Tak sa Husák opäť predstavil Kremľu i domácim konzervatívcom ako politik, ktorý má svoju jasnú koncepciu a ktorý nekompromisne zabezpečí sovietske záujmy v Československu a opäť tam zreštauruje klasický socializmus sovietskeho typu.

Skôr než došlo ku konečnému rozhodnutiu, stretol sa však 13. apríla 1969 Brežnev s Husákom na letisku v Mukačeve. Pre postavenie sovietskych satelitov bolo symptomatické, že Husák sa mu prišiel predstaviť ako kandidát na funkciu prvého tajomníka ÚV KSČ, hoci zatiaľ ešte nepotvrdený vedením vlastnej strany! Obsah ich rozhovoru nie je známy, no Husák celkom iste musel prijať všetky podmienky, ktoré mu Brežnev nadiktoval. Boli iste kruté – zabezpečujúce nielen návrat predjanuárových pomerov, ale dokonca pomerov spred apríla 1963: spomeňme si, že presne mesiac predtým bol z tých istých príčin v Moskve Černík, ktorý taktiež veľmi túžil po funkcii vodcu strany, no tieto podmienky nebol schopný akceptovať... Podľa vlastného vyjadrenia Husák súhlasil s Brežnevovými podmienkami najmä preto, lebo mu vraj sľúbil, že *„ak sa nám podarí upokojiť v tom čase ťažkú krízovú situáciu, nájsť a zabezpečiť východisko z nej, skončiť s vnútrostraníckymi zápasmi a začať konštruktívne riešiť problémy, vojská od nás odídu a my budeme môcť robiť svoju politiku"*.[37] A tak Husák azda už po štvrtýkrát (v rokoch 1944, 1948, 1968 či 1969) prijal úlohu (podľa Ľ. Liptáka) akéhosi *„krízového manažéra"*,[38] povolaného na to, aby vyriešil vážny politický rébus, ale zároveň nasýtil aj svoje veľké osobné ambície.

Rozhovor medzi Brežnevom a Husákom v Mukačeve bol prísne utajovanou udalosťou a aj sám Husák o ňom informoval niektorých členov predsedníctva ÚV KSČ až začiatkom sedemdesiatych rokov.[39] Keď sa G. Husák vrátil podvečer toho istého dňa do Prahy, došlo ku kurióznej situácii: skupina „sprisahancov" – Svoboda, Biľak, Štrougal a Černík sa práve radila o Dubčekovom odstavení (teda opäť to nebolo zasadanie nejakého oficiálneho straníckeho orgánu). Náhle medzi nimi prepukol spor o Dubčekovho nástupcu. Okrem Husáka vrátili do hry aj Černíka, ktorého podporoval Štrougal. Keďže sa ho nepodarilo vyriešiť ani Svobodovi, ktorý podporoval Husáka, Husák údajne odišiel krajne rozčúlený, buchnúc pritom poriadne dverami...[40]

Poučený nepríjemnou skúsenosťou z večerného neoficiálneho rokovania niektorých členov výkonného výboru 13. apríla 1969 už Husák nenechal nič na náhodu a intenzívne si získaval hlasy na svoju podporu. Najprv si, prirodzene, nadiktoval podporu slovenských členov ÚV KSČ, ktorí boli v drvivej väčšine „realisti" ako on. Potom získal dôležité hlasy po rozhovore s českými reformnými intelektuálmi sústredenými okolo Milana Hübla.[41] A napokon rokoval aj s konzervatívcami. Tí si však za svoju podporu vyžiadali mimoriadne veľký ústupok: 16. apríla 1969 prijal výkonný výbor predsedníctva ÚV KSČ vyhlásenie pod názvom *K neoprávneným obvineniam niektorých vedúcich funkcionárov strany*, ktorým

36 In *Pravda*, 12. 4. 1969, s. 5.
37 PLEVZA, *Vzostupy a pády*, c. d., s. 124.
38 Tamže, doslov Ľ. Liptáka, s. 179.
39 Tamže, s. 123 – 124.
40 BÁRTA et al., *Československo roku 1968, 2. díl: počátky normalizace*, c. d., s. 62.
41 M. Hübl a jeho stúpenci verili, že G. Husák bude brániť reformy, tak ako predtým A. Dubček. O tri roky už sedel vo väzení, kde ho jeho „priateľ" G. Husák držal šesť rokov. DUBČEK, *Nádej zomiera posledná*, c. d., s. 244.

boli Biľak, František Barbírek, Indra, Milouš Jakeš, Kapek, Kolder, Jozef Lenárt, Jan Piller, Emil Rigo a Oldřich Švestka zbavení obvinenia zo zrady a kolaborácie s okupantmi.[42] Ani politicky prezieravý Husák vtedy netušil, akým bremenom mu bude tento dokument do budúcnosti. Bremenom, ktoré ho bude nútiť prekračovať hranice, ktoré možno pôvodne nikdy nechcel prekročiť...

Na zasadaní ÚV KSČ 17. apríla 1969 napokon Dubček rezignoval na funkciu prvého tajomníka ÚV KSČ. Za jeho odchod hlasovalo 150 členov ÚV KSČ zo 178 hlasujúcich. A naopak, proti Husákovi ako novému prvému tajomníkovi ÚV KSČ, hlasovalo len 22 členov zo 182 prítomných. Za neho hlasovali nielen realisti, ale aj konzervatívci, ktorí s ním spájali nádeje, že takú ráznu normalizačnú politiku, akú praktizoval na Slovensku, bude uskutočňovať aj v celoštátnom meradle a v takejto situácii sa im podarí opäť si vydobyť pozície stratené po januári 1968. Reformátori boli zasa presvedčení, že výmenou za určité ústupky Sovietskemu zväzu bude môcť aj naďalej pokračovať demokratizačný proces, i keď pomalšie a opatrnejšie. Verili, že Husák pripustí názorovú toleranciu, urýchli konanie riadneho XIV. zjazdu KSČ, ako aj volieb do zastupiteľských zborov, prostredníctvom ktorých by sa zabezpečilo pokračovanie aspoň obmedzených reforiem aj z kádrového hľadiska.[43]

V Husákovej „trónnej" reči na zasadaní ÚV KSČ 17. apríla 1969, už ako nového prvého tajomníka ÚV KSČ, opäť zaznelo, že nemieni na politickej línii, začatej na januárovom zasadaní ÚV KSČ nič meniť, že sa zmení iba prístup k jej realizácii. Uisťoval tiež, že nebudú žiadne čistky a s tými, ktorí sa zmýlili, sa bude trpezlivo pracovať: *„ak hovoríme o pravicovom alebo inom nebezpečenstve, nemám na mysli, že budeme naraz niekoho vyhadzovať. Dáme každému čestnú možnosť, aby podporoval túto stranu a nikoho nebudeme vyhadzovať za to, čo včera alebo predvčerom hovoril".*[44] V jeho prejave však zaznelo aj to, čo umožňovalo nazrieť do blízkej budúcnosti: *„Pred žiadnymi nepriateľskými silami, pred antisocialistickými silami, pred pravičiarskymi elementmi ustupovať nebudeme. Hodili nám rukavicu na zápas, naposledy v tom marci, túto rukavicu zdvihneme a povedieme stranu do politického zápasu s týmito silami."*

Podobné slová predniesol na druhý deň aj na zasadaní ÚV KSS. V diskusii k jeho referátu vystúpilo aj viacero reformných komunistov, ktorí netajili nadšenie zo skutočnosti, že prvým tajomníkom ÚV KSČ sa stal práve Husák. Za všetkých azda výrok člena predsedníctva ÚV KSČ Antona Ťažkého, ktorý bol neskôr vylúčený zo strany a zakúsil ťažký údel proskribovaného občana: *„Ja si myslím, že ak je niekto stelesnením tých základných cieľov, ktoré boli vyjadrené v pojanuárovej politike, tak je to predovšetkým súdruh Husák, ktorý už na mestskej konferencii v roku 1964 tu v Bratislave položil jeden zo základných kameňov tejto pojanuárovej politiky a od tej doby dokázal, že je jej skutočným zástancom a realizátorom."*[45] Takýto postoj slovenských reformných komunistov bol v tom čase celkom prirodzený. V turbulentnej politickej situácii, v ktorej sa realisti čoraz viac spájali s konzervatívcami, sa najmä slovenskí reformisti veľmi spoliehali na Husáka. A to nielen kvôli viere, že udrží demokratizačný kurz, ale aj preto, čo treba opäť zdôrazniť, že Husák bol od januára do

42 In *Rudé právo*, 17. 4. 1969, s. 1.
43 VONDROVÁ, Jitka – NAVRÁTIL, Jaromír. *Komunistická strana Československa. Prameny k dějinám československé krize v letech 1967 – 1970, sv. 9/4.* Brno : Doplněk, 2003, s. 15 – 16.
44 Tamže, s. 351.
45 SNA, f. ÚV KSS, zas. ÚV KSS 18. 4. 1969. Diskusný príspevok A. Ťažkého, k. 1885.

augusta 1968 neformálnym vodcom reformných komunistov na Slovensku. Očakávali, že svojich bývalých politických stúpencov ochráni.

Na tomto zasadaní ÚV KSS odzneli však aj tvrdé slová na adresu Dubčeka z úst slovenských realistov, bývalých umiernených reformných komunistov. Ondrej Klokoč sa vyjadril nasledovne: *„Nesporne, čo on predstavoval, to je správne a to treba aj naďalej viesť. Ale on už nemal vnútornej sily, aby ... vedel prekonať sám seba, pretože sa v národe z neho vytvorilo niečo, čo on v skutočnosti nebol, on sa stal symbolom kdekoho a kdečoho a sám sa už nevedel dostatočne dištancovať od toho, čo sa naň nalepilo.“*[46] A Ladislav Novomeský, blízky Husákov priateľ, bol ešte ostrejší: *„Dubček je a zostane symbolom januárového československého rozhodnutia, ale bude aj živou pripomienkou nerozhodnosti, polovičatosti, kompromisníctva, mäkkosti, čo vyznačovalo náš pojanuárový vývoj a čo je dnes, chceš či nechceš, najväčšou prekážkou rozvoja tohto štátu.“*[47] Z výrokov oboch týchto typických predstaviteľov slovenských realistov v ÚV KSS, predtým umiernených reformných komunistov a blízkych Husákových prívržencov jednoznačne vyplýva, že ešte stále uznávali správnosť „československého rozhodnutia“ v januári 1968. Najväčším problémom pre nich bolo, že Dubček *„už nemal vnútornej sily“*, resp. bol *„nerozhodný, polovičatý, kompromisný a mäkký“*, t. j. už nebol schopný doviesť túto správnu vec do konca. A to bol podľa nich práve Husák, ktorý tú silu a razanciu mal, ktorý dobré „zrno“ januára oddelí od rôznych pravicovo-oportunistických, revizionistických, antisocialistických a antisovietskych „pliev“ a dotiahne demokratizačný proces, prispôsobený daným podmienkam, do úspešného konca. Taká bola vtedy atmosféra aj u slovenských reformných komunistov, aj u realistov. V tom sa nijako neodlišovali. Žiaľ, kocky boli hodené úplne iným spôsobom.

***

Prirodzene, nádeje českých a slovenských reformných komunistov sa nenaplnili. Už o päť mesiacov, na zasadaní ÚV KSČ koncom septembra 1969, Husák ohlásil možnosť tvrdých straníckych čistiek. Možno si spočiatku naozaj myslel, že sa mu zásluhou svojej známej politickej zdatnosti podarí niečo z predchádzajúceho obrodného procesu zachrániť. Ale spojené úsilie sovietskych predstaviteľov a konzervatívneho krídla v KSČ na čele s V. Biľakom ho neustále posúvali k čoraz radikálnejším rozhodnutiam a činom. Podľa citovanej knihy Viliama Plevzu *Vzostupy a pády. G. Husák prehovoril* si túto svoju situáciu plne uvedomoval, no nemal síl odísť z politiky, čo by na jeho mieste určite urobil demokratický politik. Husák však demokratickým politikom nebol, pričom tiež vonkoncom nepôsobil v demokratickom režime. Veľká láska k moci a rovnako veľké obavy pred ďalším politickým pádom napokon spôsobili, že v tomto nedôstojnom politickom položení „vydržal“ až do konca 80. rokov 20. storočia.

46 Tamže, diskusný príspevok O. Klokoča.
47 Tamže, diskusný príspevok L. Novomeského.

Charakterizujúce udalosti a pohľady na (rozporné) črty československého vývoja v rokoch 1968 – 1971*

Jozef Žatkuliak

Rekonštrukcia a interpretácie československého (čs.) vývoja v rokoch 1968 – 1971, osudy českej a slovenskej spoločnosti či postavy v centre diania stále zaujímajú mnohých historikov, politológov, ako aj ďalšie odborné kruhy a časť verejnosti. Štúdia načrtáva niektoré kauzálne súvislosti tohto vývoja a hľadá odpovede na otázky, ako sa profilovala politika komunistickej strany od roku 1968, čo sa udialo po konštituovaní federatívneho usporiadania spoločného štátu slovenského a českého národa a ďalej, aký osud stihol niektoré reformy či aké udalosti prispeli k zmene totalitného systému. Prelínania vnútropolitických, zahraničnopolitických, ekonomických, štátoprávnych a spoločenských rovín a faktorov sú tu viac ako zrejmé. To je jeden z dôvodov, prečo sú v štúdii zahrnuté pohľady viacerých domácich a zahraničných autorov rozličného názorového profilu na vývojové tendencie a paradigmy v sledovaných rokoch. Podľa slovenského historika Ľubomíra Liptáka: *„Skutočné 'vertikálne' chápanie dejín zaraďuje udalosti do vývojových súvislostí, skúma, ako sa menil význam, obsah i hierarchia rôznych pojmov v priebehu stáročí.“*[1] A takéto vertikálne chápanie dejín treba zaradiť do času a priestoru, aj keď je to niekedy bolestivé vnímanie.

Nesporne sa ním stal politicko-spoločenský vývoj po vojenskej okupácii čs. štátu vojskami piatich štátov Varšavskej zmluvy (VZ) 21. augusta 1968, ktorý bol úzko spätý s normalizačnou líniou vedenia Komunistickej strany Československa/Komunistickej strany Slovenska (KSČ/KSS). Jedným z kľúčových dôvodov okupácie bol výrazný demokratizačno-reformný pohyb čs. (Pražskej) jari,[2] ktorý presahoval hranice socializmu sovietskeho typu a podľa Moskvy hrozilo, že sa rozšíri do ďalších krajín stredovýchodného (sovietskeho) mocenského bloku. Politicko-spoločenské dôsledky okupácie, ako aj s ňou prepojené geopolitické, ideologické a ekonomické záujmy Moskvy, spoluurčovali rozpornú dynamiku obdobia od jesene 1968 až po koniec roku 1971 a dávali obdobiu rozdielne črty oproti iným stredovýchodným krajinám (Maďarsko, Poľsko, Rumunsko). No Moskva sa s okupáciou prerátala, lebo *„už nikdy – a to bola skutočná lekcia, roku 1968 najprv pre Čechov a Slovákov, ale vzápätí pre každého – už nikdy nebolo možné obhájiť názor, že komunizmus spočíva na súhlase ľudí alebo legitimite zdeformovanej strany, či dokonca na ponaučení z dejín.“*[3]

---

* Štúdia bola vypracovaná v rámci grantu VEGA Historického ústavu SAV č. 2/0104/13 Slovensko po roku 1968. Cez mráz normalizácie k samostatnej Slovenskej republike a demokracii.

1 LIPTÁK, Ľubomír. *Storočie dlhšie ako sto rokov: O dejinách a historiografii.* Bratislava : Kalligram, 1999, s. 18.

2 LONDÁK, Miroslav – SIKORA, Stanislav a kol. *Rok 1968 a jeho miesto v našich dejinách.* Bratislava : Historický ústav SAV vo vyd. Veda, 2009.

3 JUDT, Tony. *Povojnová Európa: História po roku 1945.* Bratislava : Slovart, 2007, s. 432. Politickú líniu Moskvy a doktrínu Leonida I. Brežneva o „obmedzenej suverenite“ krajín v záujme ochrany

Ani tento spoločensko-psychologický regres nestačil. Vývoj, znovu na úkor ešte reformne naladenej časti slovenskej a českej spoločnosti, negatívne poznačilo podpísanie zmluvy medzi vládami Československa a Sovietskeho zväzu *„o podmienkach dočasného pobytu sovietskych vojsk na území Československej socialistickej republiky"* v októbri 1968. Tá stanovila, že časť sovietskych vojsk zostane „dočasne" na čs. území v počte 75-tisíc vojakov. Zmluva prakticky legitimizovala okupáciu čs. štátu. O mesiac po rokovaní predsedu vlády Oldřicha Černíka a ďalších predstaviteľov na začiatku októbra 1968 v Moskve zastavili rozhodujúce a prepájajúce sa politické skupiny na zasadaní ÚV KSČ v novembri 1968 politickú reformu a federalizáciu komunistickej strany.[4] Prvú skupinu s určitými vnútornými rozdielmi tvorili politickí realisti (centristi) a druhú konzervatívci v podstate odmietajúci najmä politickú reformu. Pre obe skupiny sa konsolidácia strany stala základným ideologickým a mocenským východiskom na ovládnutie verejného života, štátnych, ekonomických a spoločenských štruktúr.

Odmietnutie politickej reformy ovplyvnilo onedlho realizáciu ústavného zákona č. 143/1968 Zb. o čs. federácii. Jeho prípravu sprevádzal zápas rozdielnych českých a slovenských koncepcií, ktoré mali svoje korene v historickom vývoji. Ústavný zákon, ktorého vypracovanie bolo v kompetencii vládnej komisie podpredsedu vlády Gustáva Husáka, svojím demokratizačným poňatím štátoprávnych vzťahov na princípe rovný s rovným medzi českým a slovenským národom a prekračujúcim hranice modelu sovietskej federácie tvoril ústavnoprávny základ pre vznik Českej socialistickej republiky (ČSR) a Slovenskej socialistickej republiky (SSR) 1. januára 1969. Federatívny *„dobrovoľný zväzok rovnoprávnych národných štátov českého a slovenského národa"* sa považoval za najlepšiu záruku *„pre ochranu našej národnej svojbytnosti a zvrchovanosti"*.[5] Kodifikácia česko-slovenskej federácie spolu s prijatím ústavného zákona č. 144/1968 Zb. o národnostiach v ČSSR (Československá socialistická republika) sa stala jedným z kľúčových výsledkov reformnej čs. (Pražskej) jari. No chýbalo uskutočnenie všeobecných volieb v podmienkach federácie, aj keď sa predostreli návrhy na zmeny volebného systému a na reformu verejnej správy.

Vývoj čs. štátu od jesene 1968, vzhľadom na zahranično-politické okolnosti vplyvu Moskvy a na vnútropolitickú situáciu, možnosti uskutočnenia reforiem, ako aj na spoločenský pohyb po okupácii štátu a ďalšie faktory, naznačoval, že návrat pred rok 1968 nebude z viacerých príčin možný. Začal sa formovať normalizačný[6] (post)totalitný systém, ktorý v niektorých znakoch, najmä monopolným postavením komunistickej strany síce nadväzo-

---

socialistického spoločenstva VZ a jej armádami a charakteristiku rozporov v krajinách sovietskeho bloku pozri KOLÁŘ, Pavel. Štyri „základní rozpory" východoeuropského komunizmu. In *Soudobé dějiny*, roč. XXIII., č. 1 – 2/2015, s. 130 – 135.

4 VONDROVÁ, Jitka – NAVRÁTIL, Jaromír (eds.). *Komunistická strana Československa: Kapitulace (srpen – listopad 1968). Ediční řada Prameny k dějinám československé krize v letech 1967 – 1970. Díl 9/3 sv.* Praha – Brno : ÚSD AV ČR – Doplněk, 2001, s. 479 – 610.

5 ŽATKULIAK, Jozef. Činnosť tzv. Husákovej vládnej komisie a proces prípravy federalizácie Československa. In MICHÁLEK, Slavomír – LONDÁK, Miroslav a kol. *Gustáv Husák – Moc politiky/ politik moci.* Bratislava : Veda, 2013, s. 574 – 580.

6 Termín normalizačný systém už dávnejšie použil Vojtěch Mencl, ktorý ho vymedzil na roky 1969 až 1985. In BÁRTA, Miloš – FELCMAN, Ondřej – BELDA, Josef – MENCL, Vojtěch. *Československo roku 1968. 2. díl: počátky normalizace.* Praha : Parta a Ústav mezinárodních vztahů, 1993, s. 123 – 129.

val na totalitný systém,[7] no už nie profilom a zámermi normalizačnej politiky v jej reagencii na čs. (Pražskú) jar 1968. Tragické seba upálenie študenta Jana Palacha a nezvolenie Josefa Smrkovského za predsedu Federálneho zhromaždenia sa stali svojím spôsobom ďalším predelom v zápase za slobodu, medzi ústupom demokratizačných reforiem a spoločenských vízií a medzi stupňovaním normalizačného kurzu KSČ/KSS. Aj preto, že podľa spisovateľa a filozofa Milana Šimečku: „*Obnovování pořádku dostalo do vínka dvě velké lži: že v Československu byla kontrarevoluce a že umístění sovětských vojsk je dočasné.*"[8]

Podľa britského historika a esejistu Tonyho Judta značná časť českej a slovenskej spoločnosti roku 1968 podľahla viacerým ilúziám, keď po nástupe Alexandra Dubčeka do najvyššej politickej funkcie a po *Akčnom programe KSČS* bolo možné začleniť spoločenské diskusie o slobodách a reformách „*do socialistického"(teda komunistického) projektu*", spojeného s možnosťou otvorenia tzv. tretej cesty demokratického socializmu. Judt sa zaoberal i ďalšou ilúziou, ktorou sa stala akceptácia deliacej čiary medzi „*zdiskreditovaným stalinizmom Novotného generácie a obnoveným idealizmom Dubčekovej éry*", ktorá viedla k obrovskej popularite komunistickej strany a k veľkému príklonu k socializmu zo strany väčšiny občanov. Aj preto, že došlo k zrušeniu cenzúry, k zavedeniu všeobecnej slobody prejavu a chcelo sa ísť hlbšie v presadení reforiem. No táto skutočnosť mohla stranu „*odstaviť od moci. Zlomová línia medzi komunistickým štátom a otvorenou spoločnosťou sa teraz plne obnažila*". Značná časť občanov podľahla i tretej ilúzii, že Dubčekove vedenie KSČ, ktoré ju napokon i chybne podporovalo vyhláseniami, akosi presvedčí Moskvu o svojom spojenectve s ňou. Vedenie podcenilo, že táto striktne zotrvá na zachovaní monopolu komunistickej strany a na zabránení (podľa svojho videnia) čs. vývoja a kalkuluje s doktrinárskou možnosťou zásahu v záujme obrany socializmu.[9] K Judtovým pohľadom na rok 1968 však s rezervou dodajme, že prvé dve ilúzie v jeho interpretácii celkom nevystihovali silu masového občianskeho hnutia čs. (Pražskej) jari. Judt hnutie celkom nedoceňuje, keď prijalo nie tak ilúziu, ale skôr víziu celkovej reformy socializmu, spojenú okrem iného s možnosťou obnovy občianskych práv a slobôd, začatím rehabilitácií a demokratizácie verejného života, a to boli podľa Moskvy neprijateľné javy v krajine sovietskeho bloku.

Sovietsky predstaviteľ Leonid I. Brežnev sa z geopolitických a vojensko-mocenských dôvodov postavil proti reformám a spolu s ďalšími vo vedení KSČ sa podieľal na uvoľnení Alexandra Dubčeka z najvyššej politickej funkcie a namiesto neho na zvolení politického realistu a pragmatika moci Gustáva Husáka v apríli 1969. Napriek tomu, že sa spočiatku zasadzoval za „miernejší" postup v presadzovaní normalizačnej politiky (niekedy ho skôr vyhlasoval) oproti konzervatívcom, ktorí sa už postavili za zrušenie reforiem, zakrátko spolu postupovali v reštriktívnych zásahoch do spoločensko-kultúrneho života a do riade-

7 Niektorí autori rozlišujú obdobia podľa politických vodcov, konkrétne J. V. Stalina, na obdobie stalinizmu, destalinizácie a neostalinizmu, čo celkom nezodpovedá označeniu čs. vývoja po r. 1968. Zároveň autori upozorňujú, že pri ujasňovaní si pojmov sa niekedy automaticky označujú nedemokratické systémy hneď za totalitné a neprikladala sa náležitá pozornosť rozboru posttotalitného systému. Terminologická rozdielnosť a čiastočne skreslený výklad sa vzťahuje i na časť spoločenských vedcov vrátane historikov. BALÍK, Stanislav – KUBÁT, Michal. *Teorie a praxe totalitních a autoritativních režimů.* Praha : Dokořán, 2004, s. 10 – 43, 61.

8 ŠIMEČKA, Milan. *Obnovení pořádku.* Brno : Atlantis, 1990, s. 140.

9 JUDT, *Povojnová Európa*, c. d., s. 427 – 429.

nia federatívneho štátu a hospodárstva.[10] Husákovo vedenie KSČ/KSS, v ktorom si však konzervatívci znovu posilnili pozície, nezískalo dostatočnú podporu mnohých základných organizácií KSČ a KSS, národných výborov a organizácií Národného frontu (NF) nižších stupňov. Stupňoval sa však tlak krajských a okresných politických a štátnych orgánov, už postupujúcich podľa normalizačnej línie a podľa princípu demokratického centralizmu, ktorý podriaďoval nižšie postavené orgány vyšším a tento tlak prispel k postupnej pacifikácii verejného a politického života. Zároveň platila všeobecná záväznosť *Realizačnej smernice k najbližším úlohám strany pri prekonávaní krízovej situácie a konsolidácie pomerov v spoločnosti do XIV. zjazdu KSČ.*[11]

Federálna vláda Oldřicha Černíka prijala 6. júna 1969 uznesenie, aby v záujme upevnenia socialistického štátu a smernice došlo k *„dokončení jeho přestavby na federálních základech, konsolidace nově vytvořených federálních a národních orgánů"*.[12] Centralizačnú tendenciu smernice však vyjadrovalo dosiahnutie *„jednotné práce celého mechanismu federace i obou republik a zabezpečení integrační funkce federálních orgánů"*. To neznamenalo nič iné, len posilnenie právomocí federálnych výkonných štátnych orgánov na úkor republikových, ďalej vyzdvihovanie centrálneho plánovania hospodárstva a postavenia plánu a rozpočtu federácie, od ktorého sa do značnej miery odvodzovali rozpočty jej republík. Smernica sa stala ďalším krokom k formovaniu posttotalitného systému stanovením línie politicko-štátneho a ekonomického centralizmu. Navyše sa federálna vláda postavila do rozhodujúcej pozície v štruktúre výkonných orgánov federácie a republík v rámci svojej *„integračnej"* (rozumej centralizačnej) úlohy, ktorú forsírovalo vedenie KSČ.

V tom čase český sociológ, filozof a zástanca vedecko-technickej revolúcie Radovan Richta predložil Husákovi niektoré svoje úvahy o alternatívach ďalšieho čs. vývoja. Za jedno z najťažších dedičstiev posledných 15 rokov považoval *„zaostávanie našej krajiny v praktickom uplatňovaní súčasných poznatkov vedy a techniky vo výrobe a v živote ľudí"*. Tento stav okrem iného spôsoboval sociálne napätie. Celková dynamizácia však mohla byť kľúčom k zmene politickej situácie, keď časť spoločnosti *„trpí pocitmi márnosti na hraniciach demoralizácie"*.[13] Mnohé javy svedčili o rozšírení nepriaznivého rovnostárstva a o slabej morálnej stimulácii, príliš sa preferovali sociálne hľadiská, zaostávala reforma riadiaceho systému a plánovité využívanie trhu. Richtovi sa to nepáčilo, veď namiesto krokov k dynamizácii sa vydávalo množstvo deklarácií a rezolúcií, ba často sa prejavila slabá spoločensko-politická podpora vedecko-technického pokroku. Navrhoval, aby sa po komplexnom a kritickom rozbore všetkých sfér určili tie, ktoré by boli schopné prelomiť

10 SIKORA, Stanislav. *Po jari krutá zima: Politický vývoj na Slovensku v rokoch 1968 – 1971.* Bratislava : Historický ústav SAV, 2013, s. 126 – 129.

11 VONDROVÁ, Jitka – NAVRÁTIL, Jaromír (eds.). *Komunistická strana Československa: Normalizace (listopad 1968 – září 1969). Ediční řada Prameny k dějinám československé krize v letech 1967 – 1970. Díl 9/4 sv.* Praha – Brno : ÚSD AV ČR – Doplněk 2003, s. 410 – 485.

12 Archiv Ústavu pro soudobé dějiny Akademie věd České republiky (ďalej A ÚSD AV ČR) Praha, fond (ďalej f.) Sbírka (ďalej Sb.) Komise vlády (ďalej KV) ČSFR, signatúra (ďalej sign.) D IV/33, Zasedání ústředního výboru Komunistické strany Československa dne 29. – 30. května 1969. Část I., Stenografický zápis, s. 168.

13 Národní archiv České republiky (ďalej NA ČR) Praha, f. ÚV KSČ 1945 – 1989, Kancelář generálního tajemníka ÚV KSČ Gustáva Husáka, rok 1969, kartón (ďalej k.) 268, K námětům na prosazení na poli vědecko-technického pokroku, 16. 7. 1969, s. 1.

prekážky na ceste k modernizácii, prispieť k zefektívneniu celého národného hospodárstva a k nástupu vedecko-technickej revolúcie. Richta upozornil Husáka, že nám nevyhovujú cesty využitia vedy a výskumu ako v Sovietskom zväze, Nemeckej demokratickej republike či v Juhoslávii, kde je značná náročnosť zdrojov. U nás treba odstrániť roztrieštenosť a stagnáciu vedeckého úsilia, ustanoviť pracovné skupiny na licencie a dosiahnuť potrebnú kvalifikáciu pracovníkov najmä v ekonomickej sfére. Aj preto naša krajina *„stále viac stráca svoje šance v súčasnej vedecko-technickej revolúcii – dokonca i napriek tomu, že niektoré oblasti vedy a výskumu majú u nás vysoký štandard, vo svete všeobecne uznávaný"*.[14] Na realizáciu revolúcie treba vytvoriť primerané podmienky, ktoré sú nevyhnutné na udržanie kroku s vyspelými krajinami a aby čs. štát nestratil šance, ktoré ešte má. Pritom Richta už dávnejšie upozornil, že priaznivá situácia na presadenie vedecko-technickej revolúcie vzniká až vtedy, pri zohľadnení rôznych kritérií, ak by sa dal čs. vývoj vrátane úrovne výrobného procesu a sociálno-zamestnaneckej štruktúry porovnávať s vývojom vyspelých krajín, za ktorým už vidieť značné zaostávanie.[15]

Richtove upozornenia však zatienili spoločensko-kultúrne, politické a ekonomické javy v roku 1969, ktoré poukazovali na to, že ten sa stane rokom zlomu a prejavov viacerých rozporných tendencií vývoja. Naznačil ich český historik a onedlho i emigrant Karel Bartošek, podľa ktorého nástup Husákovho vedenia a jeho politická línia je *„ideologii a praxi vazalství. Vnitropoliticky upevňuje rokem 1969 otřesený byrokraticko-centralistický systém, který bránil lidské emancipaci dělnické třídy a všech skupin pracujícího obyvatelstva"*. Personálne nový systém *„je výsledkem porážky velkého revolučního a spravedlivého sociálně-politického hnutí roku 1968... Logikou kontrarevolučního vítězství* [normalizátorov], *jinak tomu v dějinách nikdy nebylo, je nutnost potlačit toto hnutí."*[16] Cestou prijatia cenzúry a represívnych opatrení sa porušili občianske práva a slobody, keď chýbala sloboda prejavu a sloboda tlače, právo na zhromažďovanie, obmedzoval sa náboženský život, zastavili sa rehabilitácie, ďalej reforma verejnej správy s ustanovením občianskej samosprávy a pod.

Akoby sa na tieto pomery v lete 1969 svojím spôsobom vzťahovalo vyjadrenie nemeckého ľavicového filozofa a sociológa Jürgena Habermasa, keď sa *„lidská důstojnost spojuje s postavením, které občané zaujímají v politickém uspořádaní, jež sami vytvorili. Občané jakožto adresáti budou moci požívat práv, která chrání jejich lidskou důstojnost, jen tehdy, pokud se jim podaří založit a udržet politický řád založený na lidských právech."*[17] Navyše sa nevypracovali federálna a národné ústavy ako jeden zo základných pilierov federálnej a národných štátností, v ktorých by sa širšie formulovali občianske práva a slobody. Nezriadili sa ani ústavné súdy, ktoré by dohliadali aj na dodržiavanie vzťahov medzi federálnymi a národnými orgánmi a tiež na dodržiavanie občianskych práv a slobôd. Dvojročné

14 Tamže, s. 4. R. Richta navrhol, aby práce na analýze viedol sám prvý tajomník ÚV KSČ (G. Husák) a predstavil konzultačný tým odborníkov z jednotlivých podnikov, vysokých škôl a akadémií. Výsledok jeho práce by sa predložil na zvláštnom zasadaní ÚV KSČ. Avšak až v máji 1974 sa uskutočnili oneskorené zasadania ÚV KSČ a ÚV KSS k vedecko-technickým otázkam vývoja, ktoré sa však nezamerali na modernizáciu a na efektivitu celej hospodárskej štruktúry.

15 RICHTA, Radovan a kol. *Civilizácia na rázcestí.* Bratislava : VPL, 1966, s. 50.

16 BARTOŠEK, Karel. Naše nynější krize a revoluce. In *Svědectví*, 1970, roč. X., č. 38, s. 233 – 235.

17 HABERMAS, Jürgen. *K ustavení Evropy*. Praha : Filozofia, 2013, s. 30.

odkladanie naplnenia článku 142 ústavného zákona 143/1968 Zb., a celej jeho šiestej hlavy vyhovovalo politickým štruktúram, ktoré takto mohli obísť priamu ústavnú kontrolu.

Normalizačný režim mal navrch a po rozsiahlej príprave, a aj po sovietskom naliehaní, tvrdo zasiahol v auguste 1969 s nasadením niekoľko desiatok tisícov príslušníkov ozbrojených zložiek proti demonštrantom najmä v Prahe a Brne.[18] Vedenie KSČ/KSS prevzalo kombináciou mocenských a represívnych nástrojov strategickú iniciatívu k celkovému ovládnutiu českej a slovenskej spoločnosti. Represívne potlačenie demonštrácií a opatrenie Predsedníctva Federálneho zhromaždenia odobrali silu už aj tak oslabeného rezistentného pohybu. Následná rezignácia občanov sa stala častým javom. Reformná inteligencia sa vytláčala z verejného života a emigráciou sa stratili ďalšie desaťtisíce vysokokvalifikovaných ľudí. Prvý tajomník ÚV KSČ Husák však tvrdil, že treba dosiahnuť taký stupeň konsolidácie pomerov, ktorý by umožnil uskutočniť zjazdy komunistickej strany roku 1971 a následne by sa konali všeobecné voľby, lebo treba *„obnoviť všetky orgány tak, ako to stanovy strany, ako to zákony tohto štátu žiadajú“*.[19] Vedenie KSČ/KSS si však konsolidáciu pomerov predstavovalo cez politické čistky v štátnych, politických a hospodárskych orgánoch a cez odvolávanie dokumentov, ktoré prijalo po 21. auguste 1968.

V tomto kontexte vystúpil do popredia Ústavný zákon číslo 117/1969 Zb. o predĺžení volebného obdobia národných výborov, národných rád a Federálneho zhromaždenia, Najvyššieho súdu, krajských, okresných a vojenských súdov z 15. októbra 1969. Návrh zákona predložil predseda vlády ČSSR Černík na zasadaní Federálneho zhromaždenia ČSSR, ktoré najprv zrušilo protiokupačné dokumenty Národného zhromaždenia prijaté od 21. do 28. augusta 1968. Ústavný zákon s okamžitou účinnosťou, stanovil, že: *„(1) Zastupitelský sbor může oprostit svého poslance funkce, jestliže to navrhne příslušný orgán Národní fronty pro to, že poslanec a) bez vážného důvodu po delší čas neplní svou funkci nebo b) svou činností narušuje politiku Národní fronty anebo c) byl pravoplatně odsouzen pro trestný čin.“*[20] Predsedníctvo SNR tiež anulovalo dokumenty SNR schválené od 21. do 29. augusta 1968 s tým, že *„stanoviská a vyjadrenia, ktoré vo svetle skutočností kon-*

---

18 Bližšie BÁRTA, Milan – BŘEČKA, Jan – KALOUS, Jan. *Demonstrace v Československu v srpnu 1969 a jejich potlačení.* Praha : Ústav pro studium totalitních režimů, 2012. Režim hrubo reagoval na občiansky odpor Zákonným opatrením Predsedníctva Federálneho zhromaždenia z 22. augusta č. 99/1969 Zb. o niektorých prechodných opatreniach potrebných na upevnenie a ochranu verejného poriadku (tzv. obuškový zákon).

19 HUSÁK, Gustáv. *State a prejavy: Apríl 1969 – apríl 1970.* Bratislava : Pravda, 1970, s. 312, 337. Na zasadaní ÚV KSČ v septembri 1969 rezignovali na funkcie v predsedníctve ÚV KSČ predstavitelia čs. jari A. Dubček a J. Smrkovský, zvolení boli konzervatívci Antonín Kapek, Jozef Lenárt, Dalibor Hanes, Alois Indra, Jan Fojtík a pomerom prispôsobujúci sa politickí realisti Václav Hůla, Josef Kempný a Josef Korčák.

20 GRONSKÝ, Ján. *Komentované dokumenty k ústavním dějinám Československa. Sv. III. 1960 – 1989.* Praha : Univerzita Karlova v nakl. Karolinum, 2007, s. 269 – 271. Editor označil jednoznačné hlasovanie z 15. 10. 1969 za *„kvintesence zbabělého oportunizmu“* v čs. ústavných dejinách. Dubčekov podpis sa ešte objavil pod návrhom ústavného zákona. Dubček musel odísť aj z postu predsedu FZ ČSSR a schválenú verziu podpísal nový predseda D. Hanes. ŽATKULIAK, Jozef. Postoje Alexandra Dubčeka k štátoprávnemu vývoju ČSFR v rokoch 1989 – 1992. In *Historický časopis*, 2013, roč. 61, č. 1, s. 87. FZ ČSSR muselo opustiť 122 poslancov. BALÍK, Stanislav – HLOUŠEK, Vít – HOLZER, Jan - ŠEBO, Jakub. *Politický systém českých zemí 1848 – 1989.* Brno : Masarykova univerzita Mezinárodní politologický ústav, 2007, s. 167.

štatovaných najmä na septembrovom pléne ÚV KSČS a októbrovom pléne ÚV KSS, sú v rozpore so socialistickými cieľmi a záujmami našej spoločnosti založenej na princípoch marxizmu-leninizmu a proletárskeho internacionalizmu".[21] Spisovateľ Laco Novomeský spolu s ďalšími v Predsedníctve SNR tento zvrat ťažko prijímal, vystríhal pred upadnutím *„do nejakého sebabičovania aj za august".* K demagógii, k prekrucovaniu skutočností o reformnom procese a drsnému odvolávaniu reformných poslancov došlo ešte intenzívnejšie na pôde Českej národnej rady.[22] No Husák odôvodnil personálne čistky pred maďarským predstaviteľom Jánosom Kádárom tým, že: *„Důležitým úkolem je upevnění orgánů státní moci a jejich očištění od pravicových elementů. Byla rekonstruována federální vláda, nově zformovány obě národní vlády. Proces očisty probíhá ve Federálním shromáždění a proběhl ve Slovenské národní radě a České národní radě. Tyto orgány vykonávají dnes politiku strany."* Husák pokračoval, že súčasne treba *„posilniť integritu celého štátu, úlohu federálnej vlády, čo všetko súvisí s obnovou plánovitého riadenia".*[23]

Táto obnova tvrdo zasiahla mechanizmus fungovania česko-slovenskej federácie a vzájomné vzťahy a kompetencie federálnych a republikových orgánov. Federálna vláda totiž vo svojom stanovisku z 9. januára 1970 síce skonštatovala prínos štátoprávneho federatívneho riešenia *„v úsilí KSČ o politickou konsolidaci, neboť odstranilo jeden z trvalých zdrojů vnitropolitického napětí",*[24] ba i spojilo oba národy, no neuviedlo sa, že v skutočnosti sa ustupovalo od federalizačných princípov rovnosti a rovnoprávnosti a svojprávnosti postavenia federácie a národných republík podľa ústavného zákona z októbra 1968. Akoby federatívne usporiadanie štátu s federálnym centrom a dvoma s ním prepojenými národnými (republikovými) centrami robilo problémy, lebo nezodpovedali pyramíde moci podľa princípu demokratického centralizmu. Napokon celkovo kladné hodnotenie federácie na prelome rokov 1969 a 1970, napriek poukázaniu na niektoré otvorené otázky, skôr zakrývalo vážne problémy vo vzťahoch medzi federálnymi a republikovými orgánmi vo vymedzení ich spoločných kompetencií a v stanovovaní ich rozpočtov v neprospech republík. V tom spočívali príčiny prvej krízy česko-slovenskej federácie vo fungovaní jej mechanizmu, no ďalej sa pokračovalo v jeho centralizácii. Podľa podpredsedu federálnej vlády a tajomníka ÚV KSČ Václava Hůlu sa bolo treba zamerať na obnovu socialistických princípov riadenia v hospodárstve, pričom základným princípom riadenia je spoločenské vlastníctvo socialistických výrobných prostriedkov. Ďalej bolo treba posilniť integrujúcu funkciu federálneho

---

21 Slovenský národný archív (ďalej SNA) Bratislava, f. SNR 1969 – 1992, Predsedníctvo SNR 1969 – 1988, k. 12, zasadanie 13. 10. 1969, časť zápisu z rokovania, Uznesenie SNR č. 82, č. sp. 3497/1969. Zo SNR odišlo 35 poslancov.

22 Společná česko-slovenská digitální parlamentní knihovna, www.psp.cz/eknih/1969cnr/stenprot/005schuz/s005002.htm, ČNR 1969 – 1971, 26. 11. 1969, část 3/17. Z 200 poslancov ČNR rezignovalo alebo bolo odvolaných 95 a nastúpilo 68 nových poslancov. BALÍK, et al., *Politický systém českých zemí 1848 – 1989*, c. d., s. 168.

23 A ÚSD AV ČR, f. Sb. KV ČSFR, sign. D III/138, Stenografický záznam zo stretnutia 17. 12. 1969, s. 1 – 8.

24 NA ČR, f. Úrad Predsedníctva vlády ČSSR/ČSFR – běžná spisovna, rok 1969 (nespracovaný), k. 190, sign. 366/2, č. j. 493/70-12, Pro jednání stranických a vládních orgánů. Zkušenosti, závěry a návrhy z hodnocení fungování federativního státního uspořádání.

plánu a federálneho rozpočtu, k čomu mali prispieť rozsiahle kompetencie zriadenej Štátnej plánovacej komisie.[25]

Tieto zásahy do fungovania česko-slovenskej federácie sa diali v atmosfére ďalšej fázy politických čistiek podľa tzv. zmocňovacieho ústavného zákona č. 117/1969 Zb. z októbra 1969. V roku 1970 v zmysle zákona z celkového počtu 210 773 poslancov národných výborov všetkých stupňov v ČSSR uvoľnili z funkcií alebo rezignovali tisíce poslancov. Česká vláda podľa jej podpredsedu Ladislava Adamca skonštatovala, že v zmysle ústavného zákona č. 117/1969 Zb. bolo uvoľnených a rezignovalo k máju 1970 až 15 692 poslancov (10,6 % všetkých poslancov, pričom 40 – 50 % rezignácií bolo z politických dôvodov).[26]

Z celkového počtu 72 719 poslancov národných výborov na Slovensku odišlo k októbru 1970 8 864 poslancov, z nich bolo odvolaných 3 150 poslancov, t. j. asi 15 % z ich celkového počtu. Mnohí poslanci sa radšej vzdali funkcie, aby sa vyhli dôsledkom ústavného zákona č. 117/1969 Zb. vylúčením z funkcie.[27]

V pozadí odchodov poslancov boli aj výmeny členských legitimácií na podklade *Listu ÚV KSČ k výmene členských legitimácií strany* z januára 1970 na *„odstránenie revizionistických a pravicovooportunistických živlov"*, t. j. takto označených podporovateľov spoločenských reforiem roku 1968. K 1. januáru 1970 bolo v KSČ 1 535 537 členov, v priebehu pohovorov nebolo vydaných 326 817 straníckych legitimácií. Z toho 67 147 členov bolo vylúčených a 259 670 členom bolo zrušené členstvo. Z KSS bolo vylúčených 53 206 členov z celkového počtu 305 259.[28] Po zasadaniach ÚV KSČ v septembri 1969 a v januári 1970 sa *„v straníckych orgánoch a organizáciách vypracovali vlastné rozbory, ktoré spolu s pohovormi s jeden a pol miliónom členov strany pri výmene legitimácií pomohli ďalej odhaliť pôsobenie pravicových a antisocialistických síl v strane a v spoločnosti"*.[29]

Okrem toho sa zastavili súdne rehabilitácie osôb postihnutých perzekúciami najmä v 50. rokoch. Podpredseda federálnej vlády a predseda jej legislatívnej rady Karol Laco vo federálnom zhromaždení v júli 1970 argumentoval pri novelizácii zákona č. 82/1968 Zb. o súdnych rehabilitáciách viac-menej slovami Husáka: *„náš štát a jeho vedúca sila v žiadnom smere nepripustí, aby sa toto* [rehabilitačné] *úsilie mohlo zneužiť na očistenie aj takých osôb, ktoré boli právom odsúdené podľa vtedy platných zákonov"*. Spravodajkyňa Elena Litvajová dokonca tvrdila, že *„antisocialistické a pravičiarske sily"* presadzovali do zákona formulácie *„akoby Február 1948 a prevzatie moci robotníckou triedou boli vôbec chybné"*. Nemohol sa predsa znevažovať socialistický štát a prijať *„generálny pardon"*.[30]

---

25 Zasedání ústředního výboru Komunistické strany Československa dne 28. – 30. ledna 1970. A ÚSD AV ČR, f. Sb. KV ČSFR, sign. D IV/35, k. 29, s. 44 - 46.

26 NA ČR, f. 02/7, Byro ÚV KSČ pro řízení stranické práce v českých zemích 1968 – 1971, archívna jednotka (ďalej ar. j.) 58, zasadanie 20. 8. 1970. Byru predsedal L. Štrougal.

27 SNA, f. SNR 1969 – 1992, Predsedníctvo SNR 1969 – 1988, k. 24, zasadanie 14. 12. 1970, č. sp. 2281/1970.

28 MAŇÁK, Jiří. Čistky v Komunistické straně Československa 1969 – 1970. Praha : ÚSD AV ČR, 1997, s. 58 – 62. O rozsahu politických čistiek najmä na Slovensku SIKORA, *Po jari krutá zima*, c. d., s. 187 – 230.

29 Poučenie z krízového vývoja v strane a spoločnosti po XIII. zjazde KSČ: Rezolúcia o aktuálnych otázkach jednotnej strany. Bratislava : Pravda, marec 1971, s. 1.

30 Společná česko-slovenská digitální parlamentní knihovna, FS ČSSR 1969 – 1971, www.psp.cz/cgi-bin/win/eknih/1969fs/sl/stenprot/009schuz/s009004.htm, 8. 7. 1970.

Vylučovanie bývalých reformistov z verejného života prispelo k upevneniu pozícií normalizačných politických špičiek, k čomu treba priradiť aj *Zmluvu o priateľstve, spolupráci a vzájomnej pomoci medzi ZSSR a ČSSR*, podpísanú prvým tajomníkom ÚV KSČ Husákom, predsedom federálnej vlády Lubomírom Štrougalom a generálnym tajomníkom ÚV KSSZ Leonidom I. Brežnevom a predsedom Rady ministrov ZSSR Alexejom N. Kosyginom 6. mája 1970 v Prahe. V zmluve sa čs. štát zaviazal podporovať sovietsku zahraničnú politiku.[31] Zmluva obsahovala vnútorné protirečenia, keď sa v nej síce formálne deklarovalo rešpektovanie štátnej zvrchovanosti, rovnoprávnosti a nezasahovania (?) do vnútorných vecí oboch štátov, no v skutočnosti sa porušovala *Deklarácia zásad medzinárodného práva o priateľských vzťahoch a spolupráci medzi štátmi v súlade s Chartou OSN* z roku 1970, ktorá otvárala pre štáty s rozdielnym spoločenským zriadením v bipolárnom svete priestor na spoluprácu v hospodárskej, vedecko-technickej a humanitnej oblasti a zároveň obsahovala i ustanovenie o nezasahovaní do vnútorných a vonkajších záležitostí iného štátu *„z akéhokoľvek dôvodu"*. Za čo bolo potom treba považovať riešenie *„československej záležitosti"* okupáciou?[32] Porušilo sa ňou predsa medzinárodné právo i rešpektovanie (vnútornej) suverenity toho-ktorého štátu.[33]

Hrubá okupácia čs. štátu sa formulovala ako *„internacionálna pomoc"* piatich štátov Varšavskej zmluvy i v *Poučení z krízového vývoja v strane a spoločnosti po XIII. zjazde KSČ*, ktoré pripravovala s viacerými alternatívami politická komisia Predsedníctva ÚV KSČ 16. – 11. novembra 1970 v zložení Biľak, Josef Kempný, Husák, Štrougal, Jozef Lenárt a Alois Indra.[34] V *Poučení z krízového vývoja*, ktoré schválilo zasadanie ÚV KSČ 10. – 11. decembra 1970, sa uviedlo: *„Od apríla 1969 vynaložil ústredný výbor, jeho predsedníctvo spolu s aktívom strany veľké úsilie, aby objasnili strane, robotníckej triede a všetkým občanom príčiny krízy v našej spoločnosti, ktorá vyvrcholila roku 1968 v kontrarevolúciu."* Ďalej sa v *Poučení* zdôraznilo, proces rozvíjania socialistickej revolúcie *„má v podmienkach existencie svetovej sústavy socializmu svoje objektívne zákonitosti a záväzné kritériá, ktoré pri rešpektovaní národných zvláštností určujú charakter socialistickej moci a podmieňujú sústavný revolučný vývoj spoločenského pokroku"*. Narušenie týchto zákonitostí poškodzuje záujmy socializmu a stáva sa *„protisocialistickým a kontrarevolučným"* (v interpretácii normalizátorov demokratizačný reformný proces roku 1968). Trvalými a nemennými hodnotami socializmu sú *„vedúce postavenie robotníckej triedy a jej avantgardy - komunistickej strany; - úloha socialistického štátu ako nástroja diktatúry proletariátu; - marxisticko-leninská ideológia a jej uplatňovanie prostredníctvom všetkých nástrojov masového pôsobenia; - socialistické spoločenské vlastníctvo výrobných prostriedkov a zásady plánovitého riadenia národného hospodárstva; - princípy proletárskeho internacionalizmu a ich dôsledné uskutočňovanie v zahraničnej politike, najmä vo vzťahu*

---

31 DEJMEK, Jindřich. *Československo, jeho sousedé a velmoci ve XX. století (1918 až 1992): Vybrané kapitoly z dějin československé zahraniční politiky.* Praha : Centrum pro ekonomiku a politiku, 2002, s. 36, 122 – 123.

32 V očiach verejnosti však bolo opieranie sa o dôsledky okupácie nelegitímne. In RYCHLÍK, Jan. *Rozpad Československa: Česko-slovenské vztahy 1989 – 1992.* Bratislava : AEP 2002, s. 15.

33 AZUD, Ján. *Medzinárodné právo.* Bratislava : Veda, 2003, s. 133 – 135, 174 – 182, 213.

34 NA ČR, f. ÚV KSČ 1945 – 1989, Kancelária tajomníka ÚV KSČ Oldřicha Švestku 1970 – 1975, sv. 22, ar. j. 199, sv. 23, ar. j. 200.

k Sovietskemu zväzu."[35] Podľa týchto postulátov či noriem si vedenie KSČ/KSS a ďalšie skupiny na ďalších politických a štátnych úrovniach takto nárokovali celkové ovládanie slovenskej a českej spoločnosti a na ich ideologickú kontrolu. *Poučenie z krízového vývoja* sa stalo kľúčovým ideologicko-politickým dokumentom na ďalšie formovanie normalizačného posttotalitného systému vo federatívnom Česko-Slovensku. Veľký dôraz sa kládol na účinnosť ideológie a propagandy vo všetkých spoločenských sférach, zvlášť v školstve, kultúre, v médiách a v osvetovej činnosti. Na celoštátnej konferencii Národného frontu, konanej 27. januára 1971, sa stal predsedom prvý tajomník ÚV KSČ Husák. Konferencia stanovila presadenie marxisticko-leninských zásad v zmysle *Poučenia z krízového vývoja*, obnovu a posilnenie vedúcej úlohy KSČ v organizáciách Národného frontu.

V decembri 1970 sa zároveň uskutočnila druhá fáza normalizačnej revízie česko-slovenskej federácie. Prípravu revízie odôvodnil predseda federálnej vlády Štrougal na zasadaní ÚV KSČ 22. septembra 1970 tým, že hospodársky vývoj treba v podmienkach federatívneho štátu podložiť tézou *„ekonomického centralizmu"*, ktorá bola nevyhnutná pri jednotnom ovládaní ekonomiky. To sa stalo akýmsi všeliekom na riešenie problémov, no bránila tomu *„nedopracovaná dělba práce mezi státními orgány federace a obou národních republik"*, ako aj prieťahy s dopracovaním tzv. kompetenčného zákona o vymedzení funkcií a právomocí štátnych orgánov. Štrougal vyzdvihol skutočnosť, že česko-slovenská federácia sa javí *„jako vyšší typ ovládání společenského rozvoje"* a plní významnú politickú funkciu. Tá musí *„odpovídat nové etapě rozvoje československé socialistické společnosti, musí respektovat vědecko-technické změny a koncetraci ekonomických sil a prostředků"*.[36] Štrougal predložil 7. decembra 1970 pre Predsedníctvo ÚV KSČ vládny materiál o súbore návrhov zákonov, ktoré *„československé federatívne usporiadanie dotvára, ústavne a právne zabezpečuje a po právnej stránke uvádza do života"*.[37] Preto treba *„pristúpiť bez ďalšieho váhania k príprave potrebných zákonov, predpokladaných ústavným zákonom o československej federácii a zároveň k príprave nutných čiastkových korektúr tohto zákona"*.[38]

No podľa ústavného zákona č. 125/1970 Zb. a ustanovení tzv. kompetenčného zákona č. 133/1970 Zb. o pôsobnosti federálnych ministerstiev z 20. decembra 1970 došlo k výraznému rozšíreniu kompetencií federálnych výkonných orgánov na úkor republikových. V zákonoch sa zvýraznila jednotnosť čs. ekonomiky a jej plánovitého riadenia. Na účely centralizácie kompetencií v prospech federálnych orgánov sa do nich zaradil kľúčový priemysel (palivá, energie, huty, ťažké strojárstvo, investičné strojárstvo), ďalej priemysel rozhodujúcich všeobecných vedecko-technických inovácií (ťažká a stredná elektrotechnika, automatizácia a výpočtová technika), priemysel s mimoriadne aktuálnymi úlohami (prestav-

35 Poučenie z krízového vývoja, c. d., s. 24 – 25. Vystúpenie prvého tajomníka ÚV KSČ v pléne ÚV KSČ 10. 12. 1970 pozri HUSÁK, Gustáv. *Výbor z projevů a statí 1969 – 1985.* I., Praha : Svoboda, 1986, s. 295 – 340.

36 NA ČR, f. 02/1, Predsedníctvo ÚV KSČ 1966 – 1971, sv. 137, ar. j. 216, zasadanie 22. 9. 1970, č. sp. 8313/32, Riadenie priemyslu vo federálnych a národných orgánoch ČSSR, s. 3 – 5.

37 NA ČR, f. 02/1, Predsedníctvo ÚV KSČ 1966 – 1971, sv. 147, ar. j. 225, schôdza 7. 12. 1970, č. sp. 8724/31. Tiež SNA, f. ÚV KSS/02, k. 1880, ar. j. 104, Stenografický záznam z rokovania ÚV KSS 18. 12. 1970, Informácia pre členov a kandidátov ÚV KSS o čiastočných úpravách v štátoprávnom usporiadaní česko-slovenskej federácie.

38 ŽATKULIAK, Jozef (ed.). *Realizácia a normalizačná revízia česko-slovenskej federácie (september 1968 – december 1970). Dokumenty.* Praha : ÚSD AV ČR, 2011, s. 461.

ba automobilového a chemického priemyslu) a priemysel obrannej techniky. Z riadeného priemyslu ČSSR (100 %) sa skladalo zo 73,5 % riadeného v Českej socialistickej republike (ministerstvá priemyslu 72,3 %, ostatné ministerstvá 74,7 %) a 26,5 % v Slovenskej socialistickej republike (ministerstvá priemyslu 27,7 %, ostatné ministerstvá 25,3 %).[39]

Na centralizačné tendencie upozornil podpredseda slovenskej vlády a predseda Slovenskej plánovacej komisie Herbert Ďurkovič. Dňa 28. januára 1971 napísal list prvému tajomníkovi ÚV KSČ Gustávovi Husákovi, v ktorom reagoval na prijatie zákona číslo 145/1970 Zb. o národohospodárskom plánovaní, podľa ktorého orgány republík organizujú *„tvorbu, zaisťovanie a kontrolu plnenia komplexných plánov republík"*. Kľúčové postavenie v tomto procese však mala Štátna plánovacia komisia, ktorá sa tým zúčastňovala aj na realizácii plánu o rozvoji hospodárstva na Slovensku. Komisia podpredsedu federálnej vlády Václava Hůlu však podľa Ďurkoviča zredukovala veci *„iba na priamy rozpis plánu v územnom priereze"* v celej federácii, čo bolo v rozpore s politickými rozhodnutiami a dokonca vyraďovala *„ústredný národný plánovací orgán a tým aj vlády republík zo zodpovednosti za hospodársky rozvoj republiky"*. Takto k *„vážnej rozpornosti v poňatí práce ústredných plánovacích orgánov republík dochádza v otázke postavenia týchto orgánov tam, kde príslušné odvetvie je riadené federálnym ministerstvom. Podľa predstáv Štátnej plánovacej komisie tieto činnosti (ako napr. strojárstvo, hute, palivá, energetika, zahraničný obchod, doprava, spoje) majú byť na ústredných národných plánovacích orgánoch buď zlikvidované, alebo zásadne odmedzené."* Ďurkovič oproti komisii mal opačný prístup, lebo v týchto odvetviach treba posilniť národné plánovacie orgány tak, aby sa stali kvalifikovaným partnerom jednak plánovacej komisie a zároveň federálnym odvetvovým ministerstvám. Inak sa vytvorí stav, aký *„Slovensko nepoznalo ani v podmienkach unitárneho štátu"*.[40]

Husák požiadal o stanovisko k listu Ďurkoviča, s ktorým mal komplikovaný vzťah pre jeho kritiku úrovne riadenia a nevyužívania intenzívnych zdrojov rastu ekonomiky, konzervatívneho tajomníka ÚV KSČ Miloslava Hruškoviča. Ten jednoznačne odpovedal, že základné vzťahy medzi ústrednými plánovacími orgánmi a medzi plánom ČSSR a plánmi republík určil zákon o národohospodárskom plánovaní. Zastával názor, že plánovací proces zabezpečuje rešpektovanie organizačných predpokladov a vzťahov *„podriadenosti"* (Republikových výkonných orgánov. – Pozn. J. Ž.). Dokonca obhajoval vytvorenie odvetvových federálnych ministerstiev, aj keď vedel, že zobrali značnú časť kompetencií republikovým ministerstvám.[41] Práve odobratie kompetencií kritizoval Ďurkovič, no jeho hlas bol v politicko-štátnej špičke skôr ojedinelý. Pre obe republiky sa celoplošne (celoštátne) nastavili ceny, rôzne typy daní a odvodov a prerozdeľovali sa investície do kompetencie federálnych výkonných orgánov. Prevažoval rozbehnutý a nevyhovujúci extenzívny rozvoj hospodárstva, ktorý sa zameral na investične, surovinovo a energeticky náročné odvetvia a ktoré takto najmä vyčerpávali zdroje rastu a spôsobovali chronický rozpor medzi nimi a spotrebným a ľahkým priemyslom. Centrálne plánované hospodárstvo so stanovením nepružných pevných cien sa vyznačovalo dlhým inovačným cyklom, ktorý brzdil jeho

39 Riadenie priemyslu vo federálnych a národných orgánoch ČSSR, s. 10 – 11, 13 – 16, 18, 29.

40 NA ČR, f. ÚV KSČ 1945 – 1989, Kancelář generálního tajemníka ÚV KSČ Gustáva Husáka, rok 1971, k. 937, č. sp. 7403, Činnosť plánovacích orgánov ČSR a SSR, list z 28. 1. 1971, s. 2 – 3.

41 Tamže, Informácia (G. Husákovi) k listu podpredsedu vlády SSR a predsedu Slovenskej plánovacej komisie s. Ďurkoviča, 23. 2. 1971, č. j. 07-3/106-Sm.

modernizáciu a výhodnejšiu reštrukturalizáciu, čiže schopnosť primeranejšie nastaviť hospodárstvo pre záujmy a potreby republík federácie a zohľadniť i potreby vedecko-technickej revolúcie.

V tomto kontexte je predsa len namieste porovnať niektoré časti programu slovenskej vlády Štefana Sádovského z januára 1969, najmä jeho vyjadrenie, že Slovensko vstúpilo do záverečnej fázy industrializácie.[42] V nej sa podľa programu predpokladal rozvoj spracovateľských a finalizujúcich odborov, štrukturálna prestavba ekonomiky, využitie intelektuálneho potenciálu národa a rozvoj moderných vysokorentabilných a dynamických odvetví, ako aj sústredenie priemyselnej, bytovej, školskej, zdravotníckej, sociálnej a kultúrnej výstavby do viacerých centier. Súčasne sa kládol značný dôraz na rozvoj vzdelávania a výchovy, na získavanie vedeckých poznatkov, lebo v období vedecko-technickej revolúcie a pri štrukturálnej zložitosti spoločnosti nie je možné ďalej postupovať bez *„vysokej kultúrnej úrovne národa a nie je predstaviteľná ani hospodárska prosperita štátu"*. Vytvorením česko-slovenskej federácie a slovenskej (a českej) štátnosti ako *„východiskový bod kvalitatívne nového dejinného významu"* sa síce vytvorili výhodnejšie podmienky pre ďalší vývoj Slovenska, no nahromadili sa mnohé hospodárske a sociálne problémy, do značnej miery spôsobené direktívno-administratívnym riadením, neujasnenou koncepciou rozvoja a nesprávnym chápaním jednotnosti čs. ekonomiky, ako aj zaostávaním výskumno-vývojovej základne. Sádovský pripomenul, že len *„dôsledné rozvíjanie ekonomickej reformy dáva zmysel a kvalitatívne novú náplň federatívnemu usporiadaniu"*, demokratizuje hospodársky život a vytvára regulovaný socialistický trh. Význam kultúry a vzdelanosti, ktoré sú založené na výdobytkoch vedy a techniky, stúpal pre priaznivý rast priemyslu, poľnohospodárstva, dopravy a služieb. Zároveň bolo treba zabezpečiť *„dôsledné uplatnenie vedeckých poznatkov v záujme rozvoja spoločnosti"* a *„dosiahnuť súlad medzi rozvojom vedy a politickou praxou"*.[43] Takto koncipovaný program ponúkal šancu, aby sa Slovensko posunulo vo vývoji kvalitatívne ďalej a naznačil možnosti transformácie do postindustriálneho štádia. Český vládny program, práve v tomto smerovaní podobný slovenskému, teda v dôraze na vzdelanosť, ekonomickú reformu, vedecko-technickú revolúciu a pod., ešte aj priamo uviedol, že *„k rozhodujícím faktorům, působícím na intenzivní rozvoj ekonomiky, státu i celé společnosti, patří věda"*.[44]

Oba programy síce bližšie neformulovali význam informačných systémov či nových technológií ako ďalších znakov postindustriálneho štádia vývoja, no zdôraznením prínosu vzdelanosti, vedy a intenzívneho rozvoj ekonomiky a ďalších cieľov sa k nemu približovali. V tomto kontexte uveďme, napriek úskaliam komparácie, amerického sociológa a politológa Daniela Bella, podľa ktorého niektoré kroky vedenia socialistických štátov síce smerovali k rozšíreniu hospodárskej spolupráce so západnými štátmi, no ekonomická štruktúra socialistických štátov nedosahovala potrebný vývojový stupeň, prevládal v nej politický dirigizmus, monopolné postavenie komunistickej (robotníckej) strany, kolektivizmus, silná byrokracia a centrálne plánovanie a riadenie ekonomiky. Naproti tomu podľa Bella sa postindustriálna spoločnosť ako vývojový stupeň skôr zamerala na teoretické poznanie, infor-

42 ŽATKULIAK, *Realizácia a normalizačná revízia*, c. d., s. 172.
43 Tamže, s. 171.
44 Tamže, s. 164.

mácie a vedecké predvídanie. Pritom sa menila politická spoločnosť a kultúrne dimenzie spoločenského života, čo predsa len naznačilo ďalšie spomenuté súvislosti s programami republík čs. federácie. Bell pomerne jednoznačne upozornil, že v Sovietskom zväze a v ďalších socialistických štátoch sa možný prechod od industriálnej spoločnosti k post industriálnej stal otázkou dosiahnutia tohto vyššieho vývojového stupňa len s podmienkou uskutočnenia nevyhnutných štrukturálnych spoločenských a ekonomických zmien a nestačilo tu predloženie (v texte neskôr uvádzaného) konceptu budovania rozvinutého socializmu.[45]

Ďalší americký sociológ a futurológ Alvin Toffler spolu so svojou manželkou Heidi išli oproti Bellovi vo svojich pohľadoch na vývojové tendencie ešte ďalej, keď uviedli, že v súťažení medzi socializmom a kapitalizmom viaceré vyspelé západné krajiny už dosiahli postindustriálne štádium vývoja cestou reštrukturalizácie a intenzifikácie výroby a efektívneho využitia energií. Poukazovali na to, že industriálna civilizácia v západných krajinách ustupovala už roku 1970, viaceré vážne problémy vo svete sa už nedali riešiť v rámci dožívajúceho *„industriálneho poriadku"* a nastupovala *„civilizácia tretej vlny"*, i keď i tú budú sprevádzať konflikty. Tento zložitý proces následne spôsobil spoločenskú stratifikáciu, nárast nezamestnanosti a napätie v sociálnom systéme. V tretej vlne najhlbšia *„ekonomická a strategická změna je nastupující rozdělení světa do tří oddělených, vzájemně odlišných a potenciálně se střetávajích civilizací, které se nedají zmapovat pomocí konvenčních definic"*.[46] Svet sa delí do troch civilizačných vĺn, prvá vlna bola spojená s poľnohospodárskou výrobou, druhá s priemyselnou. Tretia vlna sa vyznačovala informačným boomom, presadením inovačných prvkov, rozvinutím techniky, novým softvérom, poskytovaním zdravotníckej starostlivosti pre väčšinu obyvateľstva, väčšia pozornosť sa venovala vzdelávaniu a kultúre a pod. Spoločenskú hodnotu nadobudlo využitie času, ba i voľba iného životného štýlu. Informačné technológie treba transformovať do spoločenského diania a do riadenia podnikov, čo by prinášalo znižovanie nákladov, zlepšenie dopravy a efektívne zhodnocovanie surovín a energií.

Tofflerovci sa zaoberali aj politickými otázkami spoločenského vývoja a kriticky sa vyjadrovali k politickému systému jednej strany v krajinách sovietskeho bloku, lebo kontroloval politickú komunikáciu prakticky bez opozície, znižoval rôznorodosť politických informácií a blokoval spätnú väzbu od spoločnosti bez toho, aby sa viac poukázalo na zložitosť problémov a možnosť nápravy chýb (spomínal to už T. Judt). Táto kontrola zhora jednou stranou sa často zakladala na klamstvách a dezinformáciách a odobrala legitimitu neformál-

---

45 BELL, Daniel. *Kulturní rozpory kapitalizmu.* (Preložil Lukáš Gjurič.) Praha : Sociologické nakladatelství, 1999, s. 27 – 41. Bella v knihe R. Richtu Civilizácia na rázcestí a jeho vedecko-technickej revolúcii zaujala téza, že v čase revolúcie nie je postavenie robotníckej triedy také silné ako v predchádzajúcom období, čo prirodzene vyvolalo v čs. vedení veľké rozpaky. D. Bell tiež zdôraznil, že presun pracovníkov z výroby v západných krajinách sa čoraz viac znižoval a rástol počet pracovníkov v sektore služieb, technológií a informačných systémoch, pričom sa menila „povaha práce". No v ČSSR bol podiel pracovníkov v službách oproti technicko-hospodárskym pracovníkom a zamestnanosti v priemysle podstatne nižší ako v západných krajinách a až roku 1970 sa vyrovnal podiel potravinárskeho a priemyslového tovaru v spotrebe obyvateľstva.

46 TOFFLER, Alvin – TOFFLEROVÁ, Heidi. *Nová civilizace: Třetí vlna a její důsledky.* (Preložil Bohuslav Blažek). Praha : Dokořán, 2001, s. 23. Autori už v knihe *Šok z budúcnosti* z roku 1970, prišli s konceptom *„všeobecnej krízy industriálnej spoločnosti"*. Bolo potom otázne, v ktorých smeroch kríza zasiahla čs. štát, hoci sme niečo naznačili.

nej komunikácii a neformálnej organizácii, pričom tu negatívne vystupovala byrokracia, tajná polícia, štátna a politická kontrola médií, zastrašovanie a represie časti obyvateľstva. Nedocenila sa úloha inteligencie. Tieto črty socialistických štátov vedú až k *„ekonomickej stupidite"* a vlastne vychádzali z konceptu *„predkybernetického stroja"*, ktorý sa aplikoval na spoločnosť a patril do strojov druhej (industrializačnej) civilizačnej vlny.[47]

K tejto aplikácii svojím spôsobom prispela normalizačná politika KSČ/KSS, ktorá svojimi politicko-ideologickými zámermi retardačne pôsobila už len pokrivením poslania čs. jari roku 1968 a potlačením demokratizačných a reformných zámerov, odmietnutím politickej a ekonomickej reformy, deformáciou česko-slovenskej federácie a jednostranným zdôrazňovaním účelnosti centralizácie riadenia štátu a ekonomiky na úkor republík federácie a prijatím zákonov, ktoré potláčali občianske práva a slobody. Odstránením mnohých reformistov výrazne poklesol odborný, vedecký, technický, sociálno-spoločenský a ekonomický intelektuálny potenciál, ako aj efektívnosť fungovania spoločenského systému.

V normalizačnej politike sa do popredia postavili politické kritériá *Poučenia z krízového vývoja v strane a spoločnosti po XIII. zjazde KSČ*, ktorými sa riadil prvý tajomník ÚV KSS Jozef Lenárt na zjazde KSS 13. – 15. mája 1971. Po stručnej analýze vývoja v posledných desaťročiach k 50. výročiu vzniku KSČ pokračoval výkladom udalostí z posledných rokov podľa normalizačných kritérií a dokonca uviedol, že spojenecké vojská v auguste 1968 *„zabránili krvavému vyvrcholeniu kontrarevolúcie"*.[48] Kritizoval pôsobenie revizionistických a pravicových síl v ekonomickej oblasti, ktoré vraj spôsobili presadzovaním sociálno-trhového hospodárstva oslabenie centrálneho riadenia a funkcií národohospodárskeho plánu, chceli prijatie zákona o socialistickom podniku so skupinovým vlastníctvom a novú reguláciu cien a miezd. Oprávnene, aby zodpovedali daným podmienkam, no Lenárt bol toho názoru, že od mimoriadneho augustového zjazdu KSS začal proces konsolidácie a podarilo sa obnoviť normálny chod hospodárstva po prijatí tzv. realizačnej smernice ÚV KSČ z mája 1969. Akým smerom, to sme už uviedli, aj keď Lenárt videl zvýšenie efektívnosti celého národného hospodárstva v *„prenikavom vplyve vedecko-technického rozvoja"*, no dôraz, ako inak tradične, kládol na rast hutníckej výroby, strojárskeho a chemickému priemyslu a poľnohospodárstva a na rozsiahlu investičnú výstavbu. V piatej päťročnici sa na Slovensku na roky 1971 – 1975 rátalo s využitím výrobno-technickej základne, ako aj kvalitatívnych a kvantitatívnych zdrojov na zefektívnenie hospodárstva a jeho štrukturál-

47 TOFFLER – TOFFLEROVÁ, *Nová civilizace*, c. d., s. 61. Spomenutý H. Ďurkovič kriticky polemizoval s ich prácou Utváranie novej civilizácie (*Creating a New Civilization. The Politics of the Third Wave.* Foreword by Newt Gingrich. The Progress and Freedom Foundation, 1994), v ktorej sa vyjadrovali k socializmu. Absentovalo v ňom strategické plánovanie a prognózovanie (zjazdy KSČ na to „nestačili"). Podľa Ďurkoviča nedokázal socializmus prekonať dôsledky minulosti a aj na začiatku 70. rokov sa deformovali pôvodné myšlienky marxizmu. Vedecko-technická inteligencia a jej kvalifikácia ostala nedocenená a nevyužitá (nespomína dôsledky politických čistiek), ako aj možnosti industriálneho obdobia. Socialistické krajiny dostatočne nereagovali na svetové trendy a zaostávali za vyspelými západnými krajinami. V tom s Tofflerovcami súhlasil, no predsa len vedecko-technickej základni v ČSSR prikladal značný význam a nešlo o *„predkybernetický stroj"*. Veľa možností ekonomického rastu sa však nevyužilo aj preto, že časť politických, štátnych a hospodárskych štruktúr nedosahovala potrebnú odbornú úroveň. ĎURKOVIČ, Herbert. *Kolízia socializmu s minulosťou: Má A. Toffler a H. Tofflerová pravdu?* Bratislava : bez vydavateľa, 1999.

48 *Zjazd Komunistickej strany Slovenska 13. – 15. mája 1971.* Bratislava : Pravda, 1971, s. 15.

nych zmien.[49] Osobná spotreba, ako rozhodujúci článok rastu životnej úrovne obyvateľstva, mala vzrásť za päťročnicu o 35 % a predpokladalo sa postavenie 180-tisíc bytov. Podiel Slovenska na tvorbe národného dôchodku ČSSR sa mal zvýšiť z 26,9 % v roku 1970 na 28,4 % koncom päťročnice roku 1975.

Na zjazde KSS sa pozornosť venovala XXIV. zjazdu Komunistickej strany Sovietskeho zväzu (KSSZ) z konca marca 1971, ktorý sa okrem iného zaoberal vývojom svetovej socialistickej sústavy. Tá sa mala stať *„hlavnou cestou vývoja ľudstva"*. Na zjazde sa nastolila otázka, v akom štádiu vývoja socializmu sa nachádza Sovietsky zväz. Jeho najvyšší predstaviteľ Brežnev spolu s popredným konzervatívnym ideológom a členom vedenia strany Michailom A. Suslovom tvrdil, že sa Sovietsky zväz nachádzal v štádiu *„reálneho rozvinutého socializmu"*, ktorý charakterizoval ako *„všestranný a harmonický rozvoj ekonomických, sociálno-politických a kultúrnych podmienok života spoločnosti"*. Takto ideologicky a voluntaristicky poňatý koncept rozvinutého socializmu však považovali už za *„socialistickú fázu komunistickej formácie"*, ktorú vraj Sovietsky zväz dosiahol. Politický systém sa pritom menil z diktatúry proletariátu *„v politickú organizáciu všetkého ľudu vedeného robotníckou triedou"*. Diktatúra splnila svoje poslanie, zanikol triedny antagonizmus a socialistické (štátne) vlastníctvo sa stalo zdrojom blahobytu pracujúcich. Rozvinutý socializmus sa *„zmenil z perspektívy, vzdialeného cieľa spoločenských premien na konkrétnu historickú realitu"*.[50] Štát sa stal *„všeľudovým štátom"* a tiež *„najdôležitejším článkom mechanizmu socialistickej demokracie"*. Úloha štátu (rozumej politicky centrálne riadeného) sa mala zvýšiť pri uplatňovaní zásad vedúcej úlohy strany, demokratického centralizmu a proletárskeho internacionalizmu. A to v záujme ochrany ľudu a dosiahnutia spoločensko-ekonomického rozvoja, pričom by sa prehlbovali vzťahy štátu a ostatných súčastí politického systému socialistickej spoločnosti. Vzhľadom na nedávne *„skúsenosti z československého vývoja"* sa zastavila reformná možnosť realizácie ekonomických reforiem, v ktorých sa videlo ohrozenie centrálneho plánovitého riadenia ekonomiky.

Hmotná a kultúrna úroveň obyvateľstva v Sovietskom zväze sa mala podstatne zvýšiť počas päťročného plánu v rokoch 1971 – 1975. Vedenie strany a štátu v podstate automaticky očakávalo verejnú podporu jeho politiky, ktorej by poslúžilo uzavretie tzv. spoločenskej zmluvy s obyvateľstvom. Vedenie mu preto ponúklo plnú zamestnanosť, lacné byty, energie, dotácie na potraviny a spotrebný tovar atď., ako aj predstavu o zahranično-politickej a vojenskej sile Sovietskeho zväzu a o jeho prakticky neobmedzenom vplyve na dianie v krajinách jeho mocenského bloku.[51] Len takto sa mohol Brežnev stať *„hlavním konstruktérem techniky moci, pro niž se ujal pojem 'společenská smlouva' („sociální kontrakt")*.[52] Sovietsky model rozvinutého reálneho socializmu sa mal stať (záväzným) príkladom pre

49 Tamže, s. 27.

50 TOPORNIN, Boris N. *Politický systém socialistickej spoločnosti.* Bratislava : Pravda, 1974, s. 99. Uvádzame túto publikáciu najmä preto, že sa zaradila medzi základnú ideologicko-propagačnú literatúru v ČSSR.

51 Nepriznávalo sa však zaostávanie voči vyspelým západným krajinám, keď 60 % produkcie v priemysle, 80 % v poľnohospodárstve a 60 % v stavebníctve bolo závislé na manuálnej práci. DURMAN, Karel. *Popely ještě žhavé: Velká politika 1938 – 1991. Díl II. Konce dobrodružství 1964 – 1991.* Praha : Univerzita Karlova v nakl. Karolinum, 2009, s. 172. Sovietsky zväz dosahoval oproti USA zhruba polovicu produktivity práce.

52 DURMAN, *Popely ještě žhavé*, c. d., s. 25 – 27.

ostatné krajiny sovietskeho bloku, ktorý však nebol len *„ideologickou etiketou, nýbrž trefně vystihovala ducha doby, v němž slábol smysl pro časovost* [i v Sovietskom zväze] *a chyběla představivost pro zmenu systému"*.[53]

Rozpracovanú koncepciu rozvinutého socializmu v čs. podmienkach predostrel XIV. zjazd KSČ 25. – 29. mája 1971.[54] Zjazd vlastne politicky uzatváral rozporné roky 1969 až 1971. Prítomnosť predstaviteľov štátov Varšavskej zmluvy, ktoré sa podieľali na okupácii, bola na zjazde prejavom závislosti čs. štátu na celkovej politike sovietskeho bloku, vyjadrenej v politickom schválení, že vstup vojsk znamenal *„internacionálnu pomoc"* na záchranu socializmu. Zároveň sa demonštrovala podpora normalizačnej politiky vedenia KSČ/KSS v zmysle *Poučenia z krízového vývoja v strane a spoločnosti po XIII. zjazde KSČ*. Husák na zjazde KSČ, na ktorom sa stal jej generálnym tajomníkom, zdôraznil: *„Po dvoch rokoch úpornej a namáhavej politickej, organizátorskej práce státisícov komunistov môžeme právom konštatovať, že strana je ideovo, politicky i organizačne zjednotená a akcieschopná."*[55] Prekonala sa kríza, ktorá nastala v roku 1968, a stabilizovali sa spoločensko-politické pomery prostredníctvom presadzovania vedúcej úlohy strany, ideológie marxizmu-leninizmu a princípu proletárskeho internacionalizmu.

Odsúdili sa mnohí reformisti, ktorí vraj oslabili socializmus (sovietskeho typu) v čs. štáte. Na zjazde sa dosť jednostranne, demagogicky a skreslene proti poslaniu a charakteru čs. jari dávala vina za takto rozporne poňatú krízu na reformistov. Časť účastníkov zjazdu akosi radšej *„pozabudla"*, že sa podieľali na reformách a potom na potlačení demokratizácie verejného života. Kde sa vlastne nachádzali pomyselné hranice medzi realistami a konzervatívcami, ktoré sa dali len sčasti rozoznať podľa postojov k jednotlivým udalostiam a podľa *„menšieho"* angažovania sa za prijatie proti demokratizačných a perzekučných zákonov? Voľba *„menšieho zla"* aj v tejto dobe nadobudla značné rozmery. A to nehovoriac o rozpakoch mnohých občanov, keď si len ťažko dokázali vysvetliť vývoj posledných troch rokov. Podľa interpretácie zjazdu aj preto, že vedenie KSČ s Dubčekom na čele *„svojou neprincipiálnou politikou umožnilo, aby sa na kľúčové miesta v kultúre, v spoločenských vedách, oznamovacích prostriedkoch, ale aj v masových organizáciách, v štátnych i straníckych orgánoch dostali ľudia nepevní a dokonca aj takí, ktorí nestáli na pozíciách socializmu"*. Pod vplyvom činnosti *„revizionistov a antisocialistických síl"* sa ochromil politický a hospodársky systém a *„internacionálna pomoc"* čs. štátu zabránila jeho rozkladu a posilnila sily *„odhodlané brániť vymoženosti socializmu"*.[56]

V zásade je ťažké do hĺbky zmapovať traumatické (fázové) rozštiepenie slovenskej a českej spoločnosti. Na zjazde, na ktorom sa vlastne ignorovali traumy väčšiny spoločnosti a dôsledky politických perzekúcií s podielom Štátnej bezpečnosti vrátane eliminácie občian-

---

53 KOLÁŘ, Čtyri „základní rozpory", c. d., s. 135.

54 MERVART, Jan. „Reálny socializmus" rané normalizace, kontinuita či diskontinuita. In MICHÁLEK, Slavomír – LONDÁK, Miroslav a kol. *Gustáv Husák: Moc politiky. Politik moci.* Bratislava : Veda, 2013, s. 649 – 660.

55 MERVART, „Reálny socializmus", c. d., s. 656.

56 *XIV. zjazd Komunistickej strany Československa. Praha 25. – 29. mája 1971.* Bratislava : Pravda, 1971, s. 20 – 26. Maďarský predstaviteľ János Kádár a prezident ČSSR Ludvík Svoboda na spoločnom stretnutí uviedli, že A. Dubček roku 1968 prekážal pri nadviazaní *„úprimných vzťahov so sovietskymi súdruhmi"*. A ÚSD AV ČR, f. Sb. KV ČSFR, sign. D III/158, Dodatok k záznamu zo stretnutí s. J. Kádára a s. L. Svobodu v Budapešti dňa 8. júla 1971.

skych (i náboženských) slobôd, bolo treba podľa Husáka formovať socialistického človeka, jeho pozitívne vlastnosti, socialistickú morálku a občiansku zodpovednosť. Sociálna politika štátu si zvyšovaním životnej úrovne, ktorá bola jedným z nosných bodov päťročného plánu na roky 1971 – 1975, mala získať mnohých občanov. Dôraz sa kládol na zvyšovanie úrovne a šírky vzdelania, na výstavbu škôl, bytov, sociálnych, zdravotných, školských, kultúrnych a ďalších občianskych zariadení a infraštruktúry, aby sa podporil demografický a vzdelanostný rast obyvateľstva a jeho sociálna úroveň. Stabilizácia maloobchodných cien mala prispieť k zamedzeniu zvýšenia životných nákladov. Z federálneho rozpočtu a najmä rozpočtov republík a národných výborov sa vyčlenili značné finančné prostriedky, ktorých zdrojom malo byť zvýšenie spoločenskej produktivity práce a zefektívnenie výroby.

Termín *„reálny"* v koncepcii rozvinutého socializmu sa zdôrazňoval aj preto, že sa tento ako systém považoval za skutočnosť, ktorú už nemožno poprieť. Na XIV. zjazde KSČ sa vytýčil program jeho ďalšieho vývoja s vyhlasovaním využitia a prepojenia rýchleho hospodársko-sociálneho rastu a vedecko-technického pokroku ako *„jedinou možnou alternatívou ďalšieho rozvoja"* ekonomiky,[57] ako aj predností socialistického spoločenského systému a zvyšovania životnej úrovne obyvateľstva, ktoré treba propagačne využiť v súťažení so západnými krajinami, najmä bezplatnú zdravotnícku starostlivosť a vzdelávanie, plnú zamestnanosť a sociálne výhody. Koncepcia reálneho rozvinutého socializmu charakterizovala vývojové trendy krajín sovietskeho bloku v 70. rokoch.[58]

Predstavitelia KSČ/KSS očakávali od ustanovania tejto koncepcie upevnenie svojich pozícií v pripravovaných všeobecných voľbách a na základe ich výsledkov chceli oficiálne vyhlásiť, že dosiahli stabilizáciu vnútropolitických a spoločenských pomerov. Ústavný zákon č. 43/1971 Zb. zo 6. júla 1971 predĺžil volebné obdobie do snemovní federálneho zhromaždenia, národných rád a národných výborov zo 4 na 5 rokov a pre konanie volieb sa stali určujúcimi medzníkmi zjazdy KSČ.[59] Kandidátov na poslancov navrhovali politické strany a spoločenské organizácie združené len v Národnom fronte. *Politická smernica ÚV Národného frontu ČSSR k zabezpečeniu všeobecných volieb do zastupiteľských zborov v roku 1971* zdôraznila, že sa voľby prvý raz konajú v podmienkach česko-slovenskej federácie, čím sa otvára nová etapa *„všestranného vývoja socialistickej spoločnosti"* za účasti *„tvorivej"* práce štátnych orgánov na rôznych úrovniach. Treba získať aj tých, ktorí boli *„zvedení pravicovooportunistickou a nacionalistickou demagógiou... a nevymanili sa z ideového a politického vplyvu pravicových a protisocialistických síl."* Voľby mali upevniť socialistický štát.[60] Politický reformátor Milan Šimečka, ktorého vyhodili z Univerzity Komenského a z KSS, však v jednom zo svojich listov napísal, že po 2-ročných skúsenostiach nechcel *„manifestovat'"* k voľbám, lebo *„není schopný spoluvytvářet radostnou*

57 *XIV. zjazd Komunistickej strany Československa. Praha 25. – 29. mája 1971*, c. d., s. 34.

58 Viaceré krajiny novelizovali ústavy v zmysle tejto koncepcie, napr. v Bulharsku. BEŇA, Jozef. *Súčasné dejiny práva krajín Európy. I. diel.* Banská Bystrica : Právnická fakulta Univerzity Mateja Bela, 1998, s. 361.

59 NA ČR, f. 02/1, Predsedníctvo ÚV KSČ 1971 – 1976, sv. 4, ar. j. 4, zasadanie 2. 7. 1971.

60 NA ČR, f. 02/1, Predsedníctvo ÚV KSČ 1971 – 1976, sv. 7, ar. j. 6, zasadanie 16. 7. 1971, č. sp. 325/21, sv. 8, ar. j. 7/5, zasadanie 30. 7. 1971, č. sp. 411/21.

náladu, protože ji nemá a že tedy nemůže donutit své nohy, aby ho nesly k volbám".[61] Protivolebné letáky či nápisy sa objavili vo viacerých okresoch českých krajín a Slovenska, no už nemohli vážnejšie narušiť obrovskú predvolebnú kampaň.

Voľby do zákonodarných orgánov a do národných výborov, stanovené na nasledujúcich 5 rokov, sa konali 26. – 27. novembra 1971. Za kandidátku Národného frontu hlasovalo vyše 99,9 % voličov spomedzi 99,18 % zúčastnených. Do Snemovne ľudu FZ (200 volebných obvodov, 137 v ČSR a 63 v SSR) bolo platných pre kandidátku NF 99,94 % hlasov pri 99,45 % účasti oprávnených voličov (nezúčastnilo sa 56 562 oprávnených voličov), do Snemovne národov (150 volebných obvodov, 75 ČSR a 75 SSR) bolo platných 99,77 % hlasov pri 99,45 % účasti oprávnených voličov (nezúčastnilo sa 52 770 voličov).[62]

Na ustanovujúcej schôdzi oboch snemovní Federálneho zhromaždenia 9. decembra 1971 bol za jeho predsedu zvolený Alois Indra, za prvého podpredsedu Ján Marko, za predsedu Snemovne ľudu *„večný poslanec"* Václav David a za predsedu Snemovne národov Dalibor Hanes, všetci spolutvorcovia normalizačnej línie KSČ. Proti nim nehlasoval ani jeden zúčastnený poslanec. Predsedníctvo ÚV KSČ schvaľovalo všetky tri programové vyhlásenia vlád 15. decembra 1971, ako aj predsedov zastupiteľských a výkonných štátnych orgánov.[63] Prepojenie vrcholných orgánov KSČ/KSS a federatívneho štátu zabezpečovalo kľúčové rozhodovanie o politickom, ekonomickom a spoločensko-kultúrnom vývoji, ako aj o fungovaní mechanizmu moci. Prezident ČSSR Ludvík Svoboda vymenoval 9. decembra 1971 federálnu vládu Lubomíra Štrougala, zloženú skôr z politických centristov a technokratov. Podpredsedami vlády sa stali Josef Korčák, Peter Colotka, Václav Hůla, Ján Gregor, František Hamouz, Karol Laco, Matej Lúčan a Jindřich Zahradník.

Vo voľbách do Českej národnej rady bolo platných 99,78 % hlasov za kandidátku Národného frontu pri 99,4 % účasti (nezúčastnilo sa 42 687 oprávnených voličov). Na ustanovujúcej schôdzi ČNR 7. decembra 1971 prítomní poslanci jednohlasne zvolili za jej podpredsedov Oldřicha Voleníka a Vladimíra Ambruza (obaja KSČ), Františka Tomana (ČSL) a Věroslava Jedličku (ČSS). Predsedníctvo ČNR menovalo 9. decembra 1971 českú vládu Josefa Korčáka, podpredsedami vlády sa stali Ladislav Adamec, Štěpán Horník a Stanislav Rázl (tiež predseda Českej plánovacej komisie).

Volieb do Slovenskej národnej rady sa zúčastnilo 99,54 % zapísaných voličov. Pre kandidátov Národného frontu z nich hlasovalo 99,94 % voličov.[64] Na ustanovujúcej schôdzi SNR 7. decembra 1971 boli zvolení za predsedu SNR Ondrej Klokoč (KSS) a za podpred-

---

61 ČELKO, Vojtech. Korešpondencia Prečan – Šimečka v začiatkoch normalizácie. In Češi a Slováci 1993 – 2012. Minulost je bitevním polem součastníků. Dokumenty. *Česko-slovenská historická ročenka 2012.* (Eds. Vladimír Goněc, Roman Holec). Bratislava : Veda, 2013, s. 183 – 184.

62 KRIVÝ, Vladimír – ZEMKO, Milan. *Voľby do zákonodarných orgánov na území Slovenska 1920 – 2006.* Bratislava : Štatistický úrad SR, 2008, s. 110 – 111. V Snemovni ľudu FZ bolo 142 členov KSČ/KSS, v oboch komorách Snemovne národov po 51 členoch, za Československú stranu socialistickú (ČSS) bolo v SĽ 13 poslancov a v SN za ČSR 7 poslancov. Československá strana lidová (ČSL) mala v SĽ 9 zástupcov a v SN FZ za ČSR 8 zástupcov, Strana slovenskej obrody (SSO) 2 v SĽ a 2 v SN za SSR, taktiež aj Strana slobody (SSl). Bez politickej príslušnosti bolo v SĽ 32 poslancov, v SN za ČSR 16 a v SN za SSR 21 poslancov.

63 RYCHLÍK, *Rozpad Československa*, c. d., s. 29.

64 Presnejšie údaje o počte voličov dostaneme, keď zoberieme do úvahy obyvateľov SSR k 1. 10. 1971, čo bolo 4 575 306, z toho voličov nad 18 rokov 3 041 493, zapísaných bolo 3 002 948

sedov Ján Štencl a Štefan Fábry (obaja KSS), Jozef Gajdošík (SSO) a Michal Žákovič (SSl). Predsedníctvo SNR vymenovalo 8. decembra vládu Petra Colotku s podpredsedami Júliusom Hanesom a Herbertom Ďurkovičom.

Z celkového počtu 204 184 poslancov a poslankýň národných výborov v ČSSR, z toho vyše 142-tisíc v ČSR v jej 7 krajoch a v Prahe, v SSR skoro 62-tisíc v 3 krajoch a v Bratislave, bolo do KNV zvolených 1 522 poslancov, do ONV 11 261 poslancov a do mestských národných výborov 25 525 poslancov, do obvodných národných výborov 2 260 a do MNV bolo zvolených 163 616 poslancov. V oboch republikách bolo okolo 30 % poslancov do 35 rokov, teda podarilo sa získať mnohých mladých ľudí. Z národného a národnostného hľadiska v ČSR bolo z poslancov 97,6 % Čechov, ďalej 1,6 % Slovákov, 0,4 % Poliakov, 0,3 % Nemcov atď. V SSR bolo zvolených 83,1 % Slovákov, 12,5 % Maďarov, 3,4 % Ukrajincov, 0,4 % Čechov, 0,1 % Nemcov atď. V SSR bolo 58 % poslancov národných výborov všetkých stupňov za KSS a po 0,1 % za ostatné politické strany. Ďalšie zastúpenie mali organizácie Národného frontu.[65]

Výsledky volieb sa stali výrazným mocenským nástrojom k legalizácii a nomenklatúrnej stabilite štátostrany vzniknutej prekrývaním politických a štátnych elít na federálnej, republikovej a miestnej (krajskej a okresnej) úrovni. Svoje miesto tu má vymedzenie pojmu „posttotalitný“ systém v meniacich sa vnútropolitických a zahraničnopolitických podmienkach na začiatku 70. rokov. Medzi totalitným systémom a formujúcim sa (post)totalitným systémom, ktoré vlastne predstavovali relatívnu vývojovú i obsahovú kontinuitu v diskontinuite, stál najmä reformný rok 1968 a okupácia čs. štátu armádami piatich štátov sovietskeho bloku. No skôr, ako sa budeme venovať znakom posttotalitného systému, zastavme sa pri súvzťažnosti politiky, štátu a spoločnosti, pri ktorej sa niekedy a akosi automaticky opierame o *„zaužívané“* paradigmy či pojmy a celkom si nevšímame aj iné (postmoderný, postdemokratický, postindustriálny atď.).[66] Pojem „post“ sa však niekedy uvádza bez presnejšieho ujasnenia si obsahu, pričom niekedy prevládajú zabehnuté stereotypy prístupu. Pritom neustále rastie rozsah poznatkov, ktoré sa prehodnocujú v rozsiahlej odbornej literatúre s využitím rôznych metodologických prístupov. Prirodzene, že sa potom mení relatívne samozrejmé (vtedajšie a súčasné) používanie pojmov. Ich kritický výklad je potrebný pre konfrontáciu s tými, ktoré vehementne používalo vedenie KSČ/KSS na začiatku 70. rokov v akomsi sebaklame a v snahe mocensky legitimizovať vtedajší spoločensko-politický stav vo federatívnom Česko-Slovensku.

Dominantným znakom posttotalitného systému ostávalo, no vo vtedajšej situácii modifikované, monopolné postavenie komunistickej strany s uplatňovaním princípov demokratického centralizmu a proletárskeho internacionalizmu. Komunistická strana po politických

---

voličov, čiže chýbalo 38 545 voličov. Chýbajúci počet sa však neuviedol. SNA, f. Predsedníctvo SNR 1969 – 1988, ar. j. 34, zasadanie 7. 12. 1971.

65 SNA, f. ÚV SNF, Voľby do zastupiteľských zborov, r. 1971, zasadanie Slovenskej volebnej komisie 12. 11. 1971; BALÍK, Hubert. *Národní výbory a politika KSČ.* Praha : Svoboda, 1979, s. 19 – 24.

66 Podrobnejšiu analýzu pojmov s predponou „post“, opierajúc sa odbornú zahraničnú literatúru, uvádza český sociológ Miloslav Petrusek. *Společnosti pozdní doby.* Praha : Sociologické nakladatelství (Slon), 2007, s. 249 – 321. Autor používa predponu „post“ pri rôznych typoch spoločností, z nich je pre nás dôležitá post industriálna spoločnosť, post demokratická spoločnosť, spoločnosť tretej vlny a posttotalitná spoločnosť.

čistkách nadobudla iný profil, a teda už len z týchto hľadísk nebol možný návrat pred rok 1968. Strana ovládla a kontrolovala cez mocenské nástroje masovokomunikačné prostriedky, spoločenský život a systém Národného frontu, kultúru či školstvo. Všade sa presadzovala marxisticko-leninská ideológia a vedúca úloha strany v zmysle normalizačného *Poučenia z krízového vývoja v strane a spoločnosti po XIII. zjazde KSČ* z decembra 1970.[67] Zahraničná politika vedenia KSČ/KSS sa naďalej riadila líniou Moskvy, zmluvou s ňou z mája 1970 a poradami predstaviteľov komunistických a robotníckych strán krajín sovietskeho bloku. Medzi vnútropolitické predely formovania systému v rokoch 1968 až 1971 treba o. i. zaradiť novembrové zasadanie ÚV KSČ roku 1968, aprílové zasadanie (nástup vedenia KSČ na čele s Husákom), májové zasadanie s prijatím tzv. realizačnej smernice ÚV KSČ o centralizácii riadenia štátu a ekonomiky, ďalej septembrové zasadanie roku 1969, decembrové zasadanie ÚV KSČ roku 1970, ako aj zjazd KSČ roku 1971 a následné voľby.

Posttotalitný systém (v časovom vymedzení rokov (1968) 1969 – 1971, 1971 – 1975, 1975 – 1985 a potom po rok 1989), ako ďalšie vývojové štádium totalitného (1948 – 1953 – 1956 – 1963 – 1967), sa do určitej miery od seba odlišujú pri niektorých spomenutých základných znakoch, mocenskou a štátnou štruktúrou s presadzovaním normalizačnej línie KSČ/KSS od jesene 1968, spôsobmi a nástrojmi ovládania štátu, spoločnosti, verejného života, štátneho aparátu a ozbrojených zložiek. Posttotalitný systém sa postupne vymedzoval, mal svoje vnútorné predely či fázy, do ktorých vstupovali vnútropolitické, zahraničnopolitické, ekonomické a spoločenské determinanty, ktoré utvorili tvár Česko-Slovenska, ku ktorej dospelo na prelome 60. a 70 rokov a ktorá sa vo viacerých smeroch odlišovala od ostatných stredovýchodných krajín. Zastavme sa pri málo zaužívanom medzníku roku 1975, v ktorom čs. štát podpísal záverečný helsinský dokument, čo z medzinárodného hľadiska ovplyvnilo jeho medzinárodné postavenie. Roku 1975 sa uzavrela posledná úspešná ekonomicko-sociálna päťročnica a z vnútropolitického hľadiska sa dovtedy dotvorili všetky mechanizmy politickej a štátnej moci na fungovanie a stabilizáciu posttotalitného systému.[68]

67 Bližšie k pojmu ideológie BALÍK, Stanislav – KUBÁT, Michal. *Teorie a praxe totalitních a autoritativních režimů.* Praha : Dokořán, 2004, s. 96 – 97. Autori ďalej uviedli, že autoritatívne režimy možno klasifikovať *„podle svého postavení na kontinuu mentalita-ideológie s dvěma krajními póly a širokou šedou zónou. Oběma krajním pólům se tak přibližují dva krajní typy zmiňovaných režimů –byrokraticko-militaristické a posttotalitní“*. Tamže, s. 99.

68 Tu treba uviesť, že v ČSSR v rokoch 1970 až 1975 vzrástol priemerný ročný prírastok národného dôchodku o 5,7 % (vyšší ako v krajinách Európskeho hospodárskeho spoločenstva, ktoré dosiahli 2,9 %), v priemyselnej výrobe o 6,7 %, v produktivite práce v priemysle o 4,7 %, reálne príjmy obyvateľstva o 5,2 % a osobná spotreba o 4,9 %. PRŮCHA, Václav a kol. *Hospodářské a sociální dějiny Československa 1918 – 1992: 2. díl Období 1945 – 1992.* Brno : Doplněk, 2009, s. 662. Napriek týmto pozitívnym výsledkom stojí za zamyslenie vyjadrenie poslanca M. Hudečka (v súvislosti s varovaniami R. Richtu), ktorý uviedol: *„Potřeba zajištění surovin a energie pro rozvoj čs. ekonomiky převážně dovozem a změna směnných relací v důsledku růstu cen bude klást v šesté pětiletce i mnohem větší nároky na tvorbu zdrojů a maximální efektivnost jejich užití. Naše produktivita živé práce se v řadě průmyslových oborů pohybuje mezi 30 – 40 % světové špičkové úrovně a výtěžnost základních fondů při dlouhodobém zhodnocování investic se pohybuje odhadem kolem 60 % světové špičkové úrovně.“* Společná česko-slovenská digitální parlamentní knihovna, www.psp.cz/eknih/1971fs/slsn/stenprot/021schuz/s021007.htm, FS ČSSR 1971 – 1976, 21. schůze 16. 12. 1975, část 7/22, s. 1. Post industriálne štádium vývoja sa federatívnemu Česko-Slovensku vzdialilo a v druhej polovici 70. rokov nastal pri vyššie

Prinieslo to však i jeho zakonzervovanie, čo sa prejavilo v nasledujúcich rokoch. Dôsledky možno vidieť i v tom, že ďalším negatívnym sprievodným javom posttotalitného systému v určitej kontinuite s totalitným, ale v inej podobe, sa stala druhá vlna (po februári 1948) masových politických čistiek na prelome 60. a 70. rokov, najrozsiahlejšia v krajinách sovietskeho bloku, zameraná na potlačenie politickej, kultúrnej a odbornej generačne mladšej a staršej proreformnej garnitúry. Čistky ako prejav i nástroj normalizačnej politiky a represívnej funkcie štátu nenadobudli síce tvrdosť 50. rokov, no rôzne formy postihov negatívne zasiahli do života státisícov rodín.

Diskontinuitným predelom medzi totalitným a (post)totalitným systémom sa stal ústavnoprávny vznik federatívneho zväzku dvoch národných republík 1. januára 1969, prvý raz od utvorenia spoločného štátu českého a slovenského národa v roku 1918. Už v novembri 1968 sa však zamietla reforma politického systému a jeho federalizácia. Na prelome rokov 1969 a 1970 sa zastavili aj úvahy o ekonomickej reforme. Vtedy sa zároveň uskutočnila prvá fáza normalizačnej revízie česko-slovenskej federácie a druhá vyústila zákonmi z decembra 1970.

S formovaním a s podstatou posttotalitného systému súvisí, aj keď z viacerých ohľadov proti nemu diskutabilná koncepcia budovania *„reálneho rozvinutého socializmu"*, resp. rozvinutej socialistickej spoločnosti na XIV. zjazde KSČ v máji 1971. Veď svojím spôsobom rozdeľovala českú a slovenskú spoločnosť na tých, ktorí verejne podporovali zjazd a jeho vytýčené úlohy. Z viacerých, neraz kariérnych dôvodov, prijímali marxisticko-leninskú ideológiu a jej povýšenie na štátnu. Zhruba na druhej strane ostali tí, ktorí boli vylúčení z verejného života, zamestnania či štúdia a pod. V koncepcii reálneho socializmu sa vyskytoval rozpor aj medzi všeobecným a jednostranne zameraným mocenským a ideologickým ovládaním spoločnosti a medzi uplatňovaním občianskych práv a slobôd (sloboda slova, sloboda prejavu, právo na zhromažďovanie a petičné právo, náboženské slobody, sloboda tvorivej činnosti, sloboda cestovania a pobytu). Tieto faktory tiež spôsobovali *„skôr tichý"* odklon časti obyvateľstva od oficiálnej politiky, ktoré k nej často zvolilo formálny prístup a priklonilo sa k súkromiu. Odklon mnohých občanov nastal aj pre prijatie represívnych zákonov a opatrení. Vnímali, že zastupiteľské orgány ako inštitúcie socialistickej demokracie celkom neplnili svoju rolu po odstúpení od reformy verejnej správy a volebného systému, ako aj plné podriadenie štátnych orgánov a spoločenských organizácií normalizačnej línii vedenia KSČ/KSS. Navyše, v koncepcii *„zjazdového reálneho socializmu"* sa *„vynechalo"* zavedenie tvrdej cenzúry a verejnej kontroly, ktoré prakticky vylúčili možnosť vytvorenia spoločenských alternatív a napokon aj systém Národného frontu sa uzavrel.

Napriek tomu treba brať do úvahy aj to, že koncepcia budovania *„reálneho rozvinutého socializmu"* o dosiahnutí vyššieho sociálneho a ekonomického stupňa vývoja, ako aj o *„rozvíjaní socialistickej demokracie"* oslovila značnú časť obyvateľstva cez tzv. spoločenskú zmluvu o ponuke sociálnych vymožeností. No samotné politické elity sčasti podľahli možno až iluzórnej fikcii o účinnosti svojej politiky a vytvorili si skreslenú *„stabilnú"* politickú paradigmu o konsolidácii či normalizácii vnútropolitických pomerov, o *„kontrarevolučných"* prejavoch a ich nositeľoch v roku 1968, o nevyhnutnosti

uvedených ukazovateľoch pokles a vzrástli nielen veľkoobchodné, ale aj maloobchodné ceny (niektorých potravín, ošatenia, energií atď.), čo zvýšilo náklady obyvateľstva.

„internacionálnej pomoci" bratských armád a pod., hoci mnohé skutočnosti svedčili skôr o opaku. Z pozadia vystupovalo silné sklamanie obyvateľstva z okupácie štátu či potlačenia čs. (Pražskej) jari a strata vízií o uskutočnení konceptu *„demokratického socializmu s ľudskou tvárou"*. Už to nebola tá česká a slovenská spoločnosť ako roku 1968 a v mnohom diskontinuitne ani spred neho. Vtedajšie sociálno-politické javy, či už vytváranie politických a štátnych orgánov a inštitúcií reformistami, vznik česko-slovenskej federácie a potom dôsledky politických čistiek, emigrácia, sústava nomenklatúry a pod. prispeli k sociálno-politickej reštrukturalizácii českej a slovenskej spoločnosti.

A pritom, keď vnímame posttotalitný systém ako spoločensko-politickú vývojovú fázu, ktorá sa vzťahuje na 70. a 80. roky, možno sa prikloniť k názoru nemeckého vedca Clemensa Vollnhalsa v diele *Pojem totalitarismu v proměnách dvacátého století.* Z jeho pohľadu režimy *„poststalinského ražení adekvátně lze označit jen jako posttotalitární, protože se už neprojevují žádným srovnatelným ideologickým furorem a terorem. Na druhé straně i koncept totální kontroly vykazuje jasně definovaná kritéria, aby bylo možno poststalinské (respektive posttotalitární) režimy podle typologie vlády odlišit od autoritářských diktatur."*[69]

V uvedenom kontexte rozpornosti vývoja rokov 1968 – 1971 si tiež všimnime českého politológa a historika Lubomíra Kopečka, ktorý sa opiera o práce španielskeho sociológa a politológa Juana J. Linza a amerického politológa Alfreda Stepana v ich charakteristike posttotalitných systémov, ktoré viac vyjadrovali typológiu moci.[70] Kopeček pri nich vidí určité prvky spoločenského pluralizmu v ekonomickej, sociálnej, inštitucionálnej a kultúrnej sfére, ako aj v možnosti otvárajúcej sa a postupnej odideologizácie a depolitizácie spoločnosti a jej formálneho vzťahu k politike.[71] Politická pluralita prakticky neexistovala.

Štyri málo početné nekomunistické strany (Československá strana lidová, Československá strana socialistická, Strana slovenskej obrody, Strana slobody) boli len v malej miere zastúpené v oboch snemovniach Federálneho zhromaždenia, v SNR a ČNR, ako aj v celej štruktúre národných výborov. No podiel masových organizácií (najmä odborov) a miestnych zastupiteľských orgánov – národných výborov – na spoločenskom živote, v sociálnej, zdravotnej, bytovej a komunálnej politike stúpal. Na ich činnosť sa vyčlenili značné finančné a materiálne prostriedky. V tomto zmysle možno hovoriť i o relatívnej *„autonómii"* rozhodovania v regionálnych (krajských, okresných a miestnych) podmienkach, čo sa vykazovalo ako jeden zo základných atribútov socialistickej demokracie.

Vývoj po reformnej čs. (Pražskej) jari, po okupácii čs. štátu v auguste 1968, samotné sformovanie, zámery a realizácia normalizačnej politiky KSČ/KSS a medzinárodná situácia na prelome 60. a 70. rokov, keď sa modifikovali vzťahy medzi stredovýchodnými

69 In *Soudobé dějiny*, 2009, roč. 16, č. 4, s. 638.

70 DVOŘÁKOVÁ, Vladimíra – KUNC, Jiří. *O přechodech k demokracii.* Praha : Sociologické nakladatelství, 1994, s. 58.

71 KOPEČEK, Lubomír. *Demokracie, diktatury a politické stranictví na Slovensku.* Brno : Centrum pro studium demokracie a kultury, 2006, s. 138 – 143. Uviedol, že o čs. vývoji po roku 1985 možno hovoriť ako o „zamrznutom" posttotalitnom systéme, na rozdiel od liberalizačného vývoja v Poľsku a Maďarsku.

a západnými krajinami s rôznym spoločenským zriadením v rámci politiky *détente* (uvoľnenia), ba i časový rámec po roku 1968, ktorý neotriasol len čs. štátom, ale aj ďalšími krajinami sveta, dával špecifické črty formujúcemu sa posttotalitnému systému v Česko-Slovensku oproti iným stredovýchodným krajinám sovietskeho bloku s prívlastkom normalizačný.

Ekonóm a čas. Zo života Jána Ferianca*

Miroslav Londák

Pri počiatkoch formovania moderného národa mali Slováci len veľmi úzku vrstvu inteligencie – k nej patrili zväčša kňazi, notári, učitelia, lekári. Ekonómov by sme medzi nimi našli len veľmi málo, hlavne do začiatku 20. storočia. Potom sa už situácia postupne menila a počas existencie 1. ČSR vynikli viacerí jednotlivci, spomeňme Imricha Karvaša, Rudolfa Brišku[1] či Petra Zaťka. Vtedy sa i začala formovať slovenská národohospodárska teória. Hospodárska situácia Slovenska v období 2. svetovej vojny bola iste zložitá, no i vďaka zdržanlivej a reštriktívnej menovej a úverovej politike Slovenskej národnej banky, na čele ktorej stál I. Karvaš, sa podarilo udržať *„neuveriteľne stabilnú slovenskú korunu"*, no zároveň i *„zvýšiť pôvodne nízke devízové rezervy (ktoré zo začiatku tvorili len devízové pohľadávky slovenských podnikov) na zásobu 7,5 tony slovenských zlatých menových rezerv."* Prevažnú väčšinu slovenského zlatého pokladu sa pritom podarilo zachrániť pre obnovenú ČSR.[2]

Karvaš[3] podstatným spôsobom prispel k hospodárskemu zabezpečeniu SNP, no československý (čs.) komunistický režim sa mu odvďačil jemu vlastným spôsobom – veď Karvaš s ním odmietol spolupracovať. Po februári 1948, po mocenskom prevrate, ktorým sa komunisti dostali k moci, bol vo vykonštruovaných procesoch dvakrát odsúdený za velezradu a špionáž, mesiace a mesiace strávil vo väzeniach, prišiel o majetok a v rámci Akcie B bol vysťahovaný z Bratislavy.[4] Podobný bol i osud Petra Zaťka.

Po februári 1948 ekonomická teória v celom Československu zmenila svoj charakter a namiesto skúmania objektívnej reality a skutočne prebiehajúcich ekonomických javov sa začali donekonečna opakovať marxisticko-leninské poučky a na vysvetľovanie problémov a protirečení v ekonomickom živote spoločnosti muselo stačiť citovanie stalinských dogiem. Nezávislé myslenie a uvažovanie vedcov sa skončilo, podobne ako osobné kontakty so západnými výskumnými pracovníkmi, nedostupnou sa stala západná teoretická literatúra.

Na prelome 40. a 50. rokov 20. storočia sa v Československu komplexne prebrala sovietska metodika riadenia národného hospodárstva i s tzv. chozrasčotom. No ak čs. plánovači očakávali bezproblémový vývoj ekonomiky, čoskoro zbadali, ako veľmi sa mýlili. Plánované hospodárstvo nebolo všeliekom. Najprv prišlo zrútenie 1. päťročného plánu,

---

* Kapitola vznikla v súvislosti s riešením projektu Vega č. 2/0104/13 Povojnové Slovensko – od ľudovej demokracie cez komunizmus k demokratickej Slovenskej republike.

1 O osobnosti R. Brišku pozri FIGURA, Ivan. *Slovenský národohospodár Rudolf Briška.* Bratislava : Iura Edition, 2012.

2 Cit. podľa MAKÚCH, Jozef. Dielo profesora Karvaša vo vzťahu k súčasnej ekonomickej situácii. In *Biatec*, 2013, roč. 21, č. 9, s. 2.

3 Bližšie o ňom pozri KARVAŠ, Milan. *Môj otec Imrich Karvaš.* Budmerice : Rak, 2001, tiež SCHVARC, Michal – HALLON, Ľudovít. *Kauza Karvaš. Štúdie a dokumenty k zatknutiu, zavlečeniu a internácii guvernéra Slovenskej národnej banky na území Nemeckej ríše 1944/1945.* Bratislava : Historický ústav SAV, 2014.

4 Cit. podľa *Spomienky a príbehy. Z dejín ekonomickej univerzity v Bratislave.* Bratislava : SPRINT 2, s. r. o., 2012, s. 127.

nevyhnutná menová reforma v roku 1953 (v svojej podstate štátny bankrot),[5] potom relatívny pokoj počas realizácie druhej päťročnice.[6] Plánovači i vedenie Komunistickej strany Československa (KSČ) si robili ilúzie, že hospodárstvo bude plynule rásť, no potom prišlo kruté vytriezvenie na začiatku 60. rokov – zrútenie 3. päťročnice i dlhá hospodárska kríza, ktorej korene si nevedeli vysvetliť. A tak na základe týchto skutočností bolo nutné, aby Novotného vedenie KSČ povolalo odborníkov, ktorí by urobili analýzy vývoja predchádzajúceho ekonomického vývoja a vytýčili opatrenia pre budúcnosť. Prišla doba ekonómov, teoretikov, prišla doba Otu Šika a jeho spolupracovníkov.[7]

Aj na Slovensku sa postupne od začiatku 60. rokov začína meniť atmosféra v oblasti ekonomickej teórie, objavujú sa prvé pokusy o prekonávanie dogmatického myslenia uplynulých rokov a prechádza sa k skúmaniu relevantných ekonomických javov a procesov daného obdobia. *„Dogmatikovi je všetko jasné, pre neho niet problémov, jedinou úlohou vedy podľa neho je nájsť dostatok ilustrácií"*. Odbieha sa od analýzy skutočne prebiehajúcich procesov.[8] Odtrhnutosť ekonomickej teórie od hospodárskej praxe patrí k najkritizovanejším prvkom politickej ekonómie 50. rokov. Spojenie teórie s praxou a vytvorenie adekvátnych organizačných foriem má skoncovať so zaostávaním spoločenských vied za životom. Ekonomická teória sa má napr. podľa Félixa Hutníka vymaniť z obmedzeného a strnulého chápania a štúdia výrobných vzťahov.[9]

Istá liberalizácia pomerov v Československu na začiatku 60. rokov, ktorá bola determinovaná oslabením režimu,[10] umožnila novej generácii slovenských ekonómov (pochopiteľne s marxisticko-leninským vzdelaním) prísť so samostatnejším i kritickejším pohľadom na ten ekonomický vývoj, ktorým prechádzalo Československo i Slovensko v celom povojnovom období, ako i na prípravu novej ekonomickej reformy, ktorá sa spája hlavne s menom O. Šika. Pofebruárový hospodársky vývoj Slovenska totiž nebol ani zďaleka taký optimálny, za aký ho vydávala dobová propaganda.[11] Otázkou tiež bolo, akým spôsobom sa pripraví ekonomická reforma a aký bude mať dosah na slovenské hospodárstvo. Nová generácia slovenských ekonómov postupne začala formulovať vlastné názory a stanoviská, ktoré neboli v úplnom súlade s politikou pražského centra, ako i vedenia KSČ.

Do tejto generácie ekonómov patril okrem Hvezdoňa Kočtúcha, Viktora Pavlendu, Pavla Turčana i Ján Ferianc. Od začiatku 50. rokov pôsobil ako pedagóg na Národohospodárskej

5 K tejto problematike bližšie pozri JIRÁSEK, Zdeněk – ŠŮLA, Jaroslav. *Velká peněžní loupež v Československu 1953 aneb 50 : 1*. Praha : Svítání, 1992.

6 Počas realizácie 2. päťročného plánu (1956 – 1960) síce národný dôchodok rástol, no v skutočnosti v hospodárstve narastali viaceré protirečenia, ktoré vyvrcholili na začiatku 60. rokov.

7 O tejto problematike bližšie pozri LONDÁK, Miroslav. *Ekonomické reformy v Československu v 50. a 60. rokoch 20. storočia a slovenská ekonomika*. Bratislava : Typoset, 2012.

8 Cit. podľa ROTH, O. K otázke predmetu politickej ekonómie. In *Ekonomický časopis*, 1963, roč. 11, č. 5, s. 471.

9 HUTNÍK, Félix. Prečo stagnuje politická ekonómia? In *Ekonomický časopis*, 1963, roč. 11, č. 6, s. 603 a n.

10 Od začiatku 60. rokov bol komunistický režim v Československu oslabený tak z dôvodov politických, ako i ekonomických. Bližšie pozri LONDÁK, Miroslav – SIKORA, Stanislav – LONDÁKOVÁ, Elena. *Predjarie. Politický, ekonomický a kultúrny vývoj na Slovensku v rokoch 1960 – 1967*. Bratislava : Veda, 2002.

11 Bližšie pozri LONDÁK, *Ekonomické reformy*, c. d.

fakulte Vysokej školy ekonomickej v Bratislave. Okrem prednášania ho priťahovala aj teoretická práca a tzv. oblastná problematika, pod čím sa v podstate skrývali problémy ekonomického rastu či rozvoja na Slovensku – počas existencie asymetrického modelu štátoprávneho usporiadania komunistického čs. štátu bolo totiž chápané ako jednoduchá oblasť štátu. Keďže mal J. Ferianc záujem i o širšie teoretické vedomosti, nenavštívil len Sovietsky zväz,[12] ale zaujímal sa i o moderné západné teórie.

Zaujímavým zdrojom pre slovenských ekonómov boli vtedajšie západné priestorové teórie, najmä tzv. francúzskej školy polarizovaného oblastného rozvoja. Autori ako François Perroux, Jacques Raoul Boudeville, L. E. Davin a iní vychádzali zo zovšeobecnenia rozsiahleho empirického materiálu o vývoji hospodárstva v priestore vyspelých krajín Západu a študovali ekonomické a technické vzťahy medzi jednotlivými podnikmi v priestore. Začínali používať také pojmy ako hnací podnik oblasti, hnaný podnik, pól rozvoja, polarizovaný priestor, plánovací priestor a pod.[13] Vedecké štúdie na Západe o priestorovej ekonomike a regionálnej hospodárskej politike prekonávali dovtedajšie predstavy o výhodnosti rovnomerného rozmiestnenia priemyslu a investícií v krajine. Tie boli na základe Perrouxových myšlienok nahradené *„koncepciou zámerného plánovitého budovania pólov rastu“* na vhodne volených miestach, ktorá sa stala dominujúcou vo vtedajšej regionálnej ekonomickej vede.[14]

Teória pólov rastu či polarizovaného rozvoja mala znamenať, že zaostalé regióny či geograficky znevýhodnené oblasti treba vybaviť vlastnou vnútornou dynamikou, rozvíjať v nich kompaktnú ekonomiku s cieľom vyvolať autonómny proces rastu, ktorý by nebol závislý len od pomoci štátu či iných, vyspelých oblastí.[15]

Práve J. Ferianc spolu s P. Turčanom patrili medzi tých ekonómov, ktorí spomenuté idey najprínosnejšie rozvíjali. Podľa nich pri ďalšom ekonomickom rozvoji treba cieľavedome pristupovať k výstavbe odvetvovo-územných komplexov, v ktorých sa taja veľké ekonomické sily. Treba v nich formovať *„centrá, póly rozvoja, rozvojové osi s hybnými silami“*, ktoré budú pôsobiť v smere zvyšovania efektívnosti a modernosti ekonomiky. Podľa autorov sa už skončila doba, v ktorej sa jednotlivé odvetvia či podniky rozvíjali bez ohľadu na to, ako pôsobia na ekonomický priestor. Už podľa nich nie je možné rozvíjať všetky regióny, ale treba sa sústrediť na životaschopné spomedzi nich. Iné regióny je zasa možné utlmiť i za cenu migrácie obyvateľstva.[16]

12 Cit podľa *Spomienky a príbehy*, c. d., s. 80. Treba tiež povedať, že i keď v súčasnosti mnohí nebudú vedieť doceniť prácu a teoretický posun, ktorý dosiahli vtedajší slovenskí ekonómovia – teoretici, J. Ferianc sa spolupodieľal na príprave diela *Politická ekonómia socializmu*, ktorej hlavným autorom bol V. Pavlenda (vyšla v r. 1965). Išlo o prvé dielo „v socialistickom tábore“, ktoré v skutočnosti načrelo *„do podstaty, hodnôt a fungovania socialistickej ekonomiky, a to na báze skúseností“* získaných mimo územia vtedajšieho Sovietskeho zväzu. Tamže, s. 81.

13 Cit. podľa TURČAN, Pavol. Teoretické a metodologické problémy perspektívneho modelu územného usporiadania národného hospodárstva. In *Ekonomický časopis*, 1967, roč. 15, č. 3, s. 203.

14 Cit. podľa TURČAN, Pavol. Prístupy k rozvoju zaostávajúcich oblastí v priemyselných štátoch. In *Ekonomický časopis*, 1966, roč. 14, č. 8, s. 714 – 715.

15 Tamže, s. 715.

16 Cit. podľa FERIANC, Ján – TURČAN, Pavol. Odvetvovo územné komplexy v perspektíve rozvoja národného hospodárstva. In *Ekonomický časopis*, 1966, roč. 14, č. 1, s. 1 a n.

Podľa J. Ferianca a P. Turčana ani takmer dvadsať rokov „socialistickej výstavby" nevyriešilo všetky problémy priestorovej ekonomiky a nezabezpečilo optimálne rozmiestňovanie výrobných síl v Československu. Existujúce negatíva v tomto smere spájali s dovtedajším uplatňovaním centralistického modelu riadenia socialistickej ekonomiky, ktorý vraj nebol schopný zabezpečiť racionálne rozhodovanie v makroekonomickom meradle. Preto tiež podľa autorov oblastné orgány nezískali optimálny priestor na rozvinutie iniciatívy pri formulovaní a realizovaní národohospodárskych plánov.[17]

Kritika dovtedajšieho uplatňovania centralistického modelu riadenia v národohospodárskej praxi Československa (ten sa totiž kritizoval i autormi pripravovanej Šikovej ekonomickej reformy[18]) umožnila J. Feriancovi a P. Turčanovi prísť v tom čase s kritikou metód rozvoja Slovenska v spoločnom štáte. Ten sa podľa nich uberal po historicky prekonaných cestách a len nadväzoval na vývinové línie českého priemyslu s jeho odvetvovou roztrieštenosťou, nadmerných rozvojom základných odvetví a viazaním veľkých zdrojov pracovných síl v neefektívnych výrobách. Pokračovanie v týchto tendenciách podľa nich nemohlo viesť v dohľadnom čase k efektívnemu ekonomickému vyrovnávaniu Slovenska s úrovňou dosiahnutou v českých krajinách.[19]

Neexistencia komplexnej koncepcie budovania Slovenska ako vyspelej priemyselnej krajiny viedla k redukovaniu politiky ekonomického rozvoja Slovenska na množstvo jednotlivých investičných akcií. Priemyselné podniky na Slovensku tak neboli efektívne pozväzované, pozitívne impulzy na rozvoj oblastí a regiónov nepôsobili a táto nepriaznivá situácia bola naďalej prehlbovaná dôsledne uplatňovaným odvetvovým systémom riadenia ekonomiky v Československu. Väčšina slovenských priemyselných podnikov organizačne podliehala centrám podnikov, ktoré sa nachádzali na území českých krajín, čo malo na ich fungovanie a efektívnosť nepriaznivý vplyv. J. Ferianca a P.Turčana ani neprekvapovalo, že v stave, keď v skutočnosti neexistoval skutočný perspektívny plán rozvoja čs. ekonomiky, *„nebola vypracovaná ani koncepcia budovania priemyselných komplexov na Slovensku, vybudovania špecializovaných výrob, hnacích podnikov s dominujúcim výrobných programom, so sieťou subdodávajúcich či kooperujúcich podnikov, významnou finálnou produkciou"* a vlastným výskumom.[20] Môžeme autorov doplniť – ani po februári 1948, ani v ďalších rokoch realizácie plánovaného hospodárstva v Československu v skutočnosti nebol vypracovaný naozajstný plán industrializácie Slovenska.

Dôležitosť, ktorú prikladali ekonómovia problémom priestorovej ekonómie, odrážala ich snahu riešiť skutočné problémy ekonomiky Slovenska, ktorá v tomto období tvorila súčasť jednotného národohospodárskeho celku Československa. Viacerí ekonómovia sa venovali skúmaniu a analyzovaniu konkrétnejších ekonomických javov v priestore, štúdiu

17 Cit. podľa TURČAN, Prístupy k rozvoju, c. d., s. 184.

18 Kritika daného modelu nadväzovala na výsledky teoretickej práce, ktorá bola v preklade publikovaná v r. 1964: BRUS, Włodzimierz. *Modely socialistického hospodářství*. Praha : Nakladatelství politické literatury, 1964.

19 Tamže, s. 188. *„Predĺženie týchto vývinových tendencií, ich extrapolovanie do budúcnosti fakticky nevedie k riešeniu ekonomického vyrovnávania v dobe, na ktorú je ešte užitočné extrapoláciu robiť."*

20 Tamže, s. 188 – 189.

riešenia zaostalosti v industrializovaných krajinách a analýzam priestorového usporiadania čs. hospodárstva.[21]

„Oblastnej problematike“, t. j. rôznym problémom ekonomického postavenia a rozvoja Slovenska v rámci socialistického Československa sa J. Ferianc venoval nielen ako pedagóg Vysokej školy ekonomickej,[22] no od r. 1964 i ako riaditeľ Výskumného ústavu oblastného plánovania, samostatnej vedecko-výskumnej inštitúcie, podriadenej Slovenskej plánovacej komisii. Stále viac ho priťahovala vedecká práca a možnosť dopátrať sa skutočnej podstaty tých ekonomických problémov, ktoré videl okolo seba. V období „predjaria“ boli zvlášť aktuálne otázky merania ekonomického a sociálneho vyrovnávania Slovenska na tú úroveň, ktorá bola dosiahnutá v českých krajinách[23] a vôbec otázky pochopenia prínosu Slovenska v prospech celoštátnej ekonomiky. Ústav riešil také významné úlohy, ako napr. *Výskum priestorovej štruktúry reprodukčného procesu československého národného hospodárstva*, zaoberal sa otázkami sociálno-ekonomickej zaostalosti Slovenska, štruktúrnych premien, dynamizujúcimi faktormi a pod.[24]

Skutočné poznanie problémov slovenskej ekonomiky i kritický náhľad na ne postupne doviedli J. Ferianca i k tomu, že v priebehu roka 1968 sa stal jedným zo skupiny „mužov federácie“ a vstúpil do politiky. Udalosti v politickej oblasti, ktoré znamenali odchod Antonína Novotného a nástup Alexandra Dubčeka do najvyššej straníckej funkcie, späté so začiatkom roka 1968, znamenali počiatok niekoľkomesačného obdobia znovuobnovovania občianskej spoločnosti tak v českých krajinách, ako i na Slovensku.[25] V tomto procese rýchlo nasledovali udalosti jedna za druhou, zmeny, na ktoré v uplynulom období boli potrebné roky, prinášali týždne. Ak uvažovanie o federalizácii Československa bolo ešte v priebehu roka 1967 v podstate nemysliteľné, zrazu bolo na programe dňa. No už 17. januára 1968 sa Predsedníctvo Slovenskej národnej rady (SNR) vyslovilo za zmenu dovtedajšieho asymetrického štátoprávneho usporiadania Československa.

Skutočnosť, že sa hneď od januára 1968 smerovalo na Slovensku k federalizácii krajiny, nebola nijakou náhodou. Asymetrický model štátoprávneho usporiadania, v ktorom sa Slovensko dlhodobo nachádzalo v nerovnoprávnom postavení, bol prežitý. Prvých dvadsať rokov socialistického Československa zároveň ukázalo, že ani hospodársky vývoj nebol ružový. Vyrovnávanie Slovenska na úroveň českých krajín zároveň nepokračovalo tak rýchlo, ako sa pôvodne očakávalo. V období predjaria slovenskí ekonómovia v konečnom dôsledku naznačili, že sa síce zmenšujú relatívne rozdiely medzi českými krajinami

---

21 Pozri napr. FERIANC, Ján – LANTAY, Andrej – TURČAN, Pavol. Problémy rozvoja priestorovej ekonomiky a oblastného plánovania. In *Ekonomický časopis*, 1965, roč. 13, č. 3, s. 265 – 279; LANTAY, Andrej. Priestorový aspekt v modeloch socialistického hospodárstva. In *Ekonomický časopis*, roč. 13, 1965, č. 6, s. 561 – 577.

22 J. Ferianc získal v r. 1965 titul DrSc. Cit. podľa *Spomienky a príbehy*, c. d., s. 80.

23 V oblasti teoretického skúmania procesu vyrovnávania najďalej dospeli H. Kočtúch v spolupráci s V. Pavlendom. Bližšie pozri LONDÁK – SIKORA – LONDÁKOVÁ, *Predjarie. Politický*, c. d., s. 193 a n.

24 Cit. podľa FERIANC, Ján. *Teórie a metódy rastu oblastí (Štúdia k prognóze dlhodobého oblastného rozvoja)*. Bratislava : Výskumný ústav oblastného plánovania, 1967.

25 O politickom vývoji na Slovensku i vo vtedajšom Československu bližšie pozri SIKORA, Stanislav. *Rok 1968 a politický vývoj na Slovensku*. Bratislava : Pro Historia v spolupráci s HÚ SAV, 2008.

a Slovenskom, no ak sa brali do úvahy absolútne veličiny, tak sa tieto rozdiely naopak v niektorých dôležitých ukazovateľoch prehlbovali.[26] Tieto tézy sa zásluhou Alexandra Dubčeka stali i súčasťou hádam najznámejšieho dokumentu reformných komunistov v Československu – Akčného programu KSČ zo začiatku apríla 1968. Konštatovalo sa v ňom okrem iného, že pokiaľ ide o Slovensko, v uplynulom období sa síce podarilo odstrániť jeho sociálnu i hospodársku nerozvinutosť a znižovanie relatívnych rozdielov na obyvateľa. *„Predstih tempa rastu však nepostačoval na znižovanie absolútnych rozdielov. Vyrovnávanie sa nezakladalo na koncepcii národohospodárskej efektívnosti rozvoja čs. ekonomiky.“*[27]

V skutočnosti aj nie práve najoptimálnejší hospodársky vývoj na Slovensku stál za tým, že prišlo k januáru 1968 a tiež za tým, že ak to aspoň do istej miery zmenené politické pomery dovolili – smerovalo sa zo slovenskej strany k federalizácii krajiny – s tou ideou, že výraznejší, podstatný vplyv slovenských národných orgánov na riadenie hospodárskych procesov bude mať za následok optimálnejší ekonomický rast na Slovensku. Za jednu z podstatných príčin jeho hospodárskych problémov sa totiž v danom čase považovala existencia tzv. asymetrického štátoprávneho zriadenia.

Koncept ekonomickej federalizácie štátu prvýkrát na významnejšom fóre predniesol 8. marca 1968 H. Kočtúch, kolega J. Ferianca, na smolenickej konferencii, ktorá mala byť pôvodne zasadaním tzv. Mlynářovho medziodborového tímu s názvom *Rozvoj politického systému v socialistickej spoločnosti.*[28] Kočtúch pritom nevystupoval a priori z tézy, že federalizácia štátu je nevyhnutná z ekonomických dôvodov, ale skôr sa pomocou analýzy ekonomických faktov snažil dopracovať k záveru, že federalizácia bude znamenať mohutný a pozitívny impulz tak pre rozvoj ekonomiky Slovenska, ako i celej krajiny.

V polovici marca sa už SNR vo svojom vyhlásení jednoznačne postavila za federalizáciu štátu. Dovtedajší model štátoprávneho usporiadania označila za zdiskreditovaný a nedôveryhodný. SNR preto nastolila potrebu rešpektovať „socialistické federatívne usporiadanie“ a zorganizovať prípravné práce tak, aby mohlo byť začlenené do novej ústavy ČSSR. V tom čase už poprední slovenskí ekonómovia pokračovali v rozpracúvaní teoretických otázok a ku koncu apríla 1968 bol pripravený materiál s názvom *Zásady federalizácie ekonomiky národov Československa.*[29] Jeho hlavnými autormi boli H. Kočtúch, V. Pavlenda

---

26 K tejto problematike bližšie pozri LONDÁK – SIKORA – LONDÁKOVÁ, *Predjarie. Politický*, c. d., s. 194. Podrobnejšie o výsledkoch vyrovnávania za obdobie rokov 1948 – 1967 pozri LONDÁK, *Ekonomické reformy*, c. d., s. 161 a n.

27 Cit. podľa *Rok šedesátý osmý v usneseních a dokumentech ÚV KSČ*. Praha : Svoboda, 1969, s. 135 (preklad z češtiny autor). Ďalej sa v dokumente konštatovalo, že *„hlavné príčiny existujúcich problémov spočívajú predovšetkým v tom, že extenzívny hospodársky rast ČSSR sa výrazne presadzoval i v hospodárskom rozvoji Slovenska. Potenciálne zdroje rastu sa nevyužívali racionálne, najmä budovanie vedecko-výskumnej a vývojovej základne. Rozvoj Slovenska nebol dostatočne koordinovaný, uskutočňoval sa po rezortných cestách bez vnútorných integračných vzťahov moderných, ekonomických celkov.“* Tamže, s. 135 – 136.

28 Bližšie pozri LONDÁK, Miroslav. *Rok 1968 a ekonomická realita Slovenska.* Bratislava : Historický ústav SAV vo vyd. Prodama, 2007, s. 100 a n.

29 Cit. podľa ŽATKULIAK, Jozef. *Federalizácia československého štátu 1968 – 1970. Vznik česko--slovenskej federácie roku 1968; Prameny k dějinám československé krize v letech 1967 – 1970.* Praha; Brno : Doplněk, 1996, s. 73 a n.

a J. Ferianc. Dokument sa mal podľa nich stať podkladom na ďalšiu diskusiu s českými partnermi, ekonómami i politikmi. *Zásady* vychádzali z tézy, že Československo je štátom dvoch rovnoprávnych národov, pričom jeho ekonomika sa v súlade s Akčným programom KSČ chápala ako integrovaná syntéza dvoch národných ekonomík. Podľa *Zásad* sa dovtedajšia integrácia uskutočňovala vrchnostensky, administratívne, zhora a bola neracionálna, čo koniec koncov pôsobilo proti ekonomickým záujmom oboch národno-politických oblastí. Deformácie, ktoré z nej vyplývali, sa pritom vecne výraznejšie prejavili v slovenskej ekonomike, napr. pri dosahu Šikovej ekonomickej reformy.[30] Preto bolo treba podľa materiálu eliminovať negatíva vyplývajúce napr. z jednostrannej odvetvovej štruktúry, slabosti výrobných programov na Slovensku či z neracionálnosti investičnej politiky, ktorá nebrala do úvahy situáciu so zdrojmi pracovných síl.[31]

Nová ekonomická integrácia musí preto podľa *Zásad* zrušiť diskriminačné podmienky Slovenska a v súlade s Akčným programom KSČ zabezpečiť ekonomické vyrovnanie do r. 1980. Do budúcnosti sa predpokladala jednotná mena, spoločný trh i voľný pohyb pracovných síl. Slovenské a české národné orgány by si mali vypracúvať samostatné koncepcie a plány ekonomického rozvoja, ktoré by koordinoval ústredný orgán. Novej ekonomickej sústave riadenia by zodpovedala i primeraná banková sústava, ktorá by oddeľovala emisne menovú a komerčnú činnosť, pričom sa rátalo s pôsobením národných emisných centier. Táto koncepcia vychádzala *„zo zásady národných orgánov ako nositeľov originálnej štátotvornej suverenity“*. Federálnym orgánom mali ostať len tie kompetencie, ktoré im delegujú národné orgány, pričom tieto sú prioritné aj z hľadiska rozhodovania o ďalšom hospodárskom raste jednotlivých národných ekonomík. V dokumente sa tiež objavila téza, že národná ekonomika umožňuje dynamizovať takú významnú hnaciu silu, akou je národná iniciatíva.[32]

Ak je pravdou konštatovanie, že možných je i viacero modelov federácie, môžeme tiež povedať, že zo slovenskej strany sa smerovalo k tzv. voľnej federácii, v ktorej sú priorizované národné orgány. Ak slovenskí ekonómovia očakávali na stretnutí koncom apríla podporu svojich téz zo strany českých kolegov, mýlili sa. Dôvodom mala byť údajne skutočnosť, že tendencie k uplatňovaniu trhových princípov, ku ktorým sa v krajine malo v konečnom dôsledku spieť – si vyžadujú nie vytváranie nových bariér medzi jednotlivými národnými ekonomikami, ale skôr ich prekonávanie v záujme integrácie do svetovej ekonomiky – inak takmer totožná téza, s akou sa operovalo po novembri 1989, keď sa na slovenskej strane smerovalo k čím väčšiemu posilneniu národných kompetencií.

Hneď na prvom významnom stretnutí sa prejavili relevantné rozdiely. Na konci mája už mali poprední českí ekonómovia (medzi nimi napr. Kurt Rozsypal, Miroslav Kadlec, Ladislav Veltruský a ďalší) pripravené vlastné stanovisko – podľa ich koncepcie by federálne orgány mali mať niektoré originálne právomoci, o. i. i v oblasti ekonomickej – totiž spolužitím oboch národov v jednom štátnom útvare údajne už vznikol vyšší celok a nielen súčet dvoch národných ekonomík. Potom sa v dokumente polemizuje s názorom, ktorý sa objavil v Akčnom programe, či sa správne používa pojem národná ekonomika. A z logiky

30 K tejto problematike bližšie pozri LONDÁK, *Ekonomické reformy*, c. d., s. 151 a n.
31 Cit. podľa ŽATKULIAK, *Federalizácia československého*, c. d., s. 74 – 75.
32 Cit. podľa ŽATKULIAK, *Federalizácia československého*, c. d., s. 74 – 77.

dokumentu vyplývalo, že prednosť sa dávala tzv. federácii tesnej, v ktorej by podstatné právomoci zostali na úrovni federálnej vlády.[33] Začali sa tiež objavovať názory, ktoré podmieňovali proces vyrovnávania Slovenska na úroveň českých krajín práve akceptovaním modelu tesnej federácie.

Rýchlo sa tak ukázali zásadné rozpory a mohli sa začať siahodlhé polemiky a rokovania o ekonomickom obsahu federalizácie – v rôznych komisiách a subkomisiách. Ukončené neboli v podstate ani pred okupáciou. Podľa účastníka rokovaní Ignáca Rendeka a jeho neskorších spomienok sa malo vôbec postupovať úplne inak – najprv sa mali na vysokej politickej úrovni dohodnúť základné princípy, ktorými sa mala ekonomika federalizovaného štátu riadiť a aj otázka ekonomického vyrovnávania. K tomu však nedošlo a Kočtúchova koncepcia bola na rokovaniach vystavená neustálemu tlaku a postupne sa smerovalo k tesnej federácii.[34]

V novej spoločenskej atmosfére na jar 1968 dochádzalo na slovenskej strane nielen k ďalšiemu postupnému rozpracovaniu modelu ekonomicko-politickej federácie, ale aj k verejnému prezentovaniu mnohých ideí, ktoré boli v predchádzajúcom období tlmené. Išlo nielen o kritiku rôznych stránok ekonomického vývoja Slovenska v čase socializmu, ale aj o príklady a skúsenosti ekonómov z praxe v záujme ďalšieho rastu. Prejavilo sa to i na vedeckej konferencii, ktorú pod názvom *Ekonomické problémy rozvoja Slovenska vo federatívnom usporiadaní* usporiadala Vysoká škola ekonomická v Bratislave 6. – 8. mája 1968.[35]

Jeden z dôležitých teoretických referátov predniesli spoločne J. Ferianc a J. Kuťka.[36] Zaoberali sa ekonomickým obsahom federácie, ktorú považovali za *„ústredný problém politického modelu socialistickej demokracie v Československu"*. Podľa nich federácia umožní nielen konštituovanie Čechov a Slovákov ako moderných socialistických národov, ale bude i zárukou trvácnosti ďalšieho demokratického vývinu socialistickej spoločnosti v Československu. Prekováva totiž monopol moci s jeho byrokratických systémom. Rovnoprávnosť dvoch rovnocenných partnerov čs. štátnosti podľa autorov prináša pluralitu moci.[37]

Na konferencii sa prezentovali hlavné idey ekonomicko-politickej federácie, pričom prvotným princípom bola národná suverenita, z ktorej vyplýva originálnosť hospodárskej moci a politiky národných orgánov. Ústredné federálne orgány mali preto vykonávať právomoci len v dohodnutých, delegovaných záležitostiach. Aj územno-organizačné usporiadanie podnikovej a rozpočtovej sféry by malo byť také, aby sa krylo s pôsobnosťou národných orgánov. Ďalším základným bodom nového ekonomického fungovania štátu (rozumej ekonomickej reformy) musí byť prekonanie etatizmu, uznávanie ekonomických princípov

33 Cit. podľa listu českých ekonómov (jeho názov znie: O ekonomický obsah federalizace), zaslaný profesorom L. Veltruským, rektorom VŠE v Prahe O. Šikovi, podpredsedovi vlády ČSSR. Dokumentační centrum Ústavu pro soudobé dějiny AV ČR, C II/307. List je opublikovaný i v publikácii LONDÁK, *Ekonomické reformy*, c. d., s. 238 – 244.

34 Spomienky I. Rendeka zo začiatku 80. rokov 20. storočia. Archív autora.

35 Ekonomické problémy rozvoja Slovenska vo federatívnom usporiadaní. *Zborník zo sympózia VŠE 6. – 8. mája 1968.* Bratislava : Edičné stredisko VŠE, 1968.

36 V tom čase boli obidvaja pracovníkmi Výskumného ústavu oblastného plánovania v Bratislave.

37 FERIANC J. – KUŤKA J. Ekonomický obsah federatívneho modelu. In Ekonomické problémy rozvoja, c. d., s. 113.

regulovaného trhového hospodárstva[38] a autonómneho postavenia podnikov v hospodárskej sfére. „Ústavou" socialistického podnikania mal byť pritom zákon o podniku. Zároveň súčasťou fungovania federatívneho modelu malo byť aj naplnenie historickej úlohy – ekonomického vyrovnávania Slovenska, a to primerane k podmienkam zavŕšenia industriálnej fázy rastu slovenskej ekonomiky. Základom hospodárskej politiky štátu musí byť národohospodársky plán v novom poňatí, ktorý by bol zdrojom poznávania a informácií, a nie bezbrehým dirigizmom podnikovej sféry. Za nevyhnutné sa považovalo vypracovanie koncepcie rozvoja národného hospodárstva s cieľom ujasniť si možnosti optimálneho rastu tak na úrovni federácie, ako i národných štátov.[39]

Všetky predstavy slovenských ekonómov sa do ústavného zákona o čs. federácii nepodarilo presadiť, navyše augustová okupácia „spriatelenými armádami" znamenala koniec ilúzií o možnosti skutočnej demokratizácie. Realita formálnej federácie štátu sa tak nadlho stala jedným z nemnohých výsledkov čs. jari 1968. V systéme socializmu sovietskeho vzoru totiž federácia inou ako formálnou ani nemohla byť. Nastal čas normalizácie a postupný odchod reformátorov z funkcií. J. Ferianc bol v prvej slovenskej vláde krátko ministrom plánovania (od januára 1969 do konca apríla 1970[40]) a potom dlhé roky pôsobil ako námestník Slovenskej plánovacej komisie a snažil sa presadzovať slovenské záujmy v súvislosti s prípravou dlhodobých plánov hospodárskeho rozvoja. Ani po r. 1968 sa nepridal k takým autorom, ktorí zrazu „na spoločenskú objednávku" začali s kritikou „revizionistických" názorov, ktoré sa vraj prejavovali v 2. polovici 60. rokov 20. storočia.[41] J. Ferianc sa naďalej, snáď s ešte väčšou intenzitou venoval odbornej vedeckej činnosti, ktorej výsledkom bola i hádam jeho najvýznamnejšia monografia – *Ekonómia času*,[42] ktorá je nezvyklým dokladom jeho tvorivého myslenia, ale i schopnosti spájať vedomosti z takých disciplín ako fyzika, matematika a ďalšie prírodné vedy s ekonomickými.

Odborný, kritický úsudok bol J. Feriancovi vlastný i v súvislosti s jeho pohľadom na sociálno-ekonomický vývoj Slovenska v období socializmu. Ako konštatoval, *„všetky krátkodobé výkyvy vo vývine československej ekonomiky (1954 – 1955, 1962 – 1964, prekonávanie dôsledkov krízového obdobia – 1969, ako aj posledne zaznamenaný výkyv v rokoch 1981 – 1982)"* mali svoj odraz v spomaľovaní procesu ekonomického a sociálneho vyrovnávania Slovenska na úroveň českých krajín.[43] Uvedomoval si, z dlhodobého hľadiska pozitívne vplyvy procesu vyrovnávania na Slovensko, podobne ako viaceré problémy – napr.

38 Socialistické zriadenie v priebehu roka 1968 nespochybňuje ani J. Ferianc, ani ďalší slovenskí ekonómovia.

39 Cit. podľa FERIANC – KUŤKA, Ekonomický obsah, c. d., s. 114 – 120.

40 V tomto období (v máji 1969) J. Ferianc predkladal ako minister rozsiahlu a podnetnú analýzu toho hospodárskeho vývoja, ktorým Slovensko prechádzalo od skončenia 2. svetovej vojny. Slovenský národný archív Bratislava, fond ÚV KSS, kartón 1228.

41 Pozri napr. publikáciu *Revizionizmus v československej ekonomickej teórii. Zborník statí.* Zost. IŠA, Ján. Bratislava : Pravda, 1977.

42 FERIANC, Ján. *Ekonómia času*. Bratislava : Pravda, 1983.

43 Cit. podľa FERIANC, Ján. Sociálno-ekonomický rozvoj Slovenska v období socialistickej výstavby. In *Rozvoj Slovenska v politike KSČ*. Bratislava : Ústav marxizmu-leninizmu ÚV KSS, Fakulta Vysokej školy politickej ÚV KSČ, s. 190.

personálne zaostávanie vedecko-výskumnej základne, či rast rozdielu peňažných príjmov medzi obyvateľmi Slovenska a českých krajín na začiatku 80. rokov.[44]

Koncom 80. rokov 20. storočia sa v súvislosti s prestavbou uvažovalo o príprave novej ústavy ČSSR, pričom jej hlavným cieľom s ohľadom na zahraničnú politiku mala byť formálna garancia niektorých demokratických práv a slobôd. Do širšej diskusie, ktorá sa rozvíjala i v súvislosti s 20. výročím vzniku federácie, sa zapojil i J. Ferianc. Zo slovenskej strany vtedy verejne zaznela požiadavka vypracovania republikových ústav a diskusia začínala nadobúdať politické dimenzie. Podľa Ferianca je najvyšším princípom demokracie sloboda národov: *„Ani český národ nemôže byť slobodný, pokiaľ nedožičí slobodu aj Slovákom."* Povojnové asymetrické usporiadanie štátu oslabovalo Československo ako celok a nakoniec sa ukázalo, že podmienky pre federáciu už dávno dozreli. [45] Česko-slovenské vzťahy sa však nakoniec riešili až v nových spoločensko-politických podmienkach po novembrových udalostiach r. 1989.

V nich J. Ferianc pôsobil vo funkcii riaditeľa Prognostického ústavu SAV a mal tak možnosť do istej miery uplatniť svoje koncepčné myslenie. Napriek zdravotným problémom naďalej vedecky pracoval a rozvíjal svoje teoretické schopnosti. Dôkazom toho je jeho účasť na monografii *Makroekonomická stratégia prechodu na trhovú ekonomiku.*[46] V nej s veľkým nadhľadom hovorí o možnostiach, ktorými disponuje demokratický štát pri určovaní pohybu svojej ekonomiky, vychádzajúc z poznania relevantných prác zahraničných autorov, často ich pritom obohatil o nové idey. Zároveň analyzoval ekonomický vývin čs. a slovenskej ekonomiky na začiatku a v prvej polovici 90. rokov, v období vzniku samostatnej Slovenskej republiky, pričom operoval štatistickými údajmi tak zo zahraničnej, ako i domácej proveniencie. Poukázal tiež na niektoré nedomyslenia, či unáhlené kroky, ktorých sa dopustili vládne orgány – napr. vláda ČSFR koncom r. 1990 prehnanou devalváciou čs. koruny, ktorá mala za následok dlhodobé znehodnocovanie národnej práce.[47] Vydania svojej poslednej knižnej práce sa však už J. Ferianc nedožil.

44 Tamže, s. 210.
45 In *Literárny týždenník*, č. 3, 20. január 1989.
46 FERIANC, Ján – KORAUŠ, Anton. *Makroekonomická stratégia prechodu na trhovú ekonomiku.* Bratislava : Sprint, 1997.
47 Tamže, s. 86.

Výberová bibliografia PhDr. Bohumily Ferenčuhovej, DrSc.*

Alžbeta Sedliaková

Knižné práce

Sovietske Rusko a Malá dohoda. K problematike medzinárodných vzťahov v rokoch 1917 – 1924. Bratislava : Veda, 1988. 158 s. Ed. Slovanské štúdie 1988, č. 2.

Francúzsko a slovenská otázka 1789 –1989. Bratislava : Veda, 2008. 490 s.

FERENČUHOVÁ, Bohumila a kol. *Slovensko a svet v 20. storočí. Kapitoly k 70. narodeninám PhDr. Valeriána Bystrického, DrSc.* Bratislava : Historický ústav SAV, 2006. 272 s.

FERENČUHOVÁ, Bohumila – GEORGET, Jean-Louis a kol. *Politické a kultúrne transfery medzi Francúzskom, Nemeckom a strednou Európou (1840 –1945): prípad Slovenska = Political and cultural transfers between France, Germany and Central Europe (1848 – 1945: the case of Slovakia. Hommage a Dominique Lassaigne.* Bratislava : Veda, 2010. 451 s.

FERENČUHOVÁ, Bohumila a kol. *Biografia a historiografia. Slovenský, český a francúzsky pohľad.* Bratislava : Spoločnosť Pro Historia, 2012. 239 s.

FERENČUHOVÁ, Bohumila – ROGUĽOVÁ, Jaroslava a kol. *Občianska spoločnosť a politická kultúra. Kapitoly z dejín Slovenska 1918 – 1938.* Bratislava : Historický ústav SAV, 2012. 214 s.

FERENČUHOVÁ, Bohumila – ZEMKO, Milan a kol. *Slovensko v 20. storočí. 3. zväzok. V medzivojnovom Československu 1918 – 1939.* Bratislava : Veda, 2012. 544 s.

Zostavovateľská činnosť

Francúzsko a stredná Európa. Vzťahy medzi Francúzskom a strednou Európou v rokoch 1867 – 1914. Vzájomné vplyvy a predstavy. = La France et l'Europe centrale. Les relations entre la France et l'Europe centrale en 1867 – 1914. Impacts et images réciproques. Bratislava : Academic Electronic Press, 1995. 169 s. slovenského textu, 185 s. francúzskeho textu. Ed. Slovanské štúdie, zvláštne číslo 2.

* Práca je výstupom projektu Vega 2/0154/14 Studená vojna a stredovýchodná Európa: niektoré aspekty jej vývoja v čase a priestore, riešeného v Historickom ústav SAV.

Milan Rastislav Štefánik, astronome, soldat, grande figure franco-slovaque et européenne. Actes du colloque de Paris le 16. mars 1999 conférences tenues à l`école militaire le 15 avril 1999. Bratislava – Paríž : Spoločnosť pre dejiny a kultúru strednej a východnej Európy – Collège interarmé de défense, 1999. 113 s.

Milan Rastislav Štefánik v zrkadle prameňov a najnovších poznatkov historiografie. ČAPLOVIČ, Miloslav – FERENČUHOVÁ, Bohumila – STANOVÁ, Mária (eds.). Bratislava : Vojenský historický ústav, 2010. 288 s.

Milan Rastislav Štefánik a česko-slovenské zahraničné vojsko (légie). Kapitoly a príspevky z vedeckej konferencie s popularizačným akcentom. Bratislava, 23. mája 2013. Bratislava : Spoločnosť Pro Historia, 2014. 140 s.

Štúdie publikované v periodikách

Revue des Deux Mondes o Čechoch, Slovákoch a národnostnom probléme v habsburskej monarchii pred rokom 1871. In *Slovanské štúdie,* roč. 17, 1976, s. 269 – 296.
K niektorým problémom výskumu dejín medzinárodných vzťahov v súčasnej francúzskej buržoáznej historiografii. In *Slovanské štúdie,* roč. 23, 1982, č. 1, s. 31 – 38.
Na prahu československo-sovietskych vzťahov. Október 1918 – marec 1919. In *Slovanské štúdie*, roč. 23, 1982, č. 2, s. 5 – 16.
Sovietska zahraničná politika voči víťazným stredoeurópskym štátom v rokoch 1920 – 1922. In *Slovanské štúdie,* roč. 24, 1983, č. 1, s. 114 – 126.
Postoj ZSSR k versailleským mierovým zmluvám v rokoch 1919 – 1925. In *Slovanský přehled,* roč. 75, 1989, č. 2, s. 114 – 126.
Leninská interpretácia vojny a mieru v poňatí stredoeurópskych komunistov v období 1917 – 1921. In *Slovanské štúdie,* roč. 29, 1989, s. 10-30.
Malá dohoda a sovietske Rusko. In *Slovanský přehled,* roč. 76, 1990, č. 4, s. 283 – 286.
Myšlienky Francúzskej revolúcie a slovenské národnoemancipačné hnutie. In *Historický časopis,* roč. 38, 1990, č. 6, s. 807 – 818.
Francúzski slavisti a česko-slovenský zahraničný odboj v priebehu prvej svetovej vojny. In *Slovanské štúdie,* 1992, č. 1, s. 48 – 71.
Briandov plán Európskej federálnej únie a Československo: vláda, paneurópske hnutie, verejná mienka. In *Historický časopis,* roč. 41, 1993, č. 2, s. 123 – 142.
Les slavisants francais et le mouvement tchécoslovaque a l`étranger au cours de la premiére guerre mondiale. In *Guerres mondiales et conflits contemporains. Revue d`histoire*, 1993, no. 169, s. 27 – 36.
Česi, Slováci a Malá dohoda v dvadsiatych rokoch. In *Sborník Vojenské akademie - Brno, řada C společenskovědní, mimořádné číslo Češi a Slováci a východní Evropa ve 20. století,* 1994, s. 113 – 118.
La présence francaise en Slovaquie depuis 1989. In *Revue d'Europe Centrale,* vol. 3, 1995, no. 2, s. 207 – 216.

Ideály a údel uhorských jakobínov. In *Slovo,* 2, 1995, leto, s. 40 – 49.

Les Slovaques (1850-1914). In *Etudes danubiennes,* vol. 12, 1996, no. 1, s. 147 – 158.

La langue et la nation: le cas slovaque. In *Cahiers de l'Institut de Linguistique et des Sciences du Langage,* vol. 8, 1996, s. 103-122.

Milan Rastislav Štefánik a Štefan Osuský. Dve veľké osobnosti československo-francúzskych vzťahov. In *Slovanské štúdie,* 1996 [vyd.1999], č. 1, s. 22 – 29.

Francúzsko a stredná Európa. In *Tvorba T,* 1997, č. 4, s. 55 – 56.

La Tchécoslovaquie et la Plan Tardieu. In *Revue d'Europe Centrale,* vol. 5, 1997, no. 2, s. 15 – 30.

Rokovanie o francúzsko-československú zmluvu o spojenectve a priateľstve (máj 1923 – január 1924). In *Slovanské historické studie,* roč. 23, 1997, s. 79 – 89.

Zmieri sa Slovensko so svojím nacionalizmom? In *OS. Fórum Občianskej spoločnosti,* 1998, č. 10, s. 6 – 12.

La Tchécoslovaquie et le project du pacte de l'est en 1934. In *Revue d'Europe Centrale,* vol. 7, 1999, no. 2, s. 37 – 58.

Megbékél Szlovákia a maga naciunalizmusával? In *Kalligram,* 2000, č. 1-2, s. 18 – 36.

Problematika národností v Uhorsku v správach francúzskeho konzulátu v Budapešti (1896 –1914). In *Zborník FFUK – Historica,* roč. 44, 2000, s. 137 – 146.

Francúzsko-talianska rivalita v Československu začiatkom roku 1919 a M. R. Štefánik. In *Historie a vojenství,* roč. 49, 2000, č. 4, s. 853 – 873.

Pamäti Louisy Weissovej a listy Milanovi Rastislavovi Štefánikovi. In *Tvorba T,* roč. 11 (20), 2001, č. 1-2, s. 23 – 30.

Dejiny medzinárodných vzťahov a slovenská historiografia. In *Historický časopis,* roč. 50, 2002, č. 1, s. 90 – 101.

O Masarykovi a Slovensku. In *Tvorba T*, roč. 12 (21), 2002, č. 3-4, s. 6 – 9.

Pravda dejín a rozprávanie dejín (Reflexia o Paulovi Ricoeurovi a iných). In *Človek a spoločnosť. Internetový časopis pre pôvodné teoretické a výskumné štúdie z oblasti spoločenských vied*, roč. 7, 2004, č. 3, 7 s.

Problematika hraníc v stredno-východnej Európe a stabilita versailleského systému medzinárodných vzťahov 1919 – 1939. In *Historické štúdie*, roč. 43, 2004, s. 9 – 29.

Perceptions slovaques de l´intégration de l´Europe médiane en Europe aprés 1989. l´Impact du présent sur les représentations historiographiques. In *„What's New in the History (and Theory) of International Relations after 1989?", History and International Relations.* Review of the Commission of History of International Relations. 2010, N. 1, Scriptaweb, s. 560 – 565.

Spoločnosť národov a maďarské menšiny v Československu, Rumunsku a Juhoslávii (minoritné zmluvy ako súčasť mierových zmlúv, garancia Spoločnosti národov, pôsobenie minoritnej sekcie Sekretariátu). In *Historické štúdie*, roč. 46, 2010, s. 7 – 40.

Remilitarizácia Rýnskej zóny 7. marca 1936. Otázka hraníc a medzinárodnej bezpečnosti (aj) v strednej Európe. In *Historický časopis*, roč. 62, 2014, č. 1, s. 39 – 59.

The Re-Militarization of the Rhineland and on 7 March 1936. A Question of Frontiers and International Security (ALSO) in Central Europe. In *Historický časopis,* roč. 63, 2015, č. 5, s. 877 – 899.

Sui rapporti tra l'Italia e la Repubblica ceco-slovacca tra il 1918 e il 1920. Selezione di documenti dell'Archivio Storico Diplomatico del Ministero degli Affari Esteri e della Cooperazione Internazionale, Roma. In *Slovak Studies*, 2015, 1-2, s. 180 – 191.

Štúdie a kapitoly publikované v zborníkoch a kolektívnych monografiách

Sovietska formulácia mierovej koexistencie na Janovskej konferencii. In DEÁK, Ladislav (zost.) *Kolektívna bezpečnosť v minulosti a súčasnosti.* Bratislava : Veda, 1977, s. 54 – 6.
The Ideas of the Revolution and the Slovak national liberation movement. Abstract. In *L'Image de la Révolution française. Communications présentées lors du Congres mondial pour le Bicentenaire de la Révolution française.* Sorbonne, Paris 6 – 12 juillet 1989. Pergamonn 1989, vol. IV, p. 2689.
K problematike výskumu dejín ZSSR a strednej a juhovýchodnej Európy vo Francúzsku so zreteľom na medzinárodnú politickú situáciu v rokoch 1975 –1987. In BORODOVČÁK, Viktor (zost.). *Predstavy o dezintegrácii socialistického spoločenstva na Západe (1975 –1985).* Bratislava : Veda, 1989, s. 154 – 166. Ed. Slovanské štúdie.
Les slavisants français et le mouvements tchéco-slovaque l'étranger au cours de la première guerre mondiale. In MISLOVIČOVÁ, Sibila (zost.). *Jedenásty medzinárodný zjazd slavistov.* Bratislava : Veda, 1993, s. 598 – 599.
Talianska a francúzska vojenská misia a československo-maďarský konflikt v rokoch 1918 –1920. In DEÁK, Ladislav (zost.). *Slovensko a Maďarsko 1918–1920.* Martin : Matica slovenská, 1995, s. 133 – 148.
L'histoire des relations internationales dans l'historiographie tchèque et slovaque depuis 1918 jusqu'à présent. Traditions d'études et perspectives de recherche. In *The History of International Relations in Central and Eastern Europe.* Cluj-Napoca : Commission of History of International Relations Babes-Bolyai University Cluj-Napoca, 1995, s. 19 – 37.
Národnostná otázka v Rakúsko-Uhorsku na prelome 19. a 20. storočia očami generácie Louisa Eisenmanna. La question des nationalités en Autriche-Hongrie vue par la génération de Louis Eisenmann: à la recherche d'une solution? In *Francúzsko a stredná Európa. Vzťahy medzi Francúzskom a strednou Európou v rokoch 1867 – 1914. Vzájomné vplyvy a predstavy. = La France et l'Europe centrale. Les relations entre la France et l'Europe centrale en 1867 – 1914. Impacts et images réciproques.* Bratislava : Academic Electronic Press, 1995, s. 95-107 (slovenský text), s. 108 – 121 (francúzsky text). Ed. Slovanské štúdie, zvláštne číslo 2.
Počiatky paneurópskeho myslenia na Slovensku (1918 –1933). In GABRIEL, M. (zost.). *Línie a osobnosti zahraničnopolitického myslenia na Slovensku v 19. a 20. storočí.* Bratislava : Slovenská spoločnosť pre zahraničnú politiku SFPA, 1996, s. 70 – 82.
Paris Slovaque ou Tchécoslovaque? Vision slovaque de Paris dans l'entre-deux-querres. In DELAPERRIÉRE, Maria – MARÈS, Antoine (eds.). *Paris Capitale culturelle de l'Europe centrale? Les échanges intellectuels entre la France et les pays de l'Europe médiane 1918 –1939.* Paris : Institut d'Etudes Slaves, 1997, s. 66 – 78.
Eduard Beneš a myšlienka zjednotenej Európy 1922–1932. In GONĚC, Vladimír (ed). *Edvard Beneš a středoevropská politika.* Brno : Masarykova univerzita, 1997, s. 75 – 101.

Yalta vue par l'historiographie slovaque. In POMPILIU, T. (ed.). *The lessons of Yalta. Colloqium of International Relations. Cluj-Napoca, May, 29-30, 1997.* Cluj-Napoca : Cluj University Press - European Studies Foundation Publishing House, 1998, s. 63 – 72.

L'accueil du Plan Briand dans les milieux politiques tchèques et slovaques. In FLEURY, A. (ed.). *Le plan Briand d'Union fédérale européenne. Perspectives nationales et transnationales, avec documents.* Bern : Peter Lang, 1998, s. 183 – 207.

Veľmocenský diktát alebo vedecký problém? Rokovania o hraniciach Československa v prvej fáze mierovej konferencie v Paríži roku 1919. In ŠVORC, Peter – HARBUĽOVÁ, Ľubica (ed.). *Stredoeurópske národy na križovatkách novodobých dejín.* Prešov : Universum, 1999, s. 236 – 251.

Národnostná otázka v Uhorsku v správach francúzskeho konzulátu v Budapešti (1896 –1914). In PODRIMAVSKÝ, Milan – KOVÁČ, Dušan (ed.). *Slovensko na začiatku 20. storočia. (Spoločnosť, štát, národ v súradniciach doby).* Bratislava : Historický ústav SAV, 1999, 168 – 179.

Informovanosť slovenskej verejnosti o zahraničnom odboji. In PODRIMAVSKÝ, Milan – KOVÁČ, Dušan (ed.). *Slovensko na začiatku 20. storočia. (Spoločnosť, štát a národ v súradniciach doby).* Bratislava : Historický ústav SAV, 1999, s. 404 – 414.

Štefánik diplomat – medzi Francúzskom a Talianskom (1914 –1919). In HRONSKÝ, Marián – ČAPLOVIČ, Miloslav (ed.). *Generál dr. Milan Rastislav Štefánik - vojak a diplomat.* Bratislava : Vojenský historický ústav, 1999, s. 87 – 108.

Slovensko a Malá dohoda z hľadiska geopolitiky. In VALENTA, Jaroslav – VORÁČEK, Emil – HARNA, Josef (usp.): *Československo 1918–1938. Osudy demokracie ve střední Evropě?* Praha : Historický ústav, 1999, 2, s. 586 – 593.

Slovensko a Malá dohoda z hľadiska geopolitiky. In PEKNÍK, Miroslav (ed.). *Pohľady na slovenskú politiku.* Bratislava : Veda vydavateľstvo SAV, 1999, s. 142 – 152.

Visions et diplomatie: Štefánik entre la guerre et la paix. In FERENČUHOVÁ, Bohumila (ed.). *Milan Rastislav Štefánik : astronome, soldat, grande figure franco-slovaque et européenne.* Bratislava – Paríž : Spoločnosť pre dejiny a kultúru strednej a východnej Európy - Collège interarmées de défense, 1999 s. 65 – 76.

Les lettres de Louise Weiss à M. R. Štefánik. In FERENČUHOVÁ, Bohumila (ed.). *Milan Rastislav Štefánik : astronome, soldat, grande figure franco-slovaque et européenne.* Bratislava – Paríž : Spoločnosť pre dejiny a kultúru strednej a východnej Európy - Collège interarmées de défense, 1999, s. 96 – 109.

Slovenský faktor v dějinách meziválečného Československa. Vznik Československa - Slovensko a československá zahraničná politika. (Názorová hladina slovenskej spoločnosti). In HARNA, Josef – MARÈS, Antoine (eds.). *Co nevíme o první Československé republice. Záznam z diskuse pořádané 25. března 1999 v Cefres v Praze.* Praha : CEFRES – Historický ústav, 1999, s. 61 – 75.

Louis Barthou a československá zahraničná politika roku 1934. In ŠESTÁK, Miroslav – VORÁČEK, Emil (ed.). *Evropa mezi Německem a Ruskem.* Praha : Historický ústav AV ČR, 2000, s. 339 – 354.

Geopolitika. Slovensko a Malá dohoda z hľadiska geopolitiky. In PEKNÍK, Miroslav (zost.). *Pohľady na slovenskú politiku.* Bratislava : Veda vydavateľstvo SAV, 2000, s. 134 – 144.

Tardieuov plán – pokus o hospodársku spoluprácu strednej Európy. In NIŽŇANSKÝ, Eduard – PETRUF, Pavol (zost.). *V premenách stáročí.* Zvolen : Klemo, 2001, s. 25 – 46.
Malý región a medzinárodná ochrana menšín: Spoločnosť národov a autonómny štatút Podkarpatskej Rusi (1919-1938). Die kleine Region und der internationale Schutz der Minderheiten: der Völkerbund und das autonome Statut Karpatorusslands (1919 – 1938). In ŠVORC, Peter (zost.). *Malé regióny vo veľkej politike, veľká politika v malých regiónoch. Kleine Regionen in der grossen Politik, grosse Politik in kleinen Regionen.* Prešov : Filozofická fakulta Prešovskej univerzity, [2001], s. 41 – 44.
Silné a slabé stránky medzinárodnej ochrany menšín: od Spoločnosti národov k Európskej únii. In ŠRAJEROVÁ, Olga (ed.). *Otázky národní identity – determinanty a subjektivní vnímání v podmínkách současné multietnické společnosti.* Opava – Praha, Slezský ústav Slezského zemského muzea v Opavě – Dokumentační a imformační středisko Rady Evropy při Evropském informačním středisku UK v Praze, 2001, s. 47 – 63.
Malý región a medzinárodná ochrana menšín: Spoločnosť národov a autonómny štatút Podkarpatskej Rusi (1919-1924). In ŠVORC, Peter – DANILÁK, Michal – HEPPNER, Harald (zost.). *Veľká politika a malé regióny 1918-1939.* Prešov : Universum, 2002, s. 134 – 154.
Malá dohoda, Locarno a bezpečnosť Slovenska v 20. rokoch. In ŠTEFANSKÝ, Michal – PURDEK, Imrich (ed.). *Slovensko vo vojnách a v konfliktoch v 20. storočí.* Bratislava : Vojenský historický ústav, 2003, s. 50 – 74.
Milan Rastislav Štefánik. Ten, ktorý miloval hviezdy. In MICHÁLEK, S. – KRAJČOVIČOVÁ, N. a kol.: *Do pamäti národa.* Bratislava : Veda vydavateľstvo SAV, 2003, s. 587 – 590.
Pablo de Azcárate a menšinový problém v bývalom Československu. In SZÁRAZ, Peter (ed.). *Španielsko a stredná Európa. Minulosť a prítomnosť vzájomných vzťahov.* Bratislava : Univerzita Komenského, 2004, s. 52 – 63.
Pablo de Azcarate y el problema de minorias en la exchecoslovaquia. In SZÁRAZ, Peter (ed.). *España y Europa central. El pasado y la actualidad de las relaciones mutuas.* Bratislava : Universidad de Comenius, 2004, s. 57 – 70.
Stav výskumu medzinárodnej ochrany menšín na Slovensku po roku 1989. In ŠUTAJ, Štefan (zost.). *Národ a národnosti na Slovensku.* Stav výskumu po roku 1989 a jeho perspektívy. Prešov : Universum, 2004, s. 13 – 30.
Tomáš Garrigue Masaryk a nemecká menšina v ČSR vo svetle dokumentov menšinovej sekcie sekretariátu Spoločnosti národov v dvadsiatych rokoch 20. storočia. In NEUDORLOVÁ, Marie L. (připr.). *Češi a Němci v pojetí a politice T. G. Masaryka. Sborník příspěvků z mezinárodní konference.* Praha : Masarykův ústav AV ČR, 2004, s. 156 – 182.
FERENČUHOVÁ, Bohumila. Československá zahraničná politika a otázky medzinárodnej bezpečnosti. In ZEMKO, Milan – BYSTRICKÝ, Valerián (eds.). *Slovensko v Československu (1918 –1939).* Bratislava : Veda, 2004, s. 35 – 56
Československá zahraničná politika a európske integračné plány v medzivojnovom období. In SLÁDEK, Kamil – ZELENÁK, Peter (zost.). *Slovensko v procese európskej integrácie.* Bratislava - Prešov : Centrum pre európsku politiku – Vydavateľstvo Michala Vaška, 2005, s. 18 – 29.

Malý región a medzinárodná ochrana menšín. Spoločnosť národov a autonómny štatút Podkarpatskej Rusi (1919 –1924). In LATKO, Ivan. *Náš kultúrno-historický kalendár 2005*. Užhorod : Užhorodský spolok Slovákov, 2005, s. 18 – 46.

M. R. Štefánik a vznik Československa. In CIGÁNKOVÁ, V. (ed.). *M. R. Štefánik, T. G. Masaryk a vznik Česko-Slovenska. Zborník z konferencie*. Brezová pod Bradlom : Mesto Brezová pod Bradlom, 2005, s. 29 – 42.

Rus v Spoločnosti národov (1925 – 1929). In ŠVORC, Peter – HARBUĽOVÁ, Ľubica – SCHWARZ, Karl (zost.). *Národnostná otázka v strednej Európe v rokoch 1848 – 1938 = Die Nationalitätenfrage in Mitteleuropa in den Jahren 1848 – 1938*. Prešov : Universum, 2005, s. 198 – 215

Rada Európy a menšinová politika Slovenskej republiky v rokoch 2000 – 2005. In: ŠUTAJ, Štefan (zost.). *Národnostná politika na Slovensku po roku 1989*. Prešov : Universum, 2005, s. 5 – 21.

Vzťahy a konflikty medzi Slovákmi a Maďarmi na Slovensku na medzinárodnej scéne. Komparácia pohľadu Spoločnosti národov a Rady Európy. In ŠUTAJ, Štefan (zost.). *Národ a národnosti na Slovensku v transformujúcej sa spoločnosti – vzťahy a konflikty*. Prešov : Universum, 2005, s. 110 – 126.

Alice G. Masaryková a Louise Weissová. Ženy vo vysokej politike ČSR a Francúzska. In MINTALOVÁ, Zora (zost.). *Červený kríž, Alica G. Masaryková a Slovensko*. Bratislava : Slovenský Červený kríž, 2006, s. 70 – 82.

Integračné predstavy Milana Hodžu v dvadsiatych rokoch 20. storočia. In PEKNÍK, Miroslav (zost.). *Milan Hodža a integrácia strednej Európy*. Bratislava : Veda, 2006, s. 66 – 92.

Milan Rastislav Štefánik. (Tvorca československej štátnosti, diplomat a slovenský národný hrdina). In *Prednášky v Slovenskom inštitúte*, 2006, č. 1, s. 1 – 16.

Ochrana národnostných menšín v Spoločnosti národov a československá politika (1919 –1926). In BENEŠ, Zdeněk – KOVÁČ, Dušan – Lemberg, Hans (eds.). *Hledání jistoty v bouřlivých časech : Češi, Slováci, Němci a mezinárodní systém v první polovině 20. století*. Ústí nad Labem : Albis international pro Česko-německou a Slovensko-německou komisi historiků, 2006, s. 107 – 138.

The Romanian – French 1926 Treaty and Its Position in the Versailles System of the Twenties. In Tůma, Oldřich - Jindra, Jiří (eds.). *Czechoslovakia and Romania in the Versailles System = Československo a Rumunsko v rámci versailleského systému*. Praha : Ústav pro soudobé dějiny AV ČR, 2006, s. 95 – 115.

Rumunsko-francúzska zmluva z roku 1926. In FERENČUHOVÁ, Bohumila a kol. *Slovensko a svet v 20. storočí. Kapitoly k 70. narodeninám PhDr. Valeriána Bystrického, DrSc.* Bratislava : Historický ústav SAV, 2006, s. 98 – 116.

Spoločnosť národov a maďarská menšina v Rumunsku (Školské zákony z rokov 1924 – 1925). In BOČEK, Pavel a kol. *Studia Balcanica Bohemo-Slovaca. 6 sv. Příspěvky přednesené na 6. mezinárodním balkanistickém sympoziu v Brně ve dnech 25.– 27. dubna 2005*. Brno : Matice moravská, 2006, s. 177 – 189.

Štúdiá a literárne začiatky. In MICHÁLEK, Slavomír a kol. *Juraj Slávik Neresnický. Od politiky cez diplomaciu po exil (1890 – 1969)*. Bratislava : Prodama, 2006, s. 48 – 65.

Valerián Bystrický a moderné slovenské dejiny. In FERENČUHOVÁ, Bohumila a kol. *Slovensko a svet v 20. storočí. Kapitoly k 70. narodeninám PhDr. Valeriána Bystrického, DrSc.* Bratislava : Historický ústav SAV, 2006, s. 14 – 25.

La vision slovaque des relations entre la France et la Petite Entente (1918-1925). In HOREL, Catherine. Nations, cultures et sociétés d´Europe centrale aux XIX et XX siecles. Mélangés offerts au professeur Bernard Michel. Paris : Université Paris I Pantheon - Sorbonne, 2006, s. 83 – 105.

Předčasný let do nebe. In JEŠÁTKOVÁ Tereza (red.). *Co kdyby to dopadlo jinak? Křižovatky českých dějin.* Praha : Dokořán, 2007, s. 82 – 91.

T. G. Masaryk a československá zahraničná politika (1918 –1935). In LEIKERT, Jozef a kol. *Politik s dušou filozofa : miesto T. G. Masaryka v česko-slovenských dejinách.* Bratislava : Spoločnosť Pro História, 2007, s. 24 – 33.

T. G. Masaryk et la Slovaquie. In DUCREUX, Marie-Elizabeth – MARÈS, Antoine – SOUBOGOU, Alain (eds.). *Tomáš G. Masaryk : un intellectuel européen en politique 1850-1937.* Paris : Institut d´études slaves, 2007, s. 85 – 92.

Zmieri sa Slovensko so svojím nacionalizmom? In SZIGETI, László (zost.). *Slovenská otázka dnes.* Bratislava : Kalligram, 2007, s. 171 – 187.

L´Alliance Franco-Tchécoslovaque dans l´entre-deux-guerres. Le Poids de l´image du Francais et du Russe/Soviétique dans le processus de décision en politique étrangère. In BENZONI, Maria Matilde – FRANK, Robert – PIZZETTI, Silvia Maria. *Images des peuples et histoire des relations internationales du XVIe siècle à nos jours.* Paris : Université Paris I Panthéon - Sorbonne, 2008, s. 357 – 375.

Integračné plány v 20. rokoch: Malá dohoda a Briandov plán európskej federálnej únie. In MARUŠIAK, Juraj – SLÁDEK, Kamil – ZELENÁK, Peter (eds.). *Integračné a dezintegračné procesy v strednej Európe v 20. storočí.* Bratislava : Ústav politických vied SAV, 2008, s. 100 – 117.

Maďarská menšina na Slovensku v Rade Európy po roku 1989. In ŠUTAJOVÁ, Jana – ĎURKOVSKÁ, Mária (eds.). *Maďarská menšina na Slovensku v procesoch transformácie po roku 1989 (identita a politika II.).* Prešov : Universum, 2008, s. 30 – 41.

Problematika maďarskej menšiny na Slovensku v európskych inštitúciách. In ŠUTAJ, Štefan a kol. *Maďarská menšina na Slovensku po roku 1989.* Prešov : Universum, 2008, s. 134 – 147.

Relations Between France and Czechoslovakia and Attempts to Create Collective Security System in Interwar Period. In LEBEDEVA, N. S.– WOLOS, M. – KORŠUNOV, J. M. (eds.). *Miunchenskoje soglasenije 1938 goda: istorija i sovremennosť. Materialy meždunarodnoj naučnoj konferencii. Moskva, 15-16 oktjabrja 2008 g.* Moskva : Rosijskaja akademija nauk Institut vseobščej istorii, 2009, s. 49 – 58.

Slováci, Francúzsko a vznik Československa v roku 1918. In *Francie a zrození Československa : společná cesta k demokratické Evropě (1914 –1925). Katalog výstavy = La Naissance de la Tchécoslovaquie et la France : un chemin commun vers une Europe démocratique (1914 – 1925) catalogue d'éxposition.* Praha : Ministerstvo zahraničních věcí ČR, 2008, s. 44 – 75.

Le mausolée de Bradlo comme lieu de mémoire slovaque. In MARÈS, Antoine (ed.). *Lieux de mémoire en Europe centrale.* Paris : Institut d´études Slaves, 2009, s. 131 – 154.
Milan Rastislav Štefánik a začiatky česko-slovenského zahraničného hnutia počas prvej svetovej vojny. In CHOVANČÍKOVÁ, Irena (red.). *T. G. Masaryk, jeho spolupracovníci a vznik československého státu.* Hodonín : 2009, s. 26 – 36.
Der Schutz der nationalen Minderheiten im Völkerbund und die tschechoslowakische Politik (1919 – 1926). In LEMBERG, Hans et al. (ed.). *Die Suche nach Sicherheit in stürmischer Zeit. Tschechen, Slowaken und Deutsche im System der internationalen Beziehungen der ersten Hälfte des 20. Jahrhunderts.* Essen : Klartext Verlag, 2009, s. 113 – 147.
1938: de la protection internationale des minorités aux solutions radicales. In MARÈS, Antoine (ed.). *La Tchécoslovaquie sismographe de l´Europe au XX e siecle.* Paris : Institut d‘ études slaves, 2009, s. 87 – 106.
Le cas slovaque: contribution à l´histoire des transferts politiques et culturels entre la France, l´Allemagne et l´Europe centrale (1840-1945). In FERENČUHOVÁ, Bohumila – GEORGET, Jean-Louis a kol. *Politické a kultúrne transfery medzi Francúzskom, Nemeckom a strednou Európou (1840-1945): prípad Slovenska = Political and cultural transfers between France, Germany and Central Europe (1848 – 1945: the case of Slovakia). Hommage a Dominique Lassaigne.* Bratislava : Veda vydavateľstvo SAV, 2010, s. 13 – 18.
L´identité slovaque dans la République tchécoslovaque multiculturelle 1918-1938. Positionnement du problème. In FERENČUHOVÁ, Bohumila – GEORGET, Jean-Louis a kol. *Politické a kultúrne transfery medzi Francúzskom, Nemeckom a strednou Európou (1840 – 1945): prípad Slovenska = Political and cultural transfers between France, Germany and Central Europe (1848 –1945: the case of Slovakia) Hommage a Dominique Lassaigne.* Bratislava : Veda vydavateľstvo SAV, 2010, s. 212 – 237
HARBUĽOVÁ, Ľubica – FERENČUHOVÁ, Bohumila. Migration des habitans de la Russie aprés 1917 et la Tchécoslovaquie (1918 – 1939). In HOLEC, Roman – KOŽIAK, Rastislav (eds.). *Historiography in Motion : Slovak Contributions to the 21 st International Congress of Historical Sciences.* Banská Bystrica : State Scientific Library, 2010, s. 110 – 120. [CD-ROM]
M. R. Štefánik a česko-slovenské hnutie v zahraničí v zrkadle francúzskych dokumentov. In: ČAPLOVIČ, Miloslav – FERENČUHOVÁ, Bohumila – STANOVÁ, Mária (eds.). *Milan Rastislav Štefánik v zrkadle prameňov a najnovších poznatkov historiografie.* Bratislava : Vojenský historický ústav, 2010, s. 129 – 150.
Na ceste k Trianonu – československo-maďarsko- rumunské konfrontácie na jar 1919. In PETRUF, Pavol a kol. *Slovensko a Československo v XX. storočí. Vybrané kapitoly z dejín vnútornej i zahraničnej politiky. K 70. narodeninám PhDr. Dagmar Čiernej - Lantayovej, DrSc.* Bratislava : Historický ústav SAV, 2010, s. 23 – 35.
Príspevok k dejinám politických a kultúrnych transferov medzi Francúzskom, Nemeckom a strednou Európou (1840 –1945). Prípad Slovenska. In FERENČUHOVÁ, Bohumila – GEORGET, Jean-Louis a kol. *Politické a kultúrne transfery medzi Francúzskom, Nemeckom a strednou Európou (1840-1945): prípad Slovenska = Political and cultural transfers between France, Germany and Central Europe (1848 –1945: the case of Slovakia). Hommage a Dominique Lassaigne.* Bratislava : Veda vydavateľstvo SAV, 2010, s. 19 – 23.

Slovenská identita v multikultúrnej Československej republike 1918-1938. Postavenie problému. In FERENČUHOVÁ, Bohumila – GEORGET, Jean-Louis a kol. *Politické a kultúrne transfery medzi Francúzskom, Nemeckom a strednou Európou (1840 – 1945): prípad Slovenska = Political and cultural transfers between France, Germany and Central Europe (1848 – 1945: the case of Slovakia). Hommage a Dominique Lassaigne.* Bratislava : Veda vydavateľstvo SAV, 2010, s. 238 – 259.

Trianonská mierová zmluva a jej interpretácia v historiografii. In ČAPLOVIČ, Miloslav – STANOVÁ, Mária a kol. *Slovensko v dejinách 20. storočia. Kapitoly k spoločenským a vojensko-politickým udalostiam. K 70. narodeninám PhDr. Máriána Hronského, DrSc.* Bratislava : Vojenský historický ústav, 2010, s. 121 – 130.

Mierová konferencia, mierové zmluvy a nový európsky systém. In DEJMEK, Jindřich a kol. *Zrod nové Evropy : Versaills, St.-Germain, Trianon a dotváření poválečného mírového systému.* Praha : Historický ústav AV ČR, 2011 s. 21 – 55.

Československo v medzinárodnej politike 20. rokov. In FERENČUHOVÁ, Bohumila – ZEMKO, Milan a kol. *Slovensko v 20. storočí. 3. zväzok. V medzivojnovom Československu 1918 –1939.* Bratislava : Veda vydavateľstvo SAV, 2012, s. 59 – 92.

Medzinárodná politika v 30. rokoch a Mníchov. In FERENČUHOVÁ, Bohumila – ZEMKO, Milan a kol. *Slovensko v 20. storočí. 3. zväzok. V medzivojnovom Československu 1918 –1939.* Bratislava : Veda vydavateľstvo SAV, 2012, s. 389 – 414.

Neznámy Bohdan Pavlů a jeho doba (3. marca 1883 – 12. mája 1938). In FERENČUHOVÁ, Bohumila a kol. *Biografia a historiografia. Slovenský, český a francúzsky pohľad.* Bratislava : Spoločnosť Pro Historia, 2012, s. 197 – 220.

Občianska spoločnosť na medzivojnovom Slovensku medzi demokraciou, fašizmom a komunizmom: kultúrne tradície a zahraničné vplyvy. In FERENČUHOVÁ, Bohumila – ROGUĽOVÁ, Jaroslava a kol. *Občianska spoločnosť a politická kultúra. Kapitoly z dejín Slovenska 1918-1938.* Bratislava : Historický ústav SAV, 2012, s. 11 – 32.

FERENČUHOVÁ, Bohumila – HARBUĽOVÁ, Ľubica. L´Émigration des Russes 1918 –1939. La Première République Tchécoslovaque comme lieu de Transferts Culturels en Europe. In CANAVERO, Alfredo – ELLI, Mauro – PAOLINI, Rita – TERTRAIS, Hugues (eds.). *Migration, Cultural Transfers and International Relations.* Milano : Edizioni Unicopli, 2012, s. 219 – 230.

Vznik Československa a začlenenie Slovenska do nového štátu. In FERENČUHOVÁ, Bohumila – ZEMKO, Milan a kol. *Slovensko v 20. storočí. 3. zväzok. V medzivojnovom Československu 1918 –1939.* Bratislava : Veda vydavateľstvo SAV, 2012, s.17 – 38, 54 – 58.

Lingvistický, geografický a mocenský rozmer stanovenia hraníc Slovenska po roku 1918. In Michálek, Slavomír a kol. *Slovensko v labyrinte moderných európskych dejín. Pocta historikov Milanovi Zemkovi.* Bratislava : Historický ústav SAV, 2014, s. 105 – 119.

M. R. Štefánik a československé vojsko v Rusku (s dôrazom na roky 1916-1917). In FERENČUHOVÁ, Bohumila (ed.). *Milan Rastislav Štefánik a česko-slovenské zahraničné vojsko (légie). Kapitoly a príspevky z vedeckej konferencie s popularizačným akcentom Bratislava 23. mája 2013.* Bratislava : Spoločnosť Pro Historia, 2014, s. 13 – 26.

Helena Turcerová - Devečková, la famille d´Ernest Denis et Turčiansky sv. Martin comme lieux de médiation culturelle. In MARÈS, Antoine (ed.). *La France et l´Europe centrale. Médiateurs et médiations.* Paris : Institut d´études Slaves, 2015, s. 203 – 222.

Milan Hodža počas krízy medzinárodných vzťahov 1936 s vyvrcholením po vstupe nemeckých vojsk do demilitarizovanej zóny v Porýní. In GONĚC, Vladimír – PEKNÍK, Miroslav a kol. *Milan Hodža ako aktér medzinárodných vzťahov.* Bratislava : Veda, 2015, s. 252 – 277.

Podkarpatská Rus v Spoločnosti národov (1929 – 1934). In HARBUĽOVÁ, Ľubica (ed.). *Kapitoly z dejín Podkarpatskej Rusi 1919 –1945. Venované životnému jubileu 80. narodeninám Dr.h.c. prof. PhDr. Michala Daniľáka, Csc.* Prešov : Prešovská univerzita, 2015, s. 273 – 287.

Slovenská otázka počas Veľkej vojny v kontexte medzinárodnej politiky. In OSYKOVÁ, Linda – HANULA, Matej a kol. *Ideológia naprieč hranicami : myšlienkové transfery v Európe a na Slovensku v 1. polovici 20. storočia.* Bratislava : Historický ústav SAV - Veda, 2015, s. 11 – 26.

Malá dohoda medzi Francúzskom a Talianskom v 20. rokoch 20. storočia (1920 – 1927. In MICHÁLEK, Slavomír – MANÁK, Marián (zost.). *Dejinné premeny 20. storočia. Historik Pavol Petruf 70-ročný.* Bratislava : Historický ústav SAV – Ústav dejín Trnavskej univerzity v Trnave – Veda, 2016. s. 67 – 74.

La questione slovacca nella Grande Guerra nel contesto della politica internazionale. In LEONCINI, Francesco (ed). *„La legione Ceco - Slovacca in Italia e la grande guerra.“Raccolta di Studi.* Roma : L´Ambasciata della Repubblica Slovacca in Italia, 2016, s. 41 – 50.

K vzťahom medzi Talianskom a ČSR v rokoch 1918-1920 vo svetle diplomatického archívu Ministerstva zahraničných vecí Talianska. In ROGUĽOVÁ, Jaroslava – HERTEL, Maroš (zost.): *Adepti moci a úspechu. Etablovanie elít v moderných dejinách. Jubileum Valeriána Bystrického.* Bratislava : Veda – Historický ústav SAV, 2016, s. 181 – 188.

Okrem tu uvedených publikácií autorka publikovala množstvo odborných a popularizačných prác. Bohatá je tiež jej prekladateľská a recenzná činnosť.

Pri zostavovaní bibliografie som vychádzala okrem iných zdrojov aj z kartotéky, ktorú vyhotovila Ivanka Mikuličová. Ďakujem jej i kolegyniam z Knižnice Historického ústavu SAV PhDr. Márii Ďurkovej, Kamile Bzdúškovej a Simone Ďurkovej za pomoc.

PRAMENE A LITERATÚRA

Internetové zdroje

http://www.clermont-ferrand.fr/L-Universite-de-Strasbourg-a.html
http://www.diplomatie.gouv.fr/fr/IMG/pdf/chauvel.pdf
http://www.univ-bpclermont.fr/article2432.html
https://www.unistra.fr/fileadmin/upload/unistra/documentation/historique_uds.pdf
Společná česko-slovenská digitální parlamentní knihovna, www.psp.cz/eknih/1969cnr/stenprot/005schuz/s005002.htm, ČNR 1969 – 1971.
Společná česko-slovenská digitální parlamentní knihovna, www.psp.cz/eknih/1971fs/slsn/stenprot/021schuz/s021007.htm, FS ČSSR 1971 – 1976

Archívy

Arhivele Naţionale ale României Bukurešť
  mikrofilmy Cehoslovacia
Archiv bezpečnostních složek - Ústav pro studium totalitních režimů Praha
  f. A 31
  f. Hlavní správa Vojenské kontrarozvědky (f. 302)
  f. Stíhání nacistických válečných zločinců (f. 325)
Archives du ministère des Affaires étrangères Paríž
Archives du service slave de la Bibliothèque de documentation internationale contemporaine
  f. CPC 1896 – 1918
Archiv ministerstva zahraničných věcí České republiky Praha
  f. SA-EB
Archív Národnej banky Slovenska
  f. Ľudová banka v Ružomberku
  f. Národná banka
  f. Slovenská banka
Archiv Národního muzea Praha,
  f. Milan Hodža
Archív Ústavu pamäti národa Bratislava
  f. A 2/1
  f. A 9
  f. R 012
  f. Rozkazy ministra vnútra ČSSR
Archiv Ústavu pro soudobé dějiny Akademie věd České republiky Praha
  f. Sbírka Komise vlády ČSFR
Archiv ústavu T. G. Masaryka Praha
  f. Edvard Beneš
  f. TGM
Bibliothèque de documentation internationale contemporaine

f. Pierre Pascal
Gasudarstvenoj archiv Rossijskoj Federacii Moskva
N° fond 111
Institut d'études slaves
f. Mazon
Múzejno-dokumentačné centrum Bratislava
Národní archiv České republiky Praha,
f. 02/1, Predsedníctvo ÚV KSČ 1966 – 1971
f. AA
f. Ministerstvo dopravy
f. Ministerstvo školstva a národní osvěty
f. Ministerstvo železnic
f. Prezidium ministerstva vnitra – Archiv ministerstva vnitra
f. Předsednictvo ministerské rady
f. Úrad Predsedníctva vlády ČSSR/ČSFR – běžná spisovna
f. ÚV KSČ 1945 – 1989
Rossijskij gosudarstvennyj archiv social'noj i političeskoj istorii (RGASPI) Moskva
f. 495
f. 293
f. 498
Sacra congregazione degli Affari ecclesiastici straordinari Vatikán
f. AA. EE. SS
Service historique de la Défense – Département de l´armée de terre Vincennes
Slovenský národný archív Bratislava
o. f. Ivan Markovič
o. f. Vavro Šrobár
o. f. M. R. Štefánik
f. SNR 1969 – 1992
f. Tatra banka
f. Spolok profesorov Slovákov
f. ÚV KSS
f. ÚV SNF
Státní oblastní archív Praha
f. Mimořádní lidový soud
The National Archives Londýn
f. Foreign Office (FO)
Vojenský historický ústav Bratislava
f. Zemské vojenské velitelství Košice
Vojenský ústřední archiv – Vojenský historický archiv Praha
f. 37
f. ČSNR – Paríž
f. ČSNR, ČSNR II
f. OČSNR – Rusko

Edície dokumentov

ÁDÁM, Magda – LITVÁN, György – ORMOS, Mária (ed.). *Documents diplomatiques français sur l'histoire du Bassin des Carpates 1918-1932 (vol : 1 : octobre 1918 – août 1919)*. Budapest : Akadémiai kiadó, 1993.

Akten zur deutschen auswärtigen Politik. Serie D. Band II (ADAP) Baden – Baden. Frankfurt am Main : Keppler-Verlag, 1951

BÍLEK, Jan et al. (ed.). *Korespondence T. G. Masaryk – Karel Kramář*. Praha : Masarykův ústav AV ČR, 2005.

ČELKO, Vojtech. Korešpondencia Prečan – Šimečka v začiatkoch normalizácie. In Češi a Slováci 1993 – 2012. Minulost je bitevním polem součastníků. Dokumenty. *Česko-slovenská historická ročenka 2012*. (Eds. Vladimír Goněc, Roman Holec). Bratislava : Veda, 2013.

DEÁK, Ladislav. *Viedenská arbitráž 2. november 1938*. Dokumenty I. Martin : Matica slovenská, 2002.

Documents diplomatiques français. 1968. Tome I (1er janvier – 29 juin). Bruxelles: Peter Lang S.A., 2009.

Documents diplomatiques français. 1968. Tome II (2 janvier – 31 décembre). Bruxelles: Peter Lang S.A., 2010.

Dokumenty slovenskej národnej identity a štátnosti II. Bratislava : Národné literárne centrum – Dom slovenskej literatúry, 1998

GRONSKÝ, Ján. *Komentované dokumenty k ústavním dějinám Československa. Sv. III. 1960 – 1989*. Praha : Univerzita Karlova v nakl. Karolinum, 2007.

HÁJKOVÁ, Dagmar – QUAGLIATOVÁ, Vlasta – VAŠEK, Richard (ed.). *Korespondence T. G. Masaryk – Edvard Beneš, 1918-1937*. Praha : Masarykův ústav – AV ČR, 2013.

HUSÁK, Gustáv. *State a prejavy: Apríl 1969 – apríl 1970*. Bratislava : Pravda, 1970.

HUSÁK, Gustáv. *Výbor z projevů a statí 1969 – 1985. I.*, Praha : Svoboda, 1986.

Komintern i ideja mirovoj revoľucii. Dokumenty. Ed. Jakov S. Drabkin. Moskva : Nauka 1998.

LANDAU, Zbigniew – TOMASZEWSKI, Jerzy. *Monachium 1938. Polskie dokumenty dyplomatyczne*. Varšava : Panstwowe Wydawnictwo Naukowe, 1985.

Ministerstvo vnitra a bezpečnostní aparát v období pražského jara 1968 (leden – srpen 1968). Prameny k dějinám československé krize v letech 1967 – 1970. 7. Ed.: KOUDELKA, František, SUK, Jiří. Brno : Doplněk 1996.

Mnichov v dokumentech. Svazek I. Ed. Vladimír Soják. Praha : Státní nakladatelství politické literatúry, 1958.

Politické programy českého a slovenského agrárního hnutí 1899 -1938. Eds. Josef Harna, Vladislav Lacina. Praha : Historický ústav AV ČR, 1999

Polskie dokumenty dyplomaticzne 1938. Ed. Marek Kornat. Warszawa : Polski institut Spraw Międzynarodowych, 2007.

Pramene k dejinám Slovenska a Slovákov, XII a, Slovensko pri budovaní základov Československej republiky. Vedecký redaktor R. Letz. Bratislava, 2014.

Prameny k dějinám československé krize v letech 1967 – 1970. Praha; Brno : Doplněk, 1996

Rok šedesátý osmý v usneseních a dokumentech ÚV KSČ. Praha : Svoboda, 1969.
SERAPIONOVA, Jelena Pavlovna (ed.). *Češsko-Slovackij (Čechoslovackij) korpus. 1914 – 1920. Dokumenty i materialy. Tom 1. Češsko-slovackie voinskie formirovania v Rossii. 1914 – 1917.* Moskva : Novalis, 2013.
Slovensko a slovenská otázka v poľských a maďarských diplomatických dokumentoch v rokoch 1938-1939. Eds. Dušan Segeš, Maroš Hertel, Valerián Bystrický. Bratislava : Spoločnosť Pro História, 2012.
TISO, Jozef. *Prejavy a články (1938-1944)* Zv. II. Eds. Miroslav Fabricius – Katarína Hradská. Bratislava : Academic Electronic Press; Historický ústav SAV, 2007.
„Tretia ríša" a vznik Slovenského štátu. Dokumenty I. Eds. Michal Schwarc, Martin Holák, David Schriffl. Bratislava : Ústav pamäti národa. SNM – Múzeum kultúry karpatských Nemcov, 2008.
VONDROVÁ, Jitka – NAVRÁTIL, Jaromír (eds.). *Komunistická strana Československa: Kapitulace (srpen – listopad 1968).* Ediční řada Prameny k dějinám československé krize v letech 1967 – 1970. Díl 9/3 sv. Praha – Brno : ÚSD AV ČR – Doplněk, 2001, s. 479 – 610.
VONDROVÁ, Jitka - NAVRÁTIL, Jaromír (eds.). *Komunistická strana Československa: Normalizace (listopad 1968 – září 1969).* Ediční řada Prameny k dějinám československé krize v letech 1967 – 1970. Díl 9/4 sv. Praha – Brno : ÚSD AV ČR – Doplněk 2003.
VONDROVÁ, Jitka – NAVRÁTIL, Jaromír. *Mezinárodní souvislosti československé krize 1967 – 1970. Červenec – srpen 1968.* Praha – Brno: Ústav pro soudobé dějiny AV ČR v nakladatelství DOPLNĚK, 1996.
VONDROVÁ, Jitka – NAVRÁTIL, Jaromír. *Mezinárodní souvislosti československé krize 1967–1970. Prameny k dějinám československé krize v letech 1967–1970* , sv. 4/3, Brno : Doplněk, 1997.
VONDROVÁ, Jitka. *Mezinárodní souvislosti československé krize 1967–1970. Prameny k dějinám československé krize v letech 1967–1970, sv. 4/4.* Brno : Doplněk, 2011.
Zjazd Komunistickej strany Slovenska 13. – 15. mája 1971. Bratislava : Pravda, 1971.
ŽATKULIAK, Jozef (ed.). *Realizácia a normalizačná revízia česko-slovenskej federácie (september 1968 – december 1970). Dokumenty.* Praha : ÚSD AV ČR, 2011.

Dobová tlač

Elán 1937 – 1944, 1946
Journal Officiel 1920
L'Europe nouvelle 1919
Lidové noviny 1928
Literárny týždenník 1989
Národnie noviny 1920
Náš boj 1943
Paris-Soir 1943
Politika 1932
Pravda 1969
Revue de Paris 1919
Robotnícke noviny 1925, 1928, 1935

Rudé právo 1966, 1969
Sborník Spolku profesorov Slovákov 1922, 1941/1942
Slovák 1927 – 1929, 1932, 1935, 1938
Slovenské noviny 1939
Slovenský denník 1925, 1927, 1929, 1935
Slovenský týždenník 1920
Slovenský učiteľ
Věstník MŠaNO 1918/1919
Zbierka zákonov Československej socialistickej republiky 1960
Židovské zprávy 1918, 1919

Literatúra

50 rokov Slovenskej banky 1879 – 1930. Bratislava 1930.
ADIBEKOV, Grant M. – ŠACHŇAZAROVA, Eleonora N. – ŠIRIŇA, Kirill K. *Organizacionnaja struktura Kominterna 1919 – 1943.* Moskva : ROSSPEN, 1997.
AMORT, Čestmír et al. *Přehled dějin československo-sovětských vztahů v údobí 1917-1939.* Praha : Academia 1975.
AZUD, Ján. *Medzinárodné právo.* Bratislava : Veda, 2003.
BALÍK, Hubert. *Národní výbory a politika KSČ.* Praha : Svoboda, 1979.
BALÍK, Stanislav - HLOUŠEK, Vít - HOLZER, Jan - ŠEBO, Jakub. *Politický systém českých zemí 1848 – 1989.* Brno : Masarykova univerzita, Mezinárodní politologický ústav, 2007.
BALÍK, Stanislav - KUBÁT, Michal. *Teorie a praxe totalitních a autoritativních režimů.* Praha : Dokořán, 2004.
BARCSAY, Thomas. Banking in Hungarian Economic Development 1867 – 1919. In *Business and Economic History,* 1991, séria 2, zv. 20.
BÁRTA, Milan – BŘEČKA, Jan – KALOUS, Jan. *Demonstrace v Československu v srpnu 1969 a jejich potlačení.* Praha : Ústav pro studium totalitních režimů, 2012.
BÁRTA, Miloš – FELCMAN, Ondřej – BELDA, Josef – MENCL, Vojtěch. Československo roku 1968. 2. *díl: počátky normalizace.* Praha : Parta, 1993.
BARTLOVÁ, Alena. Dar pre arcibiskupa. Kauza Milan Hodža a 23 miliónov. In
BARTOŠEK, Karel. Naše nynější krize a revoluce. In *Svědectví,* 1970, roč. X., č. 38.
BARTLOVÁ, Alena. Príspevok k zahraničným kontaktom a ekonomickým aktivitám Milana Hodžu v medzivojnovom období. In GONĚC, Vladimír – PEKNÍK, Miroslav et al. *Milan Hodža ako aktér medzinárodných vzťahov.* Bratislava : VEDA, 2015.
BARTLOVÁ, Alena. *Túžby, projekty a realita. Slovensko v medzivojnovom období.* Bratislava : Historický ústav SAV, Prodama, spol. s r. o., 2010.
BAŤA, Jan Antonín. *Budujeme stát pro 40 000 000 lidí.* Zlín : Československá grafická unie, 1937.
BECKER, András. Britský pohľad na Prvú viedenskú arbitráž. In *Juh Slovenska po viedenskej arbitráži 1938-1945.* Ed. Ján Mitáč. Bratislava : Ústav pamäti národa, 2011.
BELL, Daniel. *Kulturní rozpory kapitalizmu.* Praha : Sociologické nakladatelství, 1999.

BENKO, Juraj. Revolúcia a diplomacia. Misie sovietskeho Ruska v strednej Európe v prvom roku po boľševickom prevrate (1917-1918). In OSYKOVÁ, Linda – HANULA, Matej a kol. *Ideológia naprieč hranicami : myšlienkové transfery v Európe a na Slovensku v 1. polovici 20. storočia*. Bratislava : Historický ústav SAV : Veda, 2015.

BENKO, Juraj. Sovietske Rusko, Kominterna a financovanie komunistického hnutia v strednej Európe 1917-1922. In *Český a slovenský komunismus (1921-2011)*. Jan Kalous, Jiří Kocian (eds.). Praha : Ústav pro soudobé dějiny AV ČR : Ústav pro studium totalitních režimů, 2012.

BENKO, Juraj. Vojnová socializácia mužov v armáde, zajatí a v légiách (1914 – 1921). In *Forum Historiae*, 2009, roč. 3, č. 1, s. 4, 7 [online]. Dostupné na internete: http://forumhistoriae.sk/documents/10180/39170/benko.pdf

BEREND, Ivan T. – SZUHAY, Miklós. *A Tökes gazdaság történte Magyarországon 1848-1944*. Budapest : Kossuth, 1975.

BIANCHI, Leonard. Zákonodarstvo a vývoj priemyslu v Uhorsku za dualizmu (1867 – 1918). In *Právněhistorické studie*, 1973, roč. 17, č. 1.

BOURDIEU, Pierre. Le capital social. In *Actes de la recherche en sciences sociales*. č. 31, 1/1980.

BREUILLARD, Jean. Bref historique des études slaves en France. In *Revue du Centre européen d'études slaves - Études slaves en France et en Europe*, č. 1, 2012. Dostupné na internete : http://etudesslaves.edel.univ-poitiers.fr/index.php?id=100

BRUS, Włodzimierz. *Modely socialistického hospodářství*. Praha : Nakladatelství politické literatury, 1964.

BŘEČKA, Jan. Dopadení npor. Oldřicha Pechala. Tajemství jedné chaty. In *Historie a vojenství*. 2006, roč. 55, č. 4.

BYSTRICKÝ, Valerián. Milan Hodža – problémy zahraničnej politiky a medzinárodného vývoja v rokoch 1918 – 1938. In GONĚC, Vladimír - PEKNÍK, Miroslav et al. *Milan Hodža ako aktér medzinárodných vzťahov*. Bratislava : VEDA, 2015.

BYSTRICKÝ, Valerián a kol. *Rok 1968 na Slovensku a v Československu*. Bratislava : Historický ústav SAV, 2008.

BYSTRICKÝ, Valerián – ROGUĽOVÁ, Jaroslava (eds.). *Storočie škandálov : aféry v moderných dejinách Slovenska*. Bratislava : Pro Historia, 2008.

CŒURÉ, Sophie. *Pierre Pascal. La Russie entre christianisme et communisme*. Lausanne: Éditions Noir sur Blanc, 2014.

CUHRA, Jiří. *Trestní represe odpůrců režimu v letech 1969 – 1972*. Praha : ÚSD AV ČR, 1997, Sešity ÚSD AV ČR č. 29.

ČAPEK, Karel. *Hovory s T. G. Masarykem*. Praha, 1946.

ČAPKOVÁ, Kateřina. *Česi, Nemci, Židé? Národní identita Židu v Čechách 1918 až 1938*. Litomyšl : Paseka, 2013.

ČAPLOVIČ, Miloslav. Tri dokumenty k slovensko-poľským vzťahom z jari 1938. In *Historický časopis*, 2000, roč. 48, č. 2.

Československá pozemková reforma 1919 – 1935 a její mezinárodní souvislosti. Sborník příspěvků z medzinárodní vědecké konference konané ve dnech 21. a 22. dubna 1994. Uherské Hradiště : Slovácké muzeum v Uherském Hradišti, 1994.

Československé banky v roce 1918. Statistika ministerstva financí k 31. 12. 1918. Praha, 1921.
Diarius i teki Jana Szembeka (1935-1945) T. IV. Ed. Jan Zarański. London : Polish Institute and Sikorski Museum, 1972.
DEÁK, Ladislav. *Hra o Slovensko: Slovensko v politike Maďarska a Poľska v rokoch 1933 – 1939.* Bratislava : Veda SAV, 1991.
DEÁK, Ladislav. *Medzinárodný aspekt vyhlásenia autonómie Slovenska – 6. október 1938.* Eds. Richard Marsina, Peter Štanský. Žilina : Knižné centrum pre mesto Žilina, 2002.
DEJMEK, Jindřich. *Československo, jeho sousedé a velmoci ve XX. století (1918 až 1992): Vybrané kapitoly z dějin československé zahraniční politiky.* Praha : Centrum pro ekonomiku a politiku, 2002.
DEJMEK, Jindřich. *Edvard Beneš: politická biografie českého demokrata I.* Praha : Karolinum, 2006.
DEJMEK, Jindřich. *Historik v čele diplomacie: K. Krofta. Studie z dějin československé zahraniční politiky v letech 1936 – 1938.* Praha : Karolinum, 1998.
DEJMEK, Jindřich. Milan Hodža a československá zahraniční politika ve třicátých letech (1935 – 1938). In *Moderní dějiny 7*, 1999.
DEJMEK, Jindřich. *Nenaplněné naděje. Politické a diplomatické vztahy Československa a Velké Británie (1918-1938).* Praha : Karolinum, 2003.
Deset let Československé republiky. Diel 2, Praha, 1928.
DOSKOČIL, Zdeněk. *Duben 1969. Anatomie jednoho mocenského zvratu.* Brno : Doplněk, 2006.
DOUBEK, Milan – KUBÁČEK, Jiří. Železničná technika. In KUBÁČEK, Jiří. *Dejiny železníc na území Slovenska.* Bratislava : ŽSR, 2007.
DRAGE, C. L. – PENNINGTON, Anne E. Boris Ottokar Unbegaun (1898-1973). In *The Slavonic and East European Review*, 1973, roč. 51, č. 124.
DVOŘÁKOVÁ, Vladimíra – KUNC, Jiří. *O přechodech k demokracii.* Praha : Sociologické nakladatelství, 1994.
DUBČEK, Alexander. *Nádej zomiera posledná.* Bratislava : Nová Práca, 1993.
ĎURECHOVÁ, Mária. *Vývoj dopravy na Slovensku v medzivojnovom období 1918 – 1938* (dizertačná práca). Bratislava : Historický ústav SAV, 1993, s. 18-21, 61-62.
Encyklopédia Slovenska. I. Bratislava : Veda, 1977.
ĎURKOVIČ, Herbert. *Kolízia socializmu s minulosťou: Má A. Toffler a H. Tofflerová pravdu?* Bratislava : bez vydavateľa, 1999.
FALTUS, Jozef. *Povojnová hospodárska kríza v Československu.* Bratislava : Vydavateľstvo SAV, 1966.
FALTUS, Jozef – PRŮCHA, Václav. *Prehľad hospodárskeho vývoja na Slovensku v rokoch 1918-1945.* Bratislava : Vydavateľstvo politickej literatúry, 1969.
FAYET, Jean François. *VOKS. Le laboratoire helvétique, Histoire de la diplomatie culturelle soviétique dans l'entredeuxguerres.* Genève : Georg Editeur, 2014.
FERENČUHOVÁ, Bohumila. Československá zahraničná politika a otázky medzinárodnej bezpečnosti. In ZEMKO, Milan – BYSTRICKÝ, Valerián (eds.). *Slovensko v Československu (1918 – 1939).* Bratislava : VEDA, 2004.

FERENČUHOVÁ, Bohumila. *Francúzsko a slovenská otázka 1789 – 1989*. Bratislava : Veda, 2008.
FERENČUHOVÁ, Bohumila. Francúzsko-talianska rivalita v Československu začiatkom roku 1919 a M. R. Štefánik. In *Historie a vojenství*, 2000, roč. 49 č. 4.
FERENČUHOVÁ, Bohumila. Milan Hodža počas krízy medzinárodných vzťahov 1936 s vyvrcholením po vstupe nemeckých vojsk do demilitarizovanej zóny v Porýní. In GONĚC, Vladimír – PEKNÍK, Miroslav et al. *Milan Hodža ako aktér medzinárodných vzťahov*. Bratislava : VEDA, 2015.
FERENČUHOVÁ, Bohumila. M. R. Štefánik a československé vojsko v Rusku (s dôrazom na roky 1916 – 1917). In FERENČUHOVÁ, Bohumila (ed.) *Milan Rastislav Štefánik a česko-slovenské zahraničné vojsko (légie)*. Bratislava : Spoločnosť Pro Historia, 2014.
FERENČUHOVÁ, Bohumila. Ochrana národnostných menšín v Spoločnosti národov a československá politika (1919 – 1926). In BENEŠ, Zdeněk – KOVÁČ, Dušan – LEMBERG, Hans (eds.). *Hledání jistoty v bouřlivých časech. (Česi, Slováci, Nemci a mezinárodní systém v první polovině 20. století)*. Ústí nad Labem : Albis international, 2006.
FERENČUHOVÁ, Bohumila. Talianska a francúzska vojenská misia na Slovensku a československo-maďarský konflikt v rokoch 1918 – 1919. In DEÁK, Ladislav (ed.). *Slovensko a Maďarsko v rokoch 1918-1920*. Martin : Matica slovenská, 1995.
FERENČUHOVÁ, Bohumila. Veľmocenský diktát alebo vedecký problém? Rokovania o hraniciach Československa v prvej fáze mierovej konferencie v Paríži roku 1919. In ŠVORC, Peter – HARBUĽOVÁ, Ľubica (eds.). *Stredoeurópske národy na križovatkách dejín*. Prešov – Bratislava – Wien : b. v., 1999.
FERENČUHOVÁ, Bohumila. Visions et diplomatie : Štefánik entre la guerre et la paix. In FERENČUHOVÁ, Bohumila (ed.). *Milan Rastislav Štefánik astronome, soldat, grande figure franco-slovaque et européenne*. Paris : Collège interarmées de Défense, 1999.
FERENČUHOVÁ, Bohumila – ZEMKO, Milan a kol. *Slovensko v 20. storočí. V medzivojnovom Československu 1918 – 1938*. Bratislava 2012.
FERIANC, Ján. *Ekonómia času*. Bratislava : Pravda, 1983.
FERIANC, Ján. Sociálno-ekonomický rozvoj Slovenska v období socialistickej výstavby. In *Rozvoj Slovenska v politike KSČ*. Bratislava : Ústav marxizmu-leninizmu ÚV KSS, Fakulta Vysokej školy politickej ÚV KSČ.
FERIANC, Ján. *Teórie a metódy rastu oblastí (Štúdia k prognóze dlhodobého oblastného rozvoja)*. Bratislava : Výskumný ústav oblastného plánovania, 1967.
FERIANC, Ján – KORAUŠ, Anton. *Makroekonomická stratégia prechodu na trhovú ekonomiku*. Bratislava : Sprint, 1997.
FERIANC, Ján – LANTAY, Andrej – TURČAN, Pavol. Problémy rozvoja priestorovej ekonomiky a oblastného plánovania. In *Ekonomický časopis*, 1965, roč. 13, č. 3.
FERIANC, Ján – TURČAN, Pavol. Odvetvovo územné komplexy v perspektíve rozvoja národného hospodárstva. In *Ekonomický časopis*, 1966, roč. 14, č. 1.
FIC, Victor Miroslav. *Československé legie v Rusku a boj za vznik Československa I.* Praha : Academia, 2006.
FIDLER, Jiří. Francouzští generálové na Slovensku a Podkarpatské Rusi (1919-1925). In *Vojenská história*, 2000, roč. 49, č. 3 - 4.

FIDLER, Jiří. První náčelník Hlavního štábu československé branné moci. In *Historie a vojenství*, 1999, roč. 48, č. 1.
FIGURA, Ivan. *Slovenský národohospodár Rudolf Briška*. Bratislava : Iura Edition, 2012.
FICHELLE, Alfred. Jean Mousset. In *Politique étrangère*, zväzok 11, 1946, č. 3.
FICHELLE, Alfred. Origines et développement de l'Institut d'études slaves (1919-1949). In *Revue des études slaves*, zväzok 27, 1951. Mélanges André Mazon.
FIRSOV, Jevgenij Fiodorovič. Boj za orientáciu českého a slovenského národnooslobodzovacieho hnutia v Rusku v rokoch 1915-1917. In *Historický časopis*, 1995, roč. 43, č. 1.
FIRSOV, Jevgenij Fiodorovič. *T. G Masaryk v Rosii i borba za nezavisimosť Čechov i Slovakov*. Moskva : Indrik, 2012.
FLEKR, Miroslav. Vznik, rozvoj a perspektíva textilného priemyslu v Bratislave. In *Technické pamiatky Bratislavy*. Bratislava : Príroda, 1985.
Formování československého zahraničného odboje v letech 1938 – 1939 ve světle svědectví Jana Opočenského. Ed. Milan Hauner v spolupráci s Markem Ďurčanským, Václavem Podaným a Michalem Šulcem. Praha : Akademie věd České republiky, 2000.
GAŠPARÍKOVÁ-HORÁKOVÁ, Anna. *U Masarykovcov. Spomienky osobnej archivárky T. G. Masaryka*. Bratislava : Academic Electronic Press; Ústav T. G. Masaryka; Historický ústav SAV, 1995.
GAUČÍK, Štefan. Problematika slovenských záujmových podnikov Rimamuránskej-šalgotarjánskej železiarskej účastinnej spoločnosti a nové obchodno-politické stratégie (1918 – 1924). In LACKO, Miroslav (eds.). *Montánna história*, 2012 – 2013, č. 5-6.
GAUČÍK, Štefan. Vznik a činnosť Jednoty peňažných ústavov na Slovensku a Podkarpatskej Rusi. 1918 – 1920. In *Ľudia, peniaze, banky*. Bratislava : Národná banka Slovenska, 2003.
GEBAUER, František – KAPLAN, Karel – KOUDELKA, František – VYHNÁLEK, Rudolf. *Soudní perzekuce politické povahy v Československu 1948 – 1989. Statistický přehled*. Praha, ÚSD AV ČR, Sešity ÚSD AV ČR, sv. 12. Praha ČR, 1993.
GERSCHENKRON, Alexander. *Economic backwardness in historical perspective, a book of essays*. Cambridge, Massachusetts : Belknap Press of Harvard University Press, 1962.
GRACEFFA, Agnès. De l'entraide universitaire sous l'Occupation : la correspondance de Marc Bloch avec André Mazon. In *Revue historique*, 2015, č. 2.
GRACEFFA, Agnès. Raïssa Bloch-Gorlin (1898–1943). Parcours d'une historienne du Moyen Âge à travers l'Europe des années noires. In Петербургский исторический журнал, 2014, č. 3.
GUELTON, Frédéric – BRAUD, Emanuelle – KŠIŇAN, Michal (eds.). *La Mémoire conservée du général Milan Rastislav Štefánik*. Paris : SHD, 2008.
HABERMAS, Jürgen. *K ustavení Evropy*. Praha : Filozofia, 2013.
HADLER, Frank. Fur einen erträglichen Antisemitizmus. Judische Fragen und tschechoslovakischen Antworten 1918/19. In *Jahrsbuch des Simon Dubnow Instituts*, 2002/1.
HAIDMANN, Martin. Vývoj železníc na Slovensku. In *Ročenka štátnych súkromných železníc Slovenskej republiky pre rok 1942/1943*. Bratislava : Slovenská ľudová kníhtlačiareň, 1943.
HÁJEK, Miloš – MEJDROVÁ, Hana. *Vznik Třetí internacionály*. Praha : Karolinum, 2000.

HALLON, Ľudovít. Elektrifikácia Slovenska 1884-1945. In *Vlastivedný časopis*, 1989, roč. 38, č. 3.
HALLON, Ľudovít. Expanzia a ústup slovenského finančného kapitálu v účastinárskych podnikoch 1918 – 1929 na príklade Tatra banky. In *Historický časopis,* 1998, roč. 46, č. 2.
HALLON, Ľudovít. Hospodársky vývin po vzniku ČSR a v 20. rokoch. In FERENČUHOVÁ, Bohumila – ZEMKO, Milan. *V medzivojnovom Československu 1918 – 1939.* Bratislava : VEDA, 2012.
HALLON, Ľudovít. *Industrializácia Slovenska 1918-1938. Rozvoj alebo úpadok?* Bratislava : Veda, 1995.
HALLON, Ľudovít. Medzi národným a hospodárskym záujmom : vzťahy slovenského, českého a maďarského kapitálu na slovenskom úverovom trhu po roku 1918. In *Česko-slovenská historická ročenka*, 2011. Praha : Brno : Bratislava : Academicus, 2011.
HALLON, Ľudovít. Príčiny, priebeh a dôsledky štrukturálnych zmien v hospodárstve medzivojnového Slovenska. In ZEMKO, Milan – BYSTRICKÝ, Valerián (eds.). *Slovensko v Československu 1918 – 1939.* Bratislava : Veda, 2004.
HALLON, Ľudovít. Sanačný proces v bankovníctve Slovenska v medzivojnovom období. In *Ľudia, peniaze, banky.* Bratislava : Národná banka Slovenska, 2003.
HALLON, Ľudovít. Úloha Milana Hodžu v komerčnom bankovníctve Slovenska v rokoch 1918 – 1938. In *Historický časopis*, 2005, roč. 53, č. 1.
HANÁK, Vítězslav. *Muži a radiostanice tajné války.* Dvůr Králové nad Labem : Elli print, 2002.
HANULA, Matej. Hľadanie priateľského kompromisu : realizácia československej pozemkovej reformy na majetkoch britských občanov s dôrazom na Slovensko. In KOVÁČ, Dušan (ed.). *Slovenské dejiny v dejinách Európy : vybrané kapitoly.* Bratislava : Historický ústav SAV : Veda, 2015.
HANULA, Matej. Prekonávanie hraníc podľa agrarizmu : úskalia spolupráce agrárnych strán strednej a juhovýchodnej Európy v medzivojnovom období. In OSYKOVÁ, Linda – HANULA, Matej. *Ideológia naprieč hranicami : myšlienkové transfery v Európe a na Slovensku v 1. polovici 20. storočia.* Bratislava : Historický ústav SAV, Veda, 2015.
HANULA, Matej. Úskalia partnerskej pomoci. Milan Hodža a spolupráca s bulharskými agrárnikmi v medzivojnovom období. In GONĚC, Vladimír – PEKNÍK, Miroslav et al. *Milan Hodža ako aktér medzinárodných vzťahov*. Bratislava : VEDA, 2015.
HANULA, Matej. *Za roľníka, pôdu a republiku : slovenskí agrárnici v prvom polčase 1. ČSR.* Bratislava : Historický ústav Slovenskej akadémie vied v Prodama spol. s r. o., 2011.
HAPÁK, Pavel a kol. *Dejiny Slovenska IV. diel (od konca 19. storočia do roka 1918).* Bratislava : Veda, 1986.
HERMANN, Angela. Nepriama podpora myšlienky slovenskej autonómie zo strany nacionálne-socialistického režimu. In *Rozbitie alebo rozpad?* Eds. Valerián Bystrický, Miroslav Michela, Michal Schvarc a kol. Bratislava : Veda, 2010.
HERTEL, Maroš. *Dr. Vojtech Tuka v rokoch 1880 – 1929. Pokus o politický profil.* Dizertačná práca, nepublikovaná. Bratislava : Historický ústav SAV, 2003.

HERTEL, Maroš. Vlastizrada alebo pomsta? : kauza Vojtech Tuka a spol. In BYSTRICKÝ, Valerián et al. *Storočie procesov : súdy, politika a spoločnosť v moderných dejinách Slovenska*. Bratislava : Veda, vydavateľstvo SAV : Historický ústav SAV, 2013, s. 66 – 82.
HERZOG, A. Deutsche, Juden oder Oesterreicher? Zum nationalen Selbstwerständnis deutschsprachigen judischen Schriftstellen in Prag. In *Osterreich-Konzeptionen und judisches Selbsverständnis. Identitäts-Transfigurationen im 19. und 20. Jahrhundert*. Tubingen, 2001.
HOENSCH, K. Jörg. *Der ungarische Revisionismus und die Zerschlagung der Tschechoslowakei*. Tübingen : Studium zur Geschichte und Politik, 1967.
HOENSCH, K. Jörg. *Slovensko a Hitlerova východná politika. Hlinkova slovenská ľudová strana medzi autonómiou a separatizmom 1938-1939*. Bratislava : Veda, 2001.
HOLEC, Roman. *Dejiny plné dynamitu. Bratislavský podnik Dynamit Nobel na križovatkách novodobých dejín 1873 – 1945*. Bratislava: Kaligram, 2011.
HOLEC, Roman. M. R. Štefánik a problémy česko-slovenského odboja v Rusku. In HRONSKÝ, Marián – ČAPLOVIČ, Miloslav (eds.) *Generál dr. Milan Rastislav Štefánik - vojak a diplomat. Zborník príspevkov z vedeckej konferencie v Bratislave 4.-5.mája 1999*. Bratislava : Vojenský historický ústav, 1999.
HOLEC, Roman. Snahy o ústrednú slovenskú banku pred prvou svetovou vojnou. In *Historický časopis*, 1999, roč. 47, č. 2.
HOLEC, Roman. Zápas o martinskú celulózku ako najväčší projekt česko – slovenskej hospodárskej spolupráce pred 1. svetovou vojnou. In *Historické štúdie*, 1994, roč. 35.
HOLEC, Roman. Zmeny národnostného zloženia miest na Slovensku po roku 1918 a možnosti ich interpretácie. In *Veľká doba v malom priestore. Zlomové zmeny v mestách stredoeurópskeho priestoru a ich dôsledky. (1918 – 1929)*. Eds. Peter Švorc, Harald Heppner. Prešov, Graz : Universum, 2012.
HOLEC, Roman – HALLON, Ľudovít. *Tatra banka v zrkadle dejín*. Bratislava : AEPress, 2007.
HORVÁTH, Štefan – VALACH, Ján. *Peňažníctvo na Slovensku do roku 1918*. Bratislava : Alfa, 1975.
Hospodářské problemy Slovenska. Praha : Prometheus, 1934.
HOUDEK, Fedor. *Vznik hraníc Slovenska*. Bratislava : Prúdy, 1931.
HOUDEK, Ivan. Papiernický priemysel na Slovensku. In *Prúdy*, 1926, roč. 10, č. 9.
HOUDEK, Ivan. Slovenské účastinárske podniky továrenské pred prevratom. In *Prúdy*, 1935, roč. 19, č. 8.
HRABOVEC, Emília. Česko-Slovensko a Svätá stolica 1938-1939. In *Rozbitie alebo rozpad?* Eds. Valerián Bystrický, Miroslav Michela, Michal Schvarc a kol. Bratislava : Veda, 2010.
HRADECKÁ, Vladimíra - KOUDELKA, František. *Kádrová politika a nomenklatúra KSČ 1969 – 1974*. Praha : ÚSD AV ČR, 1998, Sešity ÚSD AV ČR, sv. 31.
HRADSKÁ, Katarína. Židovská komunita počas prvej ČSR. In *Česko-slovenská historická ročenka*, 2001.
HRONSKÝ, Marián. Priebeh vojenského obsadzovania Slovenska československým vojskom od novembra 1918 do januára 1919. In *Historický časopis*, 1984, roč. 32, č. 5.

HRONSKÝ, Marián. Priebeh vojenského konfliktu ČSR s Maďarskom v roku 1919. In *Historický časopis*, 1993, roč. 41, č. 5-6.
HUTNÍK, Félix. Prečo stagnuje politická ekonómia ? In *Ekonomický časopis*, 1963, roč. 11, č. 6.
CHUDJÁK, František. Podnikateľské aktivity Slovenskej banky v medzivojnovom období. In FUKASOVÁ, Daniela – FIALOVÁ, Ivana (eds.). *Kapitoly z dejín hospodárskeho vývinu Slovenska v medzivojnovom období 1918 – 1939*. Bratislava : Slovenský národný archív, 2011, s. 169 – 200.
CHUDJÁK, František. Podnikateľské aktivity Slovenskej banky v rokoch 1919 – 1929. In *Historický časopis,* 2008, roč. 56, č. 1.
CHUDJÁK, František. Slovenská banka v rokoch 1930 – 1938. Čas tvrdých skúšok a sklamaní. In *Historický časopis*, 2010, roč. 58, č. 2.
CHUDJÁK, František. Úverové podmienky a postupy Slovenskej banky do roku 1914. In *Biatec*, 2003, roč. 11, č. 12.
IMRE, Gejza. O pripravovanom cestnom zákone. In KŘIVANEC, Karel. *Skúsenosti pri stavaní ciest na Slovensku.* Bratislava : Edícia Technika, 1943.
JAKSICSOVÁ, Vlasta. *Kultúra v dejinách. Dejiny v Kultúre. Moderna a slovenský intelektuál v siločiarach prvej polovice 20. storočia.* Bratislava : Veda, 2012.
JANAS, Karol. K problematike hraničných sporov s Nemeckou ríšou v rokoch 1938 – 1943 v Bratislave a okolí. In *Zborník mestského múzea*, XVI. Bratislava, 2004.
JANEK, István. Maďarské a slovenské revizionistické snahy a bilaterálne vzťahy v rokoch 1939-1940. In *Juh Slovenska po Viedenskej arbitráži 1939 – 1945*. Ed. Ján Mitáč. Bratislava : Ústav pamäti národa, 2011.
JANIN, Maurice. *Moje účast v československém boji za svobodu.* Praha : J. Otto, b. d.
JAROŠEK, Jozef. Počiatky elektrotechnického priemyslu na Slovensku. In *Technické pamiatky Bratislavy*. Bratislava : Príroda, 1985.
JELÍNEK, Jaroslav. *ČKD kontra(kt) Škoda. ČKD v konkurečním boji se Škodovými závody v letech 1928 – 1932*. Praha : Narodní technické muzeum, 2013.
JIRÁSEK, J. Deset let vývoje slovenského peněžnictví. In *Ročenka československé republiky,* 1929.
JIRÁSEK, Zdeněk – ŠŮLA, Jaroslav. *Velká peněžní loupež v Československu 1953 aneb 50 : 1*. Praha : Svítání.
JUDT, Tony. *Povojnová Európa: História po roku 1945*. Bratislava : Slovart, 2007.
KADLEC, Čeněk. *Hry o hranice*. Praha : V. n., 2001.
KAMENEC, Ivan. Od Kultúrnej rady po Lomnický manifest. In IVANIČKOVÁ, Edita a kol. *Kapitoly z histórie stredoeurópskeho priestoru v 19. a 20. storočí. Pocta k 70-ročnému jubileu Dušana Kováča*. Bratislava : Pro Historia, 2011.
KAMENEC, Ivan. *Po stopách tragédie*. Bratislava : Archa, 1991.
KAMENEC, Ivan. *Spoločnosť, politika, historiografia. Pokrivené (?) zrkadlo dejín slovenskej spoločnosti v dvadsiatom storočí*. Bratislava : Historický ústav SAV, 2009.
KAPLAN, Karel. *Nebezpečná bezpečnost. Státní bezpečnost 1948 – 1956*. Brno : Doplněk, 1999.

KAPP, Otto. *O hospodářských poměrech Slovenska a Podk. Rusi*. Praha : Česká národohospodářska společnost, 1924.
KAPP, Otto. *O možnostech a předpokladech hospodářského plánu se zvlášním zřetelem na Slovensko*. Praha : Prometheus, 1933.
KÁRNÍK, Zdeněk. *České země v éře první republiky (1918 – 1938). Díl druhý. Československo a české země v krizi a v ohrožení (1930 – 1935)*. Praha : Libri, 2002.
KÁRNÍK, Zdeněk. *České země v éře první republiky (1918 – 1938). Díl první. Vznik, budování a zlatá léta republiky (1918 – 1929)*. Praha : Libri, 2000.
KARVAŠ, Imrich. *Sjednocení výrobních podmínek v zemích českých a na Slovensku*. Praha : Orbis, 1933.
KARVAŠ, Milan. *Môj otec Imrich Karvaš*. Budmerice : Rak, 2001.
KAZIMÍR, Štefan. Doprava, tovarovo-výmenné vzťahy, ceny a mzdy. In KOHÚTOVÁ, Mária – VOZÁR, Jozef (eds.). Hospodárske dejiny Slovenska 1526 – 1848. Bratislava : VEDA, 2006.
KÁZMEROVÁ, Ľubica. Anton Štefánek a slovenské školstvo v prvých poprevratových rokoch (1918 – 1923) In *Historický časopis*, 2011, roč. 59, č. 4.
KÁZMEROVÁ, Ľubica. Riadiace orgány školstva na Slovensku a vzdelávací systém v rokoch 1918 – 1945. In KÁZMEROVÁ, Ľubica a kol. *Premeny v školstve a vzdelávaní na Slovensku*, Bratislava : Historický ústav SAV, 2012.
KERSHAW, Ian. *To Hell and Back : Europe 1914 – 1949*. Penguin Books, 2016.
KIRSCHBAUM, M. Jozef. *Náš boj o samostatnosť Slovenska*. Cleveland : Slovenský ústav, 1958.
KLIMEK, Antonín. Beneš a Štefánik. In *Sborník k dějinám 19. a 20. století*, 12, 1991.
KLIMEK, Antonín. *Velké dějiny zemí Koruny české. Svazek XIII. 1918 – 1929*. Praha – Litomyšl : Paseka, 2000.
KLIMKO, Jozef. *Tretia ríša a ľudácky režim na Slovensku*. Bratislava : Obzor, 1986.
KOLÁŘ, Pavel. Čtyři „základní rozpory" východoeuropského komunismu. In *Soudobé dějiny*, roč. XXIII., č. 1 – 2/2015.
KOMLOS, John. *The Habsburg Monarchy as a Customs Union*. Princeton NJ, 1983.
KOPEČEK, Lubomír. *Demokracie, diktatury a politické stranictví na Slovensku*. Brno : Centrum pro studium demokracie a kultury, 2006.
KOVÁČ, Dušan. Česko-slovenská štátnosť v kontexte slovenských dejín (otázka kontinuity a diskontinuity) In Československo 1918 – 1938. Osudy demokracie v střední Evropě. Eds. Jaroslav Valenta, Emil Voráček, Josef Harna. Praha : Historický ústav AV ČR, 1999.
KOVÁČ, Dušan. *Nemecko a nemecká menšina na Slovensku 1871-1945*. Bratislava : Veda, 1991.
KOVÁŘ, Martin. Príbeh jedného fašistu. In *História. Revue o dejinách spoločnosti*, 2007, roč. 7, č. 1.
KÖVÉR, György. Banking and Industry in Hungary before 1914. In *Banking and Industry in Hungary. Uppsala Papers in Economic History*, Working Paper VI, Uppsala 1989.
KRAJČOVIČOVÁ, Natália. Českí zamestnanci v štátnych službách na Slovensku v prvých rokoch po vzniku Československa. In *Československo 1918 – 1938. Osudy demokracie*

v střední Evropě. Zv.1., Sborník z medzinárodní vědecké konference. Praha : Historický ústav, 1999.
KRAMER, Juraj. *Slovenské autonomistické hnutie v rokoch 1918 – 1929*. Bratislava : Vydavateľstvo Slovenskej akadémie vied, 1962.
KRIVÝ, Vladimír – ZEMKO, Milan. *Voľby do zákonodarných orgánov na území Slovenska 1920 – 2006*. Bratislava : Štatistický úrad SR, 2008.
KŘIVANEC, Karel. *Slovensko v československom silničnom pláne*. Praha : Československá graficka unie, 1937.
KŘIVÁNEK, Ján. *Příručka zákonů o národním školství v republice Československé*. Brno, 1924.
KUBÁČEK, Jiři. *Dejiny železníc na území Slovenska* Bratislava : ŽSR, 2007.
KUBŮ, Eduard – PÁTEK, Jaroslav (eds.). *Mýtus a realita hospodářské vyspělosti Československa mezi světovými válkami*. Praha : Karolinum, 2000.
KUBŮ, Eduard – ŠOUŠA, Jiří. Sen o slovanské spolupráci (Antonín Švehla – ideový a organizační tvůrce Mezinárodního agrárního bureau). In RAŠTICOVÁ, Blanka (ed.). *Agrární strany ve vládních a samosprávných strukturách mezi světovými válkami. Studie Slováckého muzea*. Uherské Hradiště : Slovácké muzeum, 2008.
LABROUSSE, Pierre (ed.). *Deux siècles d'histoire de l'École des langues orientales*. Paris : Éditions Hervas, 1995.
LACINA, Vlastislav. Nostrifikace podniků a bank v prvním desetiletí Československé republiky. In *Český časopis historický*, 1994, roč. 92, č. 1.
LANTAY, Andrej. Priestorový aspekt v modeloch socialistického hospodárstva. In *Ekonomický časopis*, roč. 13, 1965, č. 6.
LIPTÁK, Ľubomír. *2217 dní. Slovensko v čase druhej svetovej vojny*. Bratislava : Kalligram, 2011.
LIPTÁK, Ľubomír. *Storočie dlhšie ako sto rokov: O dejinách a historiografii*. Bratislava : Kalligram, 1999.
LONDÁK, Miroslav. *Ekonomické reformy v Československu v 50. a 60. rokoch 20. storočia a slovenská ekonomika*. Bratislava : Typoset, 2012.
LONDÁK, Miroslav. *Rok 1968 a ekonomická realita Slovenska*. Bratislava : Historický ústav SAV vo vyd. Prodama, 2007.
LONDÁK, Miroslav – SIKORA, Stanislav a kol. *Rok 1968 a jeho miesto v našich dejinách*. Bratislava : Historický ústav SAV vo vyd. Veda, 2009.
LONDÁK, Miroslav – SIKORA, Stanislav – LONDÁKOVÁ, Elena. *Predjarie. Politický, ekonomický a kultúrny vývoj na Slovensku v rokoch 1960 – 1967*. Bratislava : Veda, 2002.
LUKEŠ, František. K diplomatickému pozadí Vídeňské arbitráže. In *Historický časopis*, 1962.
LUKEŠ, František. *Podivný mír*. Praha : Svoboda, 1968.
LYMAN, Richard W. James Ramsay MacDonald and the Leadership of the Labour Party, 1918-22. In *Journal of British Studies*, 1962, roč. 2, č. 1.
MAGDOLÉNOVÁ, Anna. Slovenské školstvo v predmníchovskom Československu. In *Historický časopis*, 1982, roč. 30, č. 2.
Magyarország malomipara 1906-ban. Budapest 1908.

Magyar pénzügyi Compass 1917-1918, Budapest 1918.
Magyar statisztikai közlemények, 1913, zv. 48.
MAKÚCH, Jozef. Dielo profesora Karvaša vo vzťahu k súčasnej ekonomickej situácii. In *Biatec*, 2013, roč. 21, č. 9.
MAŇÁK, Jiří. Čistky v Komunistické straně Československa 1969 – 1970. Praha : ÚSD AV ČR, 1997.
MAREK, František. Vývoj západného Slovenska na poli komunikačnom a jeho možnosti v budúcnosti. In *Západné Slovensko, hospodársky, kultúrny a sociálny vývoj za prvých 20 rokov štátnej samostatnosti.* Trnava : Národohospodárska župa západoslovenská, 1938.
MARÈS, Antoine. André Mazon, un slaviste dans le siècle : profil politique d'un savant. In *Revue des études slaves*, zväzok 82, 2011, č. 1.
MARÈS, Antoine. *Edvard Beneš*. Paris : Perrin, 2015.
MARÈS, Antoine. La perception de l'Europe centrale en France et la recherche historique au XXe siècle. In *Prace komisji srodkowoeeuropskiej PAU* (Cracovie), zväzok 22, 2014.
MARÈS, Antoine. L'Institut d'études slaves comme lieu de mémoire. In HLAVAČKA, Milan – MARÈS, Antoine – POKORNÁ, Magdaléna (eds.). *Paměť míst, událostí a osobností: historie jako identita a manipulace.* Praha : Historický ústav AV ČR, 2011.
MARÈS, Antoine. Mission militaire et relations internationales : l'exemple franco-tchécoslovaque, 1918-1925. In *Revue d'Histoire Moderne et Contemporaine*, 1983, roč. 30, č. 4.
MARÈS, Antoine: „Naším hlavním cílem zůstává uvolnění napětí". Francie – Československo 1961 – 1968. In *Soudobé dějiny*, 1998, roč. 5, č. 4.
MARQUAND, David. *Ramsay MacDonald: A Biography*. London : Metro Books, 1997.
MARTULIAK, Pavol. Vznik a vývoj slovenského ľudového peňažníctva do roku 1918. In Ľudia, peniaze, banky. Bratislava: Národná banka Slovenska, 2003.
MASARYK, Tomáš Garrigue. *Cesta demokracie*, zv. I., (1918-1920), Praha, 1933.
MASAŘIK, Hubert. *V proměnách Evropy. Paměti československého diplomata.* Praha : Paseka, 2002.
MATULA, Pavol. *Českí stredoškolskí profesori na Slovensku 1918 – 1938.* Prešov : Vydavateľstvo Michala Vaška, 2006.
MATULA, Pavol. *Rozdelené Kysuce. Zabratie severných Kysúc Poľskom v rokoch 1938-1939.* Krakov : Spolok Slovákov v Poľsku, 2012.
MERVART, Jan. „Reálny socializmus" rané normalizace, kontinuita či diskontinuita. In MICHÁLEK, Slavomír – LONDÁK, Miroslav a kol. *Gustáv Husák: Moc politiky. Politik moci.* Bratislava : Veda, 2013.
MICHELA, Miroslav. K aktivizácii maďarskej zahraničnej politiky v rokoch 1926 – 1927. In MICHÁLEK, Slavomír. *Slovensko v labyrinte moderných európskych dejín : pocta historikov Milanovi Zemkovi.* Bratislava : Historický ústav SAV v Prodama, 2014.
MICHÁLEK, Slavomír – LONDÁK, Miroslav a kol. *Gustáv Husák, moc politiky, politik moci.* Bratislava : Veda, 2013.
MICHELA, Miroslav. *Pod heslom integrity. Slovenská otázka v politike Maďarska 1918-1921.* Bratislava : Kaligram, 2009.
MICHELA, Miroslav. Reakcia slovenských politických kruhov a tlače na Rothermerovu akciu 1927 – 1928. In *Historický časopis*, 52, 2004, č. 3.

MLYNÁRIK, Ján. *Cesta ke hvězdám a svobodě*. b. m.: Lidové noviny, 1991.
MLYNÁŘ, Zdeněk. *Mráz přichází z Kremlu*. Praha : Mladá fronta, 1990.
MUDROVÁ, Hana - MUDRA, Miroslav. Generál M. C. J. Pellé a Československo. In *Historie a vojenství*, 1993, roč. 42, č. 4.
MUSIL F. Jiří. *Po stezkách k dálnicím*. Praha : NADAS, 1987.
NEUHOÖFER, R. *Střední školství*. Praha: Státní nakladatelství, 1935.
NEVILLE. Peter. *Eduard Beneš and Tomáš Masaryk. Czechoslovakia*. London : Haus Histories, 2010.
NIŽŇANSKÝ, Eduard. Židovská komunita na Slovensku medzi československou parlamentnou demokraciou a slovenským štátom v stredoeurópskom kontexte. Prešov : Universum, 1999.
NOVOTNÝ, Jiří – ŠOUŠA, Jiří. *Banka ve znamení zeleného čtyřlístku. Agrární banka 1911 – 1938 -1948*. Praha : Karolinum, 1996.
OBUCHOVÁ, Viera. *Priemyselná Bratislava*. Bratislava: Marenčin PT, 2009.
Od starobylých zemských stezek k novodobým vozovkám v zemích Českých a na Slovensku. Praha : Ministerstvo techniky, 1948.
OLEJNÍK, Milan. *Politické a spoločenské aktivity maďarskej minority v prizme štátnych orgánov a dobovej slovenskej tlače (1918 – 1929)*. Košice, 2011.
O priemysle Slovenska, 1924.
Österreichisches Compass 1918, zv. I.
OTČENÁŠ, Igor. *KEBY. Rýchle dejiny budúcnosti Slovenska. Spomienkami na budúcnosť k veselšej minulosti*. Levice : Vydavateľstvo L.C.A. Levice, 1998.
PANTELEJEV, Michail. *Agenty Kominterna. Soldaty mirovoj revoljucii*. Moskva : Jauza, Eksmo, 2005.
PEŠEK, Jan a kol. *Aktéri jednej éry na Slovensku 1948-1969*. Prešov : Vydavateľstvo Michala Vaška, 2003.
PEŠEK, Jan. Nepriateľ so straníckou legitimáciou. Proces s tzv. slovenskými buržoáznymi nacionalistami. In BYSTRICKÝ, Valerián – ROGUĽOVÁ, Jaroslava (eds.). *Storočie procesov. Súdy, politika a spoločnosť v moderných dejinách Slovenska*. Bratislava : Veda, 2013.
PEŠEK, Jan. *Odvrátená tvár totality. Politické perzekúcie na Slovensku v rokoch 1948-1953*. Bratislava : Historický ústav SAV, Nadácia Milana Šimečku, 1998.
PEŠEK, Jan – LETZ, Róbert. Štruktúry moci na Slovensku 1948 : 1989. Prešov : Vydavateľstvo Michala Vaška, 2004.
PERNES, Jiří. *Dějiny Československa očima Dikobrazu 1945-1990*. Brno : Barrister & Principal, 2003.
PEROUTKA, Ferdinand. *Budování statu (část druhá)*. Praha : 1934.
PEROUTKA, Ferdinand. *Budování státu*. Zv. I., 1918-1919, Praha : Lidové noviny, 1991.
PEROUTKA, Ferdinand. *Budování státu*, Zv. 3. Praha : Lidové noviny, 1991.
PICHLÍK, Karel. *Bez legend*. Praha : Panorama, 1991.
PICHLÍK, Karel – KLÍPA, Bohumír – ZABLOUDILOVÁ, Jitka. Českoslovenští legionáři (1914-1920). Praha : Mladá fronta, 1996.
PIRJEVEC, Jože. *Jugoslávie 1918 – 1992 : vznik, vývoj a rozpad Karadjordjevićovy a Titovy Jugoslávie*. Praha : Argo, 2000.

PÍSCH, Mikuláš. Úloha slovenských bánk vo vývine slovenského účastinárskeho priemyslu v období imperializmu (1900 – 1918). In *Zborník Filozofickej fakulty Univerzity Komenského - Historica,* 1963, roč. 14.
PÍSCH, Mikuláš. Vzrast a vývinové tendencie slovenského účastinárskeho peňažníctva v rokoch 1900 – 1918. In *Zborník Filozofickej fakulty Univerzity Komenského – Historica,* 1962, roč. 12-13.
PJATNICKIJ, Vladimir I. *Osip Pjatnickij i Komintern na vesach istorii.* Minsk : Charvest, 2004, s. 636; *Politbjuro CK RKP(b) i Komintern. 1919-43. Dokumenty*. Moskva : ROSSPEN, 2004, s. 833.
PLACHÝ, Jiří. *Horší než doba války: Osudy parašutistů z Velké Británie v poúnorovém Československu.* Cheb: Svět Křídel, 2014.
PLEVZA, Viliam. *Vzostupy a pády. Gustáv Husák prehovoril.* Bratislava : Tatrapress, 1991.
PODRIMAVSKÝ, Milan a kol. *Dejiny Slovenska III. diel (od roka 1848 do konca 19. storočia).* Bratislava : Veda, 1992.
POGÁNY, Ágnes. From the Cradle to the Grave? Banking and Industry in Budapest in the 1910s and 1920s. In *Journal of European Economic History*, 1989, roč. 18, č. 3.
PRÁŠIL, Michal. *Dálnice 1967 – 2007.* Praha : Zvon, 2007.
PRŮCHA, Václav a kol. *Hospodářské a sociální dějiny Československa 1918 – 1992. I. díl. Období 1918 – 1945.* Brno : Doplněk, 2004.
PRŮCHA, Václav a kol. *Hospodářské a sociální dějiny Československa 1918 – 1992: 2. díl Období 1945 – 1992.* Brno : Doplněk, 2009, s. 662.
Revizionizmus v československej ekonomickej teórii. Zborník statí. Zost. IŠA, Ján. Bratislava : Pravda, 1977.
RICHTA, Radovan a kol. *Civilizácia na rázcestí.* Bratislava : VPL, 1966.
ROGUĽOVÁ, Jaroslava. *Slovenská národná strana 1918 – 1938.* Bratislava : Kalligram, 2013, s. 279-280.
ROLKOVÁ, Natália. Smerovanie Slovenskej ľudovej strany v rokoch 1905 – 1939 na podklade jej programových dokumentov. In LETZ, Róbert – MULÍK, Peter – BARTLOVÁ, Alena. *Slovenská ľudová strana v dejinách 1905 – 1945.* Martin : Matica slovenská, 2006.
ROMSICS, Ignác. *Parížska mierová zmluva z roku 1947.* Bratislava : Kalligram, 2008.
ROUBÍK, František. *Silnice v Čechách a jejich vývoj.* Praha : Státni tiskárna, 1938.
RUMAN, Ladislav. Československá sociálna demokracia. In *Politické strany na Slovensku 1860 – 1989*, Bratislava : Archa, 1992.
RYCHLÍK, Jan. *Češi a Slováci ve 20. století. Spolupráce a konflikty.* Praha : Ústav pro studium totalitních režimů; Vyšehrad, 2013.
RYCHLÍK, Jan. *Rozpad Československa: Česko-slovenské vztahy 1989 – 1992.* Bratislava : AEP, 2002.
SABOL, Miroslav. *Dejiny dopravy na Slovensku 1938 – 1948 (1950). (Jej hranice a limity).* Bratislava : VEDA, 2015.
SERAPIONOVA, Jelena Pavlovna. Dokumenty ruských archívov o Milanovi Rastislavovi Štefánikovi. In ČAPLOVIČ, Miloslav – FERENČUHOVÁ, Bohumila – STANOVÁ, Mária (eds.). *Milan Rastislav Štefánik v zrkadle prameňov a najnovších poznatkov historiografie.* Bratislava : Vojenský historický ústav; Ministerstvo obrany SR, 2010.

SCHVARC, Michal. Bratislava v nemeckých plánoch na jeseň 1938. In *Viedenská arbitráž v roku 1938 a jej európske súvislosti*. Bratislava : Úrad vlády Slovenskej republiky, 2008.
SCHVARC, Michal – HALLON, Ľudovít. *Kauza Karvaš. Štúdie a dokumenty k zatknutie, zavlečeniu a internácii guvernéra Slovenskej národnej banky na území Nemeckej ríše 1944/1945*. Bratislava : Historický ústav SAV, 2014.
SIDOR, Karol. *Denníky 1930 – 1939*. Ed. František Vnuk. Bratislava : Ústav pamäti národa, 2010.
SIDOR, Karol. *Vatikánsky denník I*. Ed. František Vnuk. Bratislava : Ústav pamäti národa, 2011.
SIDOR, Karol. *Vatikánsky denník III. (1.1.1942 – 27.10.1942)*. Ed. František Vnuk. Martin : Matica slovenská, 2015, s.35-36.
SIDOR, Karol – VNUK, František. *Andrej Hlinka 1864 – 1938*. Bratislava: Lúč , 2008.
SIKORA, Stanislav. *Po jari krutá zima: Politický vývoj na Slovensku v rokoch 1968 – 1971*. Bratislava : Historický ústav SAV, 2013.
SIKORA, Stanislav. *Rok 1968 a politický vývoj na Slovensku*. Bratislava : Pro Historia v spolupráci s HÚ SAV, 2008.
SKORKOVSKÝ, Jaroslav. *Banky a peněžní ústavy na Slovensku a Podkarpatské Rusi*. Praha, 1923.
SLABEJ, Ján. Dielňa na náradie ako príklad slovenských podnikateľských aktivít pred rokom 1918. In *Historické štúdie*, 2000, roč. 41.
SLÁDEK, Vojtech. *Elektrárenstvo na Slovensku 1920 – 1994*. Bratislava: 1996.
SLÁDEK, Zdeněk. Československá politika a Rusko (1918-1920). In *Československý časopis historický*, 1968, roč. 16.
Slovenské národné peňažníctvo v Československu. In *Prúdy*, 1922, roč. 6, č. 1.
STANIC, Veljko. Les instituts français dans la Yougoslavie de l'entre-deux-guerres. In *Études danubiennes*, zväzok 28, 2012, č. 1-2.
STODOLA, Kornel. *Ešte nemáme pomník českého brata na Slovensku*. Bratislava : Novina, 1937.
STODOLA, Kornel. *Tarifná politika na Slovensku*. Bratislava : Grafia, 1922.
STRHAN, Milan. *Kríza priemyslu na Slovensku v rokoch 1921 – 1923*. Bratislava : Vydavateľstvo SAV, 1960.
STRHAN, Milan. Živnostenská banka na Slovensku 1918 – 1938 In *Historický časopis*, 1967, roč. 14, č. 2, s. 177 – 218.
STŘÍTESKÝ, Hynek (ed.). *Fenomén ČKD. Příspěvek k dějinám pražského strojírenského koncernu Českomoravská-Kolben-Daněk*. Praha : Mladá fronta, Národní technické muzeum, 2014.
ŠIMEČKA, Milan. *Obnovení pořádku*. Brno : Atlantis, 1990.
ŠOLC, Jiří. *Bylo málo mužů*. Praha: Merkur, 1991.
ŠOLLE, Zdeněk (ed.). *Masaryk a Beneš ve svých dopisech z doby pařížských mírových jednání v roce 1919. Část II*. Praha : AV ČR, 1993.
ŠROBÁR, Vavro. *Oslobodené Slovensko: Pamäti z rokov 1918 – 1920* (ed. Jan Rychlík). Bratislava : AEP, 2004.

ŠTEFANSKÝ, Michal. Invázia, okupácia a jej dôsledky. In *Slovenská spoločnosť v krízových rokoch 1967 – 1970,* zv. III. Bratislava : Politologický kabinet SAV, 1992.
ŠTEFANSKÝ, Michal. *Slovensko v rokoch 1967 – 1970. Výber dokumentov*. Bratislava : Politologický kabinet SAV, 1992.
ŠTĚPÁN, Miloslav. *Přehledné dějiny československých železnic 1824 – 1948*. Praha : Dopravní nakladatelství, 1958.
ŠUCHOVÁ, Xénia. *Kapitoly z dejín sociálnej demokracie na Slovensku*. Bratislava : T. R. I. MÉDIUM, 1996, s. 245.
ŠUTAJ, Štefan. Problematika revizionizmu a príprava mierovej zmluvy s Maďarskom po druhej svetovej vojne. In *Adepti moci a úspechu*. Eds. Jaroslava Roguľová – Maroš Hertel a kol. Bratislava : Veda, 2016.
ŠVORC, Peter. *Krajinská hranica medzi Československom a Podkarpatskou Rusou v medzivojnovom období (1919 – 1939)*. Prešov : Universum, 2003.
TEICHOVÁ, Alice. Continuity and Discontinuity. Banking and Industry in Twentieth – century Central Europe. In GOOD, David F. (ed.) *Economic Transformations in East and Central Europe. Legacies from the Past and Policies for Future*. London : Routledge, 1994, s. 63-74.
TEICHOVÁ, Alice. *Medzinárodní kapitál a Československo v letech 1918 – 1938*. Praha : Karolinum, 1994.
TILKOVSZKY, Lóránt. *Južné Slovensko v rokoch 1938-1945*. Bratislava : Veda, 1972.
TOFFLER, Alvin – TOFFLER, Heidi. *Creating a New Civilization. The Politics of the Third Wave*. The Progress and Freedom Foundation, 1994.
TOFFLER, Alvin – TOFFLEROVÁ, Heidi. *Nová civilizace: Třetí vlna a její důsledky*. Praha : Dokořán, 2001.
TOMASZEWSKI, Jerzy. Židovská otázka na Slovensku v roku 1919. In *Historik v čase a priestore. Laudation Ľubomírovi Liptákovi*. Bratislava, 2000.
TOMKA, Béla. Das Verhältnis zwischen Banken und Industrie in Ungarn 1896 – 1913. In *Ungarn Jahrbuch,* München, 1977, zv. 23.
TOPORNIN, Boris N. *Politický systém socialistickej spoločnosti*. Bratislava : Pravda, 1974.
TÓTH, Andrej – NOVOTNÝ, Lukáš – STEHLÍK, Michal. *Národnostní menšiny v Československu 1918-1938. Od státu národního ke státu národnostnímu?* Praha : Univerzita Karlova v Praze, Filozofická fakulta a TOGGA, s.r.o., 2012.
TURČAN, Pavol. Prístupy k rozvoju zaostávajúcich oblastí v priemyselných štátoch. In *Ekonomický časopis*, 1966, roč. 14, č. 8.
TURČAN, Pavol. Teoretické a metodologické problémy perspektívneho modelu územného usporiadania národného hospodárstva. In *Ekonomický časopis*, 1967, roč. 15, č. 3, s. 203.
VADKERTYOVÁ, Katarína. *Dejiny cukrovarníckeho priemyslu a pestovania cukrovej repy na Slovensku 1800 – 1918*. Bratislava: Veda, 1972.
VADKERTYOVÁ, Katarína. Rozvoj hlavných odvetví poľnohospodárskeho priemyslu na Slovensku v rokoch 1848 – 1918. In *Hospodářské dějiny – Economic History*, 1982, roč. 9.
VARGA, Jenö. *A magyar kartelek*. Budapest, 1912.

VÁVRA, Václav. Organizační činnost profesorstva na Slovensku. In *Zpráva o prvním pracovním sjezdu čsl. Profesorů ze Slovenska konaném ve dnech 10. – 12. října 1925 v Lubochni.* Praha, 1926.

VINEN, Richard. *Evropa dvacátého století.* Praha : Vyšehrad, 2007.

VOLKOV, V. K. (ed.), *Milan Rastislav Štefanik. Novyj vzgljad.* Martin : Neografia pre Rossijskaja akademija nauk - Institut slavjanovedenija - Posoľstvo Slovackoj Respubliki v Rossijskoj Federacii, 2001.

VYSLOUŽIL, Jiří. Vývoj železniční sítě v Československu. In *Medzinárodní symposium 150 let železnic v Československu.* Brno : ČSVTS, 1989, s. 79.

WEISS, Louise. *La République tchéco-slovaque.* Paris : Payot et Cie, 1919.

WIENER, Moszkó. *A magyar cukoripar fejlödése.* Budapest 1902, zv. I.

WOHL, Robert. *French Communism in the Making, 1914 – 1924.* Stanford University Press, 1966.

ZÁŘICKÝ, Aleš. *Rothschildové a ti druzí aneb Dějiny velkopodnikání v Rakouském Slezsku před první světovou válkou.* Ostrava 2005.

ZAŤKO, Peter. *Industrializačná politika Maďarska a jej dôsledky.* Bratislava 1930.

Závody firmy Siemens a spol., komanditní společnost v Bratislavě. In *Slavnostní list 7. sjezdu Elektrotechnické společnosti československé - ESČ.* Praha: ESČ, 1925.

ZELENÁK, Peter. Milan Hodža a jeho pohľady na medzinárodné vzťahy v prvých rokoch Československa. In GONĚC, Vladimír – PEKNÍK, Miroslav et al. *Milan Hodža ako aktér medzinárodných vzťahov.* Bratislava : VEDA, 2015.

ZEMKO, Milan – BYSTRICKÝ, Valerián (eds.). *Slovensko v Československu (1918-1939).* Bratislava : Veda, 2004.

ZEMKO, Milan. *Občan, spoločnosť, národ v pohybe slovenských dejín. Pravidlá parlamentnej demokracie a obmedzenia v ich uplatňovaní v slovenskej spoločnosti 20. rokov 20. storočia.* Bratislava : Historický ústav SAV, 2010.

ZEMKO, Milan. Spor Hodžu a Šrobára pri 10. výročí vzniku ČSR alebo História v službe politiky. In PEKNÍK, Miroslav (ed.). *Milan Hodža: politik a žurnalista.* Bratislava : Ústav politických vied SAV; Slovenská národná knižnica v Martine vo vydavateľstve Veda, 2008.

ZMÁTLO, Peter. *Katolíci a evanjelici na Slovensku (1929 – 1932). Ľudáci a národniari na ceste k spolupráci.* Ružomberok : Verbum, 2011.

Z pamětí československého diplomata Ivana Krnu. Ed. Michal Šulc. Serie A. Fasciculus 5. Praha : Práce z dějin akademie věd, 1997.

ŽÁRY, Štefan. *Spanilej múzy osídla a vnady alebo Malé literárne múzeum.* Bratislava : Q111, 2001.

ŽATKULIAK, Jozef. Činnosť tzv. Husákovej vládnej komisie a proces prípravy federalizácie Československa. In MICHÁLEK, Slavomír – LONDÁK, Miroslav a kol. *Gustáv Husák – Moc politiky/ politik moci.* Bratislava : Veda, 2013.

ŽATKULIAK, Jozef. Postoje Alexandra Dubčeka k štátoprávnemu vývoju ČSFR v rokoch 1989 – 1992. In *Historický časopis*, 2013, roč. 61, č. 1.

Menný register

CH

I

J

K

Autori

PhDr. Róbert Arpáš, PhD. – Historický ústav SAV, Bratislava
Mgr. Juraj Benko, PhD. – Historický ústav SAV, Bratislava
prof. Étienne Boisserie – Institut national des langues et civilisations orientales (Inalco), Paríž
PhDr. Valerián Bystrický, DrSc. – Historický ústav SAV, Bratislava
PhDr. Ľudovít Hallon, DrSc. – Historický ústav SAV, Bratislava
Mgr. Matej Hanula, PhD. – Historický ústav SAV, Bratislava
PhDr. Katarína Mešková Hradská, PhD. – Historický ústav SAV, Bratislava
PhDr. Ivan Kamenec, CSc. – Historický ústav SAV, Bratislava
PhDr. Ľubica Kázmerová, CSc. – Historický ústav SAV, Bratislava
Mgr. Michal Kšiňan, PhD. – Historický ústav SAV, Bratislava
PhDr. Miroslav Londák, DrSc. – Historický ústav SAV, Bratislava
prof. Antoine Marès – Université de Paris I Panthéon-Sorbonne, Paríž
Mgr. Linda Osyková, PhD. – Historický ústav SAV, Bratislava
doc. PhDr. Jan Pešek, DrSc. – Historický ústav SAV, Bratislava
prof. PhDr. Pavol Petruf, DrSc. – Filozofická fakulta Trnavskej univerzity, Trnava
Mgr. Martin Posch – Historický ústav SAV, Bratislava
PhDr. Miroslav Sabol, PhD. – Historický ústav SAV, Bratislava
Mgr. Alžbeta Sedliaková – Historický ústav SAV, Bratislava
PhDr. Stanislav Sikora, CSc. – Historický ústav SAV, Bratislava
PhDr. Jozef Žatkuliak, CSc. – Historický ústav SAV, Bratislava

Summary

Slovakia and Europe between the Democratic and Totalitarian Regimes Chapters from the 20th Century to the Jubilee of Bohumila Ferenčuhová

Authors of this book – historians, some of them long time co-workers of Bohumila Ferenčuhová, others her colleagues from the middle and the youngest generation (including her former doctoral students) – decided to dedicate this collective monograph to her significant jubilee. The monograph presents chapters from the history of Slovakia and Europe during the 20th century which is the closest period of the scholarly interest of Mrs Ferenčuhová. Equally, it was also very dynamic period when not only in Slovakia but also in Europe took place ideological but sometimes also bloody conflicts between totalitarian (authoritative) and democratic regimes. Slovakia can serve as a good illustration of this fact. During the 20th century, at least six different political regimes occurred on its today's territory. They included periods of democracy, but also two totalitarian regimes – during the period of the Slovak Republic 1939 – 1945 and after 1948 when it was part of the communist Czechoslovakia.

The chapters of this monograph reflect not only the political, social and cultural development, but also the modernization processes that were taking place in Slovakia during those six different regimes. They are divided into four parts. The chapters of the 1st part are dealing with the international context in which the 1st Czechoslovak Republic was established and with its entrenchment in the foreign affairs system during the 1920s. The final chapter of this part examines the more or less unsuccessful effort of the new ruling elites of the autonomous Slovakia to protect its territorial integrity in 1938 and 1939. The 2nd part of the book is focused on the internal political development of Slovakia during the inter-war period. Its chapters also deal with several aspects of economic and social progress as well as with an important feature of the modernization represented by the intensive construction of roads and railways. The 3rd part of the monograph is chronologically determined by the Second World War. Its chapters study the attitudes of some protagonists of the cultural elite to the war Slovak Republic, activities of the Czechoslovak foreign resistance on the territory of the Protectorate and the destinies of significant representatives of the French Slavic Studies after their country was defeated by Germany in 1940. The chapters of the final 4th part are focused on several aspects of political, social and cultural development in Slovakia after 1948 when it was part of the communist Czechoslovakia. They map the tools used by the communist party against its "internal enemies", the invasion of the Warsaw Pact countries to Czechoslovakia from August 1968 through the eyes of the French diplomats, the road of Gustáv Husák to the communist party leadership or the peculiarities of the development in Czechoslovakia during the first years of the "normalization". As a special asset of the publication we can consider the two chapters written by two French colleagues of Bohumila Frerenčuhová. They were together with her involved in several bilateral French-Slovak or French-Czecho-Slovak projects. Those chapters give the book a "French dimension" and at least partially reflect the French topics favoured by Mrs. Ferenčuhová. We hope that she will use the presented articles in her further research in which we wish her all the best. We also hope that the book is going to find its way not only to the experts and scholars professionally involved with the Slovak history but also to the broader Slovak public that is interested in the history of Slovakia and Europe during the turbulent 20th century.

Slovensko a Európa medzi demokraciou a totalitou
Kapitoly z dejín 20. storočia k jubileu Bohumily Ferenčuhovej

Kolektívnu monografiu zostavili: Mgr. Matej Hanula, PhD.
Mgr. Michal Kšiňan, PhD.

Vydal Historický ústav SAV vo Vede, vydavateľstve SAV.

Táto práca bola podporená agentúrou Vega v rámci projektu č. 2/0119/14 Formovanie zahraničnopolitického myslenia slovenských politických elít a spoločnosti v rokoch 1918 – 1939. Jednotlivé štúdie vznikli v rámci ďalších projektov, uvedených pri kapitolách.

Bratislava, Veda, vydavateľstvo SAV, 2017

ISBN: 978-80-224-1564-4
Poradové číslo 4247